Wort für heute 2025

Kalender mit biblischen Betrachtungen
für alle Tage des Jahres 2025

Evangelisch-methodistische Kirche, Frankfurt/M.
Oncken Verlag/Blessings 4 you GmbH, Kassel
SCM Bundes-Verlag gGmbH, Witten

© **Kalender Wort für heute 2025**

Herstellung:

Satz:	Edward de Jong, Oncken Verlag/Blessings 4 you GmbH, Kassel
Druck:	BasseDruck GmbH, Hagen
Covergestaltung:	Celina Röhl, SCM Bundes-Verlag gGmbH, Witten
© Foto:	pexels.com / Gary Barnes

ISBN für die Abreißausgabe:

978-3-7655-2785-2	Brunnen Verlag GmbH
978-3-87939-881-2	Oncken Verlag/Blessings 4 you GmbH
978-3-86258-127-6	SCM Bundes-Verlag gGmbH

ISBN für die Großdruck-Buchausgabe:

978-3-7655-2795-1	Brunnen Verlag GmbH
978-3-87939-994-9	Oncken Verlag/Blessings 4 you GmbH
978-3-86258-129-0	SCM Bundes-Verlag gGmbH

ISBN für die Buchausgabe:

978-3-7655-2775-3	Brunnen Verlag GmbH
978-3-87939-991-8	Oncken Verlag/Blessings 4 you GmbH
978-3-86258-128-3	SCM Bundes-Verlag gGmbH

Wort für heute ist auch als **E-Book** erhältlich (978-3-7655-7850-2) und in der **App „Freikirchen-Kiosk"** (App Store oder Google Play).

Jahreslosung 2025

Prüft alles und behaltet das Gute! (1. Thessalonicher 5,21 E)

Der biblische Rat eröffnet weiten Raum. Mit Offenheit dürfen wir wahrnehmen, ohne Scheuklappen und ohne Angst. Augen und Ohren sollen wir aufsperren, unsere Herzen weitmachen und staunen, wo uns überall das Gute begegnet. „Das Gute" ist das, was Gott will und was das Leben fördert, das, was dem Wohl und dem Heil der Menschen dient. Gott hat faszinierend viele Weisen, uns das zu zeigen! Alles soll daraufhin betrachtet werden, doch nicht alles dient tatsächlich dem Guten. Es braucht wache Sinne, klaren Verstand und weite Herzen, um im Licht des biblischen Zeugnisses urteilen zu können. Die Prüfausrüstung wird komplettiert durch einen Schuss Kenntnis von Geschichte und Tradition. In Gemeinschaft mit anderen sind wir aufgefordert, nicht bei uns selbst stehenzubleiben, wenn wir das Gute entdecken wollen. Wir sind eingeladen, uns zu öffnen für andere, dem Evangelium entsprechende Erkenntnisse. Statt auf uns und unser Können zu achten, dürfen wir erwartungsvoll auf Gottes Überraschungen achten.

Bischof Harald Rückert
Evangelisch-methodistische Kirche Deutschland

Liebe Leserin, lieber Leser!

In diesem neuen Jahr wollen die biblischen Texte und Geschichten der ökumenischen Bibellese Sie begleiten. Über einhundert Autorinnen und Autoren der drei großen Freikirchen in Deutschland nehmen Sie mit auf eine Reise und lassen die biblische Botschaft heute lebendig und zur Glaubensstärkung werden. Wir wünschen Ihnen beim Lesen der Andachten und der biblischen Texte viel persönlichen Gewinn und neue Erkenntnisse.

Es gibt den Andachtskalender als Buch- und Abreißkalender, Großdruckausgabe, E-Book und als App (Freikirchenkiosk), die Bibeltexte stammen aus der Guten Nachricht Bibel (Ausgabe 2018). Bibeltexte aus der Lutherbibel (revidierte Fassung 2017) sind durch ein L gekennzeichnet, die aus der Einheitsübersetzung (revidierte Fassung 2016) mit einem E. Ab 2026 wird die BasisBibel Textgrundlage sein. Sie ist eine innovative Bibelübersetzung von heute und zeichnet sich durch klare Sprache, kurze Sätze und eine sinnvolle Gliederung aus.

An passender Stelle finden Sie Einführungen in die biblischen Bücher und inspirierende Lebensbeschreibungen von Christinnen und Christen, deren Geburts- oder Todestag sich jährt. Liedstrophen, Gebete, Texte, Buch-, Film- und Internettipps stellen wir den Andachten zur Seite. Diese Zusätze können Sie an folgenden Symbolen erkennen:

	Liedstrophe		Buchtipp, Filmtipp
	Monatsspruch, Einführung		Internettipp
	Fragen zum Weiterdenken		Termin
			Zitat, Gebet, Gedanke

Es grüßen die Redakteure und Verlage:

Ute Armbruster-Stephan
Evangelisch-methodistische Kirche,
Frankfurt/M., Brunnen Verlag, Gießen

Hans-Werner Kube
Bund Freier evangelischer Gemeinden in
Deutschland KdöR
SCM Bundes-Verlag gGmbH, Witten

Nicola Bourdon
Bund Evangelisch-Freikirchlicher Gemeinden in
Deutschland K.d.ö.R.
Oncken Verlag/Blessings 4 you GmbH, Kassel

1

Mittwoch
JANUAR

2025

☀ 08:27 16:25
☽ 10:07 17:50

Neujahr

Bibellese: Psalm 19

Die Weisungen des Herrn sind zuverlässig,
sie erfreuen das Herz.
Die Anordnungen des Herrn sind deutlich,
sie geben einen klaren Blick.   *(Vers 9)*

Ein neues Jahr bricht an. Das alte ist vergangen und doch nehmen wir vieles mit. Wir können Altes nicht einfach abschütteln, einen Resetknopf drücken und alles steht auf Anfang. Letztlich ist es nur ein Datum im Kalender, mit dem das neue Jahr anfängt. Und doch bietet dieses Datum, mit dem Weihnachtsfestkreis davor und den Tagen bis zum Epiphaniasfest danach, eine echte Chance, zur Besinnung zu kommen, sich neu auszurichten, das Herz zu sortieren, den Gedanken weiten Raum zu geben und dann in irgendeiner Weise neu zu starten.

Dabei kann uns das Wort aus dem Psalm 19 helfen. Es ist ein Psalm, der die Größe Gottes und die der Schöpfung beschreibt. Alten Chorsängerinnen und -sängern klingt es in den Ohren: „Die Himmel erzählen die Ehre Gottes, und die Feste künden seiner Hände Werk" (Vers 2 L). Wie immer das Leben bisher war und was immer noch kommen mag, wir dürfen den Blick heben und erkennen, wie großartig und einzigartig Gott alles geschaffen hat. Wir Menschen müssen manchmal schwere Lasten tragen, manches gibt uns Rätsel auf. Immer wieder stoßen wir an Grenzen, die uns das Herz eng und die Seele schwer machen. Dann ist es gut, aufblicken zu können, sich zu orientieren, Hoffnung zu schöpfen und mutig nach vorne zu gehen, auch wenn die Zukunft unbekannt bleibt. Im Schöpfer und Erhalter der Welt haben wir eine Orientierung über den Horizont hinaus. Für die Strecke, die vor uns liegt, bekommen wir Weisungen Gottes, die das Herz erfreuen und die Enge wegnehmen. Was wie im Nebel liegt, lichtet sich, nimmt Gestalt an und lässt die Augen leuchten. Die Gegenwart Gottes ist uns zugesichert. Er war im alten Jahr bei uns und er wird es auch im neuen sein. Das stärkt die Gewissheit, so nach und nach anzukommen am Ziel.

Michael Noss

Monatsspruch

Jesus Christus spricht: Liebt eure Feinde; tut denen Gutes, die euch hassen! Segnet die, die euch verfluchen; betet für die, die euch beschimpfen!

(Lukas 6,27-28 E)

Zuverlässige Grundlage des Glaubens

Einführung in das Lukasevangelium

Lukas versteht sich als antiker Historiker. Er bezieht sich auf Vorgänger und Augenzeugen und will mit seiner Darstellung der Ereignisse um Jesus dem verehrten Theophilus, wahrscheinlich einem Römer mit heidnischen Wurzeln, die Zuverlässigkeit der Christuslehre begründen (1,1-4). Da Lukas auch der Verfasser der dem Evangelium nachfolgenden Apostelgeschichte ist und darin den Tod des Paulus, der vermutlich unter Kaiser Nero den Märtyrertod starb, nicht erwähnt, ist die späteste Zeit der Abfassung des Evangeliums für die 60er Jahre anzunehmen.

Vor allem interessieren Lukas die ersten Anfänge, von denen die Vorgänger wenig oder gar nicht berichteten. Er bettet seine Geschichte ein in die Weltgeschichte (2,1; 3,1) und gleichzeitig in die Geschichte des Volkes Israel (1,1). Deshalb ist der Geburt Jesu die Geburt des Johannes, des späteren Täufers, vorgeschaltet. Johannes ist das Bindeglied zum Alten Bund. Sein Vater Zacharias weissagt in seinem Lobgesang mit Worten aus dem Alten Testament, dass Johannes das Kommen des lange verheißenen Retters ankündigen wird (1,76-77). Maria, die werdende Mutter Jesu, preist Gott nach der Begegnung mit Elisabet, der werdenden Mutter des Johannes, weil er seine alten Versprechen einlösen und sich in der Gestalt ihres Sohnes über sein Volk erbarmen wird (1,54-55). Der greise Simeon erkennt bei der Begegnung mit dem Neugeborenen, dass Gott sein rettendes Werk begonnen hat, das aller Welt gilt (2,30-31). Aber er weist gleichzeitig schon auf den späteren Gegenwind und die Passion des Kindes hin (2,34-35). Diese beginnt bereits mit der ersten Predigt von Jesus, in der dieser sich als der vom Propheten Jesaja beschriebene Gottesknecht versteht. Daraufhin soll er einen Abhang hinabgestürzt werden (4,16-30).

Das Evangelium des Lukas steckt voller Zitate aus den heiligen Schriften Israels, die den göttlichen Plan erläutern, der sich in der Menschwerdung, dem Leben, dem Sterben und dem Auferwecktwerden von Jesus entfaltet. Am Ende wird der Auferstandene seinen Jüngern und damit auch dem Theophilus und uns Lesern noch einmal erläutern, dass „der versprochene Retter dies alles erleiden und auf diesem Weg zu seiner Herrschaft gelangen" musste (24,26).

Dem Evangelium des Lukas verdanken wir nicht nur die bekannteste Weihnachtsgeschichte, sondern auch Texte, die in die Liturgie der Kirche eingegangen sind: die Lobgesänge des Zacharias, der Maria und des Simeon.

Hans-Werner Kube

Bibellese: Lukas 3,1-6
Johannes verkündete: „Kehrt um und lasst euch taufen, denn Gott will euch eure Schuld vergeben!" (Vers 3)

Der Rufer in der Wüste ist sprichwörtlich geworden. Schon im Alten Testament wird der Gesandte Gottes angekündigt, der die Menschen zur Umkehr aufrufen wird (Jesaja 40,3-5). Dabei steht die Redewendung eher für einen Menschen, dem kein Gehör geschenkt wird und der keinen Erfolg mit seiner Botschaft hat.

Das war bei Johannes dem Täufer phasenweise anders. Die Menschen folgten ihm in die Wüste, hörten seine Worte, sahen seinen authentischen Lebensstil und ließen sich taufen als Zeichen der inneren Umkehr. Erfolglos war er eigentlich nicht, denn seine Botschaft hatte etwas Faszinierendes. Er redete von einem Neuanfang, von einer neuen Möglichkeit der Lebensgestaltung und der Lebensbewältigung. Er zeigte den Menschen eine Alternative zum Lebensstil der Mächtigen. Johannes war kein

Verschwörer, sondern sein ihm gegebener Auftrag sollte die Menschen neu ausrichten.

Es gibt die Chance zu einem Neuanfang, immer wieder und jeden Tag neu: „Gott will sich mit euch versöhnen!" Umkehr meint den Sinneswandel, das Ausrichten auf das Wesentliche, die Erkenntnis, dass manches, was uns so sehr beschäftigt, nicht das Eigentliche ist, worauf es ankommt. Das, was wirklich zählt, ist, dass die Menschen Frieden mit Gott machen, der ihre Sehnsucht stillt und in ihnen die Hoffnung wachhält. Dass das Ganze in der Wüste stattfindet, hat wohl auch seinen Grund. Hier ist ein karger Ort, hier hat man die Chance, sich nicht ablenken zu lassen, hier ist der Moment, sich auf sich selbst zu konzentrieren und ehrlich zu sein. Solche Wüstenmomente, Auszeiten aus dem Alltag, haben auch heute noch ihre Bedeutung. Sie helfen uns zur Konzentration auf die wesentlichen Dinge unseres Lebens.

Johannes' Rufe in der Wüste sind längst verhallt. Er selbst wird ein Opfer der Willkür der Mächtigen. Er lässt sein Leben. Aber er geht nicht ohne die Verheißung, dass nach ihm jemand kommen wird, der größer ist als er und dessen Ruf nicht verhallen wird. Dieser wird mit seinem Tod am Kreuz die Versöhnung mit Gott vollenden. Johannes sagte es an und Jesus Christus vollendete es.　　*Michael Noss*

3

Bibellese: Lukas 3,7-14
Johannes sagte: „Zeigt durch eure Taten, dass ihr es mit der Umkehr ernst meint!" *(Vers 8)*

Die Menschen pilgerten in Scharen zu Johannes. Es rührte sie an, was er zu sagen hatte. Sie hatten das Gespür dafür, dass hier jemand redet, der die Dinge beim Namen nennt und nicht seinen eigenen Vorteil sucht. Er zeigte nicht auf sich oder auf andere, sondern er lud die Menschen ein, sich neu auszurichten, das in den Blick zu nehmen, was wirklich zählt, und sich nicht durch politische Macht- und Ränkespiele hinters Licht führen zu lassen. „Seht auf Gott, fragt nach seiner Gerechtigkeit, kehrt um, solange ihr noch könnt." Die Menschen waren angerührt. Sie waren bereit, sich taufen zu lassen, um an diesem äußeren Zeichen deutlich werden zu lassen, was in ihnen vorging.

Aber Johannes will keinen schnellen Erfolg, er will ehrliche und wahrhaftige Menschen. Er beschimpft geradezu die Taufwilligen, nennt sie Otterngezücht,

Schlangenbrut und entlarvt ihre Haltung. „Wenn ihr es ernst meint, dann zeigt durch eure Taten, dass ihr die Umkehr wirklich wollt! Beruft euch nicht auf eure Tradition!" Die Menschen reagieren betroffen und fragen Johannes, was sie denn tun sollen. Und Johannes wird erstaunlich praktisch. Er ruft zum Teilen mit anderen auf: Kleidung, Nahrung, Geborgenheit. Er ermahnt zur Rechtschaffenheit und wendet sich gegen jeden Betrug. Er fordert die Menschen auf, nicht auf Kosten anderer zu leben und niemandem ein Leid zuzufügen. Die Menschen waren beeindruckt, weil die Rede von Johannes tiefen Sinn ergab. Ja, so kann das Leben gelingen. Ja, so meinte Gott es von Anfang an.

Und so ist es bis heute geblieben. Das, was Johannes damals den Menschen sagte, könnte er genauso heute sagen: Lebt nicht auf Kosten anderer, lebt nicht mit eurem Verhalten gegen die Menschen und gegen die Schöpfung, meidet den Überfluss und wenn ihr Beschenkte seid, da helft anderen zum Leben und zur Gerechtigkeit. Damals dachten die Menschen, Johannes könnte der Messias sein. Als Johannes das merkte, sagte er, dass er mit Wasser taufe, aber dass nach ihm jemand kommen würde, der mit Geist tauft und zum Leben führt. Wir wissen, dass er kam, der Messias. Durch Jesus Christus kam Gnade und Wahrheit.

Michael Noss

Bibellese: Lukas 3,15-20
Johannes tadelte auch den Fürsten Herodes, weil er Herodias, die Frau seines Bruders geheiratet und auch sonst viel Unrecht getan hatte. (Vers 19)

Johannes der Täufer tritt auf und fordert von den Menschen radikale Umkehr. Ein heikles Unterfangen bis heute. Das Gewohnte verlassen und sich neu ausrichten? Wer will das schon wirklich, selbst wenn sich das gut und richtig anhört? Johannes erleidet das Schicksal derer, die den Finger in die Wunde legen und eine Veränderung der Verhaltensweise der Menschen fordern, ihnen ihre Fehler aufzeigen und die möglichen schlimmen Konsequenzen ihres Verhaltens.

Unser Text ist die Schnittstelle zwischen dem Wirken des Johannes und dem Beginn des Wirkens von Jesus. Das Leben und die Predigt des Johannes ist zu Ende und auch gescheitert. Er hat dem herrschenden Herodes gegenüber zu deutlich den Mund aufgemacht, darum wird er verhaftet und später getötet. So geht das bis heute mit den Kritikern der Autokraten. Dabei hat er nicht einmal seine Politik kritisiert, sondern sein Privatleben. In Markus 6,17 lesen wir: Herodes hat seinem Bruder Philippus die Frau, Herodias, weggenommen und sie geheiratet. Johannes hatte ihm daraufhin vorgehalten: „Das Gesetz Gottes erlaubt dir nicht, die Frau deines Bruders zu heiraten" (3. Mose/Levitikus 18,16).

Johannes tadelt und nennt das für alle Juden Offensichtliche beim Namen. Keine Diplomatie, kein Kompromiss, keine Privilegien und Ausnahmen für den Herrscher. Das ist eigentlich gut und klar und eindeutig. Aber es führt zu Konflikt und Konfrontation. In privaten wie politischen Fragen unserer Tage wissen auch wir oft genau, was richtig und recht und gut wäre, aber wir tun es nicht. Aus vielerlei Gründen. Der Arzt hat gut reden mit seinen Ratschlägen, der Pfarrer auch und die Klimaschützer gleich gar.

Johannes hat damals vor den Folgen und Konsequenzen gewarnt, man hat ihn nicht ernstgenommen. Wir werden sehen, wie es heute bei uns weitergeht.

Ute Armbruster-Stephan

5

Sonntag
JANUAR

2025

☀ 08:26 16:29
☽ 11:16 23:30

2. Sonntag nach Weihnachten

Bibellese: Psalm 72
Gott, gib dem König Weisheit,
damit er in deinem Sinn Recht sprechen kann. (Vers 1)

Gestern haben wir von König Herodes gelesen, der willkürlich und mit viel persönlichem Hintergrund regiert und Urteile gefällt hat. Er steht für das Bild der Herrscher in dieser Welt, der Monarchen, der Autokraten und Diktatoren. Der Psalm heute ist ein Segenswunsch für den König. Er soll im Namen Gottes weise sein Volk führen und Gerechtigkeit walten lassen. Er kümmert sich, er schafft Wohlstand, sein Volk lebt in Frieden. Dieser Psalm wurde bei der Einsetzung des Königs gebetet, er formuliert die Hoffnungen der Menschen und stellt seine Herrschaft unter den Segen Gottes. So würden wir es uns wünschen, so wäre es für alle Völker gut, bis heute, wenn Zusammenleben und Herrschaft so funktionieren würden. Zum Wohle aller.

Wir feiern heute den ersten Sonntag in diesem neuen Jahr und es wird politisch und gesellschaftlich neue Entwicklungen und Ereignisse bereithalten. Bestimmt werden wir an manchen Tagen fassungslos vor dem Fernseher sitzen ob der Nachrichten, die uns dort vorgelesen werden. Was ist los auf dieser Welt, wie regieren die Herrscher, was tun oder lassen die Verantwortlichen, was müssen Menschen ertragen, wo bleiben Weisheit, Gerechtigkeit und Frieden?

Vielleicht bräuchten auch wir immer, regelmäßig, zuverlässig ein Segensgebet für unsere Verantwortlichen in Staat und Politik. Wo wir Gott immer wieder bitten um Beistand, Weisheit und kluges Handeln in den Gegebenheiten unserer Zeit.

Ute Armbruster-Stephan

 Segenswunsch für alle, die Verantwortung tragen: Gott, gib den Politikerinnen und Politikern, den Herrschern der Nationen Weisheit, damit sie in deinem Sinne regieren zum Wohl der Menschen.
Unparteiisch sollen sie ihre Völker regieren und allen zu ihrem Recht verhelfen.
Unter ihrer Verantwortung soll ihr Volk im Frieden leben und genug zum Leben haben.
Schenke du ihnen die rechten Worte und Gedanken und segne sie in ihrem Tun.

Ute Armbruster-Stephan

6

Montag
JANUAR

Epiphanias (Erscheinungsfest)

Bibellese: Lukas 3,21-38
Zusammen mit dem ganzen Volk hatte auch Jesus sich taufen lassen. *(Vers 21)*

„Aber das wäre doch nicht nötig gewesen!" Kaum jemand, der diesen Satz nicht schon gehört oder selber gesagt hätte. Ein Tulpenstrauß oder selbstgebackenes Brot zum Beispiel als kleines Geschenk für Gastgeber, es muss nicht sein und doch kommt es gut an. Auch an ganz anderer Stelle ist mir der Satz schon begegnet. „Also für mich wäre das nicht nötig gewesen", sagt jemand und meint den Weg, den Jesus gegangen ist. „Für Sünder soll er gekommen sein – als ein solcher fühle ich mich gar nicht. Von daher: Für mich hätte er nicht zu kommen brauchen", denkt jemand und meint, Gott habe zu viel Aufwand getrieben. Das Problem dabei ist: Wer legt fest, was notwendig ist? Wenn ein Höhlenforscher irgendwo verschüttet ist und Bergungshelfern gelingt es, Kontakt zu ihm aufzunehmen, wird etwa der Verunglückte ihnen diktieren, welche

Maßnahmen sie zu ergreifen haben, wenn sie ihn retten wollen? Nicht uns verlorene Menschen hat Gott gefragt, wie unsere Rettung vor sich gehen soll. Der Einzige, den er gefragt hat, war sein Sohn; und Jesus war bereit, alles auf sich zu nehmen. So verließ er den Himmel und kam zur Welt. Wurde ein Mensch von Fleisch und Blut und wohnte unter uns.

Aber weshalb hat Jesus sich von Johannes taufen lassen? Eine Taufe zur Umkehr und zur Vergebung der Sünden war das. Die aber war für Jesus doch gar nicht nötig, weil es auch nicht eine Sünde bei ihm gab, nicht die geringste Unstimmigkeit in der Beziehung zu Gott. Jesus war dieser Schritt offenbar wichtig, weil Gott ihn für richtig hielt und weil er sich dadurch mit allen Menschen auf eine Stufe stellte. Mit Sündern hat er sich identifiziert. Wer das ist? Die Menschen aller Zeiten hatte er im Blick, als er sämtliche Verfehlungen auf sich nahm. Jesus, der Gekreuzigte. Für alle Völker hat Gott ihn gesandt. Und sorgt dafür, dass Menschen überall auf der Welt dankbar bekennen: „Jesus, wie notwendig bist du für mich!"

Jan Karsten Hoekstra

 Wenn wir unter Jesus stehen, stehen wir über den Dingen. Wenn wir uns über Jesus erheben, geraten wir unter die Dinge.

Helmut Thielicke (1908-1986), evangelischer Theologe

7

Dienstag
JANUAR

Bibellese: Lukas 4,1-13
Als der Teufel mit alldem Jesus nicht zu Fall bringen konnte, ließ er ihn vorläufig in Ruhe.   (Vers 13)

Bären führen manchmal sogenannte Scheinangriffe. Nach einem Brummen oder Fauchen rennt der Bär auf den Menschen zu und hält wenige Meter vor ihm an, dreht ab und rennt wieder davon. Er kann dies mehrfach wiederholen. Es kommt meist vor, wenn der Bär überrascht wurde.

Was der Teufel in der Begegnung mit Jesus unternimmt, war jedenfalls kein Scheinangriff. Satan, ein Meister raffinierter Attacken. Nichts hat er unversucht gelassen, um Jesus auf seinem Weg scheitern zu sehen. Zu Beginn seines öffentlichen Wirkens begibt Jesus sich eine Zeitlang in die Wüste, ohne etwas zu essen. Hier nähert sich ihm der Teufel. Womit lockt er Jesus, was verspricht er ihm? „Du als Gottes Sohn, wie leicht könntest du durch ein Wunder dein Hungerproblem lösen; oder was für eine Sensation wäre es, wenn du dich vom Dach des

Tempels hinabstürzt und Engel fangen dich auf; und was für eine ungeheure Macht könnte ich dir verleihen, ohne einen Leidensweg wohlgemerkt; nur vor mir niederfallen müsstest du."

Jesus aber lässt sich zu rein gar nichts verleiten. Der Versucher muss einsehen, dass er abblitzt, eine Niederlage erleidet. Vorläufig lässt er Jesus in Ruhe, bis zu einer erneuten Gelegenheit, die ihm der Plan Gottes noch lässt. So sehr Ungeduld zu Satans Eigenschaften gehört, so deutlich kann er auch warten. Versuchungen, kommen sie nicht gern in Wellen und nicht in ständiger Folge? Jesus aber wehrt auch weitere teuflische Versuche ab, ihn als Erlöser unmöglich zu machen. Satan kann es nur misslingen, einen Keil zwischen Gott den Vater und den Sohn zu treiben. Des Teufels Tage sind bei Gott gezählt. Wenn Gottes neue Schöpfung vollendet ist, wird man vom Versucher nichts mehr wissen. Der frohe Blick auf Jesus aber bleibt für immer. *Jan Karsten Hoekstra*

 Es gibt zwei Irrtümer über die Teufel. Der eine ist, ihre Existenz überhaupt zu leugnen. Der andere besteht darin, an sie zu glauben und sich in übermäßiger und ungesunder Weise mit ihnen zu beschäftigen. Die Teufel selbst freuen sich über beide Irrtümer gleichermaßen.

C. S. Lewis (1898-1963), irischer Schriftsteller

8

Mittwoch
JANUAR

2025

☀ 08:25 16:33
☽ 11:57 02:20

Bibellese: Lukas 4,14-21
Jesus stand auf, um aus den Heiligen Schriften vorzulesen.
(Vers 16)

Sabbat, jüdischer Ruhetag, Gottesdienst. Auch in der Synagoge von Nazaret. Man hört einen Abschnitt aus den fünf Büchern Mose. Es folgt die Lesung eines prophetischen Textes. Daran durfte sich jeder männliche Israelit beteiligen und den Abschnitt frei wählen. Der, der diesmal dazu aufsteht, Jesus, ist bekannt. Schließlich ist er in Nazaret aufgewachsen und mit dem jüdischem Gottesdienst bestens vertraut. Alle richten ihre Blicke auf ihn. Jesus wählt eine Stelle aus dem Buch des Propheten Jesaja: „Der Geist des Herrn hat von mir Besitz ergriffen, weil der Herr mich gesalbt und bevollmächtigt hat. Er hat mich gesandt, den Armen gute Nachricht zu bringen, den Gefangenen zu verkünden, dass sie frei sein sollen, und den Blinden, dass sie sehen werden. Den Misshandelten soll ich die Freiheit bringen." Als Hinweis auf den Messias verstand man dies in Israel. In seiner Rede bezieht Jesus es nun auf sich: „Heute ist dieses Prophetenwort unter euch in Erfüllung gegangen." Und die Reaktion? Alle staunen über seine Worte. Noch ahnt niemand, außer Jesus, dass es bald mit der Ruhe in diesem Gottesdienst vorbei sein wird.

Gottesdienst heute: Bibelworte kommen zur Sprache. Wer da liest, tut es im Namen von Jesus. Und der Heilige Geist macht Worte, die vor zwei Jahrtausenden gesprochen wurde, für Herzen lebendig, ein Wunder. Wie sonst könnte jemand anschließend sagen: „Jesus hat zu mir gesprochen."

Kardinal Nguyen Van Thuan (1928-2002) berichtet aus seiner Haft in Vietnam: Die Christen unter den Gefangenen teilten das Neue Testament, das sie heimlich mitgebracht hatten, in kleine Blättchen auf. Sie verteilten sie untereinander und lernten es auswendig. Da der Fußboden aus Erde oder Sand bestand, verbargen sie, wenn sie die Schritte der Wachen hörten, das Wort Gottes darin. Am Abend, in der Dunkelheit, trug jeder der Reihe nach den Teil vor, den er gelernt hatte. Es war bewegend, in der Stille und Dunkelheit dem Wort Gottes zu lauschen; die Gegenwart Jesu, das „lebendige Evangelium", zu spüren und in sich aufzunehmen. Die Nichtchristen hörten dabei mit Respekt und Bewunderung zu.

Jan Karsten Hoekstra

9

Donnerstag
JANUAR

Bibellese: Lukas 4,22-30
Die Menschen trieben Jesus aus der Stadt hinaus, bis an den Rand des Berges, auf dem Nazaret liegt. Dort wollten sie ihn hinunterstürzen. *(Vers 29)*

Synagogengottesdienst in Nazaret. Jesus ist auch da und ergreift das Wort, Alle sind beeindruckt und staunen über seine Worte. Dann aber schlägt die Stimmung komplett um. Was macht die Leute so wütend? Jesus erwähnt zwei Begebenheiten aus der Geschichte Israels, wo zwei Menschen, eine Witwe und ein syrischer Offizier, Gottes wunderbare Hilfe erfahren. Und beides waren Heiden. Bei dieser Rede von Jesus ist es mit der Freundlichkeit seiner Zuhörer vorbei. „Will der etwa sagen, dass Gott seine Gnade uns Juden vorenthält, sie gleichzeitig aber Menschen aus anderen Völkern erweist?" Jesus stößt auf heftige Ablehnung. Umbringen will man ihn.

„Jesus muss weg!" Immer war dies das Ziel seiner Gegner. Weil man ihn selber aber nicht ergreifen kann, wird alles zur Zielscheibe, was es ohne ihn nicht gäbe: Kirchen, Bibeln, Gottesglaube, Christen. Benachteiligt, schikaniert, verfolgt werden sie. Das hat eine lange Tradition. Schon im 1. Jahrhundert im Römischen Reich fing es an. Und heute, wie ergeht es Christen in Teilen Chinas? Lehrer ermutigen Schüler, ihre eigenen Eltern, sofern sie Christen sind, zu denunzieren. Und in Nordkorea? Christen dort werden verhaftet, es gibt Zwangsabtreibungen, Mord an Neugeborenen und Hinrichtungen. Schon bei Besitz einer Bibel droht die Todesstrafe oder Arbeitslager für die ganze Familie. Wie viel Angst vor Gott und Jesus haben politische Machthaber, wenn sie Christen mit allen Mitteln bekämpfen?

„Jesus muss weg!" Damals in Nazaret gelang es nicht, ihn zu beseitigen. Und wo immer man dies seither versucht hat, wurde eher das Gegenteil erreicht. Seine Gemeinde wächst, zum Beispiel im Iran, einem der gefährlichsten Länder, wenn man Christ ist. Dennoch kommen dort Menschen in größerer Zahl zum Glauben. Ein Teil sucht dann nach einer Möglichkeit, ins Ausland zu fliegen, um sich taufen zu lassen. Wer Jesus beseitigen will, verrechnet sich, weil er ihn und seine Kraft, Wunder zu tun, unterschätzt.

Jan Karsten Hoekstra

Bibellese: Lukas 4,31-37
Die Menschen waren sehr beeindruckt; denn Jesus redete wie einer, den Gott dazu ermächtigt hat.

(Vers 32)

Wow, Sie muss man kennen!", sagte ich zu der älteren Frau, die neben mir saß und genüsslich ihr Mittagessen beim Fleischer verschlang. Jeder, der den Laden betrat, reagierte auf sie. Die Atmosphäre sprudelte Bekanntheit und es floss echte Wertschätzung. Ich war neugierig auf ihr Geheimnis, sie sah so normal aus. Offen erzählte sie, dass sie als Schwimmtrainerin der ganzen Stadt das Schwimmen beigebracht hatte.

Nachdem Jesus in seiner Heimat Nazaret nicht viel bewirken konnte, ging er nach Kafarnaum. Er verbrachte den Sabbat wie ein typischer Jude, zuerst geht es in die Synagoge. Jesus lehrte dort mit Vollmacht. Seine Predigten wurden auch in der Praxis erprobt. Ein Mensch mit einem dämonischen Geist sprach ihn an. Dieser distanzierte sich von Jesus:

„Lass ab, was haben wir mit dir zu tun, Jesus aus Nazaret?" Jesus hätte sich nach der Erfahrung in seiner Heimat abgelehnt fühlen können. Aber er sah hinter der Finsternis einen gefangenen Menschen, der dann noch nachlegte: „Ich weiß, du bist der Heilige Gottes!" Doch Jesus braucht auch keine Anerkennung aus der Finsternis, sondern er verkündigt den Gefangenen die Freiheit (Jesaja 61,1). So trieb Jesus auch diesen bösen Geist aus. Ein Mensch wurde befreit. Vollmacht kommt aus Ehrfurcht und Demut vor Gott. Jesus hielt am Auftrag Gottes fest, ob die Menschen sich öffneten oder verschlossen. Jesus passte sich nicht an, um Menschen durch coole Predigten und fromme Taten zu beindrucken. Letztendlich ertrug er das Kreuz. Durch seine Unterordnung unter Gott und sein Wegschauen von sich ist Jesus das Evangelium, die frohe Botschaft selbst geworden. Damit ist Jesus der einzige Schlüssel zur Befreiung von Gottlosigkeit. Gott beruft dich, das Evangelium zu leben und weiterzusagen!

Kathrin Böttche

 Vergib uns, wenn wir uns aus Angst vor Ablehnung den Wünschen der Menschen anpassen, statt dir, Jesus, die Möglichkeit zu geben, dass du durch uns in das Leben der Menschen hineinsprichst, hineinliebst und hineinhandelst.

Kathrin Böttche

11

Bibellese: Lukas 4,38-44

Jesus sagte zu den Leuten: „Ich muss auch den anderen Städten die Gute Nachricht verkünden, dass Gott seine Herrschaft aufrichtet; denn dazu hat Gott mich gesandt." (Vers 43)

Mit 1 000 Mark Spenden und einem geliehenen Auto von einem Mitstudenten gingen wir auf eine Missionsreise nach Mecklenburg. Betend suchten wir die erste Stadt auf der Landkarte. Die Regel war: Wenn wir eine Gemeinde finden, die uns aufnimmt, dann evangelisieren wir in der Stadtmitte, wenn nicht, ziehen wir weiter. Wir erlebten Ablehnung und Annahme. Unvergesslich war ein armer Mann, der im Regen lange zuhörend neben uns saß. Als wir fertig waren, gab er uns seine letzten Pfennige. Wir wollten zwar kein Geld, aber er wollte es nicht zurücknehmen und ließ uns keine Wahl. Die Pfennige brannten auf unseren Handflächen, denn sie wogen für uns mehr als Tonnen von Goldbarren. Jesus heilte die Schwiegermutter von Simon und der Buschfunk funktionierte auch ohne WhatsApp. Viele Kranke und von Dunkelheit Gefangene kamen und wollten Rettung. Jesus heilte auch sie. Als Jesus sich am Morgen zum Beten zurückzog, erbaten die Kranken wieder Heilung. Doch Jesus sagte, er müsse weiterziehen, denn die Menschen in anderen Städten sollten auch das Evangelium erleben.

Heutzutage erreichen wir aktiven Christen noch nicht einmal die eigene Stadt. Da missionieren eher alternative Parteien, Klamotten- und Imbissbuden, der meist negative Klatsch und erschreckenderweise sogar der Antisemitismus. Warum sind wir so schweigsam geworden? Weshalb verkriechen wir uns in unseren Kirchen und haben Angst vor der Zukunft? Lasst uns jetzt das Gegenteil tun und das Licht des Evangeliums in dieser Dunkelheit verkündigen und leben. Damit entzünden wir eine Veränderung der Hoffnung. Deutschland braucht jetzt eine Umkehr zu Jesus Christus. *Kathrin Böttche*

 Danke, dass der Jude Jesus uns vorlebte, ein Hoffnungsträger zu sein. Wir entscheiden uns heute, dass wir darin Jesus folgen wollen. Leite uns durch den Heiligen Geist, wenn wir an unseren Orten den Menschen von Jesus erzählen. Bestätige dein Evangelium mit Zeichen und Wundern. *Kathrin Böttche*

12

Sonntag
JANUAR

2025

☀ 08:22 16:39
☽ 14:28 07:49

1. Sonntag nach Epiphanias

Bibellese: Psalm 4

Denkt einmal gründlich nach,
nachts, wenn ihr allein seid,
und werdet still!

(Vers 5)

Leichter gesagt als getan, oder? Wenn der Mensch wachliegt, nicht schlafen kann, geschieht meistens das Gegenteil: Mag sein, dass nachts alles „still" ist. Im Kopf aber kann dann schon mal das Gedankenkarussell die Fahrt aufnehmen. Das hält wach. Macht aber nicht still.

Bevor David zum gründlichen Nachdenken auffordert, wendet er sich an seinen Gott. Er hat Angst, sieht sich von mächtigen Gegnern in die Ecke gedrängt. Man redet nicht gut über ihn. Das tut mächtig weh. Seine Gegner sollen nachdenken. Sollen sehen, dass der lebendige Gott den Weg seiner Leute lenkt. Vielleicht erkennen sie dann: Jeder Tat geht ein Gedanke voraus. Ob das ein guter oder ein schlechter ist, hängt davon ab, ob der Mensch seine Gedanken mit Gott denkt: „Macht Schluss mit dem Unrecht!", sagt David in seinem Lied. Denkt, was ihr denkt, mit Gott. Worüber soll dann nachgedacht werden?

David hat erkannt: Du kannst dich mit Gott aufregen oder ohne ihn. Ihm zugewandt oder von ihm abgewandt. Das ist ein gewaltiger Unterschied. Ohne Gott musst du dich aufregen, dich hochschaukeln. Du denkst zwar über dich und deinen Schmerz nach. Weil du dabei aber um dich kreist, denkst du nicht wirklich nach. Du fragst nicht danach, wie Gott über dich denkt. Und darum kommst du nicht zur Ruhe.

Deshalb redet David in seinem Lied vom Opfer. Das Opfer soll Gott recht sein. Wer opfert, der sucht nicht seine Ehre. Wer opfert, der ehrt Gott. Wer Gott nicht ehrt, der muss unruhig bleiben. Der kommt nicht zur Ruhe (Hebräer 3,11). Der muss, wenn er sieht, was in dieser Welt geschieht, fast durchdrehen.

Wer Gott ehrt, der löst seinen Alltag und sein Erleben nicht von Gott. Darum freut sich David über den Ruhepunkt, aus dem er seinen Frieden zieht: „Allein du, Herr, hilfst mir, dass ich sicher wohne" (Vers 9 L).

Paul-Gerhard M. Knöppel

13

Montag
JANUAR

2025

☀ 08:21 16:40
☽ 15:42 08:40

Bibellese: Lukas 5,1-11

Simon erwiderte: „Herr, wir haben uns die ganze Nacht abgemüht und nichts gefangen. Aber weil du es sagst, will ich die Netze noch einmal auswerfen." *(Vers 5)*

Das kommt mir so bekannt vor. Wie oft stimme ich in diese Litanei ein: Ich habe es versucht, ich habe mich eingesetzt, ich habe mir solche Mühe gegeben, aber das Ergebnis ist entmutigend, jetzt mag ich nicht mehr! Mit solchen Erfahrungen sind wir selten allein. Nur, bei Petrus endet der Frust darüber, dass die Mühe nicht belohnt wurde, nicht im Selbstmitleid. Nein, im Gegenteil, die Geschichte seines Lebens beginnt erst, hier beim Misserfolg. Schon erstaunlich, was Jesus mit seiner sanften Aufforderung bewirkt. Eine Willensentscheidung, ein erneuter Einsatz – diesmal mit einem unerwarteten Ergebnis. Petrus ist völlig überwältigt. Nachdem er schon miterlebte, wie Jesus seine Schwiegermutter geheilt hat, setzt er voll auf Jesus und ist er bereit, ihm nachzufolgen. Sein Leben erhält eine neue Richtung, einen neuen Inhalt und Sinn. Wow, da wäre ich gerne mit von der Partie gewesen. Aber ich kann auch ohne direkte Teilnahme etwas von diesem Geschehen für mein Leben lernen. Zum Beispiel, indem ich mich wie Petrus nicht von einer Enttäuschung bestimmen lasse, sondern mit einem vertrauensvollen Satz: „Weil du es sagst, will ich es tun", weitergehe. Diese innere Einstellung baut auf Hoffnung und lässt mich weg von mir selbst auf Jesus blicken. Mein Scheitern, mein Frust ist dabei nicht einfach vergessen und aufgehoben, aber mein Leben wird davon nicht mehr bestimmt. Je mehr ich als Nachfolgerin mit Jesus erlebe, desto leichter wird mir dieser Blickwechsel fallen. Was ich dabei nicht vergessen will: Auch wenn dieses Highlight Petrus zu einem neuen Menschen gemacht hat und er noch viele Höhepunkte mit Jesus erlebte, Zeiten, wo er entmutigt und frustriert war, blieben ihm weiterhin nicht erspart. Die Entscheidung, das Vertrauen auf seinen guten Herrn zu setzen, ist immer neu nötig.

Lea Hafner

Herr, immer wieder bin ich mutlos, weil ich mich eingesetzt habe für deine Sache. Ich möchte so gerne wie Petrus das Netz auswerfen und viele Fische fangen, aber ich will mein Vertrauen in dich setzen, auch wenn der Erfolg ausbleibt.

Lea Hafner

14

Dienstag
JANUAR

2025

☀ 08:21   16:42
☽ 17:04   09:14

Bibellese: Lukas 5,12-16
Als der Aussätzige Jesus sah, warf er sich vor ihm nieder, das Gesicht zur Erde, und flehte ihn an: „Herr, wenn du willst, kannst du mich gesund machen!" *(Vers 12)*

Ein altes Gemeindemitglied, das ich unterwegs getroffen habe, erzählte mir von ihrer Krebserkrankung mit der schlechten Prognose. Der Frau ist die Krankheit anzusehen. Kein Wunder, kann sie doch nur noch flüssige Nahrung zu sich nehmen. Es tut mir leid, dass ich ihr das Leiden nicht abnehmen kann. Ich versuche, Worte dafür zu finden. Sie aber meint nur: „Weißt du, ich fühle mich getragen von vielen Menschen, die an mich denken." Ohne es direkt auszusprechen kam ihr Vertrauen in Gott und seine Möglichkeiten dabei deutlich zum Ausdruck.
Ich staune über den Aussätzigen, der zu Jesus kommt. Er drückt seinen Wunsch nach Heilung zwar in Tonfall und Handlung aus, aber nicht in Worten. „Wenn du willst..." Er weiß, dass Jesus weiß, was er sich sehnlichst wünscht. Er lässt ihm jedoch die

Freiheit im Handeln. Er kommt mit dem großen Verlangen nach Heilung, akzeptiert aber zugleich alles, was kommt. Damit zeigt er tiefes Vertrauen.

Dieses Vertrauen, das auch das kranke Gemeindemitglied zum Ausdruck brachte, wünsche ich mir auch. Gerade in Zeiten, wo ich mich krank und schwach fühle, physisch oder seelisch leide. Eigentlich schreit dann in mir alles: Bitte, mach mich gesund. Hol mich heraus aus meiner Depression, ich halte diesen Schmerz nicht mehr aus! Aber passt das zu einer Person, die sich ganz in Gott geborgen weiß? Ist dieses „Ich will ... und zwar sofort!" nicht eher das Verhalten eines noch unreifen Kindes?

Wie tröstlich, dass Jesus sich von einem kleinen Glauben nicht abhalten lässt. Wie gut, dass er meine ausgesprochenen und unausgesprochenen Bedürfnisse und Wünsche kennt. Er will auch mir begegnen und mir immer neue Gelegenheiten schenken, in meinem Vertrauen zu wachsen.   *Lea Hafner*

 Guter Gott, immer wieder ertappe ich mich dabei, dir vorschreiben zu wollen, was du zu tun hast. Dabei weiß ich doch, dass du mich viel besser kennst als ich mich selber. Ich will dir vertrauen lernen und daran festhalten: Du lässt nur zu, was mir zum Besten dient.
Lea Hafner

Zum 14. Januar 2025
Theologe, Musiker, Philosoph und Mediziner

Heute vor 150 Jahren wurde **Albert Schweitzer** am 14. Januar 1875 im Pfarrhaus von Kaysersberg im Elsass **geboren.** Nach Schule und Abitur studierte er Theologie und Philosophie an der Universität in Straßburg. Doch nicht die erfolgreiche akademische Laufbahn oder eine Karriere als erfolgreicher Organist waren sein Lebensziel. Er studierte ab 1905 Medizin, um als Missionsarzt nach Afrika gehen zu können.

1913 siedelte er mit seiner Frau Helene nach Gabun über und baute in Lambarene ein Urwaldhospital auf, das bis heute besteht. Neben seiner Tätigkeit als Arzt musste er sich auch um Spenden für die Finanzierung des Krankenhauses kümmern. Durch Konzert- und Vortragsreisen sammelte er in vielen Ländern Geld und Medikamente. Eine umfangreiche Korrespondenz legte den Grundstein für die Überlegungen zu seiner Ethik „Ehrfurcht vor dem Leben" mit dem Leitgedanken: „Ich bin Leben, das leben will, inmitten von Leben, das leben will."

In den Wirren des Ersten Weltkrieges folgten Hausarrest, Internierung und Rückkehr ins Elsass. Dort nahm

Schweitzer die französische Staatsbürgerschaft an, er selbst bezeichnete sich jedoch gern als Elsässer und „Weltbürger". Er nahm wieder eine Stelle als Vikar an und trat als Assistenzarzt in ein Straßburger Spital ein. Mit Unterstützung vieler konnte er 1924 nach Afrika zurückkehren, um dort das Urwaldhospital auszubauen. Die Jahre des Nationalsozialismus erlebten er und seine jüdische Ehefrau dort. Von der Ideologie hat er sich früh distanziert und vor der Kriegsgefahr gewarnt. Albert Schweitzer kämpfte für atomare Abrüstung und Frieden in der Welt. Nach dem Zweiten Weltkrieg wurde ihm viel öffentliche Ehre zuteil. In seiner erst 1954 gehaltenen Dankesrede zur Verleihung des Friedensnobelpreises von 1952 sprach sich Schweitzer deutlich für eine generelle Verwerfung von Krieg aus: „Krieg macht uns der Unmenschlichkeit schuldig", zitiert Albert Schweitzer Erasmus von Rotterdam.

Zum Teil wurden Schweitzer rassistische, paternalistische und pro-kolonialistische Einstellungen vorgeworfen. So kritisierte er die Unabhängigkeit von Gabun, weil das Land dafür noch nicht bereit sei. Afrikaner seien seine Brüder, jedoch seine „jüngeren Brüder". Am 4. September 1965 starb er in Lambarene, wo auch seine Grabstätte liegt.   Ute Armbruster-Stephan

Bibellese: Lukas 5,17-26

Die Gesetzeslehrer und Pharisäer dachten: „Was maßt der sich an, dass er eine solche Gotteslästerung auszusprechen wagt! Nur Gott kann den Menschen ihre Schuld vergeben, sonst niemand!"   *(Vers 21)*

Ich bin keine Jüdin und lebe mehr als zweitausend Jahre nach diesem Geschehen. Und doch kommt mir das bekannt vor! Geprägt von den vielen Diskussionen innerhalb der Evangelisch-methodistischen Kirche zum Thema menschliche Sexualität sind mir die schlagenden Argumente und heiß geführten Diskussionen noch in bester Erinnerung. Sie beginnen oder enden alle mit: „Das steht so (nicht) in der Bibel, daran haben wir uns zu halten. Alles andere ist ‚gotteslästerlich' und davon müssen wir uns distanzieren!"

Den so argumentierenden Glaubensgeschwistern spreche ich die Ernsthaftigkeit ihres Glaubens nicht ab. Genauso wenig den Pharisäern und Gesetzeslehrern. Sie haben mit Eifer das Gesetz studiert, wissen in der Schrift gut Bescheid. Sie sind theologisch gewandt und ich stimme ihnen gerne zu: Nur Gott kann den Menschen Schuld vergeben.

Und doch ist es offensichtlich: Diese Menschen nehmen als Grundlage für ihre Überzeugung sich selbst zum Maßstab. Sie vergessen, dass Gott viel größere Möglichkeiten hat, als sie sich vorstellen können. Der eine oder andere der Pharisäer und Gesetzeslehrer hat das später begriffen, die meisten sind bei ihrer Überzeugung geblieben. Und haben sich damit leider selber um das Heil gebracht.

Die Frage sei erlaubt: Wie schnell urteile ich über andere und spreche ihnen den Glauben ab? Wie oft nehme ich mich und mein Verständnis der Bibel als alleinigen Maßstab? Viel zu selten rechne ich mit Gottes Möglichkeiten, die mein Denken weit übersteigen. Er wird sein Werk vollenden trotz und mit meiner Unvollkommenheit. Ich bin überzeugt, es ist nie falsch, Liebe und Barmherzigkeit über das Gesetzliche gewinnen zu lassen. Nur so kann sich das Heil ausbreiten.

Lea Hafner

Guter Gott, ich muss dich und dein Wort nicht verteidigen. Auch wenn ich einmal falschliege und mein Verständnis vom Glauben unvollkommen ist, bleibst du an meiner Seite. Du kommst mit allen Menschen, die sich dir zuwenden, ans Ziel.

Lea Hafner

16

Donnerstag
JANUAR

2025

☀ 08:19 16:45
☽ 19:44 09:55

Bibellese: Lukas 5,27-32
Jesus antwortete: „Ich bin nicht gekommen, solche Menschen in Gottes neue Welt einzuladen, bei denen alles in Ordnung ist, sondern solche, die Gott den Rücken gekehrt haben. Sie soll ich dazu aufrufen, ihr Leben zu ändern." (Vers 32)

Jesus ist nicht wählerisch bei der Auswahl seiner Gastgeber. Immer wieder sehen wir ihn feiern. Mit den frommen Pharisäern, aber auch mit denen, die aufgrund ihrer Zusammenarbeit mit der römischen Besatzungsmacht als Sünder galten. Zudem lebten Männer wie Levi davon, dass sie als Zolleinnehmer auf den Zoll, den sie abführen mussten, ihren eigenen Gewinn aufschlugen. So war das damals organisiert. Zoll einnehmen war ein lukratives Geschäft, aber beliebt machte man sich damit bei den eigenen Landsleuten nicht.

Für Jesus war das Feiern mit allen, den Frommen und den Sündern, ein Teil seiner Reich-Gottes-Botschaft. Es sich gemeinsam bei Tisch gut gehen zu lassen, war Ausdruck der aktiven Vorfreude auf die mit Jesus angebrochene Herrschaft Gottes. Wenn Gottes Liebe sich am Ende durchsetzt, warum dann nicht jetzt schon mit allen feiern und fröhlich sein, die einmal dabei sein sollen?

Aber diejenigen, die ihre Frömmigkeit dadurch zeigen, dass sie sich von allen Sündern fernhalten, die kritisieren diese Feierpraxis von Jesus, der die Zöllner annimmt und zur Nachfolge beruft. Die Antwort von Jesus weist ihren Vorwurf deutlich zurück. Aber er tut dies, ohne die Pharisäer und ihre Frömmigkeit zu entwerten. Auch Jesus geht es um Umkehr, um die Rückkehr der Sünder zu Gott. Aber das will er nicht durch Abgrenzung erreichen, sondern durch intensive Zuwendung. Wie ein Arzt sich um die Kranken kümmern und zu ihnen hingehen muss, so widmet Jesus seine volle Aufmerksamkeit denen, die er zu einer Veränderung ihres Lebenswandels einladen will. *Ralf Dziewas*

 Herr Jesus Christus, lass uns als deine Nachfolgerinnen und Nachfolger bewusst die Gemeinschaft derer suchen, die in unserer Gesellschaft abgewertet und ausgegrenzt werden. Gib uns die Liebe zu denen, die unsere Zuwendung erleben müssen, um an die Güte und Barmherzigkeit deines Vaters und an sein Reich glauben zu können. *Ralf Dziewas*

17

Freitag
JANUAR

Bibellese: Lukas 5,33-39
Jesus antwortete: „Die Zeit kommt früh genug, dass der Bräutigam den Gästen entrissen wird; dann werden sie fasten." *(Vers 35)*

Es gibt Zeiten des fröhlichen Feierns und Zeiten der Trauer und des Verzichts. Jesus und seine Jünger unterschieden sich in ihrer Frömmigkeitspraxis von den anderen religiösen Bewegungen ihrer Zeit vor allem in ihrer ausgeprägten Lebensfreude und der Freiheit, mit der sie feiern und das Leben genießen konnten. Als umherziehende Schülergruppe des Wanderrabbis Jesus aus Nazaret kannten sie die Situation gut, nicht viel zum Essen zu haben. Aber Fasten als Bußübung war nicht ihr Ding. Die Armut war ein Teil ihres Lebens auf der Straße. Aber umso fröhlicher genossen sie Wein und gutes Essen, wenn sie Gäste eines großzügigen Gastgebers waren.
Trotz dieses Vorbildes setzte sich in der frühen Christenheit dennoch eine Tradition regelmäßiger Fastenzeiten durch. Zeiten des bewussten Verzichts, um

sich auf das Wiederkommen des gekreuzigten und auferstandenen Herrn vorzubereiten. Fasten als Zeit der Sehnsucht nach der Feier in Gottes Herrlichkeit. Fasten als Zeit der Vorbereitung auf die große, allgemeine Hochzeitsfeier im vollendeten Reich Gottes. Vers 35 klingt wie eine Genehmigung einer solchen Fastenpraxis, die nicht als Selbstkasteiung gedacht ist, sondern als religiöse Praxis, die den Hunger auf das Reich Gottes und die Sehnsucht auf die Wiederkunft des Herrn steigert. Wer fastet, denkt immer wieder ans Essen. Wer fastet, sehnt sich nach dem guten Geschmack frischer Früchte und dem stärkenden Nährwert gesunden Gemüses. Wer fastet, weiß, dass niemand ewig fasten kann, und freut sich bereits auf die Zeit danach. Feiern mit Jesus als Zeichen des anbrechenden Reiches Gottes und Fasten in der Zeit der Erwartung seiner Wiederkunft und am Ende dann auf ewig die fröhliche Feier in seiner Gegenwart. Das ist der Rhythmus einer Reich-Gottes-Frömmigkeit, die hoffnungsvoll in die Zukunft blickt. Jesus nachfolgen ist nichts für Griesgrame und Kostverächter, wohl aber für Menschen, die auch im bewussten Verzicht und in bewusster Selbstbegrenzung ihrer Hoffnung Ausdruck verleihen können, dass am Ende alle gemeinsam mit Jesus feiern dürfen, die dabei sein wollen.   *Ralf Dziewas*

18

Samstag
JANUAR

2025

☀ 08:17　16:48
☽ 22:10　10:18

Bibellese: Lukas 6,1-11

Jesus sagte zu dem Mann mit der abgestorbenen Hand: „Steh auf und stell dich in die Mitte!" Der Mann stand auf und trat vor. (Vers 8)

Wieder gibt es Streit um die richtige Frömmigkeitspraxis. Aber diesmal geht es um den Sabbat. Ist die Sabbatruhe und das Verbot jeder Arbeit am siebten Tag nicht eines der Kerngebote des göttlichen Gesetzes? Ruhte nicht Gott selbst am siebten Tag der Schöpfung und trug seinem Volk in den Zehn Geboten auf, dass nicht einmal Rind, Esel und Vieh am Sabbat arbeiten dürfen (5. Mose/Deuteronomium 5,14)? Aber die Jünger wandern am Sabbat durch die Felder und ernten Ähren. Und ihr Meister selbst schreckt nicht davor zurück, am Sabbat ärztliche Heilungstätigkeiten auszuüben. Stellen sie sich damit nicht bewusst gegen Gottes Willen?

Jesus kennt diese Vorwürfe, die die besonders gesetzestreu lebenden Pharisäer gegen ihn und seine Anhänger erheben. Dieser frommen Laienbewegung ist das Verhalten von Jesus zu sehr am Wohl der Menschen orientiert und zu wenig an dem in den heiligen Schriften offenbarten Willen Gottes. Für sie muss die ausdrückliche Forderung Gottes mehr Bedeutung haben als menschliche Bedürfnisse wie Hunger oder der Wunsch nach schneller Heilung.

Doch Jesus gewichtet offensichtlich beides genau andersherum. Er lässt seine Jünger am Sabbat Ähren ausraufen und findet sogar noch eine biblische Begründung für diesen Gesetzesbruch. Und er lässt den Mann mit der gelähmten Hand am Sabbat bewusst in die Mitte der Synagogengemeinschaft treten und heilt ihn, obwohl er weiß, dass das Anstoß erregen wird. In beiden Fällen stellt er das Wohl der Menschen in den Mittelpunkt seiner Entscheidung: Der Sabbat soll den Menschen dienen, nicht sie leiden lassen und Gutes zu tun ist wichtiger als die Beachtung einzelner göttlicher Gebote. Es ist diese Souveränität von Jesus gegenüber den Geboten Gottes, die ihm den Zorn seiner frommen Gegner einbringt. Es ist diese Orientierung am Wohl der Menschen, die oft bis heute denen übelgenommen wird, die sich für bedürftige Gruppen einsetzen. Aber ist es nicht der Sinn der guten Gesetze Gottes, den Menschen eine Lebensweise ans Herz zu legen, die sich an Gottes Güte und Barmherzigkeit orientiert?

Ralf Dziewas

19

Sonntag
JANUAR

2025

☀ 08:16 16:50
☽ 23:20 10:28

Bibellese: Psalm 3
Ganz ruhig kann ich mich schlafen legen,
weil du, Herr, mich beschützt,
bis ich morgens erwache. *(Vers 6)*

Muss alles im Lot sein, damit der Mensch Schlaf finden kann? Psalm 3 erinnert an die Auseinandersetzung zwischen dem König David und seinem Sohn Abschalom. Der wollte König werden. Mit Methoden, die nicht sauber waren. Das ging so weit, dass David aus Jerusalem fliehen musste. Auf einmal hatte der König eine Anzahl Freunde weniger. Dafür mehr Feinde. Wieder ist es das Gerede der Menschen, das dem König zusetzt. Sie streuen: „Dem hilft Gott doch nicht." Dagegen wehrt David sich, indem er sich bei seinem Gott birgt. Und er ist sich sicher: Gott hört mich! Und darum kann ich auch gut schlafen, weil Gott mich unterstützt, sich für mich einsetzt.
Was ist los, wenn der Mensch keinen Schlaf findet? Er ist unruhig; denn weil der Mensch keine Ruhe

findet, findet er auch keinen Schlaf. Ruhig kann der Mensch sein, wenn er sich bei Gott geborgen weiß. Dann muss nicht alles im Lot sein, damit er schlafen kann.

Gott wurde in Jesus Christus ein Mensch, damit die Menschheit lernt, sich bei Gott zu bergen. Also sich vertrauensvoll in Gottes Hände legt und Ruhe findet. Das geht so weit, dass der Apostel Paulus sagen kann: „Gott selbst ist für uns, wer will sich dann gegen uns stellen?" (Römer 8,31).

Paul-Gerhard M. Knöppel

Es ist eine Ruh vorhanden
für das arme, müde Herz;
sagt es laut in allen Landen:
Hier ist gestillet der Schmerz.

Es ist eine Ruh gefunden
für alle, fern und nah,
in des Gotteslammes Wunden,
am Kreuze auf Golgatha.

Eleonore von Reuß 1867
Aus: Ich bin durch die Welt gegangen

20

Montag
JANUAR

2025

☀ 08:15 16:51
☽ -.- 10:38

Bibellese: Lukas 6,12-16

Als es Tag wurde, rief Jesus seine Jünger zu sich und wählte aus ihnen zwölf aus, die er auch Apostel nannte.

(Vers 13)

Das gibt es in fast jedem Betrieb: Es wird ein Projekt geplant. Für die bestmögliche Umsetzung wird ein Team von Mitarbeitenden neu gesucht oder aus der Stammbelegschaft zusammengestellt. Zielvorstellungen und Anforderungsprofile werden verfasst. Eine aussagekräftige Ausschreibung wird formuliert, in der auch der Reiz der neuen Aufgabe dargestellt wird. Die Interessierten sollen erfahren, welche Vorteile eine Mitarbeit für sie haben kann. Damit es gut läuft, wird geschaut, was die einzelnen Bewerberinnen und Bewerber mitbringen. Zeugnisse werden ausgewertet, Vorstellungsgespräche folgen. Stärken und Schwächen stellen sich dar, genauso wie eventuelle Risiken. Es muss schon passen. Anders die „Personalgewinnung" bei Jesus. Nach einer durchbeteten Nacht ruft er zwölf Männer zu sich in die engere, verantwortliche Mitarbeit. Stärken und Schwächen, Potentiale und Risiken sind offenbar nicht Grundlage seiner Auswahl. Er ruft zu sich, „die er für eine besondere Aufgabe vorgesehen hatte", heißt es im Markusevangelium zu diesem Vorgang (Markus 3,13). Wer aus heutiger Sicht schaut, was für eine Schar Jesus sich da berufen hat, schüttelt vielleicht mit dem Kopf. Qualifikation: von Beruf Fischer ohne theologische Zusatzqualifikation, charakterlich nicht sonderlich gefestigt. Unter ihnen gibt es Kleinglauben, Rivalitäten und Selbstüberschätzung. Begriffsstutzigkeit tritt immer wieder zutage, wenn es um Zukunftsfragen geht. Einer lügt, als es darum geht, ob er Jesus kennt. Friedliebend zu sein, halten nicht alle durch – bis dahin, dass einem Soldaten sogar ein Ohr abgehauen wird! Fehlerfrei muss offenbar niemand sein, um von Jesus gerufen und beauftragt zu werden. Die Zwölf gehen mit ihm, grundverschieden, wie sie sind. Im Unterwegssein mit Jesus werden sie geprägt. Er kann sie gebrauchen. Die Sache von Jesus ist bis heute lebendig und nicht versandet.   *Elisabeth Dreckhoff*

Priester, Politiker und Dichter

Schlohweiße Mähne, Bart, Brille, schwarze Baskenmütze, das ist das unverkennbare Erscheinungsbild des nicaraguanischen Priesters, Politikers und Dichters Ernesto Cardenal. Schon als Jugendlicher habe ich seine „Lateinamerikanischen Psalmen" gelesen, die seinen Weltruhm begründeten.

Ernesto Cardenal wurde am 20. Januar 1925, **heute vor 100 Jahren,** in Granada, Nicaragua, als Kind einer Oligarchenfamilie **geboren.** Er studierte Philosophie und Literatur in Mexiko und New York. 1954 beteiligte er sich an der gescheiterten April-Revolution gegen den Diktator Anastasio Somoza García. Cardenal musste das Land verlassen und trat in das Trappistenkloster Gethsemane in Kentucky ein. Der Dichtermönch und Mystiker Thomas Merton war zwei Jahre lang sein Novizenmeister. Es waren nach eigener Aussage die glücklichsten Jahre seines Lebens, in denen er seine Liebe zu Gott entdeckte und „Das Buch von der Liebe" schrieb. Danach studierte Cardenal in Mexiko und Kolumbien katholische Theologie. 1965 wurde er in Managua zum Priester geweiht. In dieser Zeit verfasste er seine Psalmen.

Ein halbes Jahr später gründete er nach urchristlichem Vorbild eine Kommune auf einer Insel im Nicaraguasee. Dort entstanden seine beiden Bände „Das Evangelium der Bauern von Solentiname", Nachschriften der dort abgehaltenen Gesprächsgottesdienste. Nachdem er mit einer Gruppe örtlicher Bauern eine Kaserne der Nationalgarde besetzt hatte, ging er nach Costa Rica ins Exil und schloss sich 1979 der sandinistischen Befreiungsfront FSLN an. Nach dem Sieg der Nicaraguanischen Revolution wurde Cardenal zum Kultusminister ernannt. Er setzte sich für eine „Revolution ohne Rache" ein und initiierte eine umfassende Alphabetisierungskampagne. Bei seinem Nicaraguabesuch 1983 verweigerte Papst Johannes Paul II. dem öffentlich vor ihm knienden Cardenal den Segen. 1985 suspendierte er Cardenal wegen seiner politischen Tätigkeit vom Priesteramt. 2019 hob Papst Franziskus die Suspendierung wieder auf, ein Jahr vor Cardenals Tod. Cardenal distanzierte sich zunehmend von der Befreiungsfront und kritisierte öffentlich die Amtsführung und den Lebensstil des Staatspräsidenten Daniel Ortega. 1987 wurde das Kultusministerium aufgelöst. Mit dem österreichischen Schauspieler Dietmar Schönherr gründete er das internationale Kultur- und Entwicklungsprojekt „Casa de los tres mundos" (Haus der drei Welten).

Cardenals Einfluss war gerade in Deutschland beachtlich. 1980 erhielt er den Friedenspreis des Deutschen Buchhandels. *Hans-Werner Kube*

21

Dienstag
JANUAR

2025
☀ 08:14 16:53
☽ 00:30 10:49

Bibellese: Lukas 6,17-26
Alle wollten Jesus berühren, denn es ging heilende Kraft von ihm aus und machte sie alle gesund. *(Vers 19)*

In unserer Stadt gibt es alle fünf Jahre ein Ereignis, das sich kaum jemand entgehen lässt. Es heißt „Der lange Tisch". Bürgerinnen und Bürger stellen auf einer Straße ihre mitgebrachten Tische und Stühle in langer Reihe auf – längs durch die ganze Stadt. Einheimische und Zugereiste, Kinder und Erwachsene sind beteiligt. Kulinarische Spezialitäten werden angeboten. Von Vereinen und Institutionen gibt es Infos und Mitmachaktionen. Live-Musik und Kunstaktionen machen Freude. Fröhliche Begegnungen und gegenseitige Besuche an den Tischen gehören dazu. Dieses Fest ist ein Höhepunkt für viele.

Besondere Ereignisse sind immer anziehend. Das ist nicht neu. Als zur Zeit von Jesus seine Bekanntheit zunimmt, strömen Menschen zum Ort seines Auftretens, selbst aus entfernten Gegenden. Anteil zu haben, wenn es Großartiges zu hören und zu erleben gibt, das ist es, was sie motiviert hat, sich auf den Weg zu machen. Nach dem Motto „Dabei sein ist alles" wollen sie von dem Prediger Jesus und seiner Ausstrahlung profitieren. Es ist ihr Wunsch, ihn wenigstens zu berühren. So umringen sie ihn, dass er sich fast bedrängt fühlen müsste. Aber er lässt sie gewähren, nimmt ihre Sehnsucht ernst und heilt sie alle ganz unspektakulär. So werden sie frei von dem, was ihr Leben lähmt und hindert. Ohne Vorbehalt und Belehrungen erfahren sie die heilsame Kraft der Nähe von Jesus. Sie erleben so die Liebe Gottes. Als befreite Menschen können sie sich entscheiden, bei Jesus zu bleiben und ihm zu folgen. Sie werden noch Größeres hören und erleben. Dabei sein ist alles.

Elisabeth Dreckhoff

Könnt ich's irgend besser haben
als bei dir, der allezeit
so viel tausend Gnadengaben
für mich Armen hat bereit?
Könnt ich je getroster werden
als bei dir, Herr Jesu Christ,
dem im Himmel und auf Erden
alle Macht gegeben ist?

Karl Johann Philipp Spitta 1826
Aus: Bei dir, Jesu, will ich bleiben

Zum 21. Januar 2025

Gewagt! 500 Jahre Täuferbewegung 1525-2025

Heute vor 500 Jahren, am 21. Januar 1525 **fand** in Zürich **die erste Taufe von gläubigen Erwachsenen statt.** Aus diesem Grund entstand auf Initiative des Histori-

schen Beirats des Bundes Evangelisch-Freikirchlicher Gemeinden (Elstal bei Berlin) und der Arbeitsgemeinschaft mennonitischer Gemeinden (Bad Rappenau) das Projekt „Gewagt! 500 Jahre Täuferbewegung 1525-2025" (Frankfurt am Main). Innerhalb der Arbeitsgemeinschaft Christlicher Kirchen gründete sich ein Verein, der an dieses 500. Jubiläum erinnert.

Das Projekt gedenkt an mündige Christinnen und Christen, die sich damals in Glaubens- und Lebensfragen nur ihrem Gewissen verpflichtet sahen und gemeinsam konsequent versuchten, ein Leben nach biblischen Maßstäben zu führen. Das Projekt macht es sich zum Ziel, die hohe Aktualität täuferischer Prinzipien zu unterstreichen und aufzuzeigen, was es heute heißt, „selbstverantwortlich im Glauben zu leben und gerade dadurch eine verbindliche Gemeinschaft zu gestalten, in der jede und jeder frei und verantwortlich zugleich ist".

In den letzten fünf Jahren wurde jährlich ein Themenheft zur Täufergeschichte herausgegeben. Die Themen lauteten 2020: „gewagt! mündig leben", 2021: „gewagt! gemeinsam leben", 2022: „gewagt! konsequent leben", 2023: „gewagt! gewaltlos leben", 2024: „gewagt! Hoffnung leben" und 2025: „WortGewagt!".

Zum Täufergedenken tourt auch eine Wanderausstellung für kirchliche oder säkulare Räume durch das Land. Auf acht Rollups werden Informationen zur Geschichte der Täufer vermittelt und jedes „gewagt!"-Jahresthema anhand von zwei Biografien vertieft. Es gibt eine deutsche und eine englische Version. Fragen zu den Jahresthemen laden zum Nachdenken und zur Diskussion ein. Die Ausstellung wurde bisher eingesetzt bei Gemeinde-Events, ökumenischen oder kommunalen Veranstaltungen, Schulungen, Tagungen oder Großveranstaltungen. Sie richtet sich auch an Schulen im Rahmen des Religions- und Geschichtsunterrichts ab der Klasse 8. Zum ersten Mal zu sehen war sie bei der 11. Vollversammlung des Ökumenischen Rats der Kirchen in Karlsruhe im Sommer 2022.

Die Jubiläumstermine finden Sie unter: www.taeufer bewegung2025.de   *Nicola Bourdon*

Bibellese: Lukas 6,27-35
Jesus sagte: „Euch, die ihr mir zuhört, sage ich: Liebt eure Feinde; tut denen Gutes, die euch hassen."

(Vers 27)

In christlichen Gemeinden und Gemeinschaften bleibt nicht verborgen, wer es mit wem gut kann. Es ist einfach entspannter, hauptsächlich mit denen zu reden und Zeit zu verbringen, die die gleiche Wellenlänge haben. Von Feinden ist so gut wie nie die Rede. Und kaum jemand würde wohl annehmen, gehasst zu werden. Das sind schließlich starke Begriffe. Aber Äußerungen von abgrundtiefer Verachtung in schweren Auseinandersetzungen, die mag es gelegentlich geben.

Gegenseitige Verletzungen und Beleidigungen sind innerhalb und außerhalb frommer Kreise zu finden. Manches Mal wird mit übler Nachrede Unheil angerichtet. Das ist Teil der Realität menschlichen Miteinanders. Eine naheliegende Reaktion wäre es, sich einfach von den ausgemachten „Übeltätern" fernzuhalten. Jesus fordert seine Zuhörerschaft hingegen auf, aktiv etwas Gutes zu tun, wenn Feindschaft und Hass aufgekommen sind. Es ist nichts damit gewonnen, das zu tun, was alle Welt in solchen Fällen tun würde, sagt er. Jesus ermuntert seine Nachfolgerinnen und Nachfolger, den Feinden mit Liebe zu begegnen. Das meint in solchen Fällen zunächst, grundsätzlich wohlwollend zu bleiben, auch wenn man die Taten nicht gutheißen kann. „Ich billige deine Taten nicht, aber ich will das Beste für dich!", ist die Haltung, die einen boshaften Menschen erreichen und ihm helfen kann. Dann bleibt die Tür zu einem anderen Miteinander offen.

Jesus spricht diejenigen an, die auf ihn hören wollen. Seine Nachfolgerinnen und Nachfolger haben Erfahrungen mit der Barmherzigkeit Gottes gemacht und wissen meist aus eigener Erfahrung: Diejenigen, die sich verwerflich verhalten, haben letztlich nur eine Chance auf Veränderung, wenn Gottes Barmherzigkeit in ihrem Leben wirksam wird. Jesus will, dass seine Leute entschlossen ihren Beitrag dazu leisten.

Elisabeth Dreckhoff

23

Donnerstag
JANUAR

2025

☀ 08:12 16:57
☽ 02:55 11:18

Bibellese: Lukas 6,36-42

Jesus machte der großen Jüngerschar auch in Bildern deutlich, wovor sie sich hüten sollen; er sagte: „Kein Blinder kann einen Blinden führen, sonst fallen beide in die Grube." (Vers 39)

Eine Lehrerin berichtete, dass sie einige Zeit ein ihr fremdes Fach unterrichten musste. Sie sei der Schulklasse stets nur eine Lektion im Lehrbuch voraus gewesen und habe immer befürchtet, dass die Schülerinnen und Schüler tiefergehende Fragen stellten oder dass sie gar besser Bescheid gewusst hätten als sie selbst. Die Lehrerin schätzte ihr kurzfristig angelerntes Wissen richtig ein und war sich ihrer Begrenztheit bewusst. Ihr war klar, dass sie keine Meisterin dieses Fachs war. Ohne diese Selbsteinschätzung wäre sie wie ein Blinder gewesen, der besser keinen Blinden führt.

Jesus verdeutlicht mit dem Bild vom blinden Blindenführer etwas, was auch im Glaubensleben zutrifft: Mitmenschen belehren zu wollen, ohne selbst lernbereit zu sein, führt zu keinem guten Ende. Mit dem Be- und Verurteilen anderer verhält es sich genauso. Wieder im Bild gesprochen: Den Splitter im Auge des anderen zu sehen und für den Balken im eigenen Auge blind zu sein, zeugt von kolossaler Fehleinschätzung. Nötig ist, die eigenen Verirrungen zu erkennen, sich davon abzuwenden, Gott und die Nächsten um Vergebung zu bitten und unter neuen Vorzeichen anders weiterzumachen.

Wer den „Balken" bei sich selbst durch den Heiligen Geist gezeigt bekommt, wird auf Besserwisserei verzichten und auch den Mitmenschen mit klarem, aber barmherzigen Blick sehen. Überheblichkeit ist fehl am Platz. Jesus selbst ist der allein kompetente „Lehrer", über dem niemand steht. Von Jesus ist zu lernen, wie Sanftmut und Geduld Menschen heilen und verändern können.   *Elisabeth Dreckhoff*

Kehre, Jesu, bei uns ein,
komm in unsre Mitte;
wollest unser Lehrer sein,
hör der Sehnsucht Bitte:
Deines Wortes stille Kraft,
sie, die neue Menschen schafft,
bilde Herz und Sitte.

Christian Heinrich Zeller 1837
Aus: Treuer Heiland, wir sind hier

Bibellese: Lukas 6,43-49
Jesus sagte: „Ein guter Mensch bringt Gutes hervor, weil er im Herzen gut ist. Denn wovon das Herz voll ist, davon redet der Mund!" (Vers 45)

Hört sich logisch an. Wer Gutes in sich hat, tut Gutes. Und er spricht Gutes. Wenn mein Herz gefüllt ist mit guten Gedanken, kann ja nur Gutes herauskommen, sobald ich den Mund aufmache. Warum rutscht mir dann manchmal etwas heraus, was ich lieber so nicht gesagt hätte? Eine kleine Gehässigkeit, eine üble Nachrede, Verletzendes, Kränkendes, Zerstörendes. „Tut mir leid", sage ich dann vielleicht. „Das habe ich nicht so gemeint." Doch gesagt ist gesagt. Kein Wort lässt sich zurückholen. Und was da aus mir herausgerutscht ist, war ja offensichtlich vorher in mir drin.
Wie kann ich mein Herz mit Gutem füllen? Und woher kommt das Böse, das da aus mir herausplatzt? Ich glaube, es sind die Erfahrungen, die ich in meinem Leben mache. Die füllen mein Herz. Ich werde

enttäuscht. Ich bin verbittert. Man tat mir weh. Hier eine Verletzung, da eine Kränkung. Wenn ich nicht loslassen und vergeben kann, sammelt sich das alles wie ein Haufen Unrat in mir an. Dieselben Erfahrungen aber können auch zu einem guten Schatz werden. Der deutsche Lyriker Eugen Roth beschreibt das in seinem kurzen Gedicht „Seelische Gesundheit" sehr treffend. Da ist von einem Menschen die Rede, der Missachtung, Ärger und Liebespein in sich hineinfrisst und aus dem trotzdem nur Güte und Erbauung kommen. Diese seelische Gesundheit wünsche ich mir und jedem, der diese Zeilen liest.

Ingrid Ebert

📅 Morgen endet die diesjährige Gebetswoche für die Einheit der Christen der Arbeitsgemeinschaft Christlicher Kirchen in Deutschland (Frankfurt am Main). Auch das Gebet für die Einheit der Christen basiert auf gemeinsamen Erfahrungen, ob gut oder schlecht, und erbittet mit Gottes Hilfe zukünftige Verbundenheit und Gemeinschaft.
www.oekumene-ack.de/themen/
geistliche-oekumene/gebetswoche/2025

25

Samstag
JANUAR

2025

☀ 08:09   17:00
☽ 05:24   12:14

Bibellese: Lukas 7,1-10

Als der Hauptmann von Jesus hörte, schickte er einige von den jüdischen Ortsvorstehern zu ihm. Sie sollten ihn bitten, zu kommen und seinem Diener das Leben zu retten. *(Vers 3)*

In dieser Geschichte komme ich aus dem Staunen nicht heraus. Da ist ein ohnmächtiger Machthaber, der nicht zu stolz ist, um Hilfe zu bitten. Ein Befehlshaber, der sich ehrlich Sorgen macht um seinen Angestellten, der alles in Bewegung setzt, damit dieser wieder zu Kräften kommt. Bei ihm ist der Mensch nicht nur eine Arbeitskraft, die leicht ersetzbar ist. Er sorgt sich ehrlich. Er nutzt seine Beziehungen, um zu helfen. Da sind die jüdischen Ortsvorsteher, die ja in ihrem Kompetenzbereich auch etwas zu sagen haben. Aber welche Beziehung haben sie zu Jesus? Glauben sie an seine Vollmacht? Davon ist in der Geschichte nicht die Rede. Wenn sie sich darauf einlassen, als Fürsprecher aufzutreten, dann doch eher, weil ihnen die gute Beziehung zum Hauptmann wichtig ist. Er half ihnen beim Bau eines Gotteshauses. Da können sie jetzt die Bitte dieses Römers gar nicht abschlagen. Ob sie wirklich daran glaubten, dass ihre Fürsprache von Erfolg gekrönt ist? War es nicht eigentlich ziemlich aussichtslos, dass ein Jude das Haus eines Römers betritt?

Und der Hauptmann? Er scheint diese offensichtlichen Hürden gar nicht zu sehen. Immerhin geht es um Leben und Tod. Nicht um sein Leben, um das Leben seines Arbeitnehmers, von dem wir so gut wie gar nichts erfahren. Deshalb scheint mir, dass es hier gar nicht hauptsächlich um diesen Kranken und um das Heilungswunder geht. Es geht um den großen Glauben eines Ungläubigen. Dieser Zenturio, der wohl frei von allem Machtgebaren ist, ist sich sicher, dass nur Jesus helfen kann und dass ein Wort von ihm genügt. Diese Demut ist etwas, was mich staunen lässt. Sprich nur ein Wort. Wann betete ich das letzte Mal so?

Ingrid Ebert

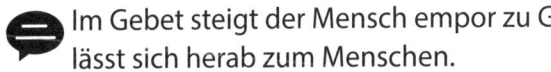 Im Gebet steigt der Mensch empor zu Gott und Gott lässt sich herab zum Menschen.

Albert Maria Weiss (1844-1925), deutscher Theologe

26

Sonntag
JANUAR

2025

☀ 08:08   17:02
☽ 06:31   13:01

3. Sonntag nach Epiphanias

Bibellese: Psalm 9

Herr, hab Erbarmen mit mir!
Dann stelle ich mich an die Tore deiner Stadt
und rühme dich vor allen
für das, was du an mir getan hast.   *(Vers 14-15)*

Wenn diese Andacht gelesen wird, ist meine Herzklappen-OP schon vorüber. Davor lag eine eindrückliche Zeit des Bangens, der Ungewissheit und des Betens. Da klopft der Tod an die Tür, wenn man ihn noch gar nicht erwarten möchte. Tritt er ein oder wird mir weitere Lebenszeit geschenkt?

Viele Menschen wünschten mir Gutes vor der Operation. Viele beteten für mich und dachten an mich während der Operation. Plötzlich fühlte ich mich von den Gebeten getragen und konnte hinterher dankbar feststellen: „Es war, als hätte Gott nichts anderes zu tun gehabt, als sich ganz und gar um mich zu kümmern." Eine eindringliche Erfahrung. Dafür kann ich Gott gar nicht laut genug rühmen. Er erbarmte sich.

So ähnlich muss sich der Psalmbeter gefühlt haben, wenn die Situation auch eine ganz andere war. „Herr, hab Erbarmen mit mir!" Dieses Gebet passt ja immer, wenn wir in Bedrängnis geraten, uns etwas Angst macht. Gott ist der richtige Ansprechpartner für unsere Nöte. „Sei mir gnädig." Mehr braucht es nicht. Ich hielt mich in meiner Not täglich an den Psalm 23. „Der Herr ist mein Hirte." Eigentlich hätte auch der Satz genügt: „Herr, hab Erbarmen mit mir." Gott weiß, was dran ist für mich. Und was gut ist. Wenn ich Gottes Gnade in meinem Leben erfahre, muss ich ihn einfach preisen und loben. Öffentlich. Gebetet habe ich im Stillen. Jetzt ist es dran, laut zu erzählen, was Gott ehrt. So ergibt alles einen Sinn: die Krankheit, die Errettung, die große Freude in mir, die Verherrlichung Gottes.

Ingrid Ebert

Du bist mein Gott, dich will ich loben,
erheben deine Majestät.
Dein Ruhm, mein Gott, wird hoch erhoben,
der über alle Himmel geht.
Rühmt, rühmt den Herrn! Schaut, sein Erbarmen
bestrahlet uns in trüber Zeit,
und seine Gnade trägt die Armen
von Ewigkeit zu Ewigkeit.

Matthias Jorissen 1793
Aus: Dankt, dankt dem Herrn, jauchzt voll Chöre

27

Montag
JANUAR

2025

☀ 08:07 17:03
☽ 07:25 14:06

Bibellese: Lukas 7,11-17
Da richtete der Tote sich auf und fing an zu reden, und Jesus gab ihn seiner Mutter zurück. (Vers 15)

Neulich traf ich mich mit einer Mutter, deren Sohn an einer unheilbaren Krankheit gestorben war. Für ihren Schmerz gab es keinen Trost. Jedes gut gemeinte Wort von Freunden fügte ihr nur neue Wunden zu. Ihr hätte ich mit dieser Geschichte aus dem Lukasevangelium nicht kommen dürfen. Denn wie oft hatte sie voller Glauben zu Gott gebetet, wie groß war ihr Vertrauen, wie groß schließlich die Enttäuschung. Ach, könnten alle betroffenen Mütter erleben, dass ihnen das Kind zurückgegeben wird.
Mein Glaube kommt hier an seine Grenzen. Dabei weiß ich doch, dass Gott Herr über Leben und Tod ist. Ihm sind alle Dinge möglich. Weil Christus auferstanden ist, trennt uns kein Tod von ihm. Trotzdem gehört das Sterben zu unserem Leben. Trotzdem müssen wir mit Verlusten klarkommen. Trotzdem bleibt mitunter nur namenloses Leid.

Vielleicht muss ich mich dem Text anders nähern, um ihn zu verstehen. Mit dem Tod des einzigen Sohnes ist der Witwe in Nain alles genommen, was sie für ihre Existenz braucht. Nachdem ihr Mann gestorben war, war ihr Sohn ihre Lebensversicherung, ihre Rente. Mit seinem Tod war ihr Leben infrage gestellt. In diese Situation hinein kommt Jesus. Er sieht sie und sorgt augenblicklich für sie. Er gibt ihr den Sohn zurück. Die unglaubliche Geschichte reiht sich ein in weitere Auferweckungsgeschichten der Bibel. Ich werde an die Witwe von Sarepta erinnert, deren Sohn durch den Propheten Elija auferweckt wurde. Auch da heißt es: „Und er gab ihn seiner Mutter zurück." Dieser Satz ist wohl der Schlüssel zum Verstehen. Jesus führt weiter, was Gott mit seinem Volk begann. Er ist der große Tröster, wenn wir untröstlich sind. Er ist der Helfer, wenn keiner helfen kann. Er heilt, was zu Bruch gegangen ist. Er kommt uns nahe, wenn alle anderen auf Abstand gehen. Er berührt uns. Er spricht zu uns. Er stellt die zerbrochene Situation wieder her. Das kann nur er. Wenn ich etwas aus der Geschichte mitnehmen will, dann ist es dieser Gedanke: Jesus gibt, was wir zum Leben brauchen.

Ingrid Ebert

28

Dienstag
JANUAR

2025

☀ 08:05 17:05
☽ 08:05 15:25

Bibellese: Lukas 7,18-23

Johannes schickte seine Jünger zum Herrn mit der Frage: „Bist du wirklich der, der kommen soll, oder müssen wir auf einen anderen warten?"   *(Vers 19)*

Johannes sitzt im Gefängnis. Dort hatten ihm seine Jünger von Jesus erzählt. Zwei von ihnen hatte er zu Jesus geschickt mit der Frage: Bist du es? Wenn wir auf die gemeinsame Geschichte von Johannes und Jesus zurückblicken, wirkt das eigenartig. Ist Johannes wirklich so ahnungslos? Nein, das ist er nicht. Aber er möchte es von Jesus selbst hören. Dabei fragt er nicht für sich selbst. Er fragt für alle. Er fragt für die, die hoffen, aber unsicher sind und nicht wissen, wem sie ihr Vertrauen schenken sollen. Johannes hatte gesagt, dass ein „Stärkerer" kommen wird, weil zu viele Hoffnungen auf ihn selber gesetzt wurden (Lukas 3, 15-16). Jetzt will er sichergehen: Ist Jesus der, der kommen soll? Ist er der, der mit seiner Stärke Gottes Reich bringen wird? Johannes gibt Jesus die Gelegenheit, sich selbst zu erklären.

In unsicheren Zeiten ist die Hoffnung auf Hilfe und Rettung groß. Manche schließen sich dem „Nächstbesten" an. Andere sind zögerlicher und wieder andere entscheiden lieber gar nichts.

Wir glauben, dass es Jesus ist, der gekommen ist, damit wir Gott durch ihn näher kennenlernen. Er hat das Reich Gottes, das mitten unter uns ist, verkündigt und gelebt. Trägt uns dieser Glaube durch unsichere und schwere Zeiten? Die Krisen unserer Zeit können uns manchmal verzweifeln lassen. Die bedrohlichste – die Klimakrise – weitet sich zur Klimakatastrophe aus und wir wissen nicht, was noch kommt. Auch wenn wir wissen, dass Jesus der versprochene Retter ist, der das Reich Gottes auf Erden bringt, erleben wir immer wieder Verzweiflung und Hoffnungslosigkeit. Wohin wenden?

Wir können und dürfen unseren wackeligen, fragenden, unsicheren Glauben und unser verzagtes Hoffen Gott bringen. Gott lädt uns zu neuem Glauben ein und richtet uns behutsam auf. So, dass wir sicher sein können: Wir müssen auf niemand anderen warten. Der „Stärkere" ist da! Und mit seiner Kraft und Stärke dürfen wir rechnen. So wie er unseren Glauben stärkt, macht er uns stark zum Handeln. So müssen wir nicht untätig warten, sondern können unseren Beitrag zum Reich Gottes auf Erden leisten.

Anke Neuenfeldt

Bibellese: Lukas 7,24-35

Jesus sprach: „Mit wem soll ich die Menschen von heute vergleichen? Was für ein Bild passt auf sie?" (Vers 31)

Die Boten, die von Johannes zu Jesus geschickt wurden mit der Frage, ob er der Stärkere sei, den er angekündigt hatte, sind gegangen. Jetzt spricht Jesus zu den Menschen, die sich um ihn versammelt hatten, über Johannes. Es gab gute Gründe, zu Johannes an den Jordan gegangen zu sein, auch wenn er sie stark kritisiert hat. Nach seinen Ausführungen spricht Jesus die „Menschen von heute" an. Sie stehen vor ihm und es gibt noch mehr von ihnen. Sie sollen ihre Position klären. Sehen sie in Jesus den von Gott geschickten Retter oder nicht? Und als was sehen sie Johannes? Als guter Lehrer fügt er ein Gleichnis an. Er nimmt mit spielenden Kindern eine Alltagssituation auf. Die einen wollen Hochzeit spielen und die anderen Beerdigung. Ein Miteinander gibt es nicht. Sie streiten und können sich nicht einigen. Übertragen auf die Ausgangsfrage heißt das: Die einen sehen Johannes als einen, der keine Lebensfreude verbreitet mit seiner Botschaft und seinem Lebensstil. Er bekommt sogar den Stempel „verrückt". Die anderen sehen Jesus als einen, der sich zu viel des Lebens freut, indem er mit Sündern isst und trinkt, dabei bringt er aber die Freudenzeit, er spielt im gewissen Sinne zur Hochzeit auf. So unterschiedlich sehen die Menschen die beiden. Dabei hat beides seinen Platz. Johannes hat gefastet, weil er auf den Messias gewartet hat. Jesus lebt Gemeinschaft mit denen, die von ihr ausgeschlossen sind, und öffnet sie dadurch. Jesus sagt: Beides hat seinen Platz und seinen Ort. Das Fasten und Trauern und das Freuen und Feiern.

Manchmal wird über Formen und Ausdrucksweisen des Glaubens gestritten und dabei das Wesentliche vergessen. Manchmal ist es wichtiger, wer am Ende „gewinnt" als das, was für die Gemeinschaft gut ist. Manchmal fehlt das gute Maß, die Balance und Gräben tun sich auf. Hochzeit oder Beerdigung – wir müssen nicht wählen und brauchen nicht streiten, was von beidem wichtiger ist. Wer ist Jesus für dich? Was ist Jesus für dich? Das ist die Frage, die sich auch den Menschen heute stellt.

Anke Neuenfeldt

30

Donnerstag
JANUAR

2025

☀ 08:02   17:09
☽ 08:54   18:21

Bibellese: Lukas 7,36-50
Jesus sagte: „Wem wenig vergeben wird, der zeigt auch nur wenig Liebe." *(Vers 47)*

Stellen Sie sich folgende Geschichte vor: Wir feierten Abendmahl in unserer Gemeinde. Vor mir saß Susanne. Sie war verheiratet, hatte zwei Kinder und sie kam noch nicht lange in unsere Gemeinde. Total angerührt reichte sie der Frau neben sich den Teller mit dem Brot. „Christi Leib, für dich gebrochen", sagte sie und genau da geschah es. Ich sah Susanne, begeistert johlend vor einer brennenden Flüchtlingsunterkunft. Sah, wie sie eine andere Frau bespuckte, als diese in eine Decke gehüllt an ihr vorbei zu einem Krankenwagen geführt wurde. Verstört fragte ich mich, was das gerade gewesen war. Da gab Clemens das Brot weiter. Clemens, Anfang 50, Bauingenieur. In der Szene, die ich plötzlich sah, war er bestimmt zehn Jahre jünger, damals noch mit Haaren. Er saß vor einem Laptop und darauf die schlimmsten Fotos, die ich jemals gesehen hatte.

Bilder von Kindern in Schlafzimmern. Mir wurde schlecht. Gleichzeitig spürte ich, wie befreit und dankbar er sagte: „Christi Leib, für dich gebrochen." Ich war wie vor den Kopf gestoßen. Wie konnten Susanne und Clemens hier sitzen und Abendmahl feiern? Es wühlte in mir. Ich rang noch immer um Fassung, als das Brot inzwischen bei meinem Nachbarn angekommen war. Abwesend und doch routiniert wandte ich mich meinem Nebenmann zu. Er sah mich an, reichte mir den Teller: „Christi Leib für dich ..." Plötzlich weiteten sich seine Augen. Er schaute mich an und ich begriff sofort. Auch er musste eine Szene sehen, und zwar aus meinem Leben; sein Blick verriet es eindeutig. Und ich wusste auch genau welche: Das fiese Lästern mit einem Freund über den Beitrag bei einer Gemeindeversammlung, genauer über die Wortmeldung des Mannes, der mir jetzt gerade das Brot reichte. Wie unangenehm! Aber mir war nicht nur der Moment peinlich, sondern ich schämte mich: Für zwei, drei Lacher hatte ich Gags weit unter der Gürtellinie gerissen. Wie gerne hätte ich es ungeschehen gemacht, wie sehr bereute ich es. Doch dann entspannte sich sein Blick. In seinem Ausdruck lagen Annahme und Freundlichkeit. „Sein Leib. Für dich gebrochen." Nie zuvor habe ich es so dankbar und bewusst eingenommen.   *Tobias Lang*

31

Freitag
JANUAR

2025

☀ 08:01 17:11
☽ 09:10 19:49

Bibellese: Lukas 8,1-3
Die Frauen sorgten aus ihren eigenen Mitteln für Jesus
und den Kreis der Zwölf. *(Vers 3)*

Als Adam Vetter den Brief öffnet, der heute im Briefkasten lag, ist er zunächst verwundert und dann verstimmt. Die Zeltmission hat ihm die Spendenbescheinigung für 2016 zugeschickt. Ganz vage erinnert er sich an jemanden, der mal in der Gemeinde gepredigt und sein Missionswerk vorgestellt hat. Vermutlich hatte Adam danach eine Spende überwiesen. Aber wieso schreiben die erst jetzt? Um das Geld steuerlich absetzen zu können, kommt die Bescheinigung gut acht Jahre zu spät. Adam will den Wisch schon zusammenknüllen, da fragt er sich, was sie wohl schreiben. Wie erklären sie so eine Panne? „Lieber Herr Vetter, keine Sorge, die Bescheinigung ihrer Spende vor neun Jahren haben wir Ihnen damals rechtzeitig für die Steuer zugeschickt. In diesem Brief wollen wir Ihnen erklären, was aus Ihrer Spende von 50 Euro geworden ist. Mit

Ihrem Geld konnten wir seinerzeit Einladungsflyer für einen Zelteinsatz in Hanau drucken." Mit wachsender Neugier liest er von der 22-jährigen Eva, die in einer Lebenskrise eine solche Werbung bekam, die zum Zelt und dort zum Glauben kam. Er liest, dass Eva sich ein Jahr danach zu einer Bibelschule anmeldete und später Kinderreferentin bei der Zeltmission wurde. Beim nächsten Absatz stockt ihm der Atem: „Letzten Sommer leitete Eva ein Kinder-Sommercamp in Ihrer Stadt. Ihr Sohn Kai war einer der Teilnehmer, der sich meldete, als sie zu einem Leben mit Jesus einlud – zusammen mit 48 anderen Kids. Hätten Sie gedacht, Adam, dass mit Ihren 50 Euro einmal 50 Menschen zu Jesus finden? Wobei die Zahl vermutlich nicht stimmt, denn Eva hat schon viele solcher Einsätze begleitet. In Evas erstem Camp fand zum Beispiel Sarah zum Glauben. Sie beginnt nächste Woche ein Praktikum bei uns."

Vor 2000 Jahren ermöglichten ein paar Frauen mit ihren Mitteln einen Missionseinsatz, der bis heute nachwirkt. Spenden wirken. Als Leiter eines Missionswerkes erlebe ich das wieder und wieder. Und deshalb ermutige ich Sie: Überlegen Sie sich eine Summe, die Sie heute ganz bewusst spenden können – und zwar in dem Wissen, dass Gott diese Gabe zum Segen setzen wird. *Tobias Lang*

1

Samstag
FEBRUAR

Bibellese: Lukas 8,4-15

Jesus antwortete den Jüngern: „Euch hat Gott die Geheimnisse seines Planes erkennen lassen, nach dem er schon begonnen hat, seine Herrschaft in der Welt aufzurichten." (Vers 10)

1996 beim Jugendkongress Christival in Dresden hatten wir ein Bibelgespräch in einer bunt zusammengewürfelten Gruppe. Vereinfacht ausgedrückt ging es um die Frage, was uns der Glaube bringt. Als ich erklärte, dass wir durch Jesus ewiges Leben haben, war ein anderer Teilnehmer der Runde nur mäßig begeistert. Diese Hoffnung sei schön, war ihm aber zu wenig für sein Leben im Hier und Jetzt. Wie recht er hatte!

Als Jesus dieses Gespräch mit seinen Jüngern führt, kennen sie die Bedeutung von Karfreitag und Ostern noch nicht. Und doch lehrt Jesus sie ein Evangelium, nämlich das Evangelium der Nachfolge. Jesus sagt seinen Jüngern, dass sie den Plan vom Reich Gottes kapieren, weil sie selbst diese Nachfolge erleben, weil sie in seiner Nähe und mit ihm unterwegs sind. Die Journalistin Valerie Schönian begleitete ein Jahr lang einen Geistlichen und kam dabei zum Glauben. In einem Artikel in der Wochenzeitung DIE ZEIT schrieb sie 2018 über ihre Erfahrungen und einen Absatz fand ich besonders bemerkenswert: „Es war eine der großen Diskussionen zwischen Franziskus und mir: Er wollte, dass ich ihn vor allem bei seiner Arbeit begleite. Ich wollte reden, damit er mir das erklärt, was ich nicht sehen kann. Letztlich hatten wir beide recht. Er musste einsehen, dass er versuchen muss, Worte zu finden. Ich musste einsehen, dass ich diese Worte erleben muss."

Wenn wir in Jesu Nähe bleiben, können wir ein großartiges Reich Gottes erleben, das wir sonst nicht einmal sehen können.   *Tobias Lang*

---

 www.zeit.de/2018/32/kirchenferne-glaube-predigt-sprache-regeln/komplettansicht

 Monatsspruch
Jesus Christus spricht: Liebt eure Feinde; tut denen Gutes, die euch hassen! Segnet die, die euch verfluchen; betet für die, die euch beschimpfen!
(Lukas 6,27-28 E)

2

Sonntag
FEBRUAR

2025

☀ 07:58 17:14
☽ 09:36 22:41

Letzter Sonntag nach Epiphanias

Bibellese: Psalm 16

Gott, ich sage zu dir: „Du bist mein Herr.
Mein Glück finde ich allein bei dir!" **(Vers 2)**

Einmal in der Woche haben wir im Büro morgens um neun Uhr ein besonderes Gebetstreffen. Es steht unter dem Motto „dankbarer Dienstag". Und so danken wir also: für gute Entwicklungen, für dies und das oder einfach für die Sonne am Morgen – im Siegerland sehen wir sie zwar nur selten, aber es gibt sie wirklich! Doch als ich an einem Morgen hörte, wie die Kollegen im Flur zusammenkamen, schloss ich entschieden die Tür meines Büros. Wenn Gott Dank hören wollte, konnte er ja rausgehen zu den anderen. Wofür hätte ich auch danken sollen? Für die nicht enden wollenden Krankheiten, die seit Wochen reihum in der Familie grassierten oder für den plötzlichen Tod meiner Schwiegermutter? Sollte ich dankbar für den Stress im Job sein oder vielleicht doch lieber für die kaputte Heizung? An diesem Morgen war Gott für mich wie ein kleiner fieser Junge, der sein Brennglas nicht auf Ameisen, sondern auf mich und meine Familie hielt, um zu gucken, wann wir zu kokeln anfangen. Danke für gar nichts!

Man merkt vielleicht ein bisschen, dass ich mich ganz gut in Rage reden, denken und beten kann. Ungefähr zwei Stunden später sah ich einen Social-Media-Beitrag meiner Frau. Beim Gassigehen hatte sie ein wunderschönes Bild geschossen. In ihrem Text darunter dankte sie Gott für diesen besonderen Lichtblick und schrieb, wie viel er ihr bedeutet hat, gerade jetzt, in unserer Misere.

Für mich sind solche Momente großartig. Bei Gott darf ich bockig und stocksauer sein. Unser Vater im Himmel stand nicht vor meiner Bürotür und sagte, dass ich wieder rauskommen darf, wenn ich mich wieder im Griff habe. Stattdessen war er draußen, begegnete meiner Frau. Und anstelle eines Brennglases richtete er den Glanz eines Sonnenscheins auf ihren Spazierweg. Und überhaupt: Was wäre denn ohne Gott? Mein Dasein wäre ja nicht weniger geplagt. „Herr, wohin sonst sollten wir gehen?" – mit unseren Klagen, unseren Fragen, unserem Frust? „Wo auf der Welt fänden wir Glück? Niemand, kein Mensch kann uns so viel geben wie du. Du führst uns zum Leben zurück" (Thea Eichholz). So ist das nämlich.

Tobias Lang

3

Montag
FEBRUAR

Bibellese: Lukas 8,16-21
Jesus sagte: „Gebt acht, dass ihr richtig zuhört!"

(Vers 18)

Es war eine etwas skurrile Erfahrung, als ich einmal eingeladen wurde, eine Gemeindefreizeit mit Bibelarbeiten zu würzen. Dabei wurden mir nämlich nicht nur die Bibeltexte vorgegeben, sondern auch, was ich zu diesen Texten sagen soll. Ich ließ mich nicht darauf ein. Aber die vermutliche Haltung dahinter begegnet mir öfter, manchmal auch bei mir selbst: Ich höre Worte der Bibel und weiß schon alles. Ordne sie sofort ein in mein bewährtes Glaubens-Koordinatensystem. Das hat den Vorteil, nichts Neues denken zu müssen. Ich höre nur die Bestätigungen, eventuelle Infragestellungen oder Herausforderungen dagegen klappe ich mit der Bibel zu und stelle sie in mein wohlsortiertes Gedankenregal. Die Aufforderung von Jesus, richtig zuzuhören, ist eingebettet in das vorherige Gleichnis mit Auslegung vom sogenannten vierfachen Acker und die nachfolgende Erzählung des Verwandtenbesuches. Das Gleichnis beschreibt unterschiedliche Fehlentwicklungen beim Hören. Das Ansinnen seiner Mutter und Geschwister beim Versuch, an Jesus heranzukommen, wird von Lukas wohl verharmlosend dargestellt: Sie wollen ihn sehen. Nach Markus wollen sie ihn – mehr oder weniger gewaltsam – nach Hause holen, weil sie ihn für verrückt halten. Was Jesus sagt und tut, passt eben nicht in ihr fertiges Bild, sprengt den Rahmen ihres Glaubens-Koordinatensystems.

Richtiges Hören beschreibt Jesus mit einem Bild, das eigentlich das Sehen betrifft: Die brennende Öllampe auf den erhöhten Ständer stellen, statt sie zu verbergen. Wenn das Licht nicht für alle sichtbar wird, ist es im Eimer. Licht haben und es exponiert aufstellen meint, dass ich dem gehörten Wort ermögliche, seine Strahlkraft zu entfalten, seine Wirkung zu erzielen. Es will Orientierung geben, Klarheit schaffen und meine Perspektive erweitern. Das alles zielt darauf, dass das Hören zum Tun führt. Das gehörte Wort muss ins Leben übersetzt werden. Richtiges Hören schließt das etwas unbeliebte Wort Gehorsam ein. Das meint keinen Kadavergehorsam, sondern ein Auf-mich-wirken-Lassen. Das Wort, dem ich zustimme, prägt zunehmend mein Denken, Reden und Tun.   *Michael Schubach*

Bibellese: Lukas 8,22-25
Jesus sagte zu den Jüngern: „Wo ist euer Vertrauen?"
(Vers 25)

Was für eine Frage! Da Jesus schläft, scheint er gar nichts von der Gefahr mitzubekommen. Nichts von der Angst, die seine Jünger umtreibt. Nichts von den Anstrengungen, die sie unternehmen, um irgendwie das sichere Ufer zu erreichen. Was würden Menschen zu dieser Frage sagen, die nachts im Luftschutzkeller ausharren? Oder deren Haus durch Erdbeben oder Flut bedroht wird? Die gerade eine Diagnose verarbeiten müssen, die alle Zukunftspläne zunichtemacht, vielleicht sogar das Weiterleben selbst infrage stellt? Wie oft erleben wir Situationen oder erleben sie mit, in denen wir den Eindruck haben: Jesus schläft, während wir uns hier rumschlagen und ihn um Hilfe anrufen.

Ich sehe beim Lesen des heutigen Bibeltextes ein Bild vor meinen Augen, das ein geschätzter Freund von mir malte. Ralf Ossa zeichnet genau diese

Geschichte nach: Während die Jünger wild gestikulierend im Boot agieren oder sich angsterfüllt am Mast festklammern, schläft Jesus im Heck des Schiffes. Allerdings malte der Künstler dieses Heck als zwei große Hände, in denen Jesus ruht. Mitten im Sturm unter einer Monsterwelle, die gerade die Mitte des Schiffes überspült. In warmen Farben gezeichnet ziehen diese großen Hände mit dem schlafenden Jesus darin meine Aufmerksamkeit auf sich. Das bedeutet doch: Jesus sieht mehr, als die Jünger in derselben Situation sehen können. Gerade weil er schläft, ist er dem Sturm genauso schutzlos ausgeliefert. Oder gerade nicht schutzlos. Sein Leben liegt in Gottes Händen, die den Sturm nicht verhinderten, aber bergend da sind für jeden, der sich hineinlegt.

Noch stärker kommt dieses Vertrauen zum Ausdruck, als Jesus am Kreuz hängt und Gottes Hände ihn nicht bewahren vor diesem Tod. Da betet er sterbend: „Vater, ich gebe mein Leben in deine Hände!" (Lukas 23,46; Psalm 31,6). Auch auf dem Bild Ralf Ossas ist das Kreuz zu sehen. Vorn am Bug. Es ist schon durch die Monsterwelle hindurch. Jesus fragt also nach unserem Vertrauen, das sich in jeder Lebenslage Gott überlässt. Weil trotz allem Gott seine bergenden Hände um uns hält und uns sicher zum Ziel bringt. Auch durch unsere Stürme. *Michael Schubach*

Bibellese: Lukas 8,26-39
Jesus sagte: „Geh nach Hause und erzähl, was Gott für dich getan hat!"   *(Vers 39)*

Kann man das verstehen? Einmal ruft Jesus Leute in seine Nachfolge, die dann wichtigere Vorhaben vorschieben; hier will mal jemand, und Jesus schickt ihn weg. Vor allem stelle ich mir vor: Diesem Mann hätte es doch gutgetan, noch eine Weile mit Jesus zu gehen. Er ist zwar „von allen bösen Geistern verlassen", aber nun muss erstmal Stabilität in sein Leben. Er muss ganz neu lernen zu leben. Wo könnte er das besser als bei Jesus! Ein Stück mitlaufen, Orientierung finden und innerlich heil werden. Welchen Hintergrund die Bitte genau hatte, erfahren wir nicht. Er bat Jesus, „mit ihm zu sein", darauf beschränkt sich der griechische Wortlaut. Doch Jesus lässt sich nicht darauf ein.
Es wirkt hart, dass er jenen Menschen wegschickt. Dorthin, wo er es in seiner Gebundenheit nicht ausgehalten hatte, und andere ihn nicht aushalten

konnten. Wird er es jetzt aushalten? Wird er zu Hause aufgenommen? Ist seine Heilung für seine Familie glaubwürdig und bei ihm nachhaltig? Verständlicher wird das Wegschicken eigentlich nur durch den Auftrag, den Jesus ihm mitgibt. Nämlich in seiner Umgebung zu erzählen, was Gott in seinem Leben tat. Auf diese Weise will sich das Wunder vermehren. Es soll nicht auf ihn selbst beschränkt bleiben, sondern Kreise ziehen. Sein Dorf soll durch ihn mit Gott in Berührung kommen. Jesus mutete ihm zu und traute ihm offensichtlich auch zu, dass er das kann. Gerade indem er zurückgeht und die ihm aufgetragene Mission erfüllt, geht er seinen Weg mit Jesus. Genaugenommen ist er so Jesus dichter auf den Fersen, als wenn er ihm buchstäblich hinterherlaufen würde.

Auch Christen leben davon, dass Christus sie befreite. Was liegt näher, als in seiner Nähe leben zu wollen. Auch wir wollen Gottesmomente gern festhalten und erliegen dabei der Gefahr, eine fromme Zurückgezogenheit zu kultivieren. Aber Jesus schickt uns in unseren Alltag, in die Welt zurück. Wunder, die wir mit Jesus erleben, sollen kein Selbstzweck bleiben, sondern den Radius von Gottes Wirken vergrößern. Das traut Jesus uns zu. Das ist Bestandteil des wunderbaren Handelns Gottes an uns. Erst in der Mission kommt unsere Rettung zum Ziel. *Michael Schubach*

Bibellese: Lukas 8,40-56
Jesus sagte: „Weint nicht! Es ist nicht tot, es schläft nur."
(Vers 52)

Meine Heimatstadt hat viele junge Familien durch berufliche Mobilität verloren. Das macht sich auch in den Gemeinden sehr stark bemerkbar. Im Gottesdienst sitzen meist Rentner, auch sie werden sichtbar weniger. Da liegt es nahe, resigniert von sterbenden Gemeinden zu sprechen. Die Anzeichen sprechen dafür. Aber der Glaube kann dagegenhalten! Er weiß, dass Gottes Möglichkeiten größer sind als das, was wir vor Augen haben. Davon redet auch der heutige Text. Zunächst schildert er, was vielfach von Jesus bezeugt ist: Er macht leidende Menschen in ganzheitlicher Weise heil, will aber nicht als Wundertäter bestaunt werden. Immer wieder wird berichtet, wie er die Schwachen mit einbezieht: „Dein Vertrauen/Glaube (das Wort hat im Urtext beide Bedeutungen) hat dir geholfen." Das Vertrauen auf Gottes Liebe bewahrt aber auch vor

Resignation und der Sichtweise: „Alles umsonst, da kann man nichts mehr machen!" Gott hilft nicht nur dort, wo wir uns wundern. Gott schenkt auch einen klaren Kopf und gesunden Verstand.

Das Besondere in der Geschichte scheint mir, dass Jesus sich nicht anstecken lässt von der Hysterie der Nachbarn, die aus Mitleid und Betroffenheit um die Erkrankung des jungen Mädchens gleich das Schlimmste annehmen. Er bleibt gelassen und versucht, sie zu beruhigen: Sie ist nicht tot! Gefühle übertönen die Stimme der Vernunft. Sie verlachen ihn. Und als dann das Mädchen wirklich vor ihnen steht, muss Jesus den Eltern verbieten, daraus eine Sensationsgeschichte zu machen.

Das Wort Jesu „Steh auf!" gilt bis heute. Nein, kein Grund zur Panik, keine sterbende Gemeinde, aber vielleicht eine im Schlaf der Gewohnheit versunkene. Sein Wort kann zu neuem Leben wecken.

Ulrich Meisel

Weck die tote Christenheit
aus dem Schlaf der Sicherheit,
dass sie deine Stimme hört,
sich zu deinem Wort bekehrt.
Erbarm dich, Herr.

Christian Gottlob Barth 1827
Aus: Sonne der Gerechtigkeit

7

Bibellese: Lukas 9,1-9

Herodes sagte: „Johannes habe ich doch selber den Kopf abschlagen lassen. Wer ist dann der, von dem ich solche Dinge höre?"   *(Vers 9)*

Die Sehnsucht, dass Gott wichtige Propheten dem Volk Israel ein zweites Mal senden möge, war damals in der jüdischen Bevölkerung weit verbreitet. Herodes weiß nicht recht, was er davon halten soll. Zeitgenössische Quellen beschreiben ihn als unsicher, abergläubisch und ängstlich.

Aber etwas war ihm sehr klar bewusst: Diese neue Glaubensbewegung war für ihn eine Gefahr. Denn echter Glaube ist zwar immer persönlich, aber er bleibt nie privat. Wer vom Glauben ergriffen ist, dem können die Menschen, dem kann auch der Kurs der Gesellschaft nicht gleichgültig sein. Und darum wollen Christen nicht alles im alten Trott laufen lassen. Sie sind nicht konservativ, sondern kreativ.

Als nach der friedlichen Revolution die Stasi-Akten geöffnet wurden, konnte man lesen, dass im

Umgang mit den Jugend- und Studentengruppen, die sich unter dem Dach der Kirche gebildet hatten, auf eine „Theologisierung" hingewirkt werden sollte. Offenbar meinten die Parteioberen, solange die jungen Leute in der Bibel lesen, seien sie ungefährlich. Sie hatten, im Gegensatz zu Herodes, nicht begriffen, welche Sprengkraft in der Wahrheit steckt, die von Gott selbst stammt. „Wenn wir in Gottes Auftrag gegen den Strom rudern, dürfen wir mit dem Rückenwind seines Geistes rechnen", haben wir damals in der Ökumenischen Versammlung formuliert.

Christen waren in der DDR eine Minderheit. Dass trotzdem allerorts die Kirchen der Ausgangspunkt der Demonstrationen wurden, lag ja nicht daran, dass wir Christen mutiger oder klüger waren als die übrige Bevölkerung. Aber wir hatten wohl mehr Hoffnung und die Zuversicht, dass Gott mit denen ist, die auf ihn vertrauen. Und das hat eine Veränderung bewirkt, die sich vorher kaum jemand vorstellen konnte. „Wir waren auf alles vorbereitet, nur nicht auf Kerzen", lässt Erich Loest in seinem Roman „Nikolaikirche" den Stasi-General sagen.

Wo lebendiger Glaube Menschen verändert, muss die Welt nicht bleiben, wie sie ist. Das gilt heute nicht weniger als zur Zeit des Herodes.   *Ulrich Meisel*

Bibellese: Lukas 9,10-17
Jesus wies die Leute nicht ab, sondern sprach zu ihnen über das Kommen der Herrschaft Gottes und heilte alle, die Hilfe brauchten. *(Vers 11)*

Jesus ist mein großes Vorbild. Ich wäre so gerne wie er. Stattdessen bin ich wie ich. Im Alltag denke ich nicht ununterbrochen daran, ob mein Tun Gott gefällt, ich tue es einfach.
Manchmal fahre ich für eine Frau einkaufen, weil sie es nicht mehr kann, oder mein Mann und ich schenken unsere Zeit und unser Wissen einer irakischen Freundin, die Schwierigkeiten mit den deutschen Ämtern und mit der deutschen Sprache hat. Während mein Mann Kopien der Unterlagen ausdruckt oder eine E-Mail schreibt, fragt sie mich, ob sie mir von sich und ihren Sorgen erzählen kann. Wir trinken Kaffee und sie erzählt. Meistens kann ich ihr helfen, indem ich zuhöre, verstehe, manchmal auch aktiv werde und sie begleite. Wir führen ganz normale Gespräche unter guten Freunden. Dann beten wir.

Sie sagt: „Ihr seid meine Familie und meine Freunde. Ohne euch und ohne die Gemeinde wäre ich ganz allein."

Sie ist nicht die Einzige, die meine oder unsere Hilfe sucht. Nicht immer habe ich Lust, wenn ein solcher Anruf oder eine Nachricht auf dem Handy kommt, aber ich werde die Menschen nicht abwimmeln, weil ich auch nicht abgewimmelt werden will. Manchmal muss ich einen anderen Termin für das Gespräch, den Besuch oder die erbetene Aktion suchen, weil mir eine sofortige Hilfe nicht möglich ist. Aber das ist okay. Denn die Menschen, die uns brauchen, wissen, dass wir alles tun, was wir können. Dazu sage ich ihnen, dass Gott tut, was in seiner Macht steht. Ich vertraue darauf, dass Jesus persönlich bei uns ist, denn ich habe seinen Heiligen Geist bekommen, wie er es versprochen hat.

Wenn ich zu Menschen gehe, um ihnen zu helfen oder sie zu uns einlade, dann ist da, wo ich hingehe und wo ich bin, Gottes Herrschaftsbereich. Wenn ich mich mit meiner Gemeinde zu Gottesdiensten und anderen Veranstaltungen treffe, dann ist in jedem Nachfolger, in jeder Nachfolgerin der Heilige Geist anwesend. Das ist die Gemeinschaft der Heiligen, da ist Gottes Herrschaftsbereich in großer Fülle an einem Ort. Und wohin wir anschließend gehen, nehmen wir etwas davon mit.

Ilona Kube-Jakobson

9

Sonntag
FEBRUAR

2025

☀ 07:46 17:27
☽ 13:25 06:37

4. Sonntag vor der Passionszeit

Bibellese: Psalm 18,1-20

*Er neigte den Himmel tief auf die Erde
und fuhr hernieder auf dunklen Wolken.
Sein strahlender Glanz verscheuchte die Wolken
mit Hagelschlägen und glühenden Steinen.*

(Vers 10.13)

Im Dezember 2023 las ich in der „Frankfurter Rundschau" Berichte von freigelassenen Hamas-Geiseln. So bot auch die Deutsch-Israelin Yarden Romann-Gat einen Einblick in die Geiselhaft. Sie sei nach der Verschleppung wie eine Trophäe durch die Straßen in dem palästinensischen Küstengebiet geführt worden. „Ich war kein Mensch", sagte sie. Viele Leute hätten ihre Zurschaustellung gefeiert. Später sei sie ohne andere Geiseln in einem Haus festgehalten und dort rund um die Uhr von einer männlichen Wache beobachtet worden. Sie habe einen Hidschab zum Anziehen bekommen, sich aber dennoch nicht geschützt gefühlt. „Du kannst keiner Sache widersprechen, es könnte dich dein Leben kosten."

Sie habe zudem ständig Angst vor den israelischen Bombardierungen gehabt. Ich mag mir ihre Situation nicht vorstellen. In der Hand ihrer Feinde und zusätzlich bedroht durch die Bomben derer, die sie eigentlich retten wollen.

Einige Verse aus Psalm 18 haben mich an diese Berichte erinnert. Der Psalmbeter, laut Überschrift David selbst, als er noch als Thronanwärter auf der Flucht vor König Saul war, kennt eine ähnliche Situation. Er wird von Feinden verfolgt, ist in Todesgefahr und schreit in seiner Verzweiflung zu Gott, dass er ihn retten möge. Und es passiert etwas: Ein schreckliches Unwetter zieht herauf, das eindrucksvoll und beängstigend in den Versen 8 bis 16 beschrieben wird. Der Beter empfindet, dass hier Gottes Zorn zum Ausdruck kommt. Aber dann erkennt er, dass sich die dröhnende Stimme Gottes, sein Drohen, sein Zorn nicht gegen ihn richten, sondern gegen seine Feinde. So bedeutet das schreckliche Unwetter für ihn die Rettung.

Zugleich erinnert mich der Psalm an die Verfinsterung des Himmels und das Erdbeben im Zusammenhang mit dem Tod Jesu am Kreuz. Alles sehr erschreckend, aber dennoch zu meiner Rettung und zur Rettung aller vor dem ewigen Tod.

Hans-Werner Kube

Zum 9. Februar 2025
Frühes Schuldbekenntnis

Heute vor 150 Jahren, am 9. Februar 1875, wurde der Pastor und Evangelist **Friedrich Rockschies** in Kaukehmen bei Tilsit/Ostpreußen **geboren.** Er förderte die Zusammenführung von Baptisten-, Brüder- und Elim- gemeinden im Zweiten Weltkrieg. Noch im Sommer 1945 legte er ein Schuldbekenntnis ab.

Friedrich Rockschies wuchs in einfachen Verhältnis- sen auf. Er ließ sich 1891 in der Baptistengemeinde Lyck/Ostpreußen in einem See taufen. Damals gingen viele Ostpreußen zum Arbeiten in die Bergbaustadt Gelsenkirchen, so auch seine Schwester, die ihre bei- den Brüder mitnahm. Dort arbeitete er als Bergmann. Der dortige Gemeindepastor August Broda empfahl ihm 1899, am Theologischen Seminar in Hamburg zu studieren. Er heiratete 1903 Clara, geborene Schröder. Das Paar bekam eine Tochter und drei Söhne. Später sagte er über sie: „Es ist doch gut, wenn man einen Menschen auf dieser Erde hat, dem man vertrauen kann." Nach dem Studium 1903 ging er in den Gemein- dedienst. Zunächst in Bremen bis 1907. Danach bis 1919 in Königsberg-Klapperwiese. Anschließend bis

1945 in Berlin-Schmidtstraße. Seit 1930 setzte er sich in der Bundesverwaltung ein. Von 1933 bis 1936 war er einer der drei leitenden Ältesten des Bundes. In den Jahren 1936 bis 1945 wirkte er als Erster Vorsitzender der Bundesleitung. In dieser Zeit förderte er die Evangelisation und die Zusammenführung von Baptisten-, Brüder- und Elimgemeinden. International vertrat er den Bund auf den Kongressen des Weltbundes in Berlin 1934 und 1939 in Atlanta/USA kurz vor Ausbruch des Zweiten Weltkriegs. Er erlebte 1943 sowohl die Zerstörung des Gemeindehauses als auch seiner Wohnung. Im Sommer 1945 legte er ein ergreifendes Schuldbekenntnis ab, das erst im Nachlass gefunden und von Pastor Heinz Szobries 2013 veröffentlicht wurde. Er schreibt: „Jeder muss nun seinen Anteil von der Schuld auf sich nehmen und ihn abtragen. Das ist der einzige Weg in eine bessere Welt." Es schließt sich ein „Beitrag zur Kriegsschuld in Reim" an: „Schuld will keiner haben, nur wenige sollen die Schuldigen sein ... Schuld, die alle haben, muss in das klare Licht ... Das Recht macht alle frei von jeder Tyrannei."

Er starb am 8. Oktober 1945 in Finow bei Eberswalde bei seiner Tochter. Diese erzählte dem Seminardirektor und Freund Dr. Hans Luckey, dass er täglich auf die Straße ging, um den Elendstreck aus seiner Heimat Masuren zu sehen und Bekannte zu finden. Danach habe er sich an den Straßenrand gesetzt und geweint.

Nicola Bourdon

Bibellese: Lukas 9,18-27
Jesus sagte: „Wenn jemand nicht den Mut hat, sich zu mir und meiner Botschaft zu bekennen, dann wird auch der Menschensohn keinen Mut haben, sich zu ihm zu bekennen."   *(Vers 26)*

Das christliche Hilfswerk „Open Doors" aus Kelkheim veröffentlicht jährlich den Weltverfolgungsindex. In der Negativ-Rangliste finden sich die 50 Länder, in denen Christen aufgrund ihres Glaubens der stärksten Verfolgung ausgesetzt sind, beginnend mit Nordkorea, Somalia, oder auch dem Iran und Afghanistan. Christen werden wegen Ausübung ihres Glaubens diskriminiert, in ihren Häusern angegriffen oder aus ihnen vertrieben, müssen untertauchen, sind von physischer Gewalt oder Todesdrohungen betroffen oder werden getötet.
Hätte ich in diesen Ländern den Mut, mich zu Jesus zu bekennen? Würde ich Zivilcourage zeigen und mich für Christen einsetzen? Das mag jeder für sich selbst beantworten. Jesus fordert es hier von

seinen Zuhörenden. Jesus spricht hier von seiner Wiederkunft und seiner Funktion als Weltenrichter im Endgericht. Auf monumentalen, figurenreichen Gemälden oder Bogenportalen von Kirchen wurde diese Szene oft dargestellt, ausstaffiert mit Posaunen blasenden Engeln und höllischen Szenen. Jesus Christus sitzt als Weltenrichter auf seinem Thron. Der Teufel, das Böse und der Verführer schlechthin, ist gefesselt. Der Erzengel Michael wiegt die guten und bösen Taten der Menschen als Seelenwäger, die Jesus dann bewertet (Matthäus 24 und 25).

Aber Jesus fordert nicht nur Bekennermut, er schenkt auch die Kraft dazu. Paulus schreibt später: „Denn Gott hat uns nicht einen Geist der Feigheit gegeben, sondern den Geist der Kraft und der Liebe und der Besonnenheit" (2. Timotheus 1,7). Gottes Geist schenkt den Mut, sich zu Jesus zu bekennen – nicht nur in lebensbedrohlichen Situationen, sondern auch im Alltag, im Gespräch mit Nachbarn oder Freunden. Jesus sagt zu, dass er sich dann auch zu uns bekennt und ewiges Leben schenkt.

Nicola Bourdon

 Klares Bekennen unseres Glaubens ehrt Gott und ermutigt andere zum Glauben.

Charles Haddon Spurgeon (1834-1892),
britischer baptistischer Pastor

11

Dienstag
FEBRUAR

2025

☀ 07:43   17:31
☽ 16:04   07:42

Bibellese: Lukas 9,28-36

Jesus, Mose und Elija wurden ganz eingehüllt von der Wolke, und die Jünger bekamen Angst.   *(Vers 34)*

Die Wolke veranschaulicht im Alten Testament die Gegenwart Gottes: während der Wanderung durch die Wüste (2. Mose/Exodus 16,10) und als Mose dem Volk die Zehn Gebote verkündet (5. Mose/Deuteronomium 5,22). Bei der Himmelfahrt im Neuen Testament verschwindet Jesus selbst in einer Wolke, vereint sich wieder mit der Sphäre Gottes (Apostelgeschichte 1,9). Die Wolke zeigt einerseits das Erscheinen und die Nähe Gottes an. Andererseits verdeutlicht sie das Geheimnis, dass Gott in einer anderen Dimension lebt und größer als die menschliche Vorstellungskraft ist.

Beides löst bei den Jüngern verständlicherweise Angst aus. Ihre Angst zeigt, dass sie spüren: Gott ist herrlich, allmächtig und heilig. Sie erschrecken vor seiner Nähe. Vielleicht haben sie auch Angst, dass ihnen ihr Herr entrissen wird wie im Alten Testament bei Elija (2. Könige 2,11). Sie haben Angst, von Jesus alleingelassen zu werden.

Jesus lässt niemanden allein, der an ihn glaubt. Der Friedensnobelpreisträger und baptistische Pastor Dr. Martin Luther King sagte einmal: „Die Angst klopft an die Tür, der Glaube antwortet, niemand tritt ein." Er hatte viele Gründe, Angst zu haben. Sein gewaltloser Widerstand gegen die Rassentrennung in den USA brachte ihm viele Gegner ein, weiße Bürger, Polizisten und hochrangige Politiker. Er machte weiter und wurde letztlich ermordet. Beim „Chormusical Martin Luther King – Ein Traum verändert die Welt", war in jeder Szene, ob froh oder traurig, die Heilige Geistin dabei. Sie repräsentierte wie die Wolke die Gegenwart Gottes singend, mal dem Geschehen zugewandt, mal abgewandt. Das verdeutlicht: Seit Pfingsten ist kein Christ allein. Der Heilige Geist bleibt bei ihm, was auch geschieht. *Nicola Bourdon*

 Fragen zum Weiterdenken
Welche Situationen lösen in meinem Leben Angst aus?
Welches Gottesbild habe ich? Erschrecke ich vor der Nähe oder Heiligkeit Gottes?
Habe ich Angst, von Jesus in meinem Leben oder Sterben alleingelassen zu werden?

12

Mittwoch
FEBRUAR

2025

☀ 07:41 17:32
☽ 17:24 08:00

Bibellese: Lukas 9,37-45
Die Jünger fürchteten sich, Jesus danach zu fragen.
(Vers 45)

Der, die, das. Wer, wie, was? Wieso, weshalb, warum? Wer nicht fragt, bleibt dumm!" Dieses Lied ist die Auftaktmelodie zur Fernsehserie „Sesamstraße" für Vorschulkinder, die in Deutschland seit 1973 im Fernsehen läuft. Sie vertont die Lust am Wissen, die Neugier von Kindern auf die Welt. In der Schule geht es darum, Fragen zu stellen, die dann in der Klassengemeinschaft gemeinsam mit dem Lehrenden beantwortet werden. Nach dem Motto: Es gibt keine dummen Fragen, nur dumme Antworten. In der Bibellese geht es um Erwachsene, die sich nicht trauen, ihren Lehrer zu befragen. Obwohl sie eigentlich seine Schüler sind und er ihr Rabbi ist.
In der gestrigen Andacht ging es um die Angst aus Ehrfurcht oder um die Angst, alleingelassen zu werden. Heute geht es um die Scham über eigene

Unzulänglichkeit. Oder auch die Angst, bloßgestellt zu werden, dass man etwas nicht versteht, obwohl man nah dran ist. Die Jünger befürchteten, dass ihre ganzen Hoffnungen zerschlagen würden. Sie hatten sich das Kommen des Reiches Gottes und des Messias anders, größer ausgemalt. Sie dachten wohl an einen Herrscher, der ein herrliches neues Reich noch zu ihren Lebzeiten auf der Erde errichtet. Davon träumen Menschen. Aber die Jünger merkten, dass Jesus ganz anderes ankündigte: Leiden, Erniedrigung, Auslieferung des Messias an die derzeit mächtigen Menschen. Das konnten sie sich eher nicht als göttlichen Willen vorstellen. In der morgigen Andacht gibt Jesus ihnen ein Beispiel dafür, wie Gott über wahre Macht und Liebe denkt.

Nicola Bourdon

Wir warten dein, du kommst gewiss,
die Zeit ist bald vergangen.
Wir freuen uns schon überdies
mit kindlichem Verlangen.
Was wird geschehn, wenn wir dich sehn,
wenn du uns heim wirst bringen,
wenn wir dir ewig singen!

Philipp Friedrich Hiller 1767
Aus: Wir warten dein, o Gottessohn

Bibellese: Lukas 9,46-50
Jesus nahm ein Kind und stellte es neben sich.

(Vers 47)

Wo die Liebe ist, da ist auch Gott", so nannte der russische Schriftsteller Leo Tolstoi die Erzählung „Vater Martin" aus dem Jahr 1881, die er bei dem französischen, protestantischen Pfarrer Ruben Saillens gefunden hatte. Es geht um einen alten Schuster, der aus Verzweiflung über sein Unglück an Gott zweifelt. Er träumt, dass Gott ihn besucht. Fünf bedürftige Menschen kommen. Er nimmt sie alle freundlich auf, so wie Jesus alle auffordert, ihn so wie ein Kind aufzunehmen. Jesus macht Martin im Nachhinein klar, dass er ihn in deren Gestalt besuchte. Daraufhin kann der Schuster wieder glauben.

Ein Kind war zur Zeit der Bibellese in Israel das bedeutungsloseste Mitglied der Gesellschaft. Mit einem Kind schmückte man sich nicht wie mit einem berühmten Gast. Es kann auch nichts vergelten, so wie die Besucher bei Vater Martin. Jesus stellt es neben sich. Auf eine Ebene mit ihm. Jesus zeigt den Jüngern damit, worum es im Reich Gottes geht. Nicht um Macht und Pracht, sondern um Liebe-Üben und Dienen. Dienen ist ihm wichtiger als Verdienst. Jesus verdeutlicht den Jüngern, dass er sich freiwillig selbst erniedrigt. Zuerst, als er sich von Gott auf die Erde senden ließ, um die Menschen zu erlösen. Bis hin zu seinem Weg als verurteilter Verbrecher ans Kreuz. Das stand im Kontrast zum vorhergehenden Rangstreit der Jünger. Sie dachten stolz, dass Jesus sie als seine Vertrauten anderen Menschen vorzog. Es geht nicht darum, dass ein Kind schuldlos oder rein ist. Die guten Eigenschaften von Kindern sind, dass sie noch glauben können, statt beweisen zu müssen, dass sie noch nicht meinen, alles zu wissen, nicht heucheln und sich gerne beschenken lassen. Nun kann sich jeder selbst fragen: Kann ich an Jesus glauben, ohne Beweise zu fordern? Gestehe ich mir ein, nicht alles über Gott zu wissen und ihn nicht völlig zu verstehen? Bin ich frei von Heuchelei – anderen Christen und Gott gegenüber? Nehme ich mir Kinder zum Vorbild, fördere und liebe sie? Nehme ich Gottes Geschenk für mein Leben an? Nehme ich Jesus in mein Leben auf?

Nicola Bourdon

14

Freitag
FEBRUAR

Bibellese: Lukas 9,51-56
Die Dorfbewohner weigerten sich, Jesus aufzunehmen, weil er auf dem Weg nach Jerusalem war. *(Vers 53)*

Um von Galiläa ins südliche Judäa mit der Hauptstadt Jerusalem zu kommen, muss das Gebiet von Samarien durchquert werden. Um das zu vermeiden, wählten die Menschen meistens den Umweg durch das Jordantal. Doch Jesus geht mit seinen Jüngern durch das samaritische Gebiet und will dort sogar übernachten. Bei längeren Fußreisen hatte Jesus offenbar die Gewohnheit, ein paar seiner Jünger als Quartiermacher vorrauszuschicken, damit sie alle für die Nacht eine Unterkunft fänden. Jesus stellt seine Jünger als Mitarbeiter an. Das ist ja bis heute so: Weil wir Jünger Jesu sind, sollen wir auch seine Mitarbeiter sein. Er gibt mir die Aufgabe: Ich soll für Jesus Quartier machen. Ich soll die Menschen dazu einladen, Jesus bei sich aufzunehmen.
Nun mache ich bei der Ausführung dieses Auftrags oft dieselbe Erfahrung, die die Jünger damals auch

gemacht haben: Nicht alle Menschen sind bereit, Jesus aufzunehmen. Das war für damalige Verhältnisse unhöflich, denn jeder war mehr oder weniger moralisch dazu verpflichtet, durchreisenden Fremden Essen und Nachtquartier zu gewähren. Die Brüder Johannes und Jakobus regen sich darüber mächtig auf und wissen auch gleich, wie Jesus darauf reagieren soll. Er soll Feuer vom Himmel fallen lassen und sie alle umbringen. Doch das gefällt Jesus gar nicht. Wir sind nicht dazu in die Welt gesandt, Menschen aufzugeben, sondern sie immer wieder einzuladen, Jesus bei sich aufzunehmen. Nicht verurteilen, sondern weitergehen in ein anderes Dorf, anderen die Botschaft vom Reich Gottes nahebringen. Er wird uns immer wieder die Erfahrung machen lassen, dass er Türen öffnet, statt Feuer vom Himmel fallen zu lassen. Nichts kann ihn daran hindern, seinen Plan auch bei uns, mit uns und vielleicht oft genug auch gegen uns durchzusetzen.

Jesus geht nach dieser Geschichte den Weg weiter nach Jerusalem, und das heißt, den Weg in das Leiden. Jesus geht es nicht um eine gewaltsame Durchsetzung von Gottes Willen. Er weiß, das Heil der Welt liegt darin, dass er den Willen des Vaters erfüllt und für die Sünden der Welt am Kreuz stirbt. Nichts kann den Heilsplan Gottes aufhalten, auch keine Ablehnung. Darum bleibt Jesus gelassen. *Claudia Küchler*

15

Samstag
FEBRUAR

2025

☀ 07:35 17:38
☽ 21:04 08:35

Bibellese: Lukas 9,57-62
Ein anderer sagte: „Herr, ich will ja gerne mit dir gehen, aber lass mich erst noch von meiner Familie Abschied nehmen!" *(Vers 61)*

Das ist jetzt nicht dein Ernst, oder? Mein Sohn steht freudig strahlend vor mir im Badezimmer und hat alle Klopapierrollen abgewickelt und schön auf dem Boden verteilt. Ich kann es nicht fassen. Das hast du nicht wirklich getan, oder? Das ist jetzt nicht dein Ernst! Ich war so überrascht von dem, was mein Sohn voller Freude getan hat. Niemals hätte ich das erwartet!

Manchmal geht es mir auch so, wenn ich die Bibel lese. Vor allem in den Evangelien, vor allem bei Jesus. Da gibt es Aussagen, die mich erstaunen.

Da will ein Mann Jesus nachfolgen, aber vorher ist es ihm noch wichtig, sich von seiner Familie zu verabschieden. Das ist doch eine nachvollziehbare Bitte. Lass mich alle Lieben noch einmal drücken und dann bin ich ganz für dich da. Und Jesus sagt:

Nein. Jetzt. Oder gar nicht. Denn wenn du dich noch verabschieden musst, dann taugst du nichts für die Nachfolge! Jesus, ist das jetzt dein Ernst?

Als Elija seinen Nachfolger Elischa beruft, bittet der ihn, sich noch verabschieden zu dürfen. Und was tut Elischa gerade? Er pflügt. Und Elija gestattet es. Elischa richtet ein großes Fest aus – und folgt Elija nach. Man darf sich so einen Abschied nicht so vorstellen, dass Mama, Papa, Schwester kurz umarmt werden und dann tschüss. Bei Elischa wird erst noch ein Opferfest gefeiert, die Nachbarn werden eingeladen – das hat Tage, wenn nicht Wochen gedauert. Jesus macht hier klar: Die Sache mit Jesus ist dringlich. Dass Jesus hier mit dem Bild des Pflügens antwortet, ist natürlich kein Zufall. Er macht deutlich: Ich bin mehr als Elija. Ich kann nur Leute brauchen, die strikt nach vorne schauen. Jesus sagt: Jetzt ist die Zeit, mir nachzufolgen! Er steht über allen familiären Bindungen. Wenn wir uns entscheiden müssen zwischen Jesus und unserer Familie, dann verlangt er immer die Entscheidung für ihn. Jesus meint es ernst. Teilweise so ernst, dass es weh tut. Jesus geht an unsere persönliche Grenze. Familiäre Verpflichtungen zählen nichts, wenn es um Jesus geht. Jesus hat Priorität, sogar vor Eltern und Familie. Unser Einsatz gehört dem Reich Gottes. Und Gott meint es ernst.

Claudia Küchler

16

Sonntag
FEBRUAR

2025

☀ 07:33　17:40
☽ 22:14　08:45

Septuagesimä (70 Tage vor Ostern)

Bibellese: Psalm 18,21-51
Du lässt mein Lebenslicht strahlen, Herr.
Du selbst, mein Gott,
machst mir das Dunkel hell.　　　　　*(Vers 29)*

Wenn das gemütliche, abwechslungsreiche Weihnachtsfest vorbei ist und die letzten bunten Silvesterknaller am Himmel verglüht sind, kann der Winter ganz schön aufs Gemüt schlagen. Wochenlang wird es erst spät hell und schon früh dunkel, und in der Zwischenzeit ist es oft bewölkt. Wie sehr freue ich mich über die Frühlingssonne, wenn sie zurückkommt und mehr und mehr an Kraft gewinnt. Ich spüre förmlich, wie das Leben in mich zurückfließt. Licht tut gut. Licht macht lebendig.

In einer Predigt wurde ich einmal daran erinnert, dass Gott, im Gegensatz zu unserer Sonne, noch nicht einmal Flecken hat. Sein Licht ist völlig frei von Finsternis oder dunkleren Stellen. Auch der Psalm dieser Bibellese strotzt vor uneingeschränkten, absoluten Eigenschaften Gottes. Vollkommenheit,

Wahrheit, Unerschütterlichkeit, Ewigkeit. Und dieser Gott höchstpersönlich möchte dafür sorgen, dass ich strahle. Nicht mit meinem eigenen kümmerlichen Licht, das noch nicht einmal von mir bis zur nächsten Wand reicht und recht armselig flackert, sondern mit seinem perfekten, hellen, beständigen Licht.

Die Auswirkungen dieses Lichts, das von Gott durch mich hindurchstrahlt, sind großartig. Zum einen vertreibt es das Finstere, das mich einengt, in meinen Möglichkeiten beschränkt und verängstigt, seien es ungute Charaktereigenschaften, Sünde oder Schuld. Im Hellen verschwinden alle dunklen Geheimnisse und machen Platz für Versöhnung. Zum anderen können auch meine Mitmenschen dieses Licht sehen, das mich stetig verändert. Vielleicht bemerken sie, dass ich auch in hoffnungslosen Situationen nicht völlig hoffnungslos bin. Oder dass sich meine Persönlichkeit über die Zeit ein wenig festigt und schädliche Muster mehr und mehr verschwinden. Obwohl meine dunklen Seiten im Hier und Jetzt nie ganz ausgelöscht werden, lässt Gott mein Lebenslicht strahlen. Sein Licht ist immer stärker als meine Dunkelheit.

Corinna Lang

17

Montag
FEBRUAR

Bibellese: Lukas 10,1-16

Jesus sagte zu den Boten: „Wenn ihr in ein Haus kommt, sagt zuerst: ‚Frieden sei mit diesem Haus!‘"   (Vers 5)

Als ich mir den Bibeltext durchgelesen hatte, wurde mir ganz neu bewusst, wie Gott mit uns umgeht – und auch, wie er nicht mit uns umgeht.
Zuerst sollen die von Jesus ausgesandten Boten Frieden über das Haus aussprechen, in das sie gehen. Eine angenehme Begrüßung mit einem wertvollen Geschenk. Sie wurden zum Beispiel nicht beauftragt, die potenziellen Empfänger der Botschaft mit „Wie ihr das hier macht, ist komplett falsch, kommt, wir zeigen euch, wie das richtig geht!" anzusprechen. Gott geizt bei neuen Begegnungen nicht mit Gutem und seine Botschafter sollten es auch nicht tun. Die Boten werden weiter von Jesus aufgefordert, mit den Gastgebern zu essen und zu trinken, und zwar das, was angeboten wird. Sie sollen, ja, dürfen sich also auf die Menschen einlassen, zu denen sie gesandt sind. Keine Predigt von oben herab oder

auf Distanz von der Türschwelle aus, sondern echte Gemeinschaft. Einmal so in die Gemeinschaft aufgenommen, sollen sie heilen und Gottes Reich verkünden. Wenn das alles auf Ablehnung stößt, ist Rückzug angesagt, auch mit deutlichen Worten und Aufzeigen der Konsequenzen.

Wir können daraus keine Eins-zu-eins-Handlungsanweisung für uns selbst basteln, weil unsere Begegnungen mit anderen Menschen so vielfältig sind wie die Menschen selbst, aber viele Facetten und Prinzipien Gottes kommen zum Vorschein, die wir verinnerlichen können. Wünsche ich meinem Gegenüber Gottes Bestes oder wünsche ich innerlich, dass er die Quittung für seine Fehltritte bekommt? Nehme ich am Leben des anderen Anteil oder interessiert mich die Person eigentlich gar nicht? Investiere ich Qualitätszeit oder nur das Nötigste? Bringe ich Gottes Gaben in sein oder ihr Leben ein oder behalte ich die für mich? Gebe ich die Botschaft weiter, ohne Wesentliches auszulassen, oder erzähle ich nur das Angenehme? Und genauso wichtig: Wende ich diese Prinzipien auch im Blick auf mich selbst an? Denn wenn ich mich selbst im Licht der Gnade Gottes betrachte, gelingt mir das bei anderen wohl auch.

Corinna Lang

18

Dienstag
FEBRUAR

2025

☀ 07:29 17:43
☽ –.– 09:07

Bibellese: Lukas 10,17-24

Damals wurde Jesus vom Geist Gottes mit jubelnder Freude erfüllt und rief: „Vater, Herr über Himmel und Erde, du hast angefangen, deine Herrschaft aufzurichten. Das hast du den Klugen und Gelehrten verborgen, aber den Unwissenden hast du es offenbar gemacht. Dafür preise ich dich!" (Vers 21)

Manchmal werden wir als Eltern vom Wissen unserer Kinder überrascht. Unsere Tochter ist zum Beispiel ein großer Fan von Einhörnern und anderen Fabelwesen. Als ich ihr stolz berichtete, dass ich gerade in einem Buch über den Mythos des Pegasus gelesen hatte, staunte ich nicht schlecht, als sie mir mühelos von dessen Entstehung, seinen Erlebnissen mit Bellerophon und seiner Rolle bei Zeus erzählte. Wie kann sich denn bitte eine Zehnjährige freiwillig so einen komplizierten Namen wie Bellerophon merken? Und warum musste ich 44 Jahre alt werden, um mich dank eines sehr guten englischen Autors diesbezüglich fortzubilden? Da war mir mein Kind weit voraus. Ich kann von ähnlichen Erlebnissen mit unserem Sohn und Dinosaurierfakten berichten. Das stellt das Bild von der eigenen Position – wissender Elternteil gegenüber dem weniger wissenden Kind – ganz schön auf den Kopf. Über dieses Auf-den-Kopf-Stellen jubelt Jesus in der Bibellese. Wir kennen es aus der Wissenschaft, dass neue Erkenntnisse zunächst von Fachleuten vorgebracht, besprochen und erst später für die restliche Bevölkerung aufgearbeitet werden. Warum macht Gott es genau andersherum? Vielleicht möchte er verhindern, dass die Erkenntnisse über ihn in der Schicht der Gelehrten bleiben und einen Großteil der Menschen nie erreichen. Denkbar ist auch, dass die Demut der einfachen Leute es ihnen leichter macht, Gottes Botschaften anzunehmen. Auch zeigt es, dass unsere menschlichen Fassaden aus Bildung, Reichtum und Ansehen für Gott nicht wichtig sind. Natürlich können diese Dinge auf gute Weise für ihn eingesetzt werden, aber sie sind niemals Voraussetzung, Gott und seinen Willen zu erkennen. Gott ist ein Fan der Schwachen, der Unwissenden, der Benachteiligten und der Außenseiter. Wir dürfen und sollen auch ohne theologische Ausbildung damit rechnen, dass Gott uns tiefe Erkenntnis schenkt. Dafür bin ich dankbar. *Corinna Lang*

Bibellese: Lukas 10,25-37

„Du hast richtig geantwortet", sagte Jesus zu dem Gesetzeslehrer. „Handle so, dann wirst du leben." (Vers 28)

Der barmherzige Samariter also. Heute haben wir mal wieder diesen Text, der sich so schön eignet, um das soziale Engagement der Christinnen und Christen in den Vordergrund zu stellen oder selbstkritischen Gemütern ein schlechtes Gewissen zu machen. Spannend ist die Ausgangslage für diese Geschichte: Da kommt jemand zu Jesus und fragt ihn, was er tun muss, um das ewige Leben zu bekommen. Muss man etwas tun, um das ewige Leben zu bekommen? Was für eine Frage ist das und warum stellt der Mann sie Jesus? Wir erfahren es: Er tut es, um Jesus auf die Probe zu stellen. Nun gut. Jesus lässt sich darauf ein. Sein Thema war das jedenfalls nicht. Nächster Gipfel: Jesus lässt den Mann seine Frage selbst aus dem jüdischen Gesetz beantworten, was er auch gut hinbekommt. Er filtert aus dem Gesetz das Dreifachgebot der Liebe heraus – verkürzt: Liebe deinen Gott, dich selbst und deinen Mitmenschen genauso. „Du hast richtig geantwortet", sagte Jesus zu dem Gesetzeslehrer. „Handle so, dann wirst du leben."

Der Wissbegierige bohrt aber noch tiefer und fragt, wer denn eigentlich so ein Mitmensch ist. Jetzt also die alte Geschichte, die man schon Kindern mit bunten Bildern erzählt. Interessant dabei: Der von Räubern überfallene Mann, von dem Jesus erzählt, wird ja für den Samariter erst zum Nächsten. Erstmal ist er „nur" ein überfallener Mann. Priester, Levit und Samariter – alle drei „sahen" ihn. Nur den Samariter „ergriff" dabei das Mitleid. Da wurden sie einander Mitmenschen oder besser noch eben „Nächste". Wo Liebe einen ergreift, kann man ihr Raum geben – es wäre der Raum ewigen Lebens. Übrigens: Priester und Levit kommen ja eher schlecht weg. Wer sagt eigentlich, dass sie ein paar hundert Meter weiter oder im heiligen Tempel nicht auch Menschen trafen, denen sie zum Mitmenschen wurden? Vielleicht ganz anders, aber in Liebe?   *Ulf Beiderbeck*

 Augustinus von Hippo (354-430) bringt es auf diese Formel: „Dilige et quod vis fac!" also: „Liebe und tu, was du willst!" Lassen Sie das heute doch mal wirken!

Ulf Beiderbeck

Bibellese: Lukas 10,38-42
Jesus antwortete Marta: „Maria hat die richtige Wahl getroffen. Sie hat sich für ein Gut entschieden, das ihr niemand wegnehmen kann." *(Vers 42)*

Der Gesetzeslehrer aus der Bibellese gestern wollte Jesus auf die Probe stellen. Ihn trieb die Frage um, was man tun muss, um das ewige Leben zu bekommen. Szenenwechsel: Jesus genießt in einem nicht näher benannten Ort die Gastfreundschaft einer Frau. Sie heißt Marta und ihre Schwester Maria ist auch da. Ähnlich wie der Gesetzeslehrer kommt diese Maria zu Jesus, aber es ist auch anders. Sie „setzte sich zu Füßen des Herrn nieder und hörte ihm zu", lesen wir. Sie schien keine Absicht zu haben – weder eine Probe noch eine bestimmte Fragestellung. In der Geschichte hören wir Jesus etwas sagen und auch die gastfreie Marta. Maria sagt nichts. Sie sitzt und hört, und es ist klar: Der, dem sie zuhört, ist der „Herr". Er hat Autorität und er lässt Nähe zu. So ist Maria bei ihm und öffnet sich für das, was Jesus ihr sagt. Wir hören nicht, was es ist, was Jesus ihr sagt. Es geht hier nicht um ein Thema wie Nächstenliebe, ewiges Leben oder Gastfreundschaft. Irgendetwas, das auch für uns heute von Belang sein könnte. Etwas, das von allgemeinem Interesse wäre – ein Thema eben. Hier geht es um etwas anderes. Es geht um eine Haltung. Wenn diese Geschichte überhaupt ein Thema hat, dann ist es nicht die Frage, was zu tun ist, sondern wie ich dazu komme, sinnvoll zu leben. Natürlich wird Maria auch wieder aufgestanden sein. Auch Jesus wird irgendwann das von Marta bereitete Essen – hoffentlich – in froher Tischgemeinschaft mit den beiden Schwestern genossen haben. Selbstverständlich gehört zum Leben das Tun. Die Frage ist nur: Aus welcher Quelle schöpfe ich die Kraft dazu? Oder: Was inspiriert mich, etwas anzufangen, fortzuführen oder auch zu beenden? Im Kontrast zur Geschichte von gestern lernen wir hier Maria als jemanden kennen, die sich absichtslos für Jesus öffnet. Eine gute, weil „richtige Wahl"!

Ulf Beiderbeck

 Maria wird damit zur Gallionsfigur der „vita contemplativa". Vergleiche: www.spektrum.de/lexikon/philosophie/vita-contemplativa/2172 und Byung-Chul Han, Vita Contemplativa, Ullstein, ISBN 9-78-3-5502-0213-1

Bibellese: Lukas 11,1-4

Einmal hatte sich Jesus zum Gebet zurückgezogen. Als er es beendet hatte, bat ihn einer der Jünger: „Herr, sag uns doch, wie wir beten sollen!" (Vers 1)

Von einer Freundin bekam ich ein besonderes Geschenk: Sie hatte eine große Leinwand kunstvoll kalligrafisch mit dem Vaterunser gestaltet. Manche Worte springen besonders heraus, andere scheinen fast zu verschwinden, etliche wirken vage wie mit einem Fragezeichen, bei anderen ist die Schreibweise entschlossen wie mit einem Ausrufungszeichen versehen. Diese Leinwand in unserem Flur kann einen beim Vorübergehen zum Nachdenken bringen: Was würde ich hervorheben in diesem Gebet, was ist bei meinem Reden mit Gott überhaupt entscheidend?

Beten ist eine Hauptsache für Christen, das wird kaum jemand bestreiten. Aber wie bleibt oder wird unser Gebet ehrlich, lebendig, unmittelbar und tiefgehend? Ich denke, die Jünger machten es richtig.

Erstens: Sie nahmen sich Jesus zum Vorbild. Er zog sich zum Gebet zurück, um in der Intimität mit seinem Vater sein zu können. Die Jünger waren also nicht dabei, doch sie spürten die Kraft und Intensität seiner Gebete. Und offenbar unterschieden sich diese deutlich von ihren eigenen Gebetserfahrungen. Sie waren demütig genug, die fromme Tradition abzulegen und um Hilfe zu bitten. Zweitens: Sie sagten nicht großspurig: Wieso, beten kann doch jeder! Sondern sie waren bereit, hinzuzulernen. Drittens: Sie hatten das Vertrauen, Jesus darum bitten zu dürfen, und die Hoffnung, dass sich ihr Beten positiv verändern könnte. Und das heißt für mich: Ich will mich nicht über peinliche, flache und kraftlose Gebete aufregen, sondern in Gemeinde, Medien und Literatur nach den großen und vorbildlichen Betern suchen. Ich will anerkennen, dass der aufrichtig Betende immer wieder neu beginnen und lernen muss. Ich will Jesus Christus darum bitten und ihm glauben, dass auch mein Gebet neu, erfüllt und tiefgehend werden kann.

Ruthild Steinert

 Beten macht das Herz weit, bis es so groß ist, dass es Gottes Geschenk, nämlich ihn selbst, in sich aufnehmen kann.

Mutter Teresa (1910-1997), Ordensschwester und Missionarin in Kalkutta

22

Samstag
FEBRUAR

Bibellese: Lukas 11,5-13

Jesus sagte: „So schlecht ihr auch seid, ihr wisst doch, was euren Kindern guttut, und gebt es ihnen. Wie viel mehr wird der Vater im Himmel denen den Heiligen Geist geben, die ihn darum bitten." (Vers 13)

Wenn Menschen eine Patientenverfügung ausfüllen, idealerweise mit einem nahen Angehörigen, ist das oft kein leichter Moment. Eigentlich vertraut man sich ja – aber wenn es ans Sterben geht und man nichts mehr für sich selbst entscheiden kann? Werden dann die anderen die richtigen Entscheidungen für mich treffen? Eigentlich vertraut man sich ja, aber dann ist doch plötzlich der Zweifel, ein erstes Misstrauen da. Als Christen bekennen wir, dass wir Gott und Jesus Christus zutiefst vertrauen, ja dass das sogar die Grundlage allen Glaubens ist. Und trotzdem gibt es immer wieder den schwierigen Moment zwischen Gott und Mensch, in dem auch Christen Gott zutiefst misstrauen. Schon auf den ersten Seiten der Bibel fragen sich Adam und

Eva: Was verheimlicht uns Gott mit diesem Baum der Erkenntnis? Heute klingt das heimliche Misstrauen gegen Gott vielleicht so: Hat Gott wirklich eine Berufung für mich? Bin ich denn überhaupt ein Wunder oder eine Heilung wert? Ich habe Gott oft enttäuscht, liebt er mich dennoch? Kann er mir überhaupt vergeben? Und wenn ich Gott gehorche, werde ich dann so leiden müssen?

Die innere Not und die Scham machen es schwer, sich das Misstrauen selbst einzugestehen. Und es ist ein Punkt, an dem selbst Gott an seine Grenzen kommt. Denn Vertrauen kann auch er nicht erzwingen. Jesus versucht es dennoch. Hier hören wir nichts vom ermahnenden Gott, hier spricht Jesus von Gott wie von einem bittenden Freund, von jemandem, der händeringend versucht, uns zu gewinnen. Mit allen Beispielen und Argumenten möchte er uns überzeugen: Ich will dir Gutes, dein Heil. Du bist für mich so wichtig und kostbar. Ich bin für dich. Ich verleihe dir das Beste, was auf Erden zu geben ist, den Heiligen Geist. Ich enttäusche dich nicht. Glaube doch nicht deinen inneren Zweifeln, glaube doch mir.

Ruthild Steinert

 Gott liebt jeden Einzelnen so, als ob es außer ihm niemanden gäbe, dem er seine Liebe schenken könnte.

Augustinus von Hippo (354-430)

23

Sonntag
FEBRUAR

2025

☀ 07:19 17:52
☽ 05:14 11:44

Sexagesimä (60 Tage vor Ostern)

Bibellese: Psalm 15

Sie denken und reden nur die Wahrheit. (Vers 2)

In meiner Kindheit war der Besuch der Kirche etwas Besonderes. Man war am Abend zuvor in die Wanne gesteckt worden. Es herrschte meistens Hektik, weil die Haare sich immer wieder aus den Zöpfen kringelten oder weil sich auf dem „guten" Kleid doch ein Fleck zeigte. Dann Kontrolle: Hatten wir den Fünfziger für die Kollekte dabei? Und besser noch mal die Schuhkappen an der Wade des anderen Beines zum Glänzen bringen. Vielleicht war das nicht in allen Familien in den 1960ern so ausgeprägt – aber allgemein gab es einen Dress- und Verhaltenscode in Kirchen und beim Gottesdienst. So und nur so durfte man sich einem Gottesdienst und damit Gott selbst nähern.

Der Psalm 15 kennt auch Verhaltensregeln, aber hier wird auf etwas ganz anderes Gewicht gelegt. Der Psalmist fragt: Was ist Gott in seiner Größe gegenüber angemessen? Da geht es nicht um Kleidung oder Benimmregeln. Sondern es wird nach der inneren Einstellung und dem Verhalten gegenüber dem anderen gefragt. Bin ich ehrlich und fair, habe ich ein Herz für meinen Nächsten? Rede ich gut über meinen Nachbarn? Bohrende Fragen.

Am wichtigsten ist eine Mahnung Gottes an uns. „Wenn du es mit mir zu tun hast, dann sei ehrlich. Sei wahrhaftig. Mach dir selbst und deinem Gott nichts vor." Vor Jesus Christus müssen alle Beschönigung, alle Halbwahrheiten, alle Lebenslügen enden. Nur dann kann eine wirkliche Begegnung stattfinden. Nur dann erfahren wir ihn wirklich. Solange wir uns selbst betrügen und der Wahrheit über uns nicht ins Gesicht sehen mögen, verfehlen wir den lebendigen Gott. Dann bleibt es ein selbstgemachtes religiöses Ereignis. Wenn aber unser Herz offen ist, wenn wir ihm ungeschützt vertrauen und auch so mit ihm sprechen, dann kommen wir Gott und er uns nahe. Das ist die Nähe, die in dem alten Wort Gnade steckt.

Ruthild Steinert

 Je mehr man die Wahrheit ehrt und liebt, je näher und ähnlicher ist man Gott.

Huldrych Zwingli (1484-1531), Schweizer Theologe und Reformator

Bibellese: Lukas 11,14-26

Jesus sagte: „Ich treibe die bösen Geister mit dem Finger Gottes aus, und daran könnt ihr sehen, dass Gott schon angefangen hat, mitten unter euch seine Herrschaft aufzurichten."   *(Vers 20)*

Superman, Tarzan, die Helden in der Star-Wars Reihe oder Ninjas – immer wieder brauchen Filme, Serien, Comics und sogar Bücher den Einsatz von unbesiegbaren, übermächtigen Stars für ihre spannende Handlung. Das stillt unsere Sehnsucht nach dem Sieg der gerechten Sache, nach starken Helfern, besonders, wenn wir uns schwach und hilflos fühlen. Die menschliche Fantasie ist gut darin, sich solche Helden zu erdenken. Im wirklichen Leben kommt der Prinz auf dem weißen Pferd oft zu spät oder gar nicht.

Diese Aussage von Jesus über sich selbst und sein Wirken könnte man als das Handeln eines Superhelden missverstehen. Man sieht es förmlich vor sich: Jesus muss nur den Finger heben und die Dämonen, die unberechenbaren Mächte und Geister fliehen. Und einerseits ist es gut, sich diese absolute Kraft Gottes in Jesus Christus klarzumachen. Der Sohn Gottes vermag einfach alles. Andererseits setzt Jesus aber diesen Finger Gottes nur selten in der oben beschriebenen Weise ein. Woran liegt das?

Ein Hinweis könnte in dem zweiten Teil des obigen Zitats Jesu stecken. Diese Demonstration der absoluten Macht Gottes geschieht eben nicht, um andere einzuschüchtern, zu beeindrucken oder um etwas zu beweisen. Noch nicht einmal aus Mitleid zu dem von Dämonen geplagten Menschen. Sondern um Hoffnung auf Gottes ganz andere Welt zu wecken. Um zum Glauben an die Ordnungen und Möglichkeiten Gottes, an seine Heilung der Welt zu ermutigen.

Der Finger Gottes, nichts anderes als der Heilige Geist, formt und verändert die alte Welt zu neuer, heiliger Gestalt. Damals die Jünger und heute wir Christen sind Zeugen dieses Wandels. Jedoch nicht nur als Beobachtende, sondern auch als Mitgestaltende. Die Macht Jesu über den Bösen und das Verdorbene steht außer Frage. Gottes neue Welt ist daher kein Reich unserer Fantasien und Sehnsüchte, sondern sie hat schon mitten unter uns angefangen!

Ruthild Steinert

Bibellese: Lukas 11,27-32

Jesus sagte: „Am Tag des Gerichts wird die Königin aus dem Süden aufstehen und die Menschen dieser Generation schuldig sprechen; denn sie kam vom Ende der Welt, um die weisen Lehren Salomos zu hören. Und hier steht ein Größerer als Salomo!" (Vers 31)

Jesus steht vor einer Menschenmenge, blickt in erwartungsvolle Gesichter und spricht diesen Satz, dass er größer sei als Salomo; in einer anderen Übersetzung steht, dass er mehr bedeute als Salomo.

Und genau dieser Satz bringt so viel Heilung und Hoffnung in den Alltag derjenigen, die ihn hören und glauben. Denn damit sagt er, dass er so viel größer ist als jede bisher dagewesene Weisheit, so viel größer als jedes irdische Königreich, auch größer als menschliches Ansehen, Gesundheit und Schönheit. Wir lesen diesen Satz und würden vollkommen unterschreiben, dass Jesus größer ist als alles andere, größer als jeder andere. Aber merken wir diese

Größe in unserem Alltag? Ist er wirklich größer als Arbeitslosigkeit, als Suchtprobleme, vielleicht sogar größer als ein leeres Konto? Ist seine Stimme die lautere oder ist es doch die von meinen Sorgen und Ängsten?

Vielleicht vergessen wir in all unseren Tätigkeiten und unserem Beschäftigtsein manchmal die Tatsache, dass es ein Privileg ist, der oder die Kleinere hinter Jesus zu sein. Denn es bedeutet auch, dass er vorgegangen ist. Dass er jeden Kampf gekämpft hat, dass er treu war. Dass er bei aller Ungerechtigkeit, die ihm widerfahren ist, geduldig, humorvoll und barmherzig war. Es bedeutet, dass er für mich bei unserem himmlischen Vater eintritt und ich als Schwester oder Bruder hinter ihm stehe.

Und die Vorzüge, Kind Gottes zu sein, sollten wir auf der Erde in vollen Zügen genießen. Wir können heute mehr an Jesus abgeben und weniger selbst tragen, weniger selbst machen. Seine Größe können wir bestaunen und genießen. Schließlich sind wir nur ein Flüstern entfernt. *Tanja Bastian*

 Könnte ich wenigstens diese beiden Dinge im Gedächtnis behalten: Ich bin ein sehr großer Sünder und Jesus ist ein sehr großer Retter!

Issac Newton (1643-1723),
englischer Mathematiker, Physiker und Astronom

Bibellese: Lukas 11,33-36
Jesus sagte: „Wenn du nun ganz vom Licht durchdrungen bist und nichts mehr an dir finster ist, dann wirst du ganz und gar im Licht sein." 　　　　　(Vers 36)

Letztens fand ich unseren Teenager auf seinem Bett liegen mit einer großen Schüssel Schokoflakes, aus welcher er sich eifrig bediente. Auf die Frage, was er gerade mache, bekam ich die Antwort: „Kraft tanken." Ich verließ schnell das Zimmer, bevor sich die Frage in mir zu sehr regen würde, wo ich heute meine Kraft getankt habe.

Mit der Bibellese erinnert uns Jesus daran, dass wir ins Licht gehen sollen, um ganz von ihm durchdrungen zu werden. Nach ein paar Monaten Winter mit viel Dunkelheit wird wieder besonders deutlich, wie sehr unser Körper und unsere Seele Licht brauchen. Wie wir aufblühen, wenn die Sonne herauskommt und die Tage länger werden, wie Energie zurück kommt und sich die Stimmung hebt. Wie auf einmal eine Kraft wieder zur Verfügung steht und man

Energie hat für Dinge, die liegengeblieben sind, oder Beziehungen, die man vernachlässigt hat.

Und ist es nicht so, dass unsere stärkste Kraft aus Jesus, dem Licht der Welt, kommt und es Tage gibt, an welchen wir zu wenig davon getankt haben, zu wenig Stille und seine Gegenwart gesucht haben und wir uns wundern, dass die Kraft so gering ist?

Es ist ein Vorrecht, dass wir jederzeit Zugang haben zu dieser Quelle, ohne Anmeldung oder große Gesten. Damit alles, was in uns Dunkel ist, durchdrungen werden kann, alle Sorgen, Nöte, Ängste und jeder Zerfall angeleuchtet werden. Und das allermeiste davon hält dem Licht nicht stand. Als Kinder des Lichts sind wir herausgerufen, etwas von seinem Licht in diese Welt zu tragen. Wir kennen schließlich unser Licht. Also lasst uns heute fröhlich und kraftvoll leuchten, denn die Welt braucht diesen Lichtblick.

Tanja Bastian

Give me oil in my lamp, keep me burning,
give me oil in my lamp, I pray;
give me oil in my lamp, keep me burning,
keep me burning till the break of day ...

Traditionell

(Übersetzung: Gieße Öl in meine Lampe, lass mich brennen, gieße Öl in meine Lampe, ich bitte dich, lass mich brennen, bis der Tag anbricht.)

27

Donnerstag
FEBRUAR

Bibellese: Lukas 11,37-54

Jesus sagte zum Pharisäer: „So seid ihr Pharisäer! Ihr reinigt sogar noch das Äußere von Becher und Schüssel. Aber ihr selbst seid in eurem Innern voll von Raub und Schlechtigkeit." (Vers 39)

Wenn ich an die Vorstellung denke, die ich als Kind von Pharisäern und Schriftgelehrten hatte, dann waren sie für mich strenge, lieblose und unkluge Männer. Als Kind macht es die Welt einfacher, wenn man in Gut und Schlecht unterteilt. Wozu diese Personengruppe zählte, war eindeutig.

Heute bin ich etwas größer und auch mein Verständnis für diese Menschen ist mitgewachsen, die doch so sehr versuchten, alles richtig zu machen. Die Gesetze machten und sich daran hielten, um rein zu bleiben, um auf diese Weise vor Gott zu bestehen.

Und ich stelle mir den Blick von Jesus vor, wenn er immer wieder um ihr Herz wirbt, immer wieder darauf zeigt, was bei ihnen verändert werden muss. Und ist dieser Blick von ihm nicht voller Wärme, Geduld und Nachsicht? Hat er nicht jeden Menschen schon einmal mit diesem Blick angesehen?

Seine Worte sind klar und bestimmt. Und ich bewundere Jesus dafür, dass er die Pharisäer nicht aufgegeben hat, dass er ihnen die Dinge mehrfach erklärte, sich Zeit für sie nahm und mit ihnen gegessen hat.

Und bevor ich seine Sätze nur zu den Pharisäern gesagt verstehe, will ich nochmal genauer hinhören, ob Jesus auch meinem Herzen sagt, dass darin etwas nicht stimmt. Ob da Freundschaften sind, die ich äußerlich gut pflege, aber zugelassen habe, dass sich darin Ärger und Misstrauen angesammelt hat. Oder ein Dienst in der Gemeinde, der für die anderen so sauber und gut gepflegt wirkt, aber in Wirklichkeit nicht mehr der Ehre Gottes dient, sondern vielleicht meiner eigenen.

Auch wenn es einfacher ist, mit dem Finger auf die Menschen der Bibel zu zeigen, die Jesus zurechtwies, will ich ihn dennoch auch heute ernst nehmen. In dem Wissen, dass er sich nicht verändert hat und er mich auch heute noch mit der gleichen Geduld und dem liebevollen Blick ansieht wie die Menschen damals. *Tanja Bastian*

Bibellese: Lukas 12,1-12

Jesus sagte: „Wer den Menschensohn beschimpft, kann Vergebung finden. Wer aber den Heiligen Geist beleidigt, wird keine Vergebung finden." *(Vers 10)*

Wenn die Bibellese eine Farbe hätte, welche wäre es? Diese Verse wirken dunkel und düster. Die Worte von Jesus haben etwas Drängendes, ja Bedrängendes. Es geht ums Ganze – das spürt man! Für den ersten Leserkreis allemal: Die Gemeinden zur Zeit des Lukas litten noch nicht unter planmäßigen Verfolgungen. Man kann aber erahnen, welchen Bedrohungen sie ausgesetzt waren: Nicht wenige „auf dem neuen Weg" (Apostelgeschichte 9,2) wurden verraten, vor Gericht gezerrt, verurteilt und bestraft. Ein Bekenntnis zu Jesus konnte lebensgefährlich sein. Verständlich, wenn Gläubige sich darum nicht öffentlich zu Jesus bekannten, ihren Glauben still im Privaten lebten, dabei in Kauf nahmen, dass Außen und Innen einander widersprachen, die reale Bedrohung durch Menschen mehr fürchteten als die abstrakte Bedrohung durch Gott. Unsere Situation ist gänzlich anders. Wer wird in unserer Gesellschaft noch dafür geächtet, wenn er sich zu Jesus bekennt!? Wir ernten eher Gleichgültigkeit. Sorgen bereitet einigen daher noch am ehesten, sie könnten sich der „Sünde wider den Heiligen Geist" schuldig machen. Dafür müsste man das erkennbare Wirken des Heiligen Geistes leugnen und als Werk des Bösen bezeichnen (Lukas 11). Ist das unser Problem?

Die hellen Farben kommen in der Bibellese dort ins Spiel, wenn von der Fürsorge Gottes die Rede ist. Jesus ruft zum Vertrauen auf. Gottvertrauen ist die Basis für ein mutiges Bekenntnis, authentische Nachfolge und klare Stellungnahme. Wir bringen uns damit nicht in Lebensgefahr. Wir bringen hingegen unseren Glauben in Lebensgefahr, wenn wir uns nicht mehr zu Christus bekennen. Nicht Verfolgung, sondern Bedeutungslosigkeit bedroht unseren Glauben heute, oder nicht?   *Thorsten Graff*

? Fragen zum Weiterdenken
Wie groß ist Ihr Vertrauen in Christus, obwohl immer weniger Menschen ihm ihr Vertrauen schenken?
Wie können Sie heute die Gelegenheiten wahrnehmen, im Vertrauen zu Gott anderen gegenüber zu Ihrem Glauben an Jesus zu stehen?

1

Bibellese: Lukas 12,13-21

Jesus sagte: „Gebt acht! Hütet euch vor jeder Art von Habgier!" *(Vers 15)*

Ist Jesus hier nicht ungerecht? Warum weist er den Mann mit der Bitte, ihm in einer Erbangelegenheit zu seinem Recht zu verhelfen, barsch zurück? Schließlich war die Entscheidung solcher Streitfälle Sache von Schriftgelehrten. Sollte der Meister sich nicht freuen, dass der Mann seine Autorität anerkannte? Und warum verurteilt Jesus den reichen Kornbauer? Handelt dieser nicht vorbildlich, indem er sich Gedanken über die Vorsorge macht? Im ersten Fall erklärt sich Jesus für irdischen Besitz nicht zuständig. Im zweiten Teil reißt Jesus unsere auf dem Haben gegründeten Lebenshäuser ein.

Wissen wir nicht längst, worauf Jesus hinauswill? Er stellt Wert und Bedeutung, die wir Besitz und Vermögen zumessen, in Frage. Achtung: Reichtum ist nicht per se verdammt! Jesus betont nur, was wir ohnehin bereits wissen: Geld macht nicht glücklich! Und doch regiert der Mammon nicht nur die Welt, sondern zu einem guten Teil auch unsere täglichen Gedanken, Gefühle und Geschäfte. Warum tun sich viele schwer, mit dem „täglichen Brot für heute" zufrieden zu sein? Zuerst befriedigen wir unsere Grundbedürfnisse: Nahrung, Gesundheit, Zuhause. Wenn diese gedeckt sind, versuchen wir, die in der „Maslowschen Bedürfnispyramide" auf höheren Ebenen angesiedelten Wünsche wie Beziehungen, Liebe, Wertschätzung, Selbstverwirklichung zu befriedigen (https://de.wikipedia.org/wiki/Maslowsche_Bedürnishierarchie). Die Werbung weiß: „Es gibt Dinge, die kann man nicht kaufen" – und behauptet zugleich das Gegenteil. Ein genialer Marketing-Trick! Jesus hält dagegen: Leben mit Sinn und Tiefe kann man nicht kaufen. Darum seine Warnung: Verstrickt euch nicht im Teufelskreis der Habgier!   *Thorsten Graff*

Monatsspruch

Wenn bei dir ein Fremder in eurem Land lebt, sollt ihr ihn nicht unterdrücken.

(3. Mose/Levitikus 19,33 E)

2
Sonntag
MÄRZ

2025

☀ 07:04 18:05
☽ 07:55 21:47

Estomihi (Sei mir ein starker Fels! Psalm 31,3)

Bibellese: Psalm 6
Herr, lass ab von deinem Zorn! Rette mich!
Hilf mir, du liebst mich doch! *(Vers 5)*

Ein Mensch ist in eine extrem belastende Situation geraten. Sie ist so bedrängend, dass es ihm die Kehle zuschnürt und er kaum noch atmen kann. Wie in Todesangst schreit er es hinaus: „Kehr um, Gott, wende dich mir um Himmels Willen wieder zu und reiß mich heraus aus dieser kaputtmachenden Situation! Das bist du deiner Treue zu mir doch schuldig!" Übeltäter machen ihm das Leben schwer. Äußere Bedränger, vielleicht ihm feindlich gesinnte Menschen. Menschen, die Streit suchen, ihn verleumden, ihn mobben, ihn mit körperlicher Gewalt fertigmachen und wie auch immer seinen Untergang wollen. Oder innere Bedränger: eine Prüfungssituation vielleicht, der drohende Verlust der Arbeitsstelle, eine Krankheit, der Tod eines nahen Menschen. Solches kann einem den Schlaf rauben und unglaublich an die Substanz gehen.

Aber dann erlebt der betende Mensch das Wunder. Im Gebet erkennt er: „Der Zorn der Bedränger, nicht der Zorn Gottes hat mich getroffen. Vielmehr steht Gott auf meiner Seite. Er hat mein Schreien gehört." Es ist in ihm die Gewissheit gewachsen, dass Gott und er gegen die Bedränger zusammenstehen. Gott steht auf seiner Seite, auf der Seite des Geängstigten und Gedemütigten. Im Gebet hat sich seine Optik gewendet und damit hat auch bereits die Veränderung der Situation begonnen. Der betende Mensch kann aufatmen und beginnt, langsam ins Leben zurückzukehren.

Dürfen Christinnen und Christen so gegen ihre Bedränger und Feinde beten, vor allem wenn es Menschen sind? Es gibt Realitäten, die als gottwidrig entlarvt werden müssen und gegen die Widerstand zu leisten ist. So ist Psalm 6 ein unverzichtbares Gebet im Kampf für Gerechtigkeit. Ein Gebet für die, denen in ihrer Ausweglosigkeit nur noch die Hoffnung geblieben ist, dass wenigstens Gott auf ihrer Seite steht. Gott, der ihnen die Botschaft sendet, dass es nicht so bleiben darf und wird, wie es ist.

Stefan Zürcher

Bibellese: Lukas 12,22-34
Jesus sagte: „Sei ohne Angst, du kleine Herde! Euer Vater ist entschlossen, euch seine neue Welt zu schenken!"
(Vers 32)

Der diesem Vers vorangehende Abschnitt lädt zu Gelassenheit ein. Gelassenheit im Vertrauen darauf, dass Gott schon weiß, was wir zum Leben brauchen, und er es uns gerne gibt. Das befreit uns dazu zu suchen, was unser Leben wirklich erfüllt und ihm seinen Sinn gibt: Gott und seine neue Welt.
Der Sinn unseres Lebens ist das, worum sich letztlich alles dreht: unser Lebensentwurf, unsere Lebenswege und -ziele, unsere Lebenshoffnungen und -pläne. Er gibt unserem Leben eine Mitte. Und die Lebensmitte bestimmt die Lebensschritte, denn an ihr entscheidet sich, was wichtig und was unwichtig ist. Darum können wir auch so sagen: Euer Vater im Himmel ist entschlossen, euch eine Lebensmitte zu schenken, eben seine neue Welt. Wir sind eingeladen, sie zu suchen und unser Herz an sie zu verlieren.

Sein Herz verlieren – das ist ein schönes Bild! Unser Herz will sich verlieren. Erst wer sein Herz verliert, findet zur Ruhe. Denn wo unser Herz ist, da ist unser Zuhause, da gehören wir hin. Und wir möchten doch wissen, wo wir hingehören – im Gelingen und Scheitern, auf den Höhen und Tiefen, im Leben und Sterben.

Wer sein Herz verliert, geht allerdings ein großes Risiko ein. Wir können dabei alles gewinnen oder alles verlieren, denn wir haben ja nur ein Herz. Martin Luther hat einmal gesagt: „Woran du dein Herz hängst, das ist dein Gott." Wer ist dein Gott? Der Gott der Bibel oder ein Ersatz-Gott? Wen oder was suchen wir? Dem vertrauen wir. Daran binden wir unser Leben. Das machen wir zu unserer Lebensmitte. Nicht Nahrung, Geld und Kleidung, Wissen und Können sollen unsere Lebensschritte bestimmen, sondern Gott und seine neue Welt. An sie sollen wir unser Herz verlieren. Mit weniger als unserem Herzen gibt sich der lebendige Gott der Bibel nicht zufrieden: „Euer Vater ist entschlossen, euch seine neue Welt zu schenken!"   *Stefan Zürcher*

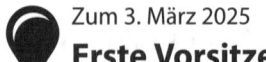

Heute vor 150 Jahren, am 3. März 1875, **wurde Berta Gieselbusch** in Köln **geboren.** Sie setzte sich von 1929 bis 1942 als Vorsitzende im Bundes-Frauendienst des Bundes Evangelisch-Freikirchlicher Gemeinden ein. Am 2. Mai 1886 ließ sie sich von ihrem Vater Pastor Eduard Scheve in Berlin taufen. Sie war hochbegabt und musikalisch. Sie leitete die Sonntagsschule und den Kinderchor in der Gemeinde. Im Jahr 1897 heiratete sie den Pastor und Kaufmann Gustav Gieselbusch. Kurz nach der Silberhochzeit 1922 starb er. Die Witwe versorgte die drei Töchter und zwei Söhne durch ihre Arbeit als Aufsichtsbeamtin in einer Banknotendruckerei. Parallel dazu begann sie, im Bund der Baptisten mitzuarbeiten.

Von 1922 bis 1939 wirkte sie im Vorstand des Diakonissenhauses „Siloah" in Hamburg, heute Immanuel Albertinen Diakonie. 1923 löste sich der Schwesternverband auf. Es kam zur Neugründung des Jugendbundes. Für diesen reiste sie viel und arbeitete bis 1929 für die Zeitschrift „Jungbrunnen". 1927 beteiligte sie sich maßgeblich an der Entstehung des Frauendienstes, dessen

Vorsitz sie übernahm. 1 200 Frauen waren bei der Gründungsveranstaltung anwesend. Außerdem war sie 19 Jahre Beraterin und Mitarbeiterin in der Senana-Mission, die sich für indische Frauen einsetzte. Darüber hinaus engagierte sie sich in der Frauenarbeit des Baptistischen Weltbundes.

Im Ersten Weltkrieg verlor sie eine Tochter. Ihr Mann kehrte gebrochen aus dem Krieg zurück. Im Zweiten Weltkrieg verlor sie einen Sohn und wurde ausgebombt. In der Jubiläumsausgabe „25 Jahre Frauendienst" schrieb sie 1952: „Wir waren keine Optimisten und bauten keine Luftschlösser. Aber wir wussten, dass Gott uns seinen Beistand nicht versagen würde." Dr. Hans Luckey, Direktor am Theologischen Seminar in Hamburg, schreibt in seinem Nachruf: „Bei ihr trat der sonst seltene Fall ein, dass Männer ihr aufmerksam zuhörten und sie als Autorität achteten." Er nennt auch ihre Leitsprüche: „Kritisch gegen sich selbst, gütig gegen andere. Mehr Leistung, weniger Anspruch. Weniger Worte, mehr Taten." Sie starb im Alter von 81 Jahren am 31. August 1956 in Hamburg.

Nicola Bourdon

Bibellese: Lukas 12,35-48

*Jesus sagte: „Der Herr wird sich die Schürze umbinden,
sie zu Tisch bitten und sie selber bedienen."* (Vers 37)

Mir kommt der gedeckte Tisch mit dem über-
fließenden Becher aus Psalm 23 in den Sinn.
Oder das üppige Festmahl für die Völker, von dem
Jesaja berichtet. Und wie oft war Jesus selbst Gast
in den Häusern! Der gedeckte Tisch und die Tischgemeinschaft sind Bilder für Gottes neue Welt. Auch
im heutigen Bibeltext mit Jesus als Gastgeber. Der
gute Hirt als guter Wirt! Er weiß, was wir zum Leben
brauchen, und gibt es gerne. Es ist genug da für
alle. Es herrscht Schalom – das Wort Schalom kommt
von „genug haben". An seinem Tisch sind Hunger
und Durst gestillt. Der leibliche Hunger, aber auch
jener nach dem Brot des Lebens. Der körperliche
Durst, aber auch jener nach dem lebendigen Wasser
des Lebens. Glücklich darum alle, sagt Jesus, denen
Gottes neue Welt Lebensmitte ist und Orientierung
gibt. Für sie ist der Tisch schon gedeckt, auch hier

und jetzt. Denn wie ein Keimling in die sichtbare Welt durchbricht, ist Gottes neue Welt in unsere Welt hineingebrochen.

Wer den gedeckten Tisch von Jesus entdeckt, ist darum eingeladen, Platz zu nehmen. Möglicherweise deckt er ihn uns in einem unerwarteten Moment und an einem überraschenden Ort. Vielleicht, indem er eine sehnlichst erhoffte oder auch ganz unerwartete Tür öffnet. Ein Arbeitsangebot zum Beispiel, eine Wohnmöglichkeit, eine Hilfestellung im rechten Moment. Vielleicht ist der gedeckte Tisch eine Gottesbegegnung durch einen fremden Menschen. Ob wir den Mut haben, uns auf ihn einzulassen?

Vielleicht ist es eine Gebetserhörung oder ein Wort oder ein Lied, das uns in einer schwierigen Situation in den Sinn kommt oder zugesprochen wird und uns Kraft und Zuversicht gibt – und vielleicht auch die Freude schenkt, den eigenen Tisch für andere zu decken. Dann kann es geschehen, dass plötzlich wir selbst und unsere Gäste Jesus als Gastgeber und guten Wirt erfahren.

Stefan Zürcher

Bibellese: Lukas 12,49-53

Jesus sagte: „Ich bin gekommen, um auf der Erde ein Feuer zu entzünden, und ich wollte, es stünde schon in hellen Flammen."   *(Vers 49)*

Als Kind wachte ich eines Nachts auf, weil meine Eltern in Unruhe waren und am Fenster ein ungewöhnliches Licht zu sehen war. Die Scheune unserer Nachbarn brannte – ein Schock. Die Feuerwehr war vor Ort, der Brand konnte bis zum Morgen gelöscht werden. Aber seit dieser Nacht beteten meine Schwester und ich an jedem Abend darum, dass Gott unser Haus vor einem Feuer bewahre. Feuer ist – wenn es unkontrolliert brennt – etwas Schreckliches. Feuer zerstört Eigentum, Menschen werden geschädigt oder sogar getötet. Das braucht niemand.

Warum kündigt dann ausgerechnet Jesus ein Feuer an, das er selbst entzünden wird und das er sich lieber früher als später wünscht? Derselbe Jesus, der für Frieden eintritt, von umfassender Heilung spricht und Liebe über alles stellt? Ich denke, es hat etwas mit dem krassen Auftrag zu tun, der Jesus in unsere Welt geführt hat. Die Botschaft von Kreuz und Auferstehung fordert seither jeden Menschen zur Entscheidung auf: Glaube ich das, vertraue ich darauf, dass es für mich geschehen ist, folge ich diesem Jesus mit der herausfordernden Botschaft nach? Oder lehne ich das ab, ignoriere das Evangelium und lebe mein Leben ohne Jesus?

Im Grunde beschreibt Jesus die unvermeidlichen Folgen, die seine Sendung und sein Werk in dieser Welt nach sich ziehen: Die Trennung zwischen denen, die Jesus und seine Botschaft annehmen, und denen, die Jesus ablehnen, ging im Laufe der Geschichte tatsächlich quer durch Freundschaften, Familien und Gemeinschaften. Das „Wort vom Kreuz" (1. Korinther 1,18 L) hat das Potenzial, Anstoß zu erregen und Menschen aufzubringen. Das ist die nüchterne Realität, angesagt auch als Schutz vor träumerischen Vorstellungen von einem Himmel auf Erden, den Jesus niemals angekündigt hat.

Bei „Feuer" denke ich aber vor allem an etwas Gutes, Erfreuliches: Das Feuer der Liebe Gottes, die Jesus in unsere Welt und zu den Menschen getrieben hat. Dass dieses Feuer sich weiter ausbreitet und mehr Menschen entzündet, das dürfen wir uns von ganzem Herzen wünschen.

Peter Bernshausen

Bibellese: Lukas 12,54-59
Jesus sagte: „Könnt ihr denn nicht von selbst erkennen, worauf es jetzt ankommt?" (Vers 57)

Sein geliebter Onkel war alt geworden, das wusste Stefan. Dass es um dessen Gesundheit nicht zum Besten bestellt war, wusste er auch. Immer wieder nahm er sich vor, den Onkel zu besuchen. „Nächstes Wochenende!", sagte er zu seiner Tante, aber dann war doch wieder anderes wichtiger. Dann kam die Traueranzeige; sein Onkel war verstorben. Jetzt konnte er ihn nicht mehr besuchen. Jetzt blieb nur noch die Beerdigung.

Es gibt wohl kaum jemanden, der oder die solche oder ähnliche Erfahrungen mit dem Zuspät noch nicht gemacht hat. Das sind frustrierende, manchmal sogar zutiefst deprimierende Erfahrungen. Eine zweite Chance gibt es oftmals nicht.

Die Warnung vor dem Zuspät gehörte zur Botschaft von Jesus wie die Einladung zum Glauben. Er hat diese Warnung in ein bildreiches Gleichnis verpackt (das Gleichnis von den Brautjungfern, Matthäus 25,1-13) und er sagt es hier den Zuhörern auf den Kopf zu: „Kümmere dich beizeiten um das, was wirklich wichtig ist!" Auch in der Bibellese verwendet Jesus ein Bild für die Warnung: Eine Schuldsache ist viel besser auf dem Weg zum Gericht zu klären als erst dort. Vor Gericht entscheiden andere (meist der Richter), welche Folgen eine Schuldsache hat. Wer es aber schon vorher klärt, kann in der Regel noch selbst beeinflussen, was daraus wird. Diesen Schluss legt das Bild vom Gläubiger und vom Richter nahe. Vermutlich hat Jesus das Thema Schuld in diesem Zusammenhang nicht zufällig gewählt, denn Schuld ist es, die Menschen von Gott trennt und wofür Jesus am Kreuz sein Leben gegeben hat. Bereit für die Begegnung mit Gott zu sein, darauf kommt es Jesus an. Dafür bietet er die Vergebung, die Bereinigung der (trennenden) Schuld an. Wenn also Jesus hier zur Bereitschaft und zum rechtzeitigen Handeln auffordert, dann möchte er Menschen davor bewahren, die Gelegenheit zur Bereinigung zu verpassen.

Das Thema Schuld ist heute nicht sehr populär, auch unter manchen Christen nicht. Wir kommen aber nicht an der Tatsache vorbei, dass es für Jesus ein drängendes Anliegen ist, dem zu stellen sich lohnt – für dieses Leben und für das, was noch kommt.

Peter Bernshausen

Bibellese: Lukas 13,1-9
Jesus sagte: „Wenn ihr euch nicht ändert, werdet ihr alle genauso umkommen!" (Vers 3)

Beim Terroranschlag in New York am 11. September 2001 starben mehr als 3 000 Menschen in kurzer Zeit. Beim Tsunami, der den Indischen Ozean am 26. Dezember 2004 heimsuchte, verloren 230 000 Menschen ihr Leben, ebenfalls in kurzer Zeit. Womit hatten die Menschen das verdient? Womit hatten es die Überlebenden verdient, nicht umgekommen zu sein? Obwohl es darauf kaum eine Antwort gibt, wird die Frage dennoch gestellt, wenn Menschen schicksalhaft sterben.

Das war zur Zeit von Jesus nicht anders: Die Geschichten aus der Bibellese gehören zum härtesten, was das Neue Testament zu bieten hat. Schon damals fragten Menschen: „Womit haben sie das verdient?" Im damaligen Denken ging man noch mehr als heute davon aus, dass Gott mit solchen Schicksalsschlägen schuldige Menschen bestraft.

Jesus schiebt diesem Denken einen Riegel vor und verneint einen Zusammenhang. Er betont, dass die Opfer derartiger Katastrophen nicht mehr oder weniger schuldig sind als die Überlebenden. Jesus macht deutlich, dass alle Menschen vor Gott schuldig sind und die Vergebung brauchen, um nicht die Konsequenzen ihrer Schuld erleiden zu müssen.

Als Mitarbeiter einer kirchlichen Arbeit unter chinesischen Studentinnen und Studenten in Evanston bei Chicago kam ich mit einer Studentin ins Gespräch. Sie hatte nur eine sehr vage Vorstellung vom christlichen Glauben und fragte mich, wozu denn „die guten Menschen" Jesus und sein Opfer am Kreuz brauchen; das sei doch nur für „die bösen Menschen" wichtig. Ich versuchte ihr das christliche Menschenbild zu erklären, wonach alle Menschen von Gott gut geschaffen sind, aber durch die Schuld von Gott getrennt und auf die Rettung durch Jesus angewiesen sind. Eine Unterteilung in „gute" und „böse" Menschen entspreche nicht der biblischen Botschaft.

Wir leben alle von der Gnade Gottes, der uns durch Jesus und sein Opfer von Schuld befreit. Wer aus der Gnade Gottes lebt, wird die Frage nach Verdienst oder Nichtverdienst nicht mehr stellen, sondern vielmehr für die Opfer solcher Katastrophen und deren Hinterbliebene beten. *Peter Bernshausen*

Bibellese: Lukas 13,10-17
Der Synagogenvorsteher ärgerte sich, dass Jesus die Frau ausgerechnet am Sabbat geheilt hatte. (Vers 14)

Warum heilt Jesus die Frau ausgerechnet am Sabbat und provoziert damit die Machthaber der damaligen Welt? Geht es beim christlichen Glauben nicht darum, auf die verschiedenen Menschen einzugehen? So ganz nach Paulus: „den Juden ein Jude und den Griechen ein Grieche werden"? Wenn Jesus die Frau nicht am Sabbat, sondern an einem Wochentag geheilt hätte, wäre sie auch gesund geworden und hätte Gott gedankt und der Synagogenvorsteher hätte keinen Grund gehabt, Jesus anzugreifen. Jesus tut das aber nicht, sondern er geht in die Konfrontation. Es geht also um mehr als die wunderbare Heilung einer vom Bösen gebundenen Frau.

Es geht auch um die Aufdeckung des Bösen, das sich hinter einer frommen Fassade verbirgt. In Vers 15 und 16 (L) sagt Jesus: „Ihr Heuchler! Bindet nicht jeder von euch am Sabbat seinen Ochsen oder seinen Esel von der Krippe los und führt ihn zur Tränke? Musste dann nicht diese, die doch Abrahams Tochter ist, die der Satan schon achtzehn Jahre gebunden hatte, am Sabbat von dieser Fessel gelöst werden?" Es ist an der Zeit, dass die Nachfolger von Jesus auch das Böse oder Heuchlerische aufdecken. In einem Bundesland der USA steht die Bibel inzwischen schon auf dem Index, auch da sie nicht „genderkonform ist und es so viel Gewalt in der Bibel gibt". Es gibt Verantwortliche in den Kirchen, die die Uminterpretation des Erlösungswerkes von Jesus Christus fordern, auch mit der Begründung, dass der Kreuzestod zu gewalttätig sei. Die Bibel wird als „jugendgefährdend" eingestuft. Auf der anderen Seite haben Kinder und Jugendliche aber freien Zugang zu Krimis, in denen Mord- und Folterszenen dargestellt werden, oder zu PC-Spielen, in denen sie Menschen selbst töten können. Es wird Zeit, dass wir unsere Stimme erheben und den Mut haben, solche Entwicklungen kritisch zu hinterfragen! *Ellen Geyer*

Herr Jesus Christus, hilf uns in dieser Zeit, unseren Nächsten zu achten und einfühlsam auf ihn einzugehen. Zeige uns aber auch, was es heißt, Licht und Salz in dieser Welt zu sein, und gib uns den Mut anzuecken, wo es deinem Willen entspricht. *Ellen Geyer*

Invokavit (Er ruft mich an, darum will ich ihn erhören. Psalm 91,15)

Bibellese: Psalm 10

Du, Herr, bist nicht blind!
Du siehst all das Leiden und Unheil
und du kannst helfen.
Darum kommen die Schwachen und Waisen zu dir
und vertrauen dir ihre Sache an.   *(Vers 14)*

Wie gut zu wissen, da ist einer, der mich sieht! Wie gut zu wissen, da ist einer, der mich trägt und hält!

Herr, du siehst alles, was geschieht. Herr, du kennst meine Seele und weißt, was sie in diesen Zeiten nicht mehr verstehen und nachvollziehen kann. Gutes wird böse genannt und Böses wird gutgeheißen.

Das, was sicher schien, verliert seinen Halt.

Das, was fest war, zerrinnt wie Sand.

Aber du, Herr, bist ein starker Fels und eine Burg, in der ich Schutz finde.

Mit dir, Herr, kann ich alles überstehen, mit dir, Herr, kann ich über Mauern springen.

Du, Herr, führst und leitest mich auf sicheren Wegen.

Du, Herr, bist mein Licht und mein Heil, vor wem
sollte ich mich fürchten?
Dir, Herr, vertraue ich mein Leben an, du wirst mich
sicher nach Hause bringen.
Du, Herr, schenkst mir täglich, was ich brauche, und
segnest mich mit Überfluss.
In dir, Herr, findet meine Seele Ruhe und Frieden,
egal wie stark der Wind auch tobt.
Wie gut zu wissen: Da ist einer, der mich sieht!
Wie gut zu wissen: Da ist einer, der mich trägt und
hält!

Ellen Geyer

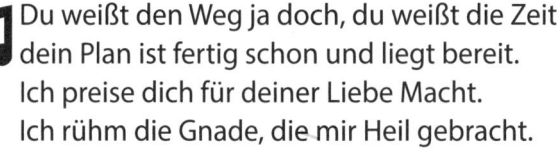 Du weißt den Weg ja doch, du weißt die Zeit,
dein Plan ist fertig schon und liegt bereit.
Ich preise dich für deiner Liebe Macht.
Ich rühm die Gnade, die mir Heil gebracht.

Du weißt, woher der Wind so stürmisch weht,
und du gebietest ihm, kommst nie zu spät.
Drum wart ich still, dein Wort ist ohne Trug.
Du weißt den Weg für mich, das ist genug.

Hedwig von Redern 1901
Aus: Weiß ich den Weg auch nicht

Zwischen Gottesdienst und Alltag

Einführung zu den Büchern 3. Mose/Levitikus und 4. Mose/Numeri

Das dritte und vierte Buch Mose (lat. Levitikus und Numeri) führen bei christlichen Bibelleserinnen und -lesern eher ein Schattendasein. Das haben „Zwischen"-Texte wie diese oft an sich. Im Fokus der Aufmerksamkeit stehen meist eher die „bedeutenden" Geschichten wie der Auszug aus Ägypten (zweites Buch Mose/Exodus) oder der Einzug in das Gelobte Land (Josua). Alles, was dazwischen passiert, wirkt auf den ersten Blick weniger wichtig oder verwirrend. Dabei sind es ja gerade meist die Übergänge, welche unseren konkreten Lebenserfahrungen am nächsten stehen. Zwischen Gottesdienst und alltäglichem Leben – das sind genau die Situationen, um die es in Levitikus und Numeri geht.

Das Buch Levitikus – lateinisch benannt nach den levitischen Priestern – stellt die Mitte des Pentateuchs, also des gesamten Gefüges der fünf Mosebücher, dar.

Zentrales Thema ist auf der einen Seite der geordnete Gottesdienst (Kp 1-10); hier spielen natürlich die Priester, die am Tempel arbeiten, eine bedeutende Rolle. Auf der anderen Seite geht es aber auch um die Heiligung des gesamten Volkes Israel – also um die Verknüpfung von Gottesdienst und Alltag, von Kult und Ethik (Kp11-26). Diese alltägliche Heiligung vollzieht sich im Liebesgebot, das später Jesus in seiner Predigt aufgreift: „Du sollst deinen Nächsten lieben wie dich selbst; ich bin der Herr" (3. Mose/Lev 19,18 L; vgl. Mk 12,31).

Nach dem Aufbruch der Israeliten vom Berg Sinai (4. Mose/Num 10,11-36) geht es für die Menschen bald durch die „Mühen der Ebenen" (Bertold Brecht), sprich, durch die schier endlos erscheinende Wüste. Die sprichwörtlich gewordene 40-jährige Wüstenzeit ist letztlich nichts anderes als ein Symbol für die Bewährung des gemeinschaftlichen Wegs durch den Alltag. Gerade dieser beschwerliche Weg steht unter dem göttlichen Segen. Die aaronitische Formel des Segens (4. Mose/Num 6,24-26) ist vermutlich der am häufigsten zitierte Satz des Alten Testaments im Gottesdienst – ein Schutz- und Wegbegleitersatz zwischen Festen und Routinen.

Dirk Sager

Bibellese: 3. Mose/Levitikus 1,1-9

Will jemand ein Brandopfer darbringen und wählt dafür ein Rind, so muss es ein männliches und fehlerfreies Tier sein, sonst verschafft es ihm nicht das Wohlwollen des Herrn. (Vers 3)

Die Priester der damaligen Zeit mussten ja wahrhaft gute Metzger sein! Erstaunlich. Das Tier begutachten, schlachten, zerteilen, die richtigen Teile in Rauch aufgehen lassen auf dem Altar Gottes, das Blut auffangen und um den Altar gießen. Das war eine Kunst für sich. Die Priester waren es, die entschieden, ob ein Opferrind den Ansprüchen genügte. Es musste das beste Tier aus der Herde sein, kein Ramsch, keines, das man ohnehin aussortierte. Für Gott das Beste! Nur wer ein wirkliches Opfer brachte, zeigte Gott die nötige Wertschätzung und konnte damit rechnen, dass Gott das Opfer annimmt.

Opfer waren damals weit verbreitet in allen Religionen des Mittelmeerraums. Es war die Art, wie man mit Gott in Verbindung treten konnte und wie man sich „ent-schuldigen" konnte. Dieses Ritual gab eine gewisse Sicherheit im Verhältnis zum unsichtbaren Gott, aber natürlich konnte es auch technisch abgearbeitet werden ohne innere Beteiligung. Im Judentum endeten die Opfer abrupt mit der Zerstörung der ersten beiden Tempel.

Gott sei Dank sind die Zeiten vorbei, in denen Priester Metzger sein mussten. Wir Christen glauben, dass das Opfer eines einzigen, makellosen Mannes diese für immer ersetzt hat. Wenn Christen mit Gott in Verbindung kommen wollen, wenn sie ihre Schuld loswerden wollen, haben sie ein Opfer, das längst erledigt ist: Jesus Christus am Kreuz. Und wenn Christen das anschaulich, greifbar haben wollen, dann feiern sie Abendmahl. Christi Blut für dich gegeben. Zeichenhaft vollziehen wir nach, was hier im 3. Buch Mose/Levitikus vorgeschrieben ist. Und das bringt uns wieder ins Reine mit Gott. Jesus Christus sei Dank!   *Anne Oberkampf*

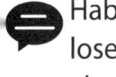 Hab Dank, Herr Jesus Christus, dass du mein makelloses Lamm geworden bist und mir meine Schuld abnimmst.   *Anne Oberkampf*

Bibellese: 3. Mose/Levitikus 8,1-13
Mose goss Salböl auf Aarons Kopf und weihte ihn zum
Priester. (Vers 12)

Bei der Krönung des englischen Königs 2023 war es den Blicken verborgen, wie Charles mit veganem Olivenöl aus Jerusalem gesalbt wurde. Seiner Mutter Elisabeth war die Zeremonie ihr Leben lang wichtig gewesen. Sie fühlte sich gestärkt und verpflichtet durch diese göttliche Weihe.

Auch in der Bibel werden Könige gesalbt. Aber begonnen hat alles mit der Salbung der Stiftshütte und des Priesters Aaron. Gott hatte ihn als Repräsentanten des Stammes Levi ausgesucht für diesen Dienst. In 4. Mose/Numeri 17 lesen wir, wie von den Stäben, die die Stämme über Nacht auf die Bundeslade legten, nur der von Aaron grünte. Und zur Berufung durch Gott gehörte dann die Einkleidung und die Salbung vor den Augen der ganzen Gemeinde. Auch für das Öl selbst gab es genaue Vorschriften: Zwei Teile Myrrhe, ein Teil Zimt, ein Teil Kalmus, zwei

Teile Kassia (Zimtnelken oder -blüten) werden als Duftstoffe in Olivenöl gelöst (2. Mose/Exodus 30, 22-25).

Heutzutage werden nur in der römisch-katholischen Kirche die Priester mit Öl gesalbt. In den evangelischen Kirchen, die ja ohnehin mehr auf das Wort setzen, ist diese sinnliche Einsetzung von Pfarrpersonen nicht üblich. Aber wir alle haben ja „den Gesalbten", den Christos. Der wurde übrigens bei seiner Beauftragung nicht gesalbt, sondern getauft. Und die einzige Salbung, die er erhalten hat, war durch eine Frau (!) bei einem Abendessen. Man deutete das damals als eine vorgezogene Begräbnissalbung (Johannes 12,7). Zumal die Frauen an Jesu Grab später feststellen mussten, dass er schon auferstanden war, bevor sie die Salbung nachholen konnten. Aber der Aspekt der Stärkung trägt bis heute – nicht nur bei König Charles, sondern auch bei Kranken und bei Toten. Alle wollen wir durch die Salbung Gott bringen wie einst Aaron, der erste Hohepriester.

Anne Oberkampf

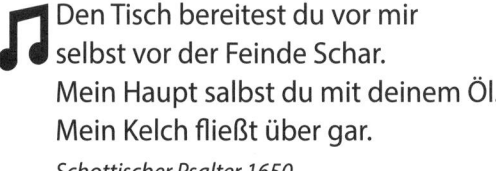

Den Tisch bereitest du vor mir
selbst vor der Feinde Schar.
Mein Haupt salbst du mit deinem Öl.
Mein Kelch fließt über gar.

Schottischer Psalter 1650

Bibellese: 3. Mose/Levitikus 9,1-24

Man brachte alles, wie Mose es angeordnet hatte, vor das Heilige Zelt, und die ganze Gemeinde versammelte sich dort vor dem Herrn. *(Vers 5)*

Es war sein „erstes Mal" und Aaron war aufgeregt. Acht Tage nach der Einkleidung ging es nun los. Jeder von uns kennt das Gefühl des „ersten Mals": Das erste Mal in Amerika. Das erste Mal knutschen. Das erste Mal bei der Chemotherapie. Es ist ein Gemisch von Gefühlen bei diesen Gelegenheiten: Aufregung und Angst. Beides zugleich.

Letztes Jahr habe ich mit meinem pastoralen Mitarbeiter seine erste Trauerfeier besprochen. Wir haben es gemacht, wie es hier beschrieben ist und wie es auch für andere „erste Male" hilfreich ist. Erstens habe ich ihn zusehen lassen bei einer Trauerfeier, die ich gehalten habe. Wie Aaron erst einmal bei Mose zusehen durfte. Zweitens sind wir den Ablauf durchgegangen. Wie geht ein Trauergespräch? Auf was achte ich bei mir selbst? Welche tiefere Idee steht hinter manchen Riten? Der Ablauf des Opfers war bei Aaron ein sehr wichtiger Punkt: Welche Teile des Tieres mussten wie behandelt werden? Was kommt zuerst, was danach? Wann kommt der Segen und wo stehe ich dabei? Davon hing im Alten Bund die Wirksamkeit ab. Und das Dritte: Auf die Rückmeldungen achten und sich freuen, wenn es gelungen ist. Bei Aaron ein Volltreffer: „Da erschien die Herrlichkeit des Herrn allem Volk" (Vers 23).

Gott mutet uns manchmal neue Wege und damit „erste Male" zu – in jedem Alter. Aber er stellt uns auch Hilfe an die Seite. Da sind Menschen, die diese Situationen schon einmal bewältigt haben. Da gibt es Traditionen und Regeln, die uns Sicherheit geben. Und meistens gibt es auch eine Rückmeldung – wenn möglich eine positive. Ich will es immer wieder wagen, mit Gott Neues anzufangen, und meine Angst vor dem „ersten Mal" bewältigen.

Anne Oberkampf

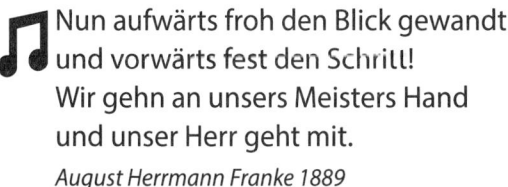 Nun aufwärts froh den Blick gewandt
und vorwärts fest den Schritt!
Wir gehn an unsers Meisters Hand
und unser Herr geht mit.

August Herrmann Franke 1889

13

Donnerstag
MÄRZ

Bibellese: 3. Mose/Levitikus 16,1-22
Der Herr sagte zu Mose: „Zuerst soll Aaron sich waschen und besondere Kleider anziehen: ein Priesterhemd und Kniehosen, Turban und Gürtel, alles aus einfachem Leinen." *(Vers 4)*

Die Zeremonie des Versöhnungstages beginnt mit der Einkleidung des Priesters. Aaron zieht mit den Kleidern sein Amt an, das er stellvertretend für das Volk wahrnimmt. Leinen ist der Stoff der Wahl. Der Leinsamen wird früh im Jahr aufs Feld gesät, denn Leinen kann Sonne nicht gut ausstehen. Wenn der Flachs etwa einen Meter hoch ist und die Samen reif sind, erntet man ihn und gewinnt durch ein aufwändiges Verfahren die Fasern der Pflanze. Schließlich muss es noch gesponnen oder gewebt werden, damit der typische grobe Stoff entsteht. Die Herstellung von Leinen war teuer. Insofern ist diese biblische Dienstkleidung nicht nur gut zu pflegen, sondern wirklich kostbares Gut. Ganz wie es sein soll, wenn eine Begegnung mit dem heiligen Gott stattfindet.

Wir schreiben heute niemandem mehr vor, in welcher Kleidung man in den Gottesdienst kommen soll. Manche kommen ganz leger, denn sie wollen so kommen, wie sie sind. Eine nigerianische Familie, die zu meiner Gemeinde zählt, kommt am Sonntag im bunten Festtagsgewand. Ich selbst als Predigerin komme meist im Blazer, aber so mancher Lektor kam auch schon im T-Shirt. Wenn wir mit jungen Leuten zu tun haben, müssen wir mit kurzen Hosen und bauchfreien Tops leben. Sie wollen damit nicht provozieren, sondern ihre Mode tragen.

Ich persönlich finde es immer noch angemessen, am Karfreitag in Schwarz zu kommen. Auf der anderen Seite gibt es heute viele Trauerfeiern, bei denen ausdrücklich bunte Kleidung erbeten wird, um die Freude über die Auferstehung zum Ausdruck zu bringen. Auch ein geistlicher Gedanke! Letztlich kommt es immer auf das Herz an.

Und Leinen? Das kommt und geht bei uns wie die Mode. Mit Gott wird dieser Stoff nicht mehr verbunden.

Anne Oberkampf

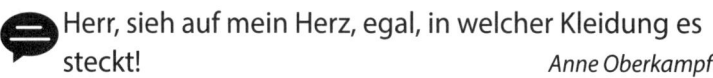 Herr, sieh auf mein Herz, egal, in welcher Kleidung es steckt!

Anne Oberkampf

14

Bibellese: 3. Mose/Levitikus 18,1-6.19-24
*Der Herr sagte: „Ihr sollt euch nach meinen Ordnungen
richten und meinen Anweisungen gehorchen. Ich bin
der Herr, euer Gott."* (Vers 4)

Wir kommen gerade aus dem Urlaub und hatten
eine wunderschöne Zeit an der Ostsee. Vieles
wird uns in Erinnerung bleiben und hoffentlich
nachwirken. Leider gehört auch ein bedrückendes
Ereignis zu den Urlaubserinnerungen. In einer Kleinstadt
kamen wir an einer Unfallstelle vorbei. Am
nächsten Tag lasen wir in der Lokalpresse, dass ein
42-jähriger Radfahrer die Vorfahrt missachtet hatte
und mit einem PKW kollidiert war. Der Radfahrer flog
in die Windschutzscheibe des Autos, dessen Bild uns
immer noch vor Augen steht. Das demolierte Fahrrad
daneben. Schwerstverletzt musste der Radfahrer
ins Krankenhaus transportiert werden. Der Krankentransporter
stand bereits mit Blaulicht an der Unfallstelle.
Der PKW-Fahrer erlitt einen schweren Schock.
Ich musste wie immer bei Unfällen für die Verletzten

beten. Es ist schon sehr sinnvoll, dass wir eine Straßenverkehrsordnung haben, Aber nicht alle halten sich daran. Zeitweise jedenfalls nicht. Ich übrigens auch nicht immer. Gott sei Dank bisher noch niemals mit solchen Folgen wie bei dem Radfahrer.

Ja, wirklich Gott sei Dank. Wie überhaupt im gesamten Alltagsleben. Ohne Ordnungen funktioniert das menschliche Leben nicht. Wie gut, dass unser großer Gott gleich von vornherein daran gedacht hat. Spätestens seit dem Sündenfall ist es Gott sehr daran gelegen, dass das menschliche Leben funktioniert und nicht aus dem Ruder läuft. Die Zehn Gebote sind so etwas wie die „Straßenverkehrsordnung des Lebens". Und wie viele Menschen halten sich daran, mehr oder weniger jedenfalls. Doch die Unfälle sind oft fatal. Sie haben schwerwiegende Folgen im kleinen wie im großen Leben. Von der Ehe bis hin zum Zusammenleben der Völker. „Du sollst Gott lieben und deinen Nächsten wie dich selbst." Mit diesen Worten fasst Jesus alle Ordnungen Gottes sehr prägnant zusammen. Aber er sieht nicht nur, was Gott für lebensgefährlich erachtet. Er zeigt uns auf, wie unsere Lebensfahrt zum Ziel führen wird. Und zu vielen wunderbaren Zwischenzielen. Ich wünsche Ihnen für heute eine in jeder Hinsicht unfallfreie Fahrt mit liebevollen Zwischenzielen.

Karl Gerhard Köser

Bibellese: 3. Mose/Levitikus 19,1-18

Der Herr sagte: „Wenn du etwas gegen deinen Bruder oder deine Schwester hast, dann trage deinen Groll nicht mit dir herum. Rede offen mit ihnen darüber, sonst machst du dich schuldig." (Vers 17)

Nun fang doch nicht immer Streit an", sagt die Frau zu ihrem Mann. „Wieso ich? Du hast doch angefangen. Du beschuldigst mich?! Das kann doch wohl nicht wahr sein!", entgegnet ihr der Mann. Und schon droht der Streit zu eskalieren. Eine Alltagsszene, wie jeder sie wohl kennt. Wer hat angefangen? Wer ist schuld am Streit? Da wollte man doch nur einen Konflikt, eine Verletzung oder ein anderes Unrecht des anderen ansprechen – und schon ist man der Übeltäter. Wie kann das sein? Ist es da nicht gescheiter, den Groll hinunterzuschlucken, wie es vielfach geschieht? Ich jedenfalls verfahre oftmals nach dieser Methode. Na ja, meine Frau meint, viel zu selten. Muss man denn jeden Konflikt thematisieren? Das führt doch nicht selten zu weiterem Streit, oder?

„Rede offen mit ihnen darüber", heißt es in der Bibellese. Warum? Ich entdecke zwei Gründe: Im Neuen Testament ist einmal sehr plastisch in diesem Zusammenhang von der „bitteren Wurzel" die Rede (Hebräer 12,15 L). Eine ungeklärte Ungerechtigkeit wächst im Stillen weiter und kann zu Bitterkeit führen und manchmal andere noch mit hineinziehen. Bittere Wurzeln wachsen gerne in Familien, Verwandtschaften und auch in Gemeinden. Sie reichen manchmal sogar über Generationsgrenzen. Darum: „Rede offen mit ihnen darüber."

Der andere Grund ist dieser: Nur, wenn ich das Unrecht anspreche, kann ich dem anderen helfen, es nicht mehr zu wiederholen. Dieser Aspekt wird allzu oft übersehen. Ich soll meinem Nächsten helfen zu lernen. Aber da wird es für viele schwierig. Man erscheint wie ein Besserwisser oder Oberlehrer. Aber andersherum gilt auch: Wie habe ich vieles im Leben gelernt? Dadurch, dass andere mich auf Dinge aufmerksam gemacht haben. Das war nicht immer ganz konfliktfrei. Wenn ich etwa an meine Kinder- und Jugendzeit denke. Im Laufe des Lebens habe ich gelernt: Je bereitwilliger ich mir Korrektur gefallen lasse, umso glaubwürdiger und sanftmütiger kann ich Konflikte ansprechen und sogar klären. Das gelingt nicht immer. Aber die bitteren Wurzeln müssen raus. Helfen Sie mit? *Karl Gerhard Köser*

16

Sonntag
MÄRZ

2025

☀ 06:33 18:29
☽ 21:11 07:03

Reminiszere (Gedenke, Herr, an deine Barmherzigkeit! Psalm 25,6)

Bibellese: Psalm 25
Denke nicht an die Fehler meiner Jugend,
auch nicht an die späteren Vergehen;
aber denke an mich in deiner Liebe –
auf deine Güte, Herr, verlasse ich mich!   *(Vers 7)*

Das ist so sicher wie das Amen in der Kirche." So lautet eine bekannte Redensart. Und tatsächlich, es endet wohl kein christlicher Gottesdienst ohne das Amen nach dem Vaterunser oder dem Segen. Darauf ist Verlass. Und das ist gut so. Wir Menschen brauchen etwas, worauf wir uns verlassen können. Seien es Rituale, Inhaltsangaben oder auch Menschen. Als Fahrgäste im Bus verlassen wir uns auf die Fahrkünste des Fahrers. Wenn ich abends zu Bett gehe, verlasse ich mich darauf, dass am nächsten Morgen die Sonne wieder aufgeht.

Und wenn ich an Gott denke? Kann ich mich auf ihn verlassen? Gott kennt mich durch und durch. Nicht nur mich. Auch die vielen anderen Menschen um mich herum und in der weiten Welt. Was macht

Gott mit diesen Kenntnissen? Muss ich mich sorgen, er könnte das alles einmal gegen mich verwenden? Auch die „Fehler meiner Jugend" sind bei Gott gespeichert. Und was geschieht damit? Wenn ich von den großen Internetkonzernen höre oder lese, könnte mir manchmal angst und bange werden. Was haben sie inzwischen über Millionen von Menschen alles in der Hand?!

Sehen Sie, und da stimmt der Vergleich zwischen den Konzernen und dem lebendigen Gott überhaupt nicht. Gott ist gnädig und barmherzig. Das können Google und Co. niemals sein. Sie haben ganz andere Interessen, die wir nur ahnen können. Gottes Interessen dagegen sind glasklar. Er will, „dass alle Menschen gerettet werden und sie zur Erkenntnis der Wahrheit kommen" (1. Timotheus 2,4 L). Darauf können wir uns verlassen.

Auch dann, wenn wir im Leben durch dichten Nebel fahren. Manchmal stehen uns Menschen und Ereignisse aus früheren Zeiten vor Augen. Wir verbinden mit ihnen nicht immer gute Erinnerungen. Längst Vergessenes und Vergebenes taucht aus der Vergangenheit wieder auf. Das verunsichert uns. Doch dann darf ich mich an unser Psalmwort erinnern. „Denke an mich in deiner Liebe – auf deine Güte, Herr, verlasse ich mich!" Gott ist treu! Mit dieser Zusage dürfen Sie in den Tag gehen.

Karl Gerhard Köser

17

Montag
MÄRZ

2025

☀ 06:31 18:30
☽ 22:23 07:14

Bibellese: 3. Mose/Levitikus 19,31-37
Der Herr sagte: „Unterdrückt nicht die Fremden, die bei euch im Land leben, sondern behandelt sie genau wie euresgleichen. Jeder von euch soll seinen fremden Mitbürger lieben wie sich selbst." (Vers 33-34)

Vor Jahren hielt ich eine Andacht zum Umgang mit „Fremden" im damaligen Sender Freies Berlin. Danach hagelte es ungewöhnlich viel Hörerpost. Fast alle negativ. Auch eine Morddrohung war dabei. Das erwarte ich jetzt nicht bei den Leserinnen und Lesern einer Kalenderandacht. Doch das Thema ist heute mehr denn je aufgeladen und wird äußerst kontrovers diskutiert. Auch unter Christen. Auch unter denen, die ansonsten gerne betonen, man müsse die Bibel wörtlich nehmen.
Es ist durchaus interessant zu sehen, dass die Frage nach dem Umgang mit „den Fremden" keine neue Herausforderung darstellt. Interessant ist auch, dass „die Fremden" zu der damaligen Zeit die Einheimischen waren und die Israeliten die Migranten.

Allerdings bestimmte das Volk Israel die Rechtsordnung. Sie waren die Herren im Land. Es war Gottes Weg mit seinem Volk. Und darum war es Gott nicht gleichgültig, wie Israel mit den „Fremden" umging. Sie lebten eine fremde Kultur, Sprache und Religion. Da war durchaus die Gefahr, dass es zu einer Zweiklassengesellschaft kommt. Gerade auch in Rechtsfragen. Menschen zweiter Klasse mit weniger Rechten, weniger Anerkennung, weniger Würde. Offenbar ist das kein Phänomen der modernen Zivilgesellschaft. Auch keine spezielle Erscheinung in Europa oder Deutschland. Weltweit sehen wir die Herabstufung von Menschen zu zweiter oder dritter Klasse.

„Behandelt sie genau wie euresgleichen." Das heißt: Behandelt sie mit gleicher Würde. Die Erwachsenen wie die Kinder. Nein, es geht nicht um Gleichmacherei. Es geht darum, dass jeder Mensch ohne Unterschied als von Gott geliebtes Geschöpf behandelt wird. Für jeden Menschen ist Jesus Christus am Kreuz aus Liebe gestorben. Darum verdient jeder Mensch unsere Liebe. Ich bewundere die Menschen in unseren Kirchen und Gemeinden, die sich mit großer Hingabe den Flüchtlingen und Migranten zuwenden. Da wird Enormes geleistet. Oft gegen starken Widerstand. Ich finde, auch ihnen gehört höchster Respekt. Mutig sind nicht die Lauten, sondern die Dienenden! *Karl Gerhard Köser*

18

Bibellese: 3. Mose/Levitikus 25,1-12
Der Herr sagte: „Wenn ihr in das Land kommt, das ich euch geben werde, müsst ihr dafür sorgen, dass das Land mir jedes siebte Jahr einen Sabbat feiert."

(Vers 1-2)

Das Heiligkeitsgesetz gibt den Bewohnern des Landes von Anfang an mit auf den Weg: Alle sieben Jahre soll für das ganze Land ein ganzes Jahr Ruhe, Sabbat, herrschen. Keine Weizenernte. Keine Traubenlese. Auf dem Gipfel der Beziehung zwischen Gott und seinem Volk gibt Gott auf dem Sinai Hinweise für das Leben im verheißenen Land. Die Menschen sollen das Land nicht nach Strich und Faden ausnutzen, ausrauben und ausquetschen, sondern wer es bebaut und beackert, muss eine gesunde Grenze einhalten. Was das Land ohne Eingreifen der Menschen trägt, davon dürfen sich die Israeliten ernähren. Jede organisierte Ernte und sogar jede Bodenbearbeitung ist untersagt. Damit ist eine heilsame Unterbrechung markiert. Das Land gehört Gott. Der Boden ist ein Geschenk von Gott. Das Land ist nicht erst durch die Arbeit der Menschen etwas wert, sondern der Erdboden ist für sich wertvoll.

Angesichts der Ausbeutung und Ausnutzung unserer Böden, die zum globalen Klimawandel beitrugen und das Gleichgewicht zum Kippen brachten, ist diese Anweisung Gottes sträflich vernachlässigt worden. Können wir uns das leisten, die Natur ein Jahr sich selbst zu überlassen und nicht einzugreifen? Ja. Könnten wir Naturschutzgebiete nicht auch noch nutzen, bebauen mit dem Traktor oder mit Hochhäusern? Nein. Gott rät zur Unterbrechung, alle sieben Jahre für ein ganzes Jahr. Das Maß aller Dinge ist auf Gottes Erde nicht nur der Mensch. Umkehr ist nötig, die Sorge für Unterbrechung und ein gesundes Maß! Das wäre im Sinne Gottes!   *Michael Rohde*

 Der Astronaut Alexander Gerst formulierte aus der Raumstation eine Nachricht an seine Enkelkinder: „Ihr seid noch nicht auf der Welt und ich weiß nicht, ob ich euch jemals treffen werde. Wenn ich so auf den Planeten runterschaue, dann denke ich, dass ich mich bei euch entschuldigen muss. Das Einzige, was mir bleibt: zu versuchen, eure Zukunft möglich zu machen. Und zwar die beste, die ich mir vorstellen kann."   *Michael Rohde*

19
Mittwoch
MÄRZ

2025

☀ 06:27 18:34
☽ -.- 07:45

Bibellese: 3. Mose/Levitikus 25,35-43
Der Herr sagte: „Wenn dein Bruder neben dir so sehr verarmt, dass er sich selbst an dich verkaufen muss, dann behandle ihn nicht wie einen Sklaven. Er muss bis zum nächsten Erlassjahr für dich arbeiten, dann wird er samt seiner Familie wieder frei." (Vers 39-41)

Wie kann ich dir das zurückzahlen? Was bin ich dir schuldig? Kennen Sie solche Fragen, wenn Sie jemanden, der in einer finanziellen oder anderen Notlage war, aushalfen? Die meisten Menschen wollen niemandem etwas schuldig bleiben. Andererseits gibt es auch den Ehrgeiz und Geiz im Menschen, die Notlage eines anderen auszunutzen und die Überlegenheit voll auszukosten.
Zur Zeit des Heiligkeitsgesetzes konnte in einer bäuerlichen Gesellschaft jeder schnell in die Lage kommen, sich Geld, Nahrung oder neues Saatgut leihen zu müssen. Fiel dann die Ernte geringer oder sogar völlig aus, war die Rückzahlung schwierig. Außerdem waren im Altertum horrende Zinsforderungen

von bis zu 60 Prozent nicht unüblich. Das Heiligkeitsgesetz verbietet innerhalb des eigenen Volkes solchen Zinswucher, überhaupt das Zinsennehmen in solcher Notlage. Auch soll sich niemand selbst oder seine Arbeitskraft als Sklave verkaufen müssen. Diese alte Sozialgesetzgebung zielte darauf ab, dass jeder von seinem Stück Land oder seiner Arbeit leben kann und die Solidargemeinschaft Notlagen ausgleicht. Eine biblisch begründete Sozialethik und ein biblisch begründetes Wirtschaftssystem pfeifen nicht auf die Melodie „Jeder ist seines Glückes Schmied" und es tönt auch nicht das Lied von der gehässigen „sozialen Hängematte". Jesus stellte in seiner Antrittspredigt sein Kommen in die Tradition dieses großen Erlass- und Gnadenjahres (Lukas 4,18-19).   *Michael Rohde*

Fragen zum Weiterdenken

Was wäre heute eine gute Nachricht für die Armen und auch in Schulden Gefangenen unserer Zeit?
Wie beeinflusst die alttestamentliche Sozialgesetzgebung und die Armenfürsorge von Jesus Ihr politisches Bild einer Gesellschaft und Ihren Einsatz für Gerechtigkeit?
Wen können wir heute freilassen aus seinen Schulden?

Bibellese: Lukas 18,31-43

Der Blinde erfuhr, dass Jesus aus Nazaret vorbeikomme. Da rief er laut: „Jesus, Sohn Davids! Hab Erbarmen mit mir!" *(Vers 37-38)*

Blindenhilfe umfasst einen Geldbetrag zum Ausgleich der durch die Blindheit bedingten Mehraufwendungen." Neben dieser Auskunft finden sich im Internet die Voraussetzungen für den benötigten Antrag. Zu Jesu Zeit gibt es von staatlicher Seite eine solche Unterstützung nicht. Erst recht fehlt das Recht auf einen behindertengerechten Arbeitsplatz. Einem blinden Menschen damals bleibt deshalb wenig anderes übrig als zu betteln. Täglich neu ist er auf die Barmherzigkeit anderer angewiesen. Ein solches Leben würde mich wohl ziemlich deprimieren. Umso mehr lässt der Blinde aus der Bibellese mich aufhorchen. Nicht sein Rufen um Erbarmen verwundert mich. Wie sollte er sonst auf sich aufmerksam machen? Mich überrascht es aber, wie er Jesus anspricht. Gerade wurde ihm gesagt: „Jesus aus

Nazaret kommt vorbei." Dann ruft er aber zu Jesus: „Sohn Davids! Hab Erbarmen mit mir!"

„Geht es nicht eine Nummer kleiner?", mögen sich da manche denken. Für sie klingen die Worte wohl wie eine geschmacklose Masche des Bettlers. So nach dem Motto: „Je mehr ich schmeichle, umso mehr wird mir gegeben." Bis dahin, dass er Jesus sogar als den lang erwarteten Messias anspricht! Genau das bedeutet es doch, wenn er Jesus „Sohn Davids" nennt!

Jesus selbst irritiert die Anrede nicht. Stattdessen wendet er sich dem Blinden zu. Dabei wird zweierlei klar: Erstens sind die Umstehenden wohl blind gewesen für das, was den Bettler wirklich antreibt. Denn dieser erhofft sich nichts weniger, als dass er durch Jesu Hilfe wieder sehen kann. Zweitens nimmt der Blinde besser als alle anderen wahr: „Mit Jesus bricht die neue Welt Gottes schon heute an." Als Jesus ihm dann das Augenlicht schenkt, folgt der Hinweis: „Ohne dein Vertrauen wäre das nicht möglich gewesen! Dein Glaube hat dich gerettet."

Umso mehr möchte ich von diesem blinden Menschen Vertrauen lernen. Ich freue mich, wenn sich dadurch auch mein Hoffnungshorizont erweitern lässt!

Marco Alferink

21

Freitag
MÄRZ

2025

☀ 06:22   18:37
☽ 02:01   08:42

Bibellese: Lukas 19,1-10

Zachäus sagte zum Herrn: „Herr, ich verspreche dir, ich werde die Hälfte meines Besitzes den Armen geben."

(Vers 8)

Die Bedeutung des Namens „Zachäus" lautet: „Einer, der rein dasteht." Der biblische Zachäus wird von seinen jüdischen Volksgenossen deutlich anders erlebt. In ihren Augen ist er ein gnadenlos korrupter Opportunist! In Jericho treibt er in leitender Position für die verhassten römischen Besatzer die Zölle ein. Diese erhöht er nach Gutdünken, so dass auch für ihn viel Geld herausspringt. Die Leidtragenden sind die Leute, die an den Zollstationen tief in die Taschen greifen müssen.

Ausgerechnet diesem ruchlosen Menschen stattet Jesus einen Besuch ab. Klar, dass viele darüber verärgert sind! Will Jesus Zachäus auch noch für seinen unlauteren Lebenswandel belohnen? Oder will er dessen Betrug nicht wahrnehmen oder ihn verharmlosen? Jesus selbst gibt eine andere Erklärung. Er will suchen und retten, was verloren ist. Deshalb begegnet er auch Zachäus respektvoll als einer Person, die zur Gemeinschaft aller dazugehört. Für Zachäus wird dadurch die Begegnung mit Jesus zu einer lebensverändernden Erfahrung! Durch ihn erlebt er, wie wohltuend es ist, ohne Wenn und Aber zu den anderen dazuzugehören. Zugleich spürt er tiefe Scham über sein bisheriges Leben. Wie viel Unrecht er getan hat, muss Jesus ihm nicht erst vorhalten. Zachäus weiß es selbst und will die von ihm Benachteiligten reichlich entschädigen. Auch sonst hat sich seine Lebenseinstellung verändert: Das Erlangen von Besitz ist nicht länger sein oberstes Ziel. Stattdessen will er bedürftigen Menschen die Hälfte seines Besitzes geben.

Erlebbar wird hier durch Jesus, wie lebensverändernd es sein kann, mit Leib und Seele die Zugehörigkeit zu anderen zu spüren. Das lässt mich fragen, wo und wie Jesus auch mich von Gleichgültigkeit gegenüber anderen befreien will. Zugleich werde ich angespornt, anderen mit Respekt zu begegnen. Ausdrücklich gilt das auch für Menschen, deren Verhalten ich zutiefst ablehne. Auch ihnen gegenüber will ich auf die verändernde Kraft der Wertschätzung setzen, die Jesus bei Zachäus zeigt. Sie lässt mich hoffen, dass am Ende alle Ungerechtigkeit durch Güte überwunden wird.

Marco Alferink

22

Samstag
MÄRZ

2025

☀ 06:20   18:39
☽ 03:04   09:30

Bibellese: Lukas 19,11-27

Jesus sagte: „Der Herr sagte: ‚Du bist ein tüchtiger Diener. Weil du in so kleinen Dingen zuverlässig warst, mache ich dich zum Herrn über zehn Städte.'" (Vers 17)

Kurz vor seiner Ankunft in Jerusalem erzählt Jesus diese Geschichte von einem, der auszieht, um für sich die Königswürde zu erlangen. In der Zwischenzeit werden verschiedene Knechte beauftragt, Teile seines Vermögens gewinnbringend einzusetzen. Wenn der Hausherr zurückkehrt, hat er tatsächlich die Königsherrschaft über ein Gebiet erhalten, das weitaus größer ist als sein bisheriger Wirkungsbereich. Dadurch kann er nun andere mit der Herrschaft über Städte in seinem Königreich beauftragen. Der neu gekürte König erkundigt sich jetzt bei seinen Knechten. Er möchte erfahren, was sie mit dem ihnen anvertrauten Geld erwirtschaftet haben. Zwei Knechte berichten ihm, dass ihre Geldanlage die fünffache oder gar die zehnfache Summe hinzugewonnen hat. Darüber freut sich der König!

Allerdings gilt seine Freude nicht dem erwirtschafteten Geld. Er verlangt es nicht einmal zurück. Stattdessen ist für ihn die entscheidende Frage: Ist ein Knecht seinem Auftrag zuverlässig nachgekommen oder nicht? Wenn ja, so traut er diesem Diener in Zukunft weitaus mehr als das Verwalten von Geld zu. Insofern erweist sich das Ganze als ein Test: Wer zuverlässig die Aufgabe erfüllt hat, die ihm aufgetragen wurde, erweist sich als vertrauenswürdig. Einem solchen Menschen vertraut der neue König die Teilhabe an der Herrschaft in seinem Königreich an.

Wenn ich an die Königsherrschaft denke, die durch Jesus, den von Gott gesandten Friedenskönig, anbricht, horche ich besonders auf. An dieser Königsherrschaft kann ich teilhaben, wenn ich mich Jesus anvertraue und mich ihm als vertrauenswürdig erweise. Beides gehört eng zusammen. Das zeigt mir das Lob des Königs an seine treuen Knechte. Denn das griechische Wort der Bibel für „zuverlässig" oder „vertrauenswürdig" bedeutet auf Deutsch zugleich „vertrauensvoll". Deshalb höre ich als Impuls für mich heraus: „Setze voll Vertrauen zur Ehre Gottes und zum Wohl aller ein, was dir von Gott anvertraut wird. Dazu gehört alles, was du hast und kannst und weißt. Je vertrauensvoller du das tust, umso freudiger wirst du an der neuen Welt Gottes teilhaben!"

Marco Alferink

Okuli (Meine Augen sehen stets auf den Herrn. Psalm 25,15)

Bibellese: Psalm 34
Der Herr hat ein offenes Auge für alle,
die ihm die Treue halten,
und ein offenes Ohr für ihre Bitten.   *(Vers 16)*

Ich sehe dich",
sagt die Lehrerin zum Kind,
das schon ungeduldig mit den Fingern schnippt.
Weil es die Antwort doch weiß und gerne sofort
gehört werden will.
„Ich sehe dich. Warte noch kurz.
Vielleicht möchte noch jemand
gesehen werden."

„Ich höre dich",
ruft der Retter im Nebel
und findet im Anschluss den Bergwanderer,
der irgendwie vom Weg abkam
und nicht mehr weiß, wie er nach Hause kommt.
„Ich höre dich. Warte noch kurz.
Gleich bin ich bei dir
und hole dich ab."

„Ich sehe dich",
sagt Gott zu uns Menschen.
Doch manchmal, da fühlt es sich gar nicht so an,
dass Gott die Augen offen hat,
denn es dauert.
„Ich sehe dich. Warte noch kurz.
Bis die Zeit reif ist, für mich
und für dich."

„Ich höre dich",
sagt Gott zu uns Menschen,
wenn wir bitten und nebenbei selbst versuchen,
das, was wir erbitten, zu bewirken,
nur so zur Sicherheit.
„Ich höre dich. Warte noch kurz.
Denn nur so kannst du lernen,
Treue zu halten."

Es ist uns versprochen
und wir haben's erfahren:
Gott ist nicht blind, Gott ist nicht taub.
Er hört und er sieht, erhört und sieht an,
auch wenn es dauert.
Denn im Treusein, darin sind wir nur ein Schatten.
Ein Abbild von dem,
der wirklich die Treue hält.   *Annika Enders*

24

Montag
MÄRZ

Bibellese: Lukas 19,28-40
Jesus antwortete den Pharisäern: „Ich sage euch, wenn sie schweigen, dann werden die Steine schreien!"

(Vers 40)

Die Bitte um Diskretion, um vornehme Zurückhaltung zur Wahrung des sozialen und politischen Friedens – das Anliegen der Mächtigen zu allen Zeiten. Die Wahrheit, offen ausgesprochen, könnte den inneren Frieden stören und unabsehbare Folgen haben. Darum wird vieles abgeschwächt oder gar nicht ausgesprochen. Das war zu Jesu Zeiten nicht anders. Als er seine Tätigkeit begann, konnte er nicht offen sagen, wer er ist, ohne seine göttliche Mission zu gefährden. Also wählte er Begriffe wie „Menschensohn" für sich. Begriffe, die anklingen ließen, wer er ist, aber Spielraum im Verständnis zuließen.
Doch mit dem Einzug Jesu in Jerusalem war damit Schluss. Nun gab es kein längeres Zuwarten. Jetzt musste die Wahrheit endlich offen auf den Tisch und die Herkunft Jesu ein für alle Mal benannt werden.

Darum gebietet Jesus dem Lob der Menschen nun keinen Einhalt, fordert sie nicht auf zu schweigen. Jesu göttliche Herkunft und Sendung müssen offenbar werden. Das Lob Gottes über Gottes Heilsplan darf nicht länger aufgehalten oder gar erstickt werden. Dammbruchartig bricht sich nun das Lob Gottes Bahn. Unaufhaltsam läuft alles auf die ultimative Zuspitzung zu: die Anerkennung oder Ablehnung Jesu als Sohn Gottes. Es gibt nur diese Alternative, keine dritte Möglichkeit oder einen goldenen Mittelweg. Das haben Teile der geistlichen Führung Israels gesehen und rufen Jesus darum zur Mäßigung auf, weil die Konfrontation sonst unausweichlich ist.

Ja, das ist sie und das muss sie auch sein. Jeder Mensch muss Jesus gegenüber Stellung beziehen, Ja oder Nein zu Jesu Person, Herkunft und Herrschaft sagen. Und ja, es kommt der Moment für mich im Alltag, wo ich bekennen muss, auf welcher Seite ich stehe, wer Jesus für mich ist. Auch wenn das schwer und risikobehaftet sein mag, so möchte ich in dem Moment nicht vergessen, dass Jesus sich ohne Rücksicht auf sich selbst auf meine Seite, auf die Seite des Sünders gestellt hat und ihn das sein Leben kostete. Das zu bekennen und Gott dafür zu loben, das möchte ich nicht kleinlaut tun und schon gar nicht den Steinen überlassen.   *Achim Brückel*

25

Dienstag
MÄRZ

2025

☀ 06:13 18:44
☽ 04:58 13:15

Bibellese: Lukas 19,41-48
Jesus sagte zu den Händlern: „In den Heiligen Schriften steht, dass Gott erklärt hat: ‚Mein Tempel soll eine Stätte sein, an der die Menschen zu mir beten können!' Ihr aber habt eine Räuberhöhle daraus gemacht!"

(Vers 46)

Wie würde Jesus wohl heute reden und handeln, wenn er unter uns lebte und sehen würde, wie ihm geweihte Kirchen und Gemeindehäuser aufgegeben und zweckentfremdet genutzt werden bis hin zur Umwandlung in eine Moschee? Was würde er dazu sagen, dass man Kirchen nur gegen Eintrittsgeld betreten kann, wenn es nicht zu Gottesdienstzeiten geschieht? Ob es wohl in seinem Sinne ist, dass bedeutende Kirchen angefüllt sind von Menschen, die beeindruckende Kunst und Historie darin suchen, aber nicht ihn? Was würde Jesus über Dome und Kathedralen sagen, in denen eine Lautstärke und Betriebsamkeit herrscht, die jede Besinnung, jede Begegnung mit ihm nahezu unmöglich macht? Und was ist mit den Gotteshäusern, in denen es mehr darum geht, beeindruckende Fotos zu machen, als den zu suchen, zu dessen Ehre der Bau errichtet wurde?

Ich denke, die Kritik Jesu und sein energisches Verhalten wäre auch heute noch vielfach zu erwarten. Kirchen und Gemeindehäuser sind Begegnungsstätten für uns Menschen mit Gott! Darum ging es Jesus damals und darum würde es Jesus auch heute gehen! Und um was geht es mir am Urlaubsort in einem fremden Land zuerst, wenn ich eine Kirche betrete? Mich hat ein Schild am Tor vor dem Magdeburger Dom neu ins Nachdenken gebracht und dankbar gemacht. Es hat mir gezeigt, worum es bei einem Gotteshaus im Sinne Jesu geht. Auf dem Schild steht: „Dieser Dom lädt dich ein, wie Jesus es tut – ohne Vorbedingungen. Du gehst reicher hinaus, wenn du in diesen Minuten eines bist, offen: offen für Gott, ehrlich gegen dich selbst und barmherzig in Gedanken an deine Mitmenschen." Ich bin überzeugt, daran würde Jesus Wohlgefallen haben. Hier bekommt das Haus seines Vaters seine Würde und eigentliche Bestimmung zurück. Und der Mensch findet, was er sucht: Ruhe, Begegnung und Zuspruch, eine neue Ausrichtung fürs Leben. Mögen unsere Gemeindehäuser solche Orte sein – uns Menschen zum Segen und Gott zur Ehre!   *Achim Brückel*

Bibellese: Lukas 20,1-8

Die führenden Priester, die Gesetzeslehrer und auch die Ratsältesten fragten Jesus: „Sag uns, woher nimmst du das Recht, hier so aufzutreten? Wer hat dir die Vollmacht dazu gegeben?" (Vers 2)

Die Folgen von Jesu Reden und Handeln in den letzten Tagen führen nahezu zwangsläufig zur Autoritätsfrage. Erst lässt sich Jesus beim Einzug in Jerusalem als König Israels verehren, dann säubert er den Tempel, als ob es sein Zuhause wäre. Wer hat ihn dazu legitimiert? Das ruft förmlich nach Klarstellung. Also soll Jesus nun Farbe bekennen. An sich ist das nicht verkehrt. Bei einer Person zu wissen, wo man bei ihr dran ist, ist für eine Beziehung von unverzichtbarer Bedeutung. Mit der Ehrlichkeit über die eigene Person hat der andere die Möglichkeit zu entscheiden, wie er sich nun verhalten will.

Aber offensichtlich ist das mit der Ehrlichkeit so eine Sache. Was die Gesprächspartner von Jesus fordern, dazu sind sie selbst nicht bereit. Sie wollen ihre

Karten nicht offen auf den Tisch legen. „Offen für Gott, ehrlich gegen dich selbst", so steht es auf einem Schild vor dem Dom zu Magdeburg; ich erwähnte das in der gestrigen Andacht. Eigentlich keine große Sache und offensichtlich doch so schwer. Die eigene Unaufrichtigkeit nicht aufzudecken und als falsch zuzugeben, verbaut den Gesprächspartnern Jesu den Weg, Gott persönlich kennenzulernen, neue Einsichten über ihn zu gewinnen und neue Erfahrungen mit ihm zu machen. Sie werden nicht erleben, wozu Gott sie einlädt: „Du gehst reicher hinaus, wenn du in diesen Minuten eines bist, offen und ehrlich gegen dich selbst." Lieber unehrlich sein als das Gesicht verlieren, lieber die Unwahrheit sagen als einen Imageschaden erleiden. Wie schade!

Und was für eine vertane Chance – für die geistliche Elite Israels selbst und für das ihnen anvertraute Volk, das dadurch weiter in Unklarheit gehalten wird. Ehrlichkeit hätte den Weg der Vergebung Gottes beschreiten lassen, einen Neuanfang möglich gemacht. Beides ist aber ohne Ehrlichkeit nicht zu haben! Jesus baut seinen Gesprächspartnern hier eine Brücke. Aber sie wollen sie nicht beschreiten, wollen sich nicht der verändernden Kraft der Ehrlichkeit aussetzen, sich nicht ins Licht Gottes stellen. Und so bleibt alles beim Alten und das Falsche behält die Oberhand! Wie bedauerlich! *Achim Brückel*

Bibellese: Lukas 20,9-19

Jesus erzählte: „Der Besitzer des Weinbergs sagte: ‚Was soll ich tun? Ich werde meinen Sohn schicken, dem meine ganze Liebe gilt; vor dem werden sie wohl Respekt haben.'" *(Vers 13)*

Wenn ich diesen Text lese, werden Urlaubserinnerungen in mir wach. Von einem Weinberg ist die Rede. Gerne wandern meine Frau und ich durch Weinberge: im Elsass, an der Mosel, in Metzingen, Meißen und an anderen schönen Orten. Von einer Traube naschen, ein Gläschen Wein trinken – eine Wohltat.

Bevor es möglich ist, die Früchte des Weinbergs zu genießen, gibt es viel Arbeit. Zum Beispiel beginnen jetzt im März die Reben zu „bluten", an den Schnittstellen tritt Saft aus. Ein Zeichen dafür, dass die Rebe aus dem Winterschlaf erwacht. Nun beginnt die Arbeit des Biegens und Bindens der Reben. Allein ist das für einen Weinbergbesitzer meist nicht zu bewältigen. In unserem Text hat er seinen Weinberg verpachtet in dem Vertrauen, dass die Pächter einen guten Job machen. Wieder einmal steht die Ernte vor der Tür. Er schickt einen Knecht zu den Pächtern, dass dieser ihm den zustehenden Anteil der Ernte bringe. Ein Irrtum!

Die Pächter verprügeln den Knecht und schicken ihn mit leeren Händen zurück zu ihrem Chef. Dieser beauftragt noch zweimal einen Knecht mit der gleichen Aufgabe. Auch diese bekommen Prügel. Noch einen Versuch startet der Weinbergbesitzer. Er schickt seinen Sohn, der den Weinberg erben wird. Ihm werden die Pächter nichts anhaben! Denkste! Schlimmes geschieht. Von Respekt keine Spur. Sie wollen verhindern, dass der Sohn Besitzer des Weinbergs wird. Sie bringen ihn um. Die Pächter übersehen, dass ihnen der Weinberg nicht gehört. Der Weinberg gehört Gott. Mit Dankbarkeit singen wir: „Gott beschenkt uns reich mit Gaben. Dank sei dir, Gott!" Gott lässt die Früchte wachsen, gibt Kraft zur Arbeit. Ja, Gott gibt sein Bestes, seinen Sohn Jesus, der sein Leben für uns gab. Darum: Lasst uns Gott danken für seine Liebe.

Christoph Georgi

28

Bibellese: Lukas 20,20-26
Jesus sagte: „Gebt dem Kaiser, was dem Kaiser gehört –
aber gebt Gott, was Gott gehört!"   *(Vers 25)*

So beantwortet Jesus die Frage der Spitzel der führenden Priester und der Gesetzeslehrer, ob es richtig ist, dem Kaiser Steuern zu zahlen. „Gebt dem Kaiser, was dem Kaiser gehört." Mancher könnte sagen: Dieses Wort ist für uns nicht relevant. Wir haben in Deutschland keinen Kaiser. Stimmt das? Schon mal etwas gehört von Fitzek, dem König Deutschlands? Peter Fitzek hat sich selbst zum König Deutschlands ernannt. Fitzek und seine Anhänger, genannt „Reichsbürger", lehnen die Bundesrepublik Deutschland, das Grundgesetz, die Verfassung ab. Diese Gruppierung trägt sektiererische Züge. Ich bin dankbar, in Deutschland, einem demokratischen Land, leben zu können und nicht in einer Diktatur oder einer Sekte.

Zurück zu der Frage: „Ist es richtig, dem Kaiser Steuern zu zahlen?" Jesus bejaht diese Frage. Es ist also richtig, dass wir Steuern zahlen, damit der Staat seine Aufgaben erfüllen kann. Weiter sagt Jesus: „Gebt Gott, was Gott gehört." Was gehört Gott? Mancher denkt sofort: Die Kirche gehört Gott. Wir zahlen Kirchensteuern oder freiwillige Beiträge. Fakt ist, die Gelder, die wir der Kirche und den Gemeinden zur Verfügung stellen, sind dazu da, dass die Kirche ihre Aufgaben erfüllen kann: Verkündigung des Evangeliums in Wort und Tat. Das ist ein weites Feld, denn Gott gehört die ganze Welt. Steuern zahlen im Staat und in der Kirche ist legitim. Es geht nicht darum, dass „die da oben" ein Leben führen können in Saus und Braus. Es geht um einen verantwortlichen Umgang mit den Geldern, indem wir unsere Dankbarkeit Gott gegenüber zum Ausdruck bringen. Übrigens, Jesus spielt nicht das eine gegen das andere aus, sondern stellt beides gleichwertig nebeneinander: „Gebt dem Kaiser, was dem Kaiser gehört – aber gebt Gott, was Gott gehört!"

Christoph Georgi

 Gold und Silber sind sehr gute Gaben Gottes, die den edelsten Zwecken dienen. In den Händen von Gotteskindern werden sie zur Nahrung für die Hungrigen, Wasser für die Durstigen, Kleidung für die Nackten.

John Wesley (1703-1791), Gründer der methodistischen Kirche

29

Samstag
MÄRZ

2025

☀ 06:04 18:50
☽ 06:00 19:13

Bibellese: Lukas 20,27-40
Jesus sagte: „Gott ist doch kein Gott von Toten, sondern von Lebenden! Für ihn sind alle lebendig." *(Vers 38)*

Ist dieses Bibelwort geeignet, Grundlage für eine Trauerfeier zu sein? Ist unser Gott nur ein Gott der Lebenden und kein Gott der Toten? Wenn ein lieber Angehöriger stirbt, ist die Trauer groß. Oft habe ich als Pastor die Aufgabe, Sterbende zu begleiten und Trauernde zu trösten. Viele Bibelworte sind Worte des Trostes. „Nichts kann uns scheiden von der Liebe Gottes, auch nicht der Tod", heißt es im Römerbrief, Kapitel acht. Über dieses und ähnliche Bibelworte habe ich oft bei Trauerfeiern gepredigt und gespürt, welche Hoffnung in diesem Wort liegt. Wir dürfen die Gewissheit haben: Jesus, der Auferstandene, ist bei uns in den verschiedenen Lebenssituationen. In Zeiten, in denen es uns nicht gut geht, können Jesu Worte uns Hoffnung geben. Jesus hat gesagt: „Ich lebe und ihr sollt auch leben." Folgende Erfahrung durfte ich machen. Ein Mann aus einer unserer Gemeinden erkrankte schwer. Oft habe ich ihn besucht. Wir haben solange es noch möglich war miteinander gesprochen, gebetet. Es hat mich sehr bewegt, als dieser Schwerkranke im Krankenbett gesungen hat: „Bist zu uns wie ein Vater, der sein Kind nie vergisst." Er konnte so singen, weil die Gewissheit in ihm war: Jesus ist bei mir im Leben und im Sterben. *Christoph Georgi*

🎵 Bist zu uns wie ein Vater,
der sein Kind nie vergisst,
der trotz all seiner Größe
immer ansprechbar ist.

Deine Macht hat kein Ende,
wir vertrauen darauf.
Bist ein herrlicher Herrscher
und dein Reich hört nie auf.

Vater, unser Vater,
alle Ehre deinem Namen.
Vater, unser Vater,
bis ans Ende der Zeiten.
Amen.

Christoph Zehendner 1994

30

Sonntag
MÄRZ

2025

☀ 07:02 19:52
☽ 07:14 21:46

Bibellese: Psalm 84

Herr, du großer und mächtiger Gott,
wie gut hat es jeder, der sich auf dich verlässt!

(Vers 13)

Heimat, Zuhause, was ist das für mich?
Welcher Ort, welches Land, welches Haus?
Ein anderer Ort für mich als für dich,
doch ist Heimat darüber hinaus

nicht für alle der Ort, wo sie sicher sind,
wo sie fühlen: Hier bin ich daheim!
Wo sie Sicherheit finden vor Sturm oder Wind
und wissen: Ich bin nicht allein!

Die Heimat ist ja nicht immer der Ort
der Geburt oder bestimmter Zeiten.
Viel häufiger höre ich: Heimat ist dort,
wo Menschen mir Heimat bereiten.

Der Ort, an dem mir mit Freundlichkeit
begegnet wird, man mir vertraut.
Und wo man mit anderen weitertreibt,
was vor mir schon aufgebaut.

So ähnlich ist es dann wohl zu verstehn,
wenn Gottes Haus so beschrieben:
Das ist der Ort, nach dem ich mich sehn,
hier alleine möchte ich leben.

Hier bin ich sicher und hier spüre ich
Gottes Präsenz und sein Lieben.
Nach dieser Sicherheit sehne ich mich.
Und am liebsten wär ich geblieben.

Doch so schön es ist, in die Heimat zu gehn,
sie taugt nicht, um immer zu bleiben.
Man muss auch über die Mauern wegsehn
und – schwerer zu tun als zu schreiben –

sich aufmachen, gehn, neue Wege beschreiten
und neue Heimaten bauen.
So wird Gott durch uns neue Heimat bereiten –
was es dazu braucht, ist Vertrauen.

Annika Enders

31

Montag
MÄRZ

2025
☀ 06:59 19:54
☽ 07:30 23:21

Bibellese: Lukas 20,41-47
Jesus warnte: „Nehmt euch in Acht vor den Gesetzeslehrern! Sie sprechen lange Gebete, um einen guten Eindruck zu machen; in Wahrheit aber sind sie Betrüger, die schutzlose Witwen um ihren Besitz bringen. Sie werden einmal besonders streng bestraft werden."

(Vers 46-47)

Jesus warnt seine Jünger vor den Gesetzeslehrern. Warum eigentlich? Gesetze spielen im Judentum eine große Rolle. Wer sich da auskennt, hat Achtung verdient. Gesetzeslehrer können andere im Gesetz unterrichten. Ist eine solche Kritik an den Gesetzeslehrern nicht unangebracht? Jesus sieht im Verhalten dieser Leute Heuchelei. Sie zeigen sich gern in ihren langen Gewändern und wollen auf den Marktplätzen gegrüßt werden. Sie sprechen lange Gebete und wollen fromm erscheinen. Jesus prangert diese Gesinnung der Gesetzeslehrer an. Sie wollen im Mittelpunkt stehen. Es geht ihnen um ihre eigene Ehre. Ich werde an Papst Franziskus erinnert, der das höchste Amt der römisch-katholischen Kirche bekleidet, aber doch einen einfachen Lebensstil führt. Er fährt keinen Mercedes, sondern einen kleinen Ford. Er wollte nicht in den Apostolischen Palast einziehen, die Wohnung dort war ihm zu groß, eine Wohnung mit drei Zimmern genügt ihm. Von den Geistlichen der Kirche erwartet er auch einen einfachen Lebensstil, in dem die Gesinnung Christi zum Ausdruck kommt. Der Papst kann darin Vorbild sein nicht nur für die Katholiken, sondern für alle Christen. Papst Franziskus feierte die Heilige Messe in einem Jugendgefängnis bei Rom – und wäscht zwei Frauen die Füße. Die Liturgie sieht vor, dass nur Männern die Füße gewaschen werden dürfen. Franziskus versucht, in der Gesinnung Jesu zu leben. Paulus hat geschrieben: „Seid so unter euch gesinnt, wie es der Gemeinschaft in Christus Jesus entspricht" (Philipper 2,5 L). Der Weg Jesu von der Krippe bis ans Kreuz ist von Einfachheit und Bescheidenheit geprägt. Jesus hat den Menschen gedient. Er ließ sich ans Kreuz nageln für uns. Denken wir doch heute einmal darüber nach.   *Christoph Georgi*

Die rücksichtslose wirtschaftliche Entwicklung, der wir nachgegeben haben, verursacht ein klimatisches Ungleichgewicht, das auf den Schultern der Ärmsten lastet.   *Papst Franziskus (* 1936) in Vatican News*

Bibellese: Lukas 21,1-4
Jesus blickte auf und sah, wie reiche Leute ihre Geldspenden in den Opferkasten warfen.   *(Vers 1)*

Ausführlich erklärte sie mir, warum sie keinen Gemeindebeitrag geben könne. Wo ihre Rente doch kaum zum Leben reiche und sie auch für Medikamente dringend Geld zurücklegen müsse. „Sie müssen sich nicht rechtfertigen", sagte ich, „und schon gar nicht entschuldigen. Außerdem erfahre ich als Pastor ohnehin nicht, wer wie viel gibt." Ich wollte es ganz bewusst nicht wissen, um meinen Umgang mit den Menschen nicht von ihren Spenden beeinflussen zu lassen. Auch nicht, weil von diesen Spenden mein Gehalt bezahlt wurde. Aber allmählich wurde mir klar, dass es gar nicht um eine Entschuldigung ging, sondern um eine innere Not. Jeder Christ möchte doch gerne etwas beitragen zum Bau des Reiches Gottes. So wie die arme Witwe, die Jesus beobachtet. Das nicht zu können, macht einen traurig und demütigt den Betreffenden.

Nun sollten wir allerdings nicht an der anderen Seite vom Pferd fallen. Denn zur Wahrheit gehört auch: Es gibt Projekte im Reich Gottes, die durch noch so viele „Scherflein der Witwe" niemals zu stemmen gewesen wären. Dazu braucht es finanzstarke Großspender und großzügige Stifter. Und wir können dankbar sein, wenn es sie in unseren Reihen gibt.

Doch neben der sachlichen Ebene des Geldes gibt es noch eine andere Dimension, und die spricht Jesus in unserem Text an: die Motivation, die Haltung des Herzens, die hinter einer Spende steht. Und die können wir Menschen nicht wirklich erkennen und durchschauen. Weder bei denen, die einen großen Betrag spenden, noch bei denen, die nur einen geringen Beitrag leisten können. Hüten wir uns also davor, das äußerlich Geringe, das Menschen einbringen, zu übersehen. Sei es an Geld, aber auch an Mitarbeit und Zeit. Letztlich leistet jeder seinen Beitrag für Jesus – und hoffentlich nicht, um gut vor den Menschen dazustehen. Bei jeder und jedem von uns geht es am Ende nur darum, dass Jesus zu uns sagt: Gut gemacht, mein treuer Diener, meine treue Dienerin. *Wolfgang Kraska*

Monatsspruch
Brannte nicht unser Herz in uns, da er mit uns redete?
(Lukas 24,32 L)

Bibellese: Lukas 21,5-19
Jesus sagte: „Alles, was ihr da seht, wird bis auf den Grund zerstört werden. Es kommt die Zeit, dass kein Stein auf dem andern bleiben wird." *(Vers 6)*

Was ist denn das für eine Spaßbremse? Die Jünger haben gerade einmal etwas freie Zeit und nutzen den Tag für Sightseeing in Jerusalem. Wir wissen nicht, ob die Männer vom Lande aus der Provinz Galiläa ganz im Norden schon jemals dort waren. Jedenfalls sind sie schier begeistert von dem, was sie da sehen. Und das ist nicht nur imposante Architektur, sondern es ist der Wohnsitz ihres Gottes und das Zentrum ihres Glaubens. Judentum zum Staunen, zum Anfassen und zum Darauf-stolz-Sein. Und mehr noch: Hier sind alle Hoffnungen verankert, dass es bald wieder ein Großreich wie zu Davids Zeiten geben wird. Dann nämlich, wenn der Messias kommt. Der Besuch von Stadt und Tempel ist also ein hochemotionales Erlebnis für die Jünger. Und dann spricht eben der lange ersehnte Messias jene

Worte, die alles auf den Kopf stellen und wie eine eiskalte Dusche wirken. Kein Stein vom Tempel, aber auch vom Glauben, wie sie ihn kennen, wird auf dem anderen bleiben.

Der weitere Verlauf der Ereignisse über das Kreuz bis hin zur Apostelgeschichte zeigt, wie unglaublich schwer die Jünger sich damit tun, die von Jesus neu geschaffene Realität zu begreifen und umzusetzen. Wie anders ist es sonst erklärbar, dass Petrus es ohne eine Vision direkt vom Himmel nicht übers Herz gebracht hätte, in das Haus des Heiden Kornelius zu gehen und Gemeinschaft mit ihm zu haben? Als hätte er nie vom Evangelium gehört und als wäre ihm der Missionsauftrag völlig fremd. Die Prägung, die Erziehung und die Kultur sind offenkundig immer wieder mächtiger als Jesu Worte.

Und wir heute? Vielleicht empfinden wir angesichts der Umwidmung von Kirchengebäuden, immenser Austrittswellen und der zunehmenden Säkularisierung ja auch, dass von unserer christlich-abendländischen Kultur kein Stein mehr auf dem anderen bleibt. Das ist ohne Frage bitter. Und doch gehört all das Vertraute nicht zum Kern des Evangeliums. Vergessen wir nicht: Die ersten Christen kannten all dies nicht und haben auch ohne dies fröhlich geglaubt und Gott gelobt. Das sollten auch wir auf jeden Fall weiterhin tun.

Wolfgang Kraska

3

Donnerstag
APRIL

Bibellese: Lukas 21,20-28

Jesus sagte: „Die Menschen werden halb tot vor Angst darauf warten, was für Katastrophen die Erde noch heimsuchen werden. Denn die ganze Ordnung des Himmels wird zusammenbrechen." (Vers 26)

Wir leben seit einigen Jahren im permanenten Krisenmodus. Immer neue Katastrophen und Krisen machen inzwischen das neue Normal aus. Und wie es aussieht, kommt die alte, halbwegs geordnete Beschaulichkeit früherer Jahre auch nicht zurück. Wir leben wohl noch nicht in jener allerletzten Zeit, wie sie uns im heutigen Bibeltext begegnet. Aber nicht ohne Grund empfinden viele, dass die in der Bibel beschriebenen Horrorszenarien uns immer besser vorstellbar werden.

Was hilft uns beim Leben in unserer Zeit? Was bewahrt uns vor dem Durchdrehen und Verzweifeln, wenn die Ereignisse noch weiter eskalieren? Und warum redet Jesus derart brutal Klartext? Die Antwort des heutigen Textes lautet: das Verstehen.

Zunächst gibt Jesus seinen Jüngern wichtige Hintergrundinformationen. Exklusives Insiderwissen, das Gott selbst offenbart hat und das sich die Welt nicht selbst geben kann. Jesus impft seine Jünger gegen die Auswirkungen des Chaos der letzten Zeit, indem er ihnen erklärt: Das muss so geschehen. Bei vielem, das uns an Gott zweifeln lassen könnte, handelt es sich um Wehen, die aus Gottes Sicht zwingend zur Geburt der neuen Welt dazugehören. Jesus verrät kaum Details und gibt uns keinen Zeitplan an die Hand. Sein zentrales Anliegen ist, dass die Jünger ausharren und nicht vom Glauben abfallen. Sie sollen gegen allen Schein wissen: Gott regiert weiterhin, und nichts geschieht ohne seine Zulassung. Deshalb sollen die Jünger sich nicht verführen lassen von falschen Propheten, die einfache Lösungen anbieten.

Übrigens ist die vorbeugende Therapie durch Information nicht nur etwas für den Kopf, sondern auch für unser Herz. Zeigt es doch die besondere Freundschaft und Liebe Jesu zu uns. In Johannes 15,15 (L) lesen wir dazu: „Euch aber habe ich Freunde genannt; denn alles, was ich von meinem Vater gehört habe, habe ich euch kundgetan." Was für ein Privileg! Was für ein Trost! Und was für eine Hilfe zum Glauben in schweren Zeiten!

Wolfgang Kraska

Bibellese: Lukas 21,29-38

Jesus sagte: „Bleibt wach und hört nicht auf zu beten, damit ihr alles, was noch kommen wird, durchstehen und zuversichtlich vor den Menschensohn treten könnt!" *(Vers 36)*

Not lehrt beten, sagen wir oft. Und das stimmt auch. Aber in der Not wird unser Gebet auch ganz besonders auf die Probe gestellt. Unser jüngster Sohn hat mit 28 Jahren Suizid begangen. Dem voraus gingen zehn harte Jahre mit einer schweren Psychose. Kein Tag verging, an dem wir Gott nicht intensiv im Gebet um Rettung und Heilung von diesem Krebs der Seele gebeten haben. Und mit uns viele andere in der Familie und der Gemeinde. Dennoch wurde es immer schlimmer. Letztlich mussten wir begreifen und akzeptieren, dass es nicht nur körperliche, sondern auch psychische Krankheiten gibt, die zum Tode führen. In solchen Zeiten bricht unweigerlich die Frage auf, was das Beten überhaupt bringt. An diese schlimme Phase unseres

Lebens wurde ich beim Nachdenken über den heutigen Bibelvers erinnert.

Warum sollen die Jünger in der letzten, schweren Zeit dieser Welt beten? Um den Lauf der Ereignisse zu stoppen und die Katastrophen doch noch abzuwenden? Kein Wort kommt dazu aus Jesu Mund. Vielmehr geht es ihm um das Erreichen von zwei Zielen. Das erste lautet: „alles, was noch kommen wird, durchstehen". Nicht abwenden, sondern durchstehen. Wir bekommen von Jesus keine Verheißung, dass unsere Gebete in der letzten Zeit das Gericht aufhalten. Menschen, für die es beim Gebet immer nur um das Erreichen bestimmter Ziele bei Gott geht, sind deshalb hochgefährdet, wenn es ernst wird. Wie oft habe ich schon Menschen erlebt, die den Glauben hingeworfen haben, weil nicht eingetreten ist, was sie erwartet haben. Erst recht gilt das für die letzte Zeit, über die Jesus redet. Schließlich gibt es noch ein größeres Ziel: „damit ihr zuversichtlich vor den Menschensohn treten könnt".

Halten wir fest und üben wir es ein: Die Verbindung zu Jesus, das Gespräch mit Gott, ist wichtiger als das Erreichen dieses oder jenes Ziels. Der Vorgang des Gebets an sich, die Erfahrung der Gegenwart Gottes, ist wertvoller als jede konkrete Gebetserhörung. Uns jedenfalls hat es damals durchgetragen und vor dem Abstürzen bewahrt.   *Wolfgang Kraska*

Bibellese: Lukas 22,1-6
*Judas ging zu den führenden Priestern und den Haupt-
leuten der Tempelwache und besprach mit ihnen, wie
er ihnen Jesus in die Hände spielen könnte.* (Vers 4)

Dass er leiden wird und dass er leiden muss, hatte
Jesus seinen Jüngern angekündigt. Sie hatten
das nicht eingesehen. Aber nun geht es los. Das
Leid fällt nicht vom Himmel. Es gibt viele Beteiligte.
Soldaten, Priester, Pilatus und Herodes. Eine aufge-
hetzte Menschenmenge. Auch die Jünger, die engsten Begleiter und Freunde von Jesus, sind Teil der
Leidensgeschichte. Petrus, der abstreitet, Jesus zu
kennen. Zum Schluss fliehen alle. Was hätten sie
auch tun können? Wer will es ihnen verdenken, dass
sie ihre Haut retten wollten?
Dass aber ein Jünger aktiv als Verräter am Ende von
Jesus mitwirkte, bleibt unbegreiflich. Schon die
Überlieferungen im Neuen Testament fassen dieses Thema mit spitzen Fingern an. Judas, der Jude,
wurde zu einem wichtigen Baustein des christlichen

Antisemitismus. Es war aber nicht der Jude. Es war ein Jünger. Es war einer von uns. Der Apostel Paulus, der im 1. Korintherbrief die Worte überliefert, die dann fester Bestandteil der Abendmahlsliturgie wurden, hält fest: In der Nacht, in der der Herr Jesus verraten wurde ... Wir können eben nicht nur Verteidiger des Glaubens sein oder Kämpfer für den Glauben. Auch Verrat ist möglich. Vielleicht wollte Judas mit seinem Verrat nur einen Aufstand provozieren, aus dem Jesus als der König Israels hervorgehen würde. Vielleicht war er auch einfach nur frustriert. Oder er wollte das Geld. So oder so – das Böse hatte von ihm Besitz ergriffen. Gut ausgegangen ist es nicht mit ihm.

Ich finde es beeindruckend, dass die neutestamentlichen Überlieferungen die Schattenseiten der Jünger nicht verschweigen. Das macht Mut, auf das Putzen des eigenen Heiligenscheins zu verzichten. Wenn Jesus für uns gestorben ist, dann meint das eben uns. Und nicht nur die anderen. *Uwe Dammann*

♪ Nun, was du, Herr, erduldet,
ist alles meine Last;
ich hab es selbst verschuldet,
was du getragen hast ...
Paul Gerhardt 1656
Aus: O Haupt voll Blut und Wunden

6

Sonntag
APRIL

2025

☀ 06:46 20:04
☽ 12:38 04:52

Bibellese: Psalm 22,1-22
Mein Gott, mein Gott,
warum hast du mich verlassen?
Warum hilfst du nicht, wenn ich schreie,
warum bist du so fern? *(Vers 2)*

So ein Gebet hätte ich in einem Thriller nicht vermutet: Er war total verzweifelt, machte das Handy aus und betete: „Gott im Himmel, entschuldige, hab mich lange nicht gemeldet. Aber ich weiß nicht ein noch aus! Ich brauche dringend einen Strohhalm von dir, ein Bibelwort, irgendwas." Dann macht er die Augen zu, um sein inneres Ohr zu schärfen ... (nacherzählt).

Mich fasziniert, wie direkt – oft auch frech – Menschen in der Bibel mit Gott reden. Verzweifelte Schreie sind dabei: „Warum hilfst du nicht?" Oder Mose: „Warum spielst mir so übel mit?" Oder Gideon: „Warum ist das alles passiert?" Fromme Menschen ermahnten mich als Kind: Wir fragen „Wozu?", nicht „Warum?"! Doch die Bibel kennt Hunderte

Warum-Gebete! Eine aufgewühlte Seele muss „Warum?" schreien können! Damit sind Probleme noch nicht gelöst. Aber ein leidenschaftliches Warum-Gebet ist doppelt segensreich und befreiend: Erstens: Ich wende mich mit meinen quälenden Fragen an Gott, nicht anonym ans „Universum". Zweitens: Beim Beten fällt mir auch etwas Gutes ein. Der betende Mensch in Psalm 22 erinnert sich: Meinen Eltern hast du schon geholfen (Vers 5-6)! Du bist mein Schöpfer (Vers 10)! Selbst ein Staunen über Gottes Heiligkeit (Vers 4) kommt über seine Lippen! Er schüttet alle bitteren Ängste und Befürchtungen, die wie gefährliche Löwen und Büffel sind, vor Gott aus.

Auch Jesus schreit am Kreuz „Warum?" und hält gleichzeitig am Vertrauen zu Gott fest: „Vater, ich gebe mein Leben in deine Hände" (Lukas 23,46). Das ermutigt mich, Gott leidenschaftlich alles vor die Füße zu werfen. *Joachim Georg*

 Beten heißt: Mitten durch die Kälte und Finsternis hindurchwandern und zum Vater gehen.

Friedrich von Bodelschwingh d. Ä. (1831-1910), evangelischer Pastor und Gründer der Bodelschwinghschen Anstalten Bethel bei Bielefeld

---

Bibellese: Lukas 22,7-23

Jesus nahm ein Brot, sprach darüber das Dankgebet, brach es in Stücke und gab es den Aposteln mit den Worten: „Das ist mein Leib, der für euch geopfert wird. Tut das immer wieder, damit unter euch gegenwärtig ist, was ich für euch getan habe!"　　　　　*(Vers 19)*

Jesus gab seinen Jüngern eine Anweisung, was sie immer wieder tun sollen. Zusammen sein, miteinander essen, Brot und Wein teilen. Davon reden, was der Herr für uns tat. Und dabei erleben, dass es gültig ist und bleibt, sein Für-uns-Sein. Den Jesusgläubigen nach Pfingsten in Jerusalem scheint das nach der Überlieferung der Apostelgeschichte in dieser Schlichtheit noch gelungen zu sein. Später muss der Apostel Paulus die Christen in Korinth ermahnen und Richtlinien geben, wie das Mahl des Herrn angemessen zu feiern ist.

Mit derartigen Regelungen ist es bis heute weitergegangen. Wer darf das Mahl austeilen, empfangen, wie ist es zu gestalten, was bedeuten die Worte, die Jesus sprach? An diesen Fragen spalten sich die Kirchen bis heute und ein Ende ist nicht abzusehen. In allen christlichen Konfessionen gibt es Gruppen, die sich nach einer gemeinsamen Mahlfeier über alle Kirchengrenzen hinweg sehnen. Jesus wollte seine Jünger in der Erinnerung an sein Tun vereinen. Aber wir kriegen das seit Jahrhunderten nicht hin. Freikirchliche Christen, die sowieso alle paar Jahre ihre Gottesdienstformen neu erfinden, denken, dass das doch alles kein Problem sein kann. Man muss doch einfach in die Bibel schauen. Christen, die in alten Konfessionen zu Hause sind, wundern sich, wie man Traditionen und jahrhundertelanges Nachdenken einfach ignorieren kann. Ich denke, dass es hilft, andere Auffassungen zu verstehen und zu lernen: Wie machst du das eigentlich mit der Erinnerung an das, was Jesus für uns tat? Dabei können neue Einsichten entstehen. Auch zum Mahl des Herrn.

Uwe Dammann

♫ Schaue die Zertrennung an,
der sonst niemand wehren kann;
sammle, großer Menschenhirt,
alles, was sich hat verirrt.
Erbarm dich, Herr.

Christian Nehring 1704/Otto Riethmüller 1932
Aus: Sonne der Gerechtigkeit

Bibellese: Lukas 22,24-30
Jesus sagte: „Wer ist denn größer: der am Tisch sitzt oder der bedient? Natürlich der am Tisch! Aber ich bin unter euch wie der Diener." *(Vers 27)*

Die letzte Mahlzeit mit Jesus. Und die Jünger stritten darüber, wer der Größte von ihnen ist. Wir lernten natürlich, dass man so etwas nicht macht. Es passt einfach nicht zu unserer Demut. Einen offenen Streit, wer der größte und beste Jünger des Herrn ist, erlebte ich bisher noch nicht. Aber es kommt in christlichen Kreisen und Gremien schon vor, dass man mit besonderem Fachwissen, Engagement oder Nähe zum Herrn glänzen möchte. Manchmal dienen Christen um die Wette.
Jesus weist seine Jünger darauf hin, dass wir uns nicht in einem Wettkampf befinden. Das gehört zu den wirtschaftlichen und politischen Mächten der Welt. Aber nicht zur Gemeinschaft der Glaubenden. Da soll einfach jeder machen, was er soll und was er kann. Oben und unten sind abgeschafft. In alten

Kirchen sind manchmal die Namenslisten der Pfarrer oder Pastoren an einer Wand aufgehängt. Ich frage mich dann immer: Putzte hier niemand die Kirche, zündete Kerzen an und stellte Blumen auf den Altar? Machte hier keiner Musik? Besuchte und betreute hier keiner Alte und Kranke? Tat hier keiner was für den Ort? Die Debatte, wer der Größte ist, kann man sich sparen. Das Größte ist eben nicht, wer oder was ich bin. Das Größte ist auch nicht, was ich leiste. Das Größte ist, ob ich das einbringe, was ich kann. Ob ich schlicht und eingreifend diene mit der Gabe, die ich empfing. Jesus machte das. Der Herr aller Herren lebt seine Berufung, die ihn in wenigen Stunden ans Kreuz bringt. Er hat kein Verständnis für das Machtgerangel seiner Jünger. Er macht diesen Kleinkram nicht mit. Man muss auch nicht streiten, wer in der Demut der Größte ist. Wer aufhört, sich mit anderen zu vergleichen, ist frei.

Uwe Dammann

♫ Ewigkeit, in die Zeit
leuchte hell herein,
dass uns werde klein das Kleine
und das Große groß erscheine,
selge Ewigkeit!

Marie Schmalenbach 1875
Aus: Brich herein, heller Schein

Bibellese: Lukas 22,31-38
Jesus antwortete: „Ich sage dir, Petrus, noch ehe heute der Hahn kräht, wirst du mich dreimal verleugnen und behaupten, dass du mich nicht kennst."   *(Vers 34)*

Petrus hatte gerade behauptet, dass er mit Jesus ins Gefängnis oder in den Tod gehen würde. Vielleicht dachte er, dass in Kürze der Kampf um Jerusalem beginnt und Jesus als der endzeitliche Friedenskönig den Thron besteigt. Dieser Kampf wird nicht leicht sein. Vielleicht geht dabei sogar einiges schief. Petrus ist sich nicht hundertprozentig sicher, was jetzt kommt. Aber er würde bei Jesus bleiben und alle Konsequenzen tragen. Gefängnis oder sogar den Tod.

Jesus glaubt ihm das nicht. Noch schlimmer: Jesus sagt Petrus, dem großen Bekenner, an, dass er behaupten wird, ihn nicht zu kennen. Das wird kein Ausrutscher sein. Dreimal wird sich Petrus von Jesus distanzieren. Was für eine Schande für den Vorzeigejünger.

Auch heute geraten Christen wegen ihrer Zugehörigkeit zu Jesus in Gefahr oder auch in Lebensgefahr. Meist erfährt die christliche Öffentlichkeit nur von denen, die als Märtyrer in die Geschichte eingehen. Von denen, die es in ihrer Treue zu Jesus nicht bis in den Tod schafften, spricht man nicht. Schon die frühe Christenheit konnte mit den Abtrünnigen wenig anfangen. Wie es auch andere Religionen nicht können. Petrus aber bleibt als standhafter Bekenner und als Verleugner in Erinnerung. Alte christliche Überlieferungen berichten dann, dass Petrus wegen seines Glaubens in Rom gekreuzigt wurde. Wahrscheinlich war das auch wirklich so. Heute steht der Petersdom über dem Grab Petri. Petrus schaffte es also doch noch, in den christlichen Olymp aufzusteigen. Jesus sind auch die wichtig, die es nicht schafften. Darum sagte er Petrus, dass ihm „heute" nicht gelingt, was er eigentlich will. Das muss man ja auch erst mal aushalten. Und das heutige Versagen muss kein Dauerzustand werden.   *Uwe Dammann*

 Was bin ich doch für ein feiner und treuer Knecht des Herrn. Sage ich mir. Vergiss es, sagt er mir.
Was bin ich also für ein Versager im Dienst des Herrn, sage ich mir. Vergiss es, sagt er mir.
Und fragt: Hast du mich lieb?   *Uwe Dammann*

Bibellese: Lukas 22,39-46

„Wie könnt ihr schlafen?", sagte Jesus zu seinen Jüngern. „Steht auf und betet, damit ihr in der kommenden Prüfung nicht versagt!"   *(Vers 46)*

Ein Weckruf! Jesus weckt die Jünger. Sie sollen aufstehen und beten. Im Gegensatz dazu steht ihr Schlafen. Das damalige Verhalten der Jünger Jesu erinnert mich an einen Christen aus meinem Bekanntenkreis. Er ist niedergeschlagen, enttäuscht von Gott und Menschen und vor allem von sich selbst. Der Frust über Probleme im Umgang mit Menschen hat ihn müde gemacht. Am liebsten zieht er sich die Decke über den Kopf, um nicht mit seinen Problemen konfrontiert zu werden. Verständlich, aber weder gut noch hilfreich.

„Aufstehen, beten", ermahnt Jesus die vor Traurigkeit Eingeschlafenen. Wenn schwierige Situationen kommen, hilft es nicht, die Augen davor zu verschließen und sich ins Schneckenhaus zu verkriechen. Mit der Mahnung zu beten erinnert Jesus die Niedergeschlagenen daran, dass sie nicht alleine sind. Sie leben in der Beziehung mit Gott und können, wie es der Beter in den Psalmen formuliert, ihr Herz vor ihm ausschütten (Psalm 62,9). Gleichzeitig bewahrt das Gebet vor der Wahnvorstellung, alles selbst meistern zu müssen. Der betende Mensch weiß, dass er auf Hilfe angewiesen ist. Er ist immer ein Bittender und damit auch jemand, der abhängig ist. Der abhängige Mensch hängt an jemand, in dem Fall an Gott, und der lässt einen nicht fallen.

Wenn Jesus die Jünger ermahnt aufzustehen und zu beten, können Menschen das wörtlich nehmen. Aufstehen, das Bett oder Sofa verlassen und im Angesicht Gottes die Augen vor den Schwierigkeiten nicht verschließen.

Damals hat Jesus sich gewünscht, dass die Jünger für ihn beten. Für andere zu beten, bei eigener Traurigkeit, scheint mir bis heute hilfreich zu sein. Vielleicht sind die Probleme der anderen sogar größer als meine. So öffnet die Fürbitte die Augen, um zu sehen, dass die Welt größer ist als meine Sorgen. Diese sind auch da, aber sie sind nicht alles. Da sind noch die anderen, die mein Gebet brauchen, und da ist noch der Gott, der hört, sieht und hilft.

Werner Hanschmann

11

Freitag
APRIL

2025

☀ 06:35 20:12
☽ 18:49 06:03

Bibellese: Lukas 22,47-53
Jesus sagte: „Judas, mit einem Kuss willst du den Menschensohn verraten?" *(Vers 48)*

Gegensätze tun sich auf! Heuchelei auf der einen, Klartext auf der anderen Seite. Verrat auf der einen, liebevolle, namentliche Anrede auf der anderen Seite. Die liebevolle Geste des Kusses auf der einen, die brutalen Konsequenzen des Verrates auf der anderen Seite.

Mich erinnert die Situation an einen Vortrag, den der Theologe und Psychotherapeut Reinhold Ruthe in der Gemeinde hielt, in der ich damals tätig war. Er sprach davon, dass er durch seine seelsorgliche Praxis feststellen musste, dass unter Christen mehr Heuchelei anzutreffen sei als bei Menschen, die keine Beziehung zu Jesus Christus haben. In diese Richtung zielt auch das von dem Theologen Ulrich Eggers veröffentlichte Buch „Ehrlich glauben". Als ich die Beobachtung von Reinhold Ruthe einmal öffentlich weitergab, sagte ein Mitchrist zu mir: „Das kann gar nicht sein, dass bei Christen mehr geheuchelt wird als bei anderen Menschen." Diese Reaktion machte deutlich, wie betroffen jener Mitchrist war, aber auch: „Es darf nicht sein, was nicht sein soll." Manch ein Blick in den Spiegel kann schmerzhaft, aber zugleich der Beginn einer Veränderung sein. Dazu gehört allerdings der Mut, den schmerzhaften Blick in den Spiegel auszuhalten und sich die Situation nicht schönzureden.

Auch Judas bekommt noch eine Chance. Jesus begegnet dem heuchelnden Judas nicht nur mit klaren Worten. Seine persönlich gehaltene Frage mit der Namensanrede zeigt mir, dass er Judas auch jetzt noch die Möglichkeit gibt, sein Verhalten zu verändern. Wie Judas äußerlich auf Jesus zugeht, geht dieser mit seiner Anrede noch einmal auf Judas zu. „Judas, du musst den Weg des Verrats nicht weitergehen. Du kannst noch umkehren!" Das ist für mich Evangelium, eine gute Nachricht. Auch jetzt noch kannst du dich ändern! Heuchelei, die stets zu neuer Heuchelei führt, muss nicht bleiben. Der Irrweg kann hier enden. Es gibt eine Alternative. Veränderung ist möglich!

Werner Hanschmann

 Ulrich Eggers, Ehrlich glauben: Warum Christen so leicht lügen (Edition Aufatmen), SCM R. Brockhaus, ISBN 978-3417265514

Bibellese: Lukas 22,54-62
Eine Dienerin bemerkte Petrus im Schein des Feuers, sah ihn genauer an und sagte: „Der da war auch mit ihm zusammen!" (Vers 56)

Johannes Rau, der Bundespräsident und davor Ministerpräsident von Nordrhein-Westfalen gewesen war, erzählt in dem Buch „LebensBilder" von seinem Vater, Ewald Rau. Auf dessen Grabstein steht, in leicht abgewandelter Form, was die Magd zu dem Jünger Petrus sagte: „Dieser war auch mit dem Jesus von Nazareth". Eine Frau, die das hörte, sagte: „Schön, wenn so etwas über einen Menschen gesagt wird." Nein, als schön hat der Jünger Petrus die Aussage nicht empfunden. Für ihn war es eine Denunziation, die ihm sehr gefährlich werden konnte. Und wie der weitere Bericht des Evangelisten Lukas zeigt, hat diese Äußerung ihn völlig aus der Bahn geworfen. Das ist erstaunlich. Damals hatten Frauen in der Öffentlichkeit nur ein geringes Ansehen. Ihre Aussage galt beispielsweise nicht vor Gericht. Zusätzlich wird die Frau als „Dienerin" beschrieben. Sie verfügte also weder über Macht noch über gesellschaftliche Anerkennung. Aber ihre Bemerkung reicht, um Petrus aus der Bahn zu werfen. Erstaunlich! Eine kurze Bemerkung einer unbedeutenden Person genügt.

Mich macht das nachdenklich. Bin ich auch so schnell aus dem Tritt zu bringen, wenn es um meine Überzeugungen und speziell um meinen Glauben geht? Die Frage will ich mitnehmen, damit ich etwas vorbereitet bin, wenn meine Christusbeziehung Thema ist. Doch noch mehr nehme ich mit, was die Frau zu dem Grabspruch von Ewald Rau sagte: „Schön, wenn so etwas über einen Menschen gesagt wird." Das bedeutet, an Menschen ist etwas von ihrer Beziehung zu Jesus zu erkennen. Die Beziehung bleibt nicht verborgen. Was kommt da ans Licht? Liebe oder Rechthaberei? Freude oder Frust? Friede oder Unzufriedenheit?

Bei Johannes Rau kam der „Bruder Johannes" an das Licht. So wurde er von vielen genannt, ein Bruder. „Schön, wenn so etwas über einen Menschen gesagt wird."

Werner Hanschmann

 Johannes Rau, LebensBilder, Gütersloher Verlagshaus Gerd Mohn, ISBN 978-3579021928

13

Sonntag
APRIL

2025

☀ 06:31 20:15
☾ 21:10 06:23

Bibellese: Psalm 22,23-32
Darum danke ich dir, Herr,
vor der ganzen Gemeinde.
Vor den Augen aller, die dich ehren,
bringe ich dir die Opfer,
die ich dir versprochen habe. *(Vers 26)*

Auf den angekündigten „Engel-Gottesdienst" war
ich gespannt. In Vorfreude nahm ich daran teil.
Ich denke dankbar an diesen Gottesdienst zurück,
denn er hat mich angeregt und geistlich bereichert.
In einer „offenen Phase" luden die Frauen, die den
Gottesdienst leiteten, zum Erfahrungsaustausch ein:
Sind euch schon mal Engel begegnet? Eine ältere
Frau ging ans Mikrophon und sagte: Eigentlich
kann ich mit „Schutzengeln" wenig anfangen. Aber
diese wunderbare Erfahrung muss ich einfach mit
euch teilen! Dann erzählte sie, wie sie unvorsich-
tigerweise bei Rot die Straße überqueren wollte.
„Da zog mich eine Hand blitzschnell zurück. Sonst
wär ich in das Auto gelaufen. Wenn ihr wollt, sagt

dazu „Schutzengel". Auf jeden Fall glaube ich, dass Gott seine Hand im Spiel hatte. Ich bin sonst eher ein Kopfmensch. Doch diese Bewahrung hat mich auch gefühlsmäßig angerührt. Ja, ich bin Gott von ganzem Herzen dafür dankbar!"

In dem Dankgottesdienst, den der betende Mensch von Psalm 22 zusammen mit der Gemeinde feierte, ging es sicher nicht um Gottes Bewahrung auf der Straße. Die Nöte, die hier genannt werden, waren lebensbedrohlich, waren ganz furchtbar (Vers 1-22). Nun bezeugt er der ganzen Gemeinde: Gott hat mich gerettet! Er hörte mich, als ich um Hilfe schrie (Vers 25). In großer Dankbarkeit ruft er sogar weltweit die Menschen zum Gotteslob auf (Vers 28-30). Der Alttestamentler Hartmut Gese drückt es blumig aus: Der errettete Mensch „wird der Gemeinde wiedergegeben". So wie Jesus nach dem Kreuzestod „der Gemeinde wiedergegeben" ist!   *Joachim Georg*

Ein frommer Unruhestifter

Als Kind las ich bei meinen Großeltern das Buch „Unterwegs notiert" von Hans A. de Boer, das 1956 im Oncken Verlag erschienen war. Jahrzehnte später, Ende der 1980er Jahre, besuchte ich mit meiner Frau den Autor in seiner Dachgeschosswohnung in Duisburg. Die Wohnung war mit Regalen voller Bücher, Zeitschriften und Aktenordner bestückt. Wir waren beeindruckt von diesem asketisch lebenden Christen, der nicht mehr als 200 D-Mark im Monat für Lebensmittel ausgab. Er war außergewöhnlich gut informiert durch Zeitungen, Zeitschriften, Briefe und Telefonate in die ganze Welt, das Hören von internationalen Kurzwellensendern. Mit seinem Geld versorgte er mehrere indische Familien.

Hans A. de Boer wurde vor 100 Jahren, am 13. April 1925, in Hamburg in eine wohlhabende Kaufmannsfamilie hinein**geboren**. Nach seiner Rückkehr aus der Kriegsgefangenschaft arbeitete er als Prokurist in der väterlichen Firma. Sein Leben änderte sich, als er während seiner Arbeit in Namibia erlebte, wie die schwarze Bevölkerung von den weißen Kaufleuten betrogen wurde. Er kündigte und wurde prompt enterbt. Dies nahm er zum Anlass, rund um den Globus zu reisen. Er besuchte die Krisenherde der Welt und berichtete in Vorträgen und Büchern von seinen Erfahrungen. Nie stieg er in einem Hotel ab. 1954 kam er nach Deutschland zurück und wurde erst Referent, dann Generalsekretär im CVJM. 1960 verließ er Deutschland wieder und reiste nach Kanada, um dort ein Theologiestudium zu beginnen. Nach dem Studium hielt er sich sechs Jahre in Indien auf. Bei einem Einsatz als Krankenpfleger in Kambodscha bei den Roten Khmer, einer kommunistischen Guerillabewegung, wurde seine Lebensgefährtin, eine indische Ärztin, von den Regierungstruppen zu Tode gefoltert.

Auch als er 1972 wieder nach Deutschland zurückkehrte und bis zur Rente als Religionslehrer an Duisburger Berufsschulen arbeitete, ließ ihn das Elend dieser Welt nie in Ruhe. Stets versuchte er, Menschen aus ihrer Konsum-Narkotisierung herauszuholen. Sein Ziel war es, junge Menschen zur Kritikfähigkeit zu erziehen. Er bezeichnete sich selbst als konservativen Radikaldemokraten, als frommen Theologen, fast schon Evangelikalen. Sein Abschiedsgruß in jedem seiner Briefe lautete: Gesegnete Unruhe. 2006 erhielt er von Bundestagspräsident Norbert Lammert die Ehrenurkunde für außergewöhnliche Zivilcourage der „Aktion Gemeinsinn". Hans A. de Boer starb am 30. März 2017 und wurde auf eigenen Wunsch anonym in Duisburg beerdigt.

Hans-Werner Kube

Bibellese: Lukas 22,63-71

Die Ältesten des Volkes, die führenden Priester und die Gesetzeslehrer riefen alle: „Dann bist du also der Sohn Gottes?" Er antwortete: „Ihr sagt es: Ich bin's." (Vers 70)

Und nun sitzt er in der Klemme und kommt da nicht mehr raus. Soldaten und Bewacher foltern und verhöhnen Jesus. Kein Rechtsstaat schützt ihn. Man macht sich über ihn lustig, hinterfragt seinen Status. Erniedrigt ihn. Sie spielen alle ihre Macht aus. Ich denke an die vielen Berichte der People of Colour, die während der Apartheid in Südafrika willkürlich festgenommen und gefoltert wurden. Ich denke auch an die jüngsten Berichte von Menschen, die im Iran, in der Türkei, in Russland oder in Guantanamo einsaßen. Die Passion von Jesus ist auch eine Passion der Gegenwart. Menschen, die Folter durchliefen, sind in der Regel nicht nur körperlich lädiert, sondern auch traumatisiert.

Jesus scheint souverän damit umgehen zu können. Sortiert antwortet er danach auf die Fragen der

Führenden des Volkes, der religiösen und der juristischen. „Ich bin es." Jesus steht zu seinem Auftrag und zu seiner Identität: Ich bin der Sohn Gottes. In Kapitel 9,22 sagt er: „Der Menschensohn muss vieles erleiden und muss von den Ratsältesten, den führenden Priestern und den Gesetzeslehrern verworfen werden, er muss getötet und am dritten Tag auferweckt werden." In Kapitel 19,10: „Der Menschensohn ist gekommen, um die Verlorenen zu suchen und zu retten." Der Menschensohn ist zwar eine Bezeichnung, die es auch im Alten Testament gibt, aber Jesus geht weit darüber hinaus. Wenn wir unsere Identität von diesem Menschensohn ableiten, dann darf weder Folter noch eine andere Art der Beschämung von Menschen für uns hinnehmbar sein, ganz im Sinne der UN-Menschenrechtscharta.   *Silke Tosch*

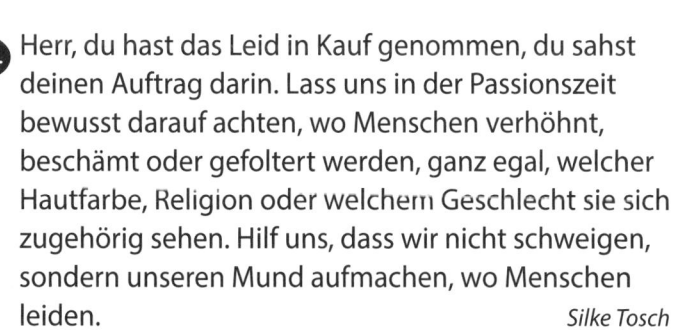

Herr, du hast das Leid in Kauf genommen, du sahst deinen Auftrag darin. Lass uns in der Passionszeit bewusst darauf achten, wo Menschen verhöhnt, beschämt oder gefoltert werden, ganz egal, welcher Hautfarbe, Religion oder welchem Geschlecht sie sich zugehörig sehen. Hilf uns, dass wir nicht schweigen, sondern unseren Mund aufmachen, wo Menschen leiden.
Silke Tosch

15

Dienstag
APRIL

2025

☀ 06:26 20:19
☽ 23:37 06:51

Bibellese: Lukas 23,1-12
Herodes freute sich sehr, als er Jesus sah; denn er wollte ihn schon lange einmal kennenlernen. Er hatte viel von ihm gehört und hoffte nun, selbst eines seiner Wunder mitzuerleben. *(Vers 8)*

Als Jesus vor Herodes tritt, ist er nicht mehr ganz taufrisch, die Soldaten hatten ihn in der Mangel, die Führenden des Volkes machten ihn runter, aber Herodes denkt nur an seine eigene Unterhaltung. Doch Jesus unterhält ihn nicht, er antwortet auf keine seiner Fragen. Um ihn herum ereifert sich die Eskorte aus Gesetzeslehrern und Pharisäern, die diesen Schauprozess ja nicht aus den Augen lassen wollen. Nichts soll schiefgehen. Und am Ende, wie schon am Anfang, treiben die Soldaten wieder ihren Spott mit Jesus. Auch das ist irgendwie unterhaltsam. Und Herodes war beteiligt. So ein schweigender Jesus war für ihn uninteressant, ja, geradezu ärgerlich.
Jesus erlebt hier eine Weiterreichung vom Hohen Rat zu Pilatus, von Pilatus zu Herodes, von Herodes

wieder zurück zu Pilatus, der eigentlich dachte, er wäre das Problem los. Jetzt muss er doch die Entscheidung treffen. Irgendwie ist keiner so richtig zuständig, irgendwie artet es zu einer Farce aus. Jesus gerät in die Mühlen der Bürokratie. „Ist ja interessant. Aber eigentlich sind wir da nicht zuständig." Herodes wollte Jesus mal kennenlernen, aber zuständig fühlte er sich in diesem Fall nicht. Was wäre gewesen, wenn er sich auf Jesus eingelassen hätte? Wenn er gefragt hätte: „Was liegt an?" Wenn er ernsthafte Fragen gestellt hätte?

Die Passion von Jesus macht deutlich: Christlicher Glaube dient nicht der Unterhaltung. Glaube ist weder eine Kulturveranstaltung noch ein Showact. Es geht nicht um die Geschichten, es geht nicht um die Wunder, sondern es geht um den Sinn. Lass ich Jesus an mich ran? Bin ich bereit, mich der Sinnfrage in meinem Leben zu stellen? Inwiefern gibt Jesus meinem Leben Sinn? *Silke Tosch*

 Der Sinn des Christentums liegt nicht in der Veränderung der Welt, sondern in der Veränderung des Herzens.

Oswald Chambers (1874-1917), britischer baptistischer Pastor

16

Mittwoch
APRIL

2025

☀ 06:24 20:20
☽ -.-   07:13

Bibellese: Lukas 23,13-25

Das Geschrei der Leute zeigte Wirkung. Pilatus entschied, dass sie ihren Willen haben sollten.(Vers 23-24)

Und nun ist er wieder zurück. Zurückgeschickt an den Absender. Jesus ist wieder bei Pilatus, der doch eigentlich keine Entscheidung treffen wollte. Pilatus will Jesus nicht verurteilen, denn für ihn ist diese Sache nicht schlüssig. Aber als der Mob dann anfängt, Barabbas Freilassung statt seiner zu fordern, gibt Pilatus nach. Es ist somit eine politische Entscheidung und keine gerichtliche. Er will es sich mit den Juden nicht verscherzen. Es wirkt fast ein bisschen hilflos, man bekommt Mitleid mit Pilatus. Dreimal versucht er, das Volk umzustimmen. Aber hier siegt nicht die Vernunft, es siegt die Angst und die Manipulation. Da wurde eine Masse von einigen wenigen manipuliert, die Angst hatten. Sie hatten Angst, ihre Autorität einzubüßen, und sie hatten Angst vor Kontrollverlust. Wenn diese Jesusbewegung weiterhin so Fahrt aufnimmt und die

Menschen gut finden, was er lehrt, dann muss das Judentum von morgen ganz anders aussehen, dann werden sich die Strukturen verändern. Die Pharisäer und Schriftgelehrten hatten Angst vor einem Bedeutungsverlust und stachelten so Ahnungslose an.

Im Juni 2023 fusionierte meine Gemeinde mit einer jüngeren Baptistengemeinde, weil die Überalterung bei uns deutlich zu spüren war. Die meisten von uns begrüßten die Fusion. Ein Mitglied aber stand in einer Versammlung auf und wetterte: „Dann haben wir ja gar nichts mehr zu sagen!" Ich fragte nur nach: „Was möchtest du denn sagen? Dann sag es hier." Darauf konnte er nichts erwidern. Es war die Angst, an Bedeutung zu verlieren. Ja, es war im Vorfeld auch versucht worden, Stimmung gegen die Fusion zu machen, aber das hatte nicht gefruchtet. Die Vernunft hatte gesiegt und der Glaube, dass wir die Veränderungen brauchen. Pilatus gibt nach, weil die aufgeputschte Masse es fordert. Mehrheit ist nicht immer ein gutes Motiv. Und eine Führung, die sich von einer Menge in die Enge drängen lässt, macht keine gute Figur. Daher sollten wir auch immer wieder Mehrheitsentscheidungen oder eigentlich Mehrheitsforderungen genau anschauen und hinterfragen, ob vielleicht ein paar Treiber dahinterstecken, die Angst verbreiten. *Silke Tosch*

Bibellese: Lukas 23,26-31

Jesus drehte sich zu den Frauen um und sagte: „Ihr Frauen von Jerusalem! Klagt nicht um mich! Klagt um euch selbst und um eure Kinder!" *(Vers 28)*

Was für eine innere Stärke muss Jesus haben, dass er in dem Moment der Verhaftung nicht in Selbstmitleid versinkt. Er wendet sich seinem Umfeld zu. Ist Jesus dieser Typ Mann, dem nichts etwas anhaben kann und der schmerzfrei durch die Gegend läuft? Überhaupt nicht. Einige Stunden vorher sehen wir ihn im Garten Getsemani in Schmerzen aufgelöst. Dort geschieht das Entscheidende. Er kann im Austausch mit Gott den Auftrag, in den Tod zu gehen, annehmen. Darum kann er sich nun wieder den Menschen zuwenden, weil er sein Schicksal angenommen hat.

Vor kurzem saßen meine Frau und ich am Tisch einer sterbenskranken Mutter. Uns liefen die Tränen übers Gesicht, als sie uns von ihrem Schicksal erzählte. Sie hatte aus medizinischer Sicht nur noch einige Wochen zu leben und würde zwei ganz kleine Kinder zurücklassen. Trotz dieser ungewissen Zukunft strahlte sie Hoffnung aus. Nichts ließ sie davon abbringen, dass wir für sie beten sollten. Und das haben wir gemacht. Wir haben unsere Hoffnung bekräftigt, dass Gott eingreift. Und die Frau hat ihre Gewissheit ausgedrückt, dass sie einmal in der guten Heimat bei Gott sein darf. Und Gott hat eingegriffen und der Krankheit Einhalt geboten.

Die Gewissheit, im Auftrag Gottes zu leben, kann unglaubliche Kräfte freisetzen. Das sehen wir in der Bibellese. Nichts hält Jesus davon ab, sich den Menschen zuzuwenden. Doch warum sollen die Frauen um sich klagen und nicht um Jesus? Adolf Schlatter, der Bibellehrer, schreibt: „Indem Jesus mit dem Kreuz die Stadt verlässt, nimmt er die Hoffnung Jerusalems mit sich weg." Jerusalem wird untergehen. Weil Jesus das Sterben am Kreuz auf sich nimmt, stirbt auch Jerusalem. Die Mutterschaft wird zum Unglück werden. Darum fordert er die Frauen auf, um sich zu klagen. Jesus weiß um seine Auferstehung. Jerusalem kennt diese hoffnungsvolle Botschaft noch nicht.

Gründonnerstag ist trotz der Schwere, trotz des Vorabends zum Karfreitag keiner Klage wert. Jesus weiß um seine Bestimmung, für uns Menschen zu sterben und später wieder ins Leben zurückzukehren.

Peter Schneeberger

18

Karfreitag
APRIL

2025

☀ 06:20 20:24
☽ 01:55 08:25

Bibellese: Lukas 23,32-49
Als sie zu der Stelle kamen, die „Schädel" genannt wird, nagelten die Soldaten Jesus ans Kreuz und mit ihm die beiden Verbrecher, den einen links von Jesus, den anderen rechts. *(Vers 33)*

Wenn da jemand links und rechts von einem steht, dann hat man das Ziel erreicht, man ist zuoberst auf dem Podest angekommen. Doch es ist offensichtlich keine Siegerehrung, zu der Jesus in der Bibellese geladen ist. Vielmehr eine Hinrichtung mit zwielichtiger Beteiligung an einem Ort, den man nie freiwillig aufsuchen würde. Was für eine Schande für den Schöpfer der Welt. Er, der blühende Bäume ins Leben rief, stirbt an einem dürren Holzpflock! Von einer Besatzungsmacht verurteilt, von Freunden verraten und schlussendlich zwischen zwei Verbrechern ans Kreuz geheftet. Das Christentum ist wahrlich keine Sieger-Religion. Warum wählt Gott diesen Weg der Blamage? Gäbe es nicht weniger blutrünstige Arten, die Welt zu retten?

Wir Westeuropäer müssen uns bewusst sein, dass wir in einer Blase der guten Umstände leben. Das Schicksal des geliebten Hundes beschäftigt uns mehr als der Völkermord in der Ukraine. Als sich im April 2022 die russischen Soldaten aus Butscha, Ukraine, zurückzogen, hinterließen sie 410 zivile Tote. Achtlos auf die Straße geworfen. Unter ihnen Vitaliy Vinogradov, Rektor eines evangelikalen theologischen Seminars in Kiew. Wir brauchen Antworten für den seelischen Schmerz, die mutmaßliche Kriegsverbrechen hinterlassen.

Eine Antwort können wir auf Golgota finden. In Jesaja 53,8 (HfA) heißt es: „Er wurde verhaftet, zum Tode verurteilt und grausam hingerichtet. Niemand glaubte, dass er noch eine Zukunft haben würde. Man hat sein Leben auf dieser Erde ausgelöscht. Wegen der Sünden meines Volkes wurde er zu Tode gequält!" Bewusst hat Gott seinem Sohn diesen Leidensweg zugemutet. Seelischer Schmerz, ungeheure Schuld und auch meine ganz alltäglichen „Verbrechen" müssen nicht das Ende sein. Zukunft ist möglich. Meine Sünden sind am Kreuz vergeben worden. Das macht der eine Verbrecher am Kreuz deutlich, der dort eine neue Heimat bei Gott gefunden hat. Was für ein großartiges Geschenk macht uns Jesus. Wir brauchen den Zuspruch der Sündenvergebung nur anzunehmen. *Peter Schneeberger*

Bibellese: Lukas 23,50-56
*Josef von Arimathäa ging zu Pilatus und bat ihn um
den Leichnam von Jesus.*   *(Vers 52)*

Was für ein Wagnis von Josef von Arimathäa. Er holt sich bei Pilatus die Zustimmung ab, den Leichnam von Jesus beerdigen zu dürfen. Offen zeigt er damit seine Sympathie für Jesus. Warum wollte Josef den Leichnam von Jesus beisetzen? Einerseits weil es vom Alten Testament gefordert war. So macht es 5. Mose/Deuteronomium 21,22-23 (L) deutlich: „Der Leichnam soll nicht über Nacht am Holz bleiben." Andererseits war es für Juden wichtig, würdevoll begraben zu werden. Josef wollte nicht, dass Jesus würdelos in ein Massengrab geworfen würde. Ich kann mir einfachere Dinge vorstellen als das, was Josef hier macht.

Würdevoll zu sterben und begraben zu werden, ist uns Menschen wichtig. Vor einigen Jahren rief mich eine verzweifelte Frau an. Ihr Vater hatte seinem Leben unter mysteriösen Umständen ein Ende gesetzt. Niemand wollte ihn beerdigen. Ich leitete damals eine kleine Freikirche. Ich rang mit mir, ob ich zusagen sollte. Was sage ich auf einer solchen Beerdigung? Schlussendlich habe ich zugesagt, denn ich muss nicht über die Toten richten. Den Lebenden jedoch kann ich Hoffnung auf eine ewige Heimat vermitteln und sie einladen, Trost beim ewigen Gott zu suchen. Ich habe die Beerdigung durchgeführt, weil es mir wichtig war, der Tochter einen würdevollen Abschied von ihrem Vater zu ermöglichen.

Mich hat diese Beerdigung nicht viel gekostet. Josef von Arimathäa hingegen hätte die Bestattung von Jesus das Leben kosten können. Bewusst hat er das in Kauf genommen, weil ihm Jesus wichtig war. Bei mir hat das Vorgehen von Josef die Frage ausgelöst: Wie wichtig ist mir Jesus? Mir ist wichtig, was andere Menschen über mich denken. Mir ist wichtig, dass sich meine Ansichten durchsetzen. Ich biege manchmal Aussagen zurecht, damit ich besser ankomme. Die leise Stimme Gottes weist mich dann jeweils auf die Frage hin, wessen Ehre ich eigentlich suche. Und dann bitte ich Jesus, mir zu vergeben. Er nimmt meine Bitte widerspruchslos an und bietet mir die Hand zur Vergebung. Er bedeutet mir alles.

Peter Schneeberger

20

Osterfest
Sonntag
APRIL

2025

☀ 06:16 20:27
☽ 03:30 10:33

Bibellese: Lukas 24,1-12

Am Sonntagmorgen dann, in aller Frühe, nahmen die Frauen die wohlriechenden Öle, die sie sich beschafft hatten, und gingen zum Grab. *(Vers 1)*

Manche werden heute wohl zu einem Oster-spaziergang aufbrechen, um den Frühling zu genießen. Wer weiß, vielleicht geschieht unterwegs etwas Unerwartetes? Der Evangelist Lukas berichtet von dem Weg, den die Frauen, die Jesus nahestan-den, nach seinem Tod auf sich nahmen. Das war kein Spaziergang. Mutig und stark waren diese Jünge-rinnen, sonst wären sie hinter verschlossenen Türen zu Hause geblieben. Doch sie brachen im Morgen-grauen auf, um zu der Grabhöhle zu gehen, in die man Jesus gelegt hatte. Sie wollten seinen Leichnam salben und damit Jesus die letzte Ehre erweisen. Ein schwerer Gang war das, gefährlich noch dazu. Jesus war schließlich wie ein Verbrecher hingerichtet wor-den. Doch die Liebe zu Jesus trieb die Frauen an und verlieh ihren Schritten Kraft. Dann kam alles anders als erwartet oder befürchtet. Das Felsengrab war offen und Jesu Leichnam war nicht zu finden. Stattdessen hörten die Frauen: Jesus ist auferstanden, wie er es angekündigt hatte. Überrascht, ja verwirrt, aber auch voller Hoffnung gingen die Frauen weiter, um das Erlebte weiterzusagen. Ihr Weg hatte sich gewendet. In meinen Unternehmungen an diesem Ostersonntag will ich Raum lassen, um innerlich den Weg zum leeren Grab zu gehen. Mal sehen, was sich in mir und durch mich ändern kann. *Rosemarie Wenner*

Evangelist: Drei Frauen gehn des Morgens früh,
halleluja, halleluja,
den Herrn zu salben kommen sie.
Halleluja, halleluja.

Engel: Erschrecket nicht! Was weinet ihr?
Halleluja, halleluja.
Der, den ihr sucht, der ist nicht hier.
Halleluja, halleluja.

Frauen: Du lieber Engel, Dank sei dir.
Halleluja, halleluja.
Getröstet gehen wir von hier.
Halleluja, halleluja.

Nürnberg 1544, aus: Erstanden ist der heilig Christ

Bibellese: Lukas 24,13-35

Aber die beiden Jünger ließen es nicht zu, dass Jesus weiterging und sagten: „Bleib doch bei uns! Es geht schon auf den Abend zu, gleich wird es dunkel!" Da folgte er ihrer Einladung und blieb bei ihnen. (Vers 29)

Was hilft, wenn wir das Licht am Ende des Tunnels nicht mehr sehen? In der Ostergeschichte von den beiden Jüngern, die nach Emmaus unterwegs waren, war es die Nähe eines zunächst fremden Menschen. Er hatte sich unterwegs zu ihnen gesellt und hörte zu, fragte nach, nahm Anteil und half so, ein schlimmes Ereignis in einem anderen Licht zu sehen. Die kurzen Kommentare des Wegbegleiters waren sowohl tröstlich als auch aufrüttelnd. An ihrem Quartier angekommen, nötigten die beiden Jünger den Fremden: „Bleib bei uns! Es wird gleich dunkel!" Das war eine Geste herzlicher Gastfreundschaft. Vermutlich war auch eine gute Portion Eigennutz dabei: Die Jünger wollten den hilfreichen Begleiter länger bei sich haben. Ihre dunklen Gedanken könnten in der Nacht quälend wiederkehren.

Der Fremde ließ sich einladen. Bald wurde er selbst zum Gastgeber. Beim Brotbrechen erkannten die Jünger: Das ist Jesus. Er lebt. Der Auferstandene erleuchtet mit seiner Nähe und seinem Wort das Dunkel.

Darauf vertrauen wir auch heute. Der Kirchenmusiker Albert Thate vertonte 1935 den Vers, der nicht in eine Ostergeschichte zu passen scheint: „Herr, bleibe bei uns, denn es will Abend werden und der Tag hat sich geneiget." Unzählige Male habe ich den Kanon gesungen. Immer schwingt dabei Hoffnung mit, die sich am Auferstandenen festmacht: Es mag dunkel sein, trostlos, chaotisch, zum Verzweifeln ... Jesus bleibt da. Stärkend wie das Stück Brot, in dem Jesu tiefe Solidarität mit der Welt zu schmecken ist. Weil Jesus lebt, ist keine Nacht endlos. Daran können wir uns auch gegenseitig erinnern. Zum Beispiel, indem wir Lieder anstimmen, aber auch, indem wir einander in Zeiten von Trauer und Verzweiflung begleiten.

Rosemarie Wenner

Bibellese: Lukas 24,36-49

Als die Jünger es in ihrer Freude und Verwunderung noch immer nicht fassen konnten, fragte Jesus: „Habt ihr etwas zu essen hier?" (Vers 41)

„Der Herr ist auferstanden. Er ist wahrhaftig auferstanden." Vor zwei Tagen erklang dieser alte Ostergruß in den Gottesdiensten. Wahrhaftig: Jesus blieb nicht im Grab. Er wurde auferweckt. Das ist kaum zu glauben. Heute und auch damals, als Jesus die Macht des Todes überwand. Jesus erschien im Kreis seiner Jüngerinnen und Jünger. Sie sollten sich überzeugen können: Jesus lebt. Was für ein Ereignis: Wahrhaftig, da war er, der Auferstandene. Alle waren durcheinander. Freude mischte sich mit Entsetzen. Da bat Jesus um etwas zu essen. Er nahm etwas vom Fisch, der ihm gereicht wurde, und aß ihn vor den Augen seiner Vertrauten. Wahrhaftig: Jesus aß wie jeder andere Mensch.

Beim Zusehen wurden gewiss auch Erinnerungen wach. Oft hatten Jesus und seine Gefährten miteinander Fische gefangen und gegessen, meist unter freiem Himmel, immer mit Dank für Gottes Fürsorge. Manchmal sättigten ein paar Fische und Brote gar mehrere Tausend Menschen. Miteinander essen war und ist ein Markenkern der Gemeinschaft, die sich um Christus schart.

Wir lassen uns Brot und den Kelch reichen, um Jesu Tod und seine Auferstehung zu vergegenwärtigen: Wahrhaftig: In Jesus liegt unser Heil. Und bei gemeinsamen Mahlzeiten erleben wir etwas von dem, was Jesus schenkt. Alle brauchen etwas zu essen. Alle sehnen sich nach Gemeinschaft. Alle sind bei Jesus willkommen. Wahrhaftig! In ihm und durch Jesus finden Menschen zueinander, teilen, was sie haben, und arbeiten Hand in Hand für eine gerechtere Welt.   *Rosemarie Wenner*

Kommt, nehmt an Gottes Festmahl teil,
erfahrt in Christus euer Heil
und schmeckt die Güte unsres Herrn:
Esst Brot, trinkt Wein; er gibt es gern.

Bedenkt es stets in eurem Sinn:
Er gab sein Leben für euch hin.
Gerecht seid ihr durch seine Tat,
nehmt an, was er verheißen hat.

Charles Wesley 1747, dt. Ulrike Voigt 2000
Aus: Kommt alle, kommt zu Gottes Fest

Bibellese: Lukas 24,50-53
Jesus führte sie aus der Stadt hinaus nach Betanien.
Dort erhob er die Hände, um sie zu segnen. *(Vers 50)*

Neulich in einem gewöhnlichen Gottesdienst lud die Pastorin ein: „Während wir ein Musikstück hören, können diejenigen, die das möchten, sich segnen lassen." Viele Menschen machten von diesem Angebot Gebrauch. Sie wollten es hören und spüren: Du bist gesegnet.

Bevor der Auferstandene die Erde verließ, segnete er seine Vertrauten. Seit Ostern war alles anders für die Menschen, die vorher schlicht Jesu Fußspuren folgten. Bald würden sie auch den Auferstandenen nicht mehr direkt sehen und hören können. Für die Jüngerinnen und Jünger brach eine neue Zeit an. Sie sollten jetzt weitersagen, was Gott in Jesus getan hatte zum Heil der Welt. Jesus würde nicht mehr leibhaftig da sein. Doch Jesus lässt die Seinen nicht allein. Er segnet sie und spricht ihnen Gottes Nähe zu. Was auch geschieht, sie bleiben mit Christus verbunden.

Segen ist keine Garantie für Erfolg, Gesundheit oder langes Leben. Doch Gesegnete gehen ihre Wege im Vertrauen darauf, dass der Gekreuzigte und Auferstandene mitgeht, was auch immer geschieht. So sind das Kreuzzeichen oder ein Segenszuspruch eine Erinnerung an das, was uns trägt.

Rosemarie Wenner

Segnen heißt: Die Hand auf etwas legen und sagen: Du gehörst trotz allem Gott. So tun wir es mit der Welt, die uns solches Leid zufügt. Wir verlassen sie nicht. Wir verwerfen, verachten, verdammen sie nicht, sondern wir rufen sie zu Gott.

Wir geben ihr Hoffnung, wir legen die Hand auf sie und sagen: Gottes Segen komme über dich.
Wir haben Gottes Segen empfangen im Glück und im Leiden. Wer aber selbst gesegnet wurde, der kann nicht mehr anders als diesen Segen weitergeben, ja, er muss dort, wo er ist, ein Segen sein.

Nur aus dem Unmöglichen kann die Welt erneuert werden, dieses Unmögliche ist der Segen Gottes.

Dietrich Bonhoeffer (1906-1945),
evangelischer Theologe , am 8. Juni 1944

Fast jeder Türkeitourist kennt Pamukkale, die Thermalquellen und weißen Kalksinterterrassen in der Nähe der antiken Stadt Hierapolis. Zur Zeit des Neuen Testaments gab es in dieser Stadt eine christliche Gemeinde. Von hier konnte man auf der gegenüberliegenden Talseite die Städte Laodizea und Kolossä erahnen, ebenfalls mit christlichen Gemeinden. An die letztere ist der Kolosserbrief gerichtet.

Nach 1,2 stammt das Schreiben von Paulus und Timotheus. Es wurde durch Tychikus, den geliebten Bruder und treuen Sachwalter (4,7), überbracht. Die Autorenschaft des Apostels ist in der Forschung umstritten, aber nach meiner Meinung lassen sich alle Argumente dagegen entkräften, wenn man bedenkt, dass unterschiedliche Adressaten, Anlässe und Anliegen und möglicherweise auch Mitautoren Sprache und Stil beeinflussten. Paulus kennt die Gemeinde nicht persönlich; sie wurde von Epaphras gegründet (1,7). Es ist ein Gefangenschaftsbrief, vermutlich abgefasst in Ephesus, das etwa 160 Kilometer von dem im Landesinneren liegenden Kolossä entfernt ist.

Anlass des Briefes mag die Abwehr von Irrlehren gewesen sein. Deren Anhänger bestritten die Vormachtstellung von Jesus Christus, hatten Respekt vor anderen kosmischen Mächten und versuchten durch besondere Rituale (Engelverehrung, Speisegebote, Beachtung von Festtagen, Beschneidung, asketische Übungen) sich vor diesen Mächten zu schützen beziehungsweise Gott näherzukommen (Kp 2).

Dagegen entfaltet Paulus seine christologische Position: Jesus hat eine absolute Vorrangstellung (1,18). Er ist das Ebenbild Gottes (1,15), die Fülle der Gottheit (1,19), der Schöpfer (1,16) und das Haupt der Gemeinde (1,18). Die Gläubigen verdanken ihr neues Leben ausschließlich ihm: Er hat sie aus der Dunkelheit befreit (1,13), von der Sünde erlöst (1,14), mit Gott versöhnt ((1,21-22), ihnen neues Leben durch die Taufe geschenkt (2,11-13) und alle anderen Mächte entwaffnet (2,15).

Dieses neue Leben ist nicht gekennzeichnet durch Geheimwissen, Spekulationen und besondere religiöse Übungen, sondern durch ganz praktisches Alltagsverhalten (Kp 3-4). Unterschiede zwischen den Menschen werden nicht abgeschafft, auch wenn sie vor Gott nicht mehr wichtig sind (Geschlecht, Volkszugehörigkeit, religiöse Herkunft, sozialer Status – 3,11). Egal, wer jemand ist: die Liebe (3,14), der Frieden, den Christus schenkt (3,15) und die Dankbarkeit gegenüber Gott (3,17) sollen das Denken und Handeln bestimmen.

Hans-Werner Kube

Bibellese: Kolosser 1,1-8
Paulus schreibt: Unser geliebter Epaphras, der zusammen mit uns Christus dient, hat euch mit dieser Botschaft bekannt gemacht. Er ist treu in seinem Dienst für Christus, den er an euch tut. *(Vers 7)*

Die Gemeinde war ins Gespräch gekommen, Stadtgespräch geworden. Wohlgemerkt, zum Gesprächsthema geworden, nicht ins Gerede gekommen. Man sprach über sie: Hast du schon gehört? Wie die miteinander umgehen? Was sie alles tun? Wie sie sich einsetzen?" Das zog so weite Kreise, dass sogar Paulus – nicht vor Ort! – davon hörte. Das betraf auch die Verbreitung des Evangeliums. Epaphras wird namentlich erwähnt. Er steht treu im Dienst für Christus.
Evangelium wird also durch Menschen weitergegeben – auch durch uns. Das ist auch unsere Aufgabe, unser Dienst. Dies geschieht auch und gerade durch die Gemeinde, die zum Stadtgespräch wird. Wünschen wir uns das nicht auch – ehrlicherweise und

insgeheim? Wie wäre das, wenn unsere Gemeinde so ins Gespräch käme in der Stadt?! Eine zweite, noch persönlichere Frage an uns: Könnte Paulus, letztlich Gott selbst, auch von uns sagen: Er ist treu in seinem Dienst für Christus, sie in ihrem? Was heißt das konkret für uns? Wie könnte unser Dienst für Christus bei uns aussehen?

Fragen, denen wir uns einmal oder wieder neu stellen sollten. Die Auswirkungen dessen können wir in Kolossä sehen und nachlesen. Gottes Reich wird gebaut, Evangelium wird verbreitet, Menschen werden gerettet. *Bernd Gerle*

 Danke, Vater im Himmel, dass du Menschen gebrauchst, um zu deinem Ziel zu gelangen. Danke, dass du auch uns das zutraust. Auch durch uns sollen Menschen zum Glauben kommen. Lass uns das doch erleben. *Bernd Gerle*

 Heinrich Christian Rust, Dynamische Gemeinde, Oncken Verlag, ISBN 9 78-3-8793-9808-9

25

Bibellese: Kolosser 1,9-14

Paulus schreibt: Deshalb hören wir auch nicht auf, für euch zu beten, seit wir von euch gehört haben. Wir bitten Gott, dass er euch mit all der Weisheit und Einsicht erfüllt, die sein Geist euch schenkt, und dass er euch erkennen lässt, was sein Wille ist.   *(Vers 9)*

Paulus hörte von der Gemeinde in Kolossä und ihrer Entwicklung und reagierte darauf: „Wir hören nicht auf, für euch zu beten." Er wird für sie und mit ihnen aktiv. Beten ist wichtige Unterstützung und aktive Mitarbeit. Ob wir das auch so sehen können? Interessant ist dabei, was sie beten. Sie bitten Gott, dass er sie mit Weisheit und Einsicht erfüllt durch seinen Geist. Das ist wichtig, vorrangig und erfolgversprechend. So von Gott geführt, von seinem Geist erfüllt, kann und wird Gott handeln. Das ist die Grundlage und die Motivation. Nicht die richtigen Methoden nach den neuesten Erkenntnissen oder die bestmögliche Ausbildung sind entscheidend. Bitte jetzt nicht missverstehen. Das heißt nicht, dass die eben genannten Dinge unnötig oder zu vernachlässigen sind. Im Gegenteil: Sie sind hilfreich und nötig. Aber sie sollten nicht ausschlaggebend und begründend sein.

Paulus betet für die Gemeinde. Und Gott handelt, wie die Geschichte zeigt und wir in Einzelheiten nachlesen können. Und er hört nicht auf damit. Das sagt er ihnen zu. Darauf können sie sich verlassen. Das stärkt, gibt Kraft, bestätigt sie und lässt sie weitermachen.

Wir können uns fragen: Für wen oder was sollten wir heute beten? Und wofür? Worüber würde Gott sich freuen? Wobei können wir mitarbeiten? Und dann lasst uns tun, was er sagt, damit Gott auch bei uns und mit uns zu seinem Ziel kommen kann.

Bernd Gerle

♪ Gib in unser Herz und Sinnen
Weisheit, Rat, Verstand und Zucht,
dass wir ander's nichts beginnen
als nur, was dein Wille sucht;
dein' Erkenntnis werde groß
und mach uns vom Irrtum los.

nach Heinrich Held 1658
Aus: Komm, o komm, du Geist des Lebens

Bibellese: Kolosser 1,15-20
Alles, was gegeneinander streitet,
wollte Gott zur Einheit zusammenführen,
nachdem er Frieden gestiftet hat
durch das Blut, das Jesus am Kreuz vergoss.   *(Vers 20)*

Ich habe mich gefragt, ob es das Gleiche ist: „miteinander streiten" oder „gegeneinander streiten"? Hier heißt es „gegeneinander streiten". Damit ist von vornherein angezeigt, welches das Ziel der „Auseinandersetzung" – auch schon vom Wort her erkennbar – sein soll. Sie streiten also gegeneinander. Das kann nicht im Sinne Gottes sein. Das widerspricht dem Auftrag, Einheit darzustellen und auszuleben. Verloren wir bei unseren Streitigkeiten dieses Ziel manchmal aus den Augen? Das Ziel Gottes ist es, zur Einheit zusammenzuführen. Die Voraussetzungen, die Möglichkeiten dazu schuf Gott schon. Wir müssen, wir sollten uns darauf einlassen. Wir brauchen diesen Frieden nicht erst zu schaffen. Er ist schon da. Alle Fragen nach dem Weg und wie das zu bewerkstelligen wäre, sind bereits beantwortet. An dieser Stelle brauchen wir uns nicht mehr zu engagieren. Da können – oder sollte ich lieber sagen: könnten – wir Kräfte sparen, um sie dann an den wichtigen Stellen einzusetzen. Gott stiftete bereits Frieden und schuf bereits Versöhnung durch seinen Tod am Kreuz. Daher ist Frieden auch untereinander möglich, sobald wir uns auf diese Basis besinnen und daraufstellen.

Hört sich das alles nicht ein bisschen zu einfach an, angesichts unserer Erfahrungen auf diesem Gebiet? Wenn das so einfach wäre, dann müsste es doch ... Gott stiftete bereits Frieden durch Jesus Christus. Er ist da. Da brauchen wir nichts schaffen, irgendwie erzwingen oder übers Knie brechen. Was für ein Geschenk.   *Bernd Gerle*

 Danke, Vater im Himmel, dass Frieden untereinander möglich ist, auch gegen unsere bisherigen Erfahrungen. Schenke uns, dass wir das so glauben können. Hilf uns, Frieden in unserem Alltag umzusetzen. Unterstütze uns dabei, konkrete Schritte zum Frieden zu tun.   *Bernd Gerle*

27

Sonntag
APRIL

2025

☀ 06:02 20:38
☽ 05:33 20:42

Quasimodogeniti (Wie die neugeborenen Kindlein. 1. Petrus 2,2)

Bibellese: Psalm 116
Der Herr lässt die Seinen nicht untergehen,
dafür ist ihm ihr Leben zu wertvoll. **(Vers 15)**

Es ist heute der erste Sonntag nach Ostern. Jesus ist auferstanden und er lebt! In ihm – weil er an unserer Stelle gestorben und auferstanden ist – haben wir Hoffnung auf das ewige Leben. Leid, Schmerz und Tod haben ein Ablaufdatum. Jesus hat den Tod besiegt! Wer dieser guten Nachricht glaubt und sie angenommen hat, ist frei von den Fesseln des Todes (Hebräer 2,14-15).

Es gibt immer wieder Momente im Leben, in denen wir uns allein und verlassen fühlen – sogar von Gott verlassen. Dieses Gefühl von Gottverlassenheit führt uns auf Irrwege und stellt eigentlich Gottes versprochene Treue und Liebe in Zweifel. Sehr schnell erlauben wir uns, unsere Gefühle und Wahrnehmungen höher einzustufen als unser Wissen, dass Gott uns seine Gegenwart, Liebe und Treue nicht nur mehrmals in der Bibel versprochen hat, sondern auch im stellvertretenden Tod Jesu Christi konkret gezeigt hat. Psalm 116,15 ist eine Erinnerung an diese Treue und Liebe Gottes: „Der Herr lässt die Seinen nicht untergehen, dafür ist ihm ihr Leben zu wertvoll." Wir dürfen an diesen zwei Wahrheiten festhalten, wenn unsere Gefühle des Zweifelns unseren Blick von ihm ablenken, nämlich dass der Herr unseren Untergang niemals zulassen würde und dass wir ihm zu wertvoll sind. Wir sind für ihn so wertvoll, dass sein Sohn an unserer Stelle gestorben ist. Damit hat er Versöhnung und Frieden mit ihm geschaffen. Damit ist auch unsere Zukunft eines ewigen Lebens gewährleistet, sonst wäre es ihm ein teurer Verlust. Genau heute sollen wir einander wieder daran erinnern: Leid, Schmerz und Tod haben ein Ablaufdatum. Jesus hat den Tod besiegt! Nicht unsere Gefühle – Gefühle der Unsicherheit – sollen uns auf Irrwege führen, sondern Gottes Verheißungen sollen uns gezielt auf dem Weg des ewigen Lebens steuern.

Gert J. Steyn

 Du wurdest erwählt, du wurdest in deiner Einzigartigkeit entdeckt. In Gottes Augen bist du kostbar. Vor Ewigkeiten hat Gott dich gesehen.

Henri J. M. Nouwen (1932-1996),
niederländischer Priester, Psychologe und Autor

Bibellese: Kolosser 1,21-23

Weil Christus in seinem menschlichen Leib den Tod auf sich nahm, hat Gott jetzt mit euch Frieden gemacht. Als sein heiliges Volk steht ihr jetzt rein und fehlerlos vor ihm da. (Vers 22)

Zwei wichtige Momente sind in der Bibellese für die Christusgläubigen zusammengefasst. Erstens gibt es den „War-Zustand" der Vergangenheit: „Einst standet ihr Gott fremd und feindlich gegenüber und habt das durch eure bösen Taten gezeigt" (Vers 21). Zweitens gibt es aber aktuell den „Ist-Zustand": Friede durch Gott, „weil Christus in seinem menschlichen Leib den Tod auf sich nahm". Das Ziel seines Sterbens war: „Als sein heiliges Volk steht ihr jetzt rein und fehlerlos vor ihm da" (Vers 22).

Die biblische Botschaft ist überall klar: Ungehorsam gegenüber Gott hat die Todesstrafe Gottes zur Folge. Das betrifft nicht nur den Moment und den Fakt des Sterbens, sondern auch den ewigen Tod. Die Menschheit war niemals in der Lage, Gottes

Gehorsamsanspruch nachzukommen, und deshalb sind wir alle Sünder (Römer 5,12-13). Wir waren alle schuldig vor Gott und verdienen die ewige Todesstrafe. Wir waren Gottes Feinde. Aber Gott ergriff die Initiative, weil er uns liebt, weil wir ihm „wertvoll" sind (siehe die Andacht von gestern). Sein Sohn nahm unsere Stelle ein als Angeklagter und ging durch den Tod an unserer Stelle, damit wir „als sein heiliges Volk jetzt rein und fehlerlos vor ihm" stehen können. Deshalb sagte Paulus: „Der alte Mensch, der wir früher waren, ist mit Christus am Kreuz gestorben. Unser von der Sünde beherrschtes Ich ist damit tot und wir müssen nicht länger Sklave der Sünde sein" (Römer 6,6). Aus Gnade sind wir gerettet und mit Christus vom Tod auferweckt worden (Epheser 2,5-6).

Dieser aktuelle „Ist-Zustand" bedeutet eine neue Identität „in Christus Jesus". Damit ist auch eine Verantwortung verbunden: „Ihr müsst jedoch im Glauben fest und unerschütterlich bleiben und dürft euch nicht von der Hoffnung abbringen lassen, die euch durch die Gute Nachricht gegeben ist" (Kolosser 1,23).

Gott hat mit uns Frieden gemacht. Wir sind versöhnt. Wir stehen als Heilige „rein und fehlerlos" vor ihm. Das ist unsere neue Identität, unser „Ist-Zustand".

Gert J. Steyn

Bibellese: Kolosser 1,24-29

Der Gemeinde wollte Gott zeigen, welch herrlichen Reichtum dieses Geheimnis für euch, die nicht jüdischen Völker, in sich birgt: Christus mitten unter euch, gerade euch! Das bedeutet die sichere Hoffnung, dass Gott euch Anteil gibt an seiner Herrlichkeit! *(Vers 27)*

Wir Menschen mögen es, Geheimnisse zu entdecken und Rätsel zu entschlüsseln. Wir möchten gerne tiefere Einblicke in komplexe Sachen bekommen, das, was versteckt ist, entdecken, und neue Zugänge finden, um das, was unzugänglich ist, zu betreten. Eine Entdeckung offenbart neue Dinge für uns, neue Kenntnis und neue Wege. Sie regt an und schafft Freude.

Deshalb ist die Formulierung in der Bibellese an sich schon spannend. Gott will der Gemeinde zeigen, was für einen herrlichen Reichtum sein Geheimnis birgt! Jesus hat schon seine Jünger in das Geheimnis des Reiches Gottes eingeführt (Markus 4,11). Auch Paulus erklärt für die Christen in Rom das Geheimnis:

Alle, die an Jesus glauben (sowohl jüdische als auch nichtjüdische Personen), werden wie ein Zweig in den edlen Ölbaum eingepfropft (Römer 11,22-29). Genau dieses Geheimnis Gottes taucht hier auf. Es wird hier den Christen in Kolossä offenbart und vermittelt. Auch den nichtjüdischen Völkern gibt Gott Anteil an seiner Herrlichkeit. Die Erlösung durch den Tod Christi und Gottes Freispruch sind nicht nur beschränkt auf ein Volk oder eine Gruppe, sondern auch zugänglich für alle Völker und alle Gruppen. Gottes Gnade, seine Versöhnung und sein Heilsplan sind für alle gemeint und sollen für alle zugänglich sein.

Die Herrlichkeit Gottes bedeutet die Gegenwart Gottes hier und jetzt. Sie bedeutet: „Christus ist unter euch!" Diese Wirklichkeit hat zwei Bedeutungen. Erstens, dass Christus in unserer Mitte gegenwärtig ist. Zweitens, dass die Trennmauer nicht nur zwischen uns und Gott abgebrochen ist, sondern auch zwischen den Völkern, wie es auch im Epheserbrief steht: „Christus ist es, der uns allen den Frieden gebracht und Juden und Nichtjuden zu einem einzigen Volk verbunden hat. Er hat die Mauer eingerissen, die die beiden trennte und zu Feinden machte" (Epheser 2,14). Dies ist das unglaubliche Potenzial, das es zu nutzen gilt.   *Gert J. Steyn*

30

Mittwoch
APRIL

Bibellese: Kolosser 2,1-5
In Christus sind alle Schätze der Weisheit und Erkenntnis verborgen. *(Vers 3)*

Wir hatten viel Platz in unserer Wohnung, vor allem für Bücher. „Leben in der Bibliothek", meinte einmal ein Freund, als er uns besucht hatte. Inzwischen stimmt das nicht mehr. Wir haben uns verkleinert. Von der Bibliothek ist nur noch ein Bruchteil übriggeblieben. Die meisten unserer Bücher haben wir verschenkt oder entsorgt. Schweren Herzens. Heute sind wir – buchstäblich – erleichtert. Die Bücher fehlen uns nicht. Denn wir haben sie zu unserem inneren Besitz gemacht. Was sie an Weisheit und Erkenntnis enthielten und uns wertvoll erschien, kann uns niemand mehr nehmen. Vorausgesetzt natürlich, wir haben sie gelesen. Und dabei konnten wir immer wieder die Erfahrung machen, wie schön und bereichernd es ist, zu Büchern eine geradezu persönliche Beziehung zu entwickeln. Nur so entfalten sie ihren ganzen Reichtum.

Diese Erfahrung gilt in ganz besonderer Weise für das Buch der Bibel. Es nützt nichts, dieses Buch im Bücherschrank stehen zu haben. Es will gelesen, meditiert und gelebt werden. Dann öffnen sich seine Schätze. Das lässt sich am besten an den Psalmen nachvollziehen. Psalmen sind Gebete. Also machen wir ihre Worte zu unseren eigenen Gebeten. Dann werden sie für uns zu einer Quelle der Kraft.

Wenn im Brief an die Kolosser davon die Rede ist, dass in Christus alle Schätze der Weisheit und Erkenntnis verborgen sind, dann geht es um eine vergleichbare Erfahrung. Jesus ist nicht nur eine Figur der Vergangenheit, über die wir uns informieren können. Es ist auch möglich, zu ihm ein persönliches Verhältnis aufzubauen und Vertrauen zu wagen. Was kein noch so schlaues Buch über ihn zu sagen weiß, offenbart sich uns in einer lebendigen Beziehung zu ihm. Diese Möglichkeit hat Gott für uns geschaffen; darum wird Jesus Christus auch als das Geheimnis Gottes bezeichnet. Für solche, die ihm vertrauen, ist es ein offenes Geheimnis!

Stefan Herb

Bibellese: Kolosser 2,6-10
Paulus schreibt: Ihr habt Jesus Christus als den Herrn angenommen; darum lebt nun auch in der Gemeinschaft mit ihm und nach seiner Art! *(Vers 6)*

Der „Tag der Arbeit" ist für viele ein willkommener freier Tag, der der Erholung dient. Gewerkschaftlich organisierte Menschen dagegen nutzen ihn, um auf ihre Arbeitsbedingungen aufmerksam zu machen. Ursprünglich war der 1. Mai ein internationaler Kampftag der Arbeiterbewegung, weltweit erstmals am 1. Mai 1890 begangen. Schon lange vorher aber hatten sich abhängig beschäftigte Menschen in Gewerkschaften zusammengefunden, um für ihre Rechte zu kämpfen. Die ersten Gewerkschaften sind in England entstanden, oftmals initiiert von methodistischen Laienpredigern. Methodistinnen und Methodisten hatten schon immer ein Herz für Menschen auf der Schattenseite des Lebens. Die Hinwendung zu ihnen erkannten sie als wesentlichen Grundzug des Evangeliums. So sahen sie ihre

Aufgabe darin, ihr Leben mit denen zu teilen, die im Zuge der Industrialisierung unter die Räder kamen. Es ist beeindruckend, welche Folgen es haben kann, wenn Menschen Jesus Christus als Herrn annehmen. Die methodistischen Prediger, die damals die Sache der verarmten Arbeiterinnen und Arbeiter zu ihrer eigenen machten, waren davon überzeugt, dass sie auf diese Weise ihre Berufung einlösten. Als Gewerkschafter lebten sie in der Gemeinschaft mit Jesus Christus und nach seiner Art!

Welche Wege finden wir in unseren Umgebungen heute, um es ihnen gleichzutun? Für mich ist zum Beispiel der Segen am Ende eines Gottesdienstes nicht nur ein tröstlicher Zuspruch, sondern immer auch die Aufforderung, in der Gemeinschaft mit Christus und nach seiner Art zu leben. Hat mein Sonntagschristsein auch ein Werktagsgesicht? Folgt der sonntäglichen Einkehr bei Gott eine alltägliche Hinkehr zu den Menschen, die mich brauchen, vielleicht auch mit politischen Konsequenzen? *Stefan Herb*

Monatsspruch

Zu dir rufe ich, Herr; denn Feuer hat das Gras der Steppe gefressen, die Flammen haben alle Bäume auf dem Feld verbrannt. Auch die Tiere auf dem Feld schreien lechzend zu dir; denn die Bäche sind vertrocknet. *(Joël 1,19-20 E)*

Bibellese: Kolosser 2,11-15
Einst wart ihr tot, denn ihr wart unbeschnitten, das heißt in ein Leben voller Schuld verstrickt. Aber Gott hat euch mit Christus zusammen lebendig gemacht. Er hat uns unsere ganze Schuld vergeben. *(Vers 13)*

Nicht alles, was wir hier lesen, wird uns sofort einleuchten. Wovon ist die Rede? Es geht um letzte Fragen, um unsere Existenz. In wenigen, ungewohnten Worten schafft es der Schreiber des Kolosserbriefs, die Situation von uns Menschen darzulegen. Zwei Bereiche sind es, denen wir zugeordnet werden: der Bereich des Todes und der des Lebens. Auffällig ist die Reihenfolge: zuerst Tod, dann Leben, ganz entgegen der menschlichen Erfahrung. Doch darin liegt Hoffnung: Das Ende ist nicht der Tod, sondern das Leben! Wie ist das gemeint?
Unser vergangenes Leben befand sich im Machtbereich des Todes, mit anderen Worten: Wir waren in Schuld verstrickt. Damit erinnert der Verfasser des Kolosserbriefs an die Unentrinnbarkeit des

menschlichen Schicksals: Leben heißt schuldig werden. Doch wir haben erfahren, dass uns dieses Schicksal nicht auf ewig gefangen hält. Wir wurden aus den schuldhaften Verstrickungen befreit, wir sind dem Machtbereich des Todes entkommen und gehören nun auf die Seite des Lebens! Denn Gott hat uns mit Christus zusammen lebendig gemacht. Das ist der entscheidende Satz, die Wende. Mit Christus sterben und auferstehen! Das ist eine Anspielung auf die Taufe, die diesen unsichtbaren Vorgang abbildet. Christinnen und Christen haben also den Tod in Wahrheit schon hinter sich. Sie befinden sich im Machtbereich des grenzenlosen und unzerstörbaren Lebens. Auch wenn Schuld noch immer eine Rolle spielt, sie hat keine tödlichen Folgen mehr. Wir sind frei!   *Stefan Herb*

Bibellese: Kolosser 2,16-23

Euer Essen und Trinken, eure Feste – das alles ist nur ein Schatten der kommenden neuen Welt; doch die Wirklichkeit ist Christus, und die ist schon zugänglich in seinem Leib, der Gemeinde. (Vers 17)

Wer dazugehören will, sollte bestimmte Regeln einhalten. Geflüchtete bekommen das besonders deutlich zu spüren. Wer bei uns integriert werden will, muss nicht nur die deutsche Sprache lernen, sondern auch eine Menge Besonderheiten beachten, die unser Land ausmachen. Doch auch in viel kleinerem Maßstab gelten Regeln, die von allen geteilt werden müssen. Freundesgruppen benötigen gemeinsame Interessen, eine Fußballmannschaft klare Spiel- und Verhaltensregeln und wer in einem Chor mitsingen möchte, muss nicht nur singen können, sondern sich auch an das halten, was der Dirigent oder die Dirigentin vorgibt.

Auch christliche Gemeinden kennen Regeln. Je nach theologischer Einstellung und Prägung sind sie strenger gefasst oder großzügiger. In Kolossä scheint es wichtig gewesen zu sein, sich an klare Speisevorschriften zu halten und bestimmte Feiertage einzuhalten. Offenbar wurden die Gemeindemitglieder danach beurteilt, wie genau sie sich an den entsprechenden Vorgaben orientierten. Akzeptabel waren also nur Christinnen und Christen, die die geltenden Regeln sorgfältig beachteten. Wer sich anders verhielt, gehörte nicht dazu. Dagegen wendet sich der Schreiber des Kolosserbriefs. In seinen Augen gehören die Regeln, die in der Gemeinde in Kolossä galten, nicht zum Kern des Christseins. Sie sind nur ein Schatten der kommenden neuen Welt. Was oder besser: wer allein zählt, ist Christus. Er soll die Mitte des Glaubens sein, an ihm gilt es, sich im Leben zu orientieren. Diese „Regel" ist bis heute gültig. An ihr müssen sich alle anderen Vorschriften messen lassen. Zu Christus und zu seiner Gemeinde gehört, wer seine Liebe für sich gelten lässt und ihm nachfolgt. Alles andere verliert an Wichtigkeit und ist nebensächlich. Solche Klarheit und Großzügigkeit wünsche ich allen.

Stefan Herb

4
Sonntag
MAI

Miserikordias Domini (Die Erde ist voll der Güte des Herrn. Psalm 33,5)

Bibellese: Psalm 23
Der Herr ist mein Hirt;
darum leide ich keine Not. *(Vers 1)*

Mein guter Hirt, mein treuer Gott, mein Herr, mein bester Freund, mein Bruder und mein Vater, du bist bei mir, gehst mit mir mit, bist ständig mein Berater.

Seh ich dich nicht, du bist doch da, im Auf und Ab, im Hoch und Tief, im Tagesstress, im Alltagstrott, bist du mir nah, mein Helfer und mein Leiter. Egal, was ist, was immer kommt, du bleibst stets mein Begleiter.

Nie lässt du mich im Stich, ich fühl mich nicht allein; denn du gehst vor mir her, passt auf mich auf. Du führst mich sicher weiter, begleitest mich bei jedem Schritt. Du bist mein Wegbereiter.

Es geht mir gut, wenn ich dich spür und deine Stimme höre, die mich beim Namen nennt, die mir die Richtung nennt und beste Weisung schenkt, mein Beistand, mein Mitstreiter.

Geborgen fühl ich mich bei dir. Du gibst mir Halt und Sicherheit, Ausdauer und Stärke, Beständigkeit und Festigkeit, machst vor mir meine Wege weit, und bleibst mein Hirt in Ewigkeit! Du segnest meine Werke!

Mein guter Hirt, ich leb von dir, von allem, was du bist und gibst. Du füllst den Mangel in mir aus, führst mich aus tiefer Not heraus. Ich bin versorgt, bin reich beschenkt, hast alles für mich gut gelenkt, gibst mehr als nur das täglich Brot. Ich leide bei dir keine Not. Ich danke dir von Herzen!

Hast mich geladen in dein Haus, ich fühl mich wohl bei dir daheim, gehör dazu, geh ein und aus, hab große Freiheit, ein Zuhaus. Du sorgst für mich zu jeder Zeit, hältst Bestes nur für mich bereit. Ich bin von dir gesegnet!

Besiegt hast du für mich den Tod, die Angst von mir genommen. In meiner allergrößten Not bist du zu mir gekommen, hast mich mit deinem Schutz umhüllt, mir meinen Becher vollgefüllt, den Lebenshunger mir gestillt. Ich fühl mich reich beschenkt!

Ich bin allzeit von dir geliebt: Du bist der Gott, der immer liebt und überreiche Gnade gibt, für alle, die dich suchen, begleitest mich bei jedem Schritt und gehst in deiner Liebe mit. Du füllst mein Herz mit Frieden. Ich will dich ewig lieben!   *Reinhart Henseling*

Bibellese: Kolosser 3,1-4

Paulus schreibt: Wenn ihr nun mit Christus auferweckt seid, dann orientiert euch nach oben, wo Christus ist! Gott hat ihm den Ehrenplatz an seiner rechten Seite gegeben. *(Vers 1)*

Welcher Aussage bleibt Ihnen beim ersten Lesen des obigen Verses in Erinnerung? Die Zusage, dass wir mit Christus auferweckt sind? Die Aufforderung, sich nach oben zu orientieren? Oder die Erklärung, dass Christus oben bei Gott ist? Wir können nur schwer alle drei Aussagen gleichberechtigt hören. Viele von uns hören zuerst auf dem Appell-Ohr. Was muss ich tun? Die Gute Nachricht von Jesus beginnt aber immer bei dem, was Gott für uns tut. Zu schnell lesen wir über das hinweg, was uns geschenkt ist. Vielleicht, weil das, was hier beschrieben wird, noch so weit weg zu sein scheint. Vielleicht, weil wir zweifeln, ob dem wirklich so ist.

Wer an Jesus Christus glaubt, ist mit ihm auferweckt! Das heißt nicht, dass das Leben auf einmal frei von

Krankheit, Leid und Tod ist, aber es heißt, dass ein neues Leben anfing. So wie Jesus predigt, dass das Reich Gottes bereits mitten unter uns ist, und uns zugleich im Vaterunser auffordert, um das Kommen seines Reiches zu bitten. So erfüllte sich auch schon die Verheißung, dass wir mit Christus auferweckt sind, und ist doch noch nicht mit allen Konsequenzen erfahrbar. Diese Spannung gehört zum Christsein dazu.

Trotzdem ist unser Leben auch in unserer Zeit schon so möglich, dass wir uns an dem orientieren, was oben ist. Im Vertrauen darauf, dass Gottes Liebe auch heute unser Leben reicher macht, und im Vertrauen darauf, dass Gottes Gerechtigkeit am Ende das letzte Wort haben wird, können wir mit unserem Leben etwas bewirken.   *Silke Sommerkamp*

 Behandle Gottes Zusagen nicht wie Museumsstücke, sondern glaube ihnen und mache von ihnen Gebrauch.

Charles Haddon Spurgeon (1834-1892),
britischer baptistischer Pastor

Zum 5. Mai 2025

Ordensfrau und Unternehmerin

Ihr Kloster wurde säkularisiert, aber die ehemalige Nonne **Maria Clementine Martin, geboren heute vor 250 Jahren,** am 5. Mai 1775 in Brüssel, wusste sich zu helfen: Sie erfand „Klosterfrau Melissengeist".

Als Offizierstocher Wilhelmine Martin geboren, trat sie mit 17 Jahren in das Annunziaten-Kloster Sankt Anna in Coesfeld ein und nannte sich mit geistlichem Namen Maria Clementine Martin. Sie war lebens- und geschäftstüchtig und verfiel nicht in eine Sinnkrise, als sie mit 28 Jahren auf der Straße stand. Ihr Kloster war während des napoleonischen Zeitalters aufgelöst worden, jetzt musste sie zum ersten Mal im Leben für sich allein sorgen. Im Kloster hatte sie das Mischen von allerlei Heilmitteln gelernt. Darunter auch ein Destillat aus 13 Heilpflanzen, das ursprünglich Karmelitermönche in Paris hergestellt hatten. Den Melissengeist und andere selbst gebraute Heilmittel verkaufte Maria Clementine Martin auf einer fast 15-jährigen Wanderschaft durch Europa. Ihren aufopfernden Einsatz bei der Schlacht von Waterloo als Krankenpflegerin belohnte der preußische König mit einer jährlichen Rente von 160 Goldtalern – die Grundlage für ihre Firmengründung in Köln. Dort stritten sich gerade viele Kölnisch-Wasser-Hersteller um Marktanteile, doch das „ächte Carmeliter- oder Melissenwasser" stand für besondere Qualität. Dahinter stand auch eine gute Marketingstrategie bei hohem Konkurrenzdruck und vielen Nachahmungstätern. Nach einem Bittgesuch an den König war es ihr erlaubt, den preußischen Adler auf ihre Etiketten zu drucken. Das traute sich keiner unerlaubt nachzuahmen. Der Expansion ihres Geschäfts stand jetzt nichts mehr im Wege. „Wollte ich eine Statistik meines Absatzes liefern – keine Stadt der zivilisierten Welt würde darin unvertreten sein", soll die Nonne einmal gesagt haben. Die Unternehmensgründung erfolgte mit der Eintragung am 23. Mai 1826 ins städtischen Magistratsregister (Handelsregister) unter der Firma Maria Clementine Martin Klosterfrau. Sie starb am 9. August 1843 in Köln und fand ihre letzte Ruhestätte auf dem Friedhof Melaten, wo ihr Grab bis heute besteht. Ihren Gehilfen Gustav Schaeben hatte sie als Nachfolger eingesetzt, dessen Enkel meldete in den 1920er Jahren eine Bildmarke mit „Drei Nonnen" an, der Vorläufer des heutigen Logos des Unternehmens „Klosterfrau Healthcare Group" mit über 1 000 Mitarbeitern.   *Ute Armbruster-Stephan*

Bibellese: Kolosser 3,5-11
Was einzig noch zählt, ist Christus, der in allen lebt und der alles wirkt.   *(Vers 11)*

Diversität, Vielfalt und Toleranz sind Schlagworte unserer Zeit. Die einen kämpfen dafür, dass unsere Gesellschaft bunt und individuell sein darf, andere sehen genau darin eine Bedrohung der Werte. Wie gut, dass menschliche Maßstäbe bei Gott noch einmal zurechtgerückt werden. Unsere Zeit ist vielfach von Extremen bestimmt, die polarisieren und entzweien. Im Neuen Testament wird für die christliche Gemeinde ein anderes Bild gezeichnet. Auf der einen Seite werden Vielfalt und Unterschiedlichkeit als Reichtum begrüßt und zugleich wird die Einheit in Christus als Geschenk erfahren. Das ist möglich, weil Menschen, die an Jesus glauben, den „alten" Menschen, der nach seinem eigenen Vorteil sucht und von selbstsüchtigen Emotionen getrieben wird, ablegten und den neuen anzogen (Vers 9-10). Dieser erneuerte Mensch entspricht dem Ebenbild

Gottes (Vers 10). Es wird wiederhergestellt, was Gott schon immer für uns bestimmte. Diese von Gott verliehene Würde fordert uns heraus, denn im anderen begegnet mir ein von Gott geliebter Mensch. Wer so andere wahrnimmt, kann nicht mehr in Schubladen denken. Das Einzige, was noch zählt, ist Christus selbst. Ihm begegnen wir im anderen. Er bringt Menschen zusammen und schafft Versöhnung, auch wenn Lebensstile unterschiedlich sind.

Gestern war bereits vom Schon-Jetzt und Noch-Nicht des neuen Menschen die Rede. Das hier vorgestellte Ideal einer versöhnten Gemeinschaft in Vielfalt dürfen wir mit Gottes Hilfe schon jetzt leben. Die Wirklichkeit lässt aber auch ahnen, dass wir noch nicht in allen Lebenslagen von dieser auf Christus ausgerichteten Haltung bestimmt sind. Darum mahnt der Kolosserbrief, nicht in alte Muster zu verfallen. Weil Christus alles tat, dürfen wir jeden Tag neu nach dem suchen, was ihm entspricht.

Silke Sommerkamp

Wir tragen jede Last
mit Schwergeprüften gern;
des Mitleids Tränen fließen oft
vereint vor unserm Herrn.

John Fawcett 1772; dt: Julius Carl Grimmell 1885
Aus: Gesegnet sei das Band

Zum 6. Mai 2025
„Wir sehen uns wieder"

In den 1970ern habe ich mit Freunden den literarischen Kabarettisten Hanns Dieter Hüsch mehrere Male live erlebt, und dann wieder zusammen mit meiner Frau auf seiner Abschiedstournee im Jahr 2000: Hinter seiner kleinen Philicorda-Orgel sitzend, auf der er sich ab und zu begleitete und die ihm ansonsten als Ablage für einen Stapel Manuskriptblätter und als Lesepult diente.

Heute vor 100 Jahren, am 6. Mai 1925, wurde Hanns Dieter Hüsch in Moers am Niederrhein geboren. Der Titel eines seiner Bücher lautet: „Das schwarze Schaf vom Niederrhein". Er studierte zunächst in Gießen ein Semester Medizin, dann aber in Mainz Theaterwissenschaft, Literaturgeschichte und Philosophie. Wobei: Statt Seminare zu besuchen und ein Studium abzuschließen, verfasste er lieber Texte. Ende der 1950er und in den 1960er Jahren trat er in verschiedenen Kabarettensembles auf, hatte aber auch schon Soloprogramme. Seinen Lebensunterhalt verdiente er damals zum Beispiel als Radio- und Synchronsprecher und mit Fernsehsendungen. In den 1970er Jahren gelang ihm der Durchbruch auf den deutschsprachigen

Kleinkunstbühnen. Mit seinem sprachjonglierenden Witz und einem scharfen Blick auf die Welt der „kleinen Leute" karikierte er Kleinbürger und Spießertum. Mit der 1968er Bewegung brach er, weil er in deren Augen zu wenig politisch, das heißt, zu wenig links, war. Er trat stets für Toleranz ein und schrieb lebensphilosophisch-besinnliche Texte. Seit den 1980er Jahren trat er auch in Kirchen und auf Kirchentagen auf, schrieb Psalmen und hielt Predigten.

Nach dem Tod seiner Frau Marianne, die das Vorbild seiner Frieda-Texte war, zog Hüsch 1988 von Mainz nach Köln. Er lernte seine zweite Frau Christiane („Chrise") kennen und sie heirateten 1991. Als er von einer schweren Krebserkrankung wieder genesen war, begab er sich mit dem Programm „Wir sehen uns wieder" auf Abschiedstournee. 2001 erlitt er einen Schlaganfall. Er starb 2005 mit 80 Jahren und fand seine letzte Ruhestätte in einem Ehrengrab in seiner Heimatstadt Moers.

Für seine Arbeit erhielt Hüsch viele Preise und Auszeichnungen, darunter zweimal den Deutschen Kleinkunstpreis, den Verdienstorden des Landes Nordrhein-Westfalen und das Bundesverdienstkreuz. Gebäude und Straßen tragen seinen Namen.

Einer meiner Lieblingstexte von Hüsch endet so:
„Was macht dass ich so unbeschwert
Und mich kein Trübsinn hält
Weil mich mein Gott das Lachen lehrt
Wohl über alle Welt"   *Hans-Werner Kube*

Bibellese: Kolosser 3,12-17

Und über das alles zieht die Liebe an, die alles andere in sich umfasst. Sie ist das Band, das euch zu vollkommener Einheit zusammenschließt. (Vers 14)

Es hat so richtig geknallt, die Fetzen sind geflogen und Worte wurden gesagt, die man besser für sich behalten hätte. Andere schauen zu und halten das nicht aus. „Vertragt euch doch endlich wieder", hört man sie rufen. Aber so einfach ist das nicht. Die Aufforderung „Über alles zieht die Liebe an!" wirkt für manche wie ein Aufruf, ein Mäntelchen des Vergessens über den Konflikt werfen zu wollen, ohne dass Probleme gelöst werden.

Was in der heutigen Bibellese steht, wird aber völlig missverstanden, wenn man auf diese Weise künstlich Harmonie herbeiführen wollte. Es geht nicht um die Wahrung eines äußeren Scheins, sondern um eine neue Wirklichkeit, die uns in Jesus Christus geschenkt wurde. Diese neue Wirklichkeit verändert den Menschen von innen. Sie zeigt sich im Frieden

Gottes, der unser Herz bestimmt (Vers 15). Was aber, wenn sich dieser Friede nicht einstellen mag? Wir können den Frieden Gottes nicht selbst machen, aber wir dürfen für diesen Frieden beten. Menschen, die durch Jesus Christus erfuhren, dass sie geliebt sind und ihnen vergeben wurde, haben ein Ahnung davon, dass auch unser Miteinander von Liebe und Vergebung bestimmt sein sollte. Sie haben eine Sehnsucht danach, dass der Glaube zu einer verändernden Kraft wird, die auch andere erkennen können. Und darum zieht es sie ins Gebet.

Wenn hier von der Liebe gesprochen wird, die als Band Menschen miteinander verbindet, wird zuallererst die Liebe Gottes beschrieben. Seine Liebe ist es, die das vermag. Wenn wir merken, dass wir selbst daran scheitern, in gleicher Weise zu lieben, ist Jesus unser Zufluchtsort. Vor ihm können wir unser Scheitern beklagen. *Silke Sommerkamp*

♪ Gesegnet sei das Band,
das uns im Herrn vereint!
Geknüpft von Christi Liebeshand,
bleibts fest, bis er erscheint.
John Fawcett 1772; dt: Julius Carl Grimmell 1885

8

Donnerstag
MAI

2025

☀ 05:42 20:56
☽ 16:39 04:12

Bibellese: Kolosser 3,18-4,1

Alles, was ihr tut, tut von Herzen, als etwas, das ihr für den Herrn tut und nicht für Menschen. *(Vers 23)*

Ganz ehrlich, für mich klingt diese Formulierung ziemlich steil! Wenn ich mir vorstelle, dass ich in einer schwierigen Lage bin und jemand hilft mir dann glücklicherweise, sagt aber: „Das habe ich jetzt für den Herrn getan!" – ob ich das nicht in den falschen Hals bekommen würde? Auf jeden Fall würde ich denken: „Schade! Ich dachte, du hättest mir das getan, weil du wahrgenommen hast, wie bedürftig ich bin."

Dabei kann ich es durchaus nachvollziehen, was hier gesagt werden soll: dass wir nämlich das, was wir tun, von Herzen tun sollen (was ich richtig gut finde!) und dabei den Herrn vor Augen haben sollen (was ich auch richtig gut finde, denn Jesus ist tatsächlich das beste Beispiel!).

Aber nun bekommt das alles noch einmal einen ganz anderen Zungenschlag durch die Einseitigkeit der Worte: „Solches tut für den Herrn und nicht für Menschen."

Fragen wir den Herrn deshalb am besten einmal selbst. Wie hätte er es formuliert? Mir fällt dazu die Geschichte ein, wie Jesus am Teich Betesda auf den Kranken mit der Frage zugegangen ist: „Willst du gesund werden?" (Johannes 5,6). Was drückt diese Frage anderes aus als ungeteilte Zuwendung? Der Gottessohn wandte sich den Menschen zu! Gerade weil er sich tief und innig mit seinem himmlischen Vater verbunden wusste, wollte er immer auch ganz nah bei seinen Mitmenschen sein.

Wie also hätte Jesus diesen Satz formuliert? Vielleicht ja so: „Alles, was ihr tut, das tut mit einem ganzen, ungeteilten Herzen zu Gott. Denn wenn ihr so mit Gott verbunden seid, dann werdet ihr auch einen Blick für die Bedürftigkeit eurer Mitmenschen gewinnen. So werdet ihr ihnen zu einer echten Hilfe – und zugleich wird man dann an euren Worten und Taten ablesen können, zu wem ihr gehört!" Das klingt viel weniger steil – und weist uns den Weg, auch heute wieder eine feste Verbindung zu Gott zu suchen.   *Holger Panteleit*

Bibellese: Kolosser 4,2-6
Wenn ihr Außenstehenden über euren Glauben Auskunft gebt, so tut es immer freundlich und in ansprechender Weise. Bemüht euch, für jeden und jede die treffende Antwort zu finden. (Vers 6)

Leider wurde ich in der letzten Zeit viel zu selten von Außenstehenden über meinen Glauben befragt. Aber trotzdem gefällt es mir, was hier ausgesprochen wird. Ob ich nun gefragt werde oder nicht, das ist bestimmt der richtige Ansatz, um den Glauben an Jesus Christus weiterzugeben. Freundlich, auf eine einladende und gewinnende Weise und dazu stets mit der Bereitschaft, auf jeden und jede so einzugehen, wie er oder sie es braucht.
Tatsächlich war die Situation der frühen Christenheit ja eine ganz andere, als wir sie heute in Deutschland haben. Zu jener Zeit standen Christinnen und Christen sehr unter Beobachtung! Sie stellten eine Minderheit dar, wurden mancherorts als jüdische Sekte wahrgenommen – und das mitten im römischen

Imperium mit den vielen verschiedenen Gottheiten, die damals verehrt wurden. Doch Stopp! Während ich das so benenne, fällt mir auf, wie sehr die Verhältnisse inzwischen auch bei uns in Westeuropa denen von damals ähneln.

Vor einiger Zeit stand zu lesen, dass erstmals in der Geschichte der Bundesrepublik weniger als 50 Prozent der Bevölkerung einer christlichen Kirche angehört. Auch wir Christen sind auf dem Weg zu einer Minderheit – das ist der Trend! Umso wichtiger finde ich es, dass wir dieses Bibelwort heute mit durch den Tag nehmen und seinen Inhalt beherzigen: nämlich mit einer gewinnenden Freundlichkeit zu leben. Und vielleicht gar nicht groß mit Worten, sondern so, wie wir sind, auf den uns prägenden Hintergrund unseres Lebens aufmerksam zu machen – auf Jesus Christus und seine Liebe zu uns.

Und vielleicht ergibt es sich dann ja doch einmal, dass die Leute nachfragen und wissen wollen, warum wir so leben, denken und handeln. Dass wir solche Erfahrungen machen, wünsche ich uns! Sie würden eine Trendwende markieren.

Holger Panteleit

10

Samstag
MAI

2025

☀ 05:38 20:59
☽ 18:59 04:32

Bibellese: Kolosser 4,7-18
Grüßt die Brüder und Schwestern in Laodizea, beson-
ders Nympha und die Gemeinde in ihrem Haus.

(Vers 15)

„Back to the roots", „zurück zu den Wurzeln" haben wir kürzlich in unserer Gemeinde beschlossen – und wieder Hausgottesdienste eingeführt. Nicht an jedem Sonntag, natürlich nicht! Aber hin und wieder schon. Sich einfach so zu treffen wie einst Nympha und die Gemeinde in ihrem Haus und dazu auch noch sonntags, das ist eine spannende Sache!
Die Predigt ist dann ganz anders: Sie besteht nicht aus wohlgesetzten, theologisch hoch reflektierten Worten, obwohl solche Art von Predigt sehr hilfreich sein kann. Sondern es ist eine Predigt aus dem Munde derer, die jetzt eben da sind und gemeinsam über einen Bibeltext nachdenken – in der Regel ohne dass ein studierter Theologe zugegen ist! Diese Art von Predigt ist aber nicht weniger wertvoll, im Gegenteil, besonders wenn dann auch

Glaubenserfahrungen zur Sprache kommen und ausgetauscht werden.

Was ist noch anders, wenn man den Mut hat, „back to the roots" zu gehen? Vielleicht entdecken wir in solchen Hausgemeinden (und Hauskreise ähneln ihnen ja durchaus) auch den Segen der christlichen Geschwisterschaft wieder. Wo wir einander tatsächlich so nennen: Schwester! Bruder! Weil wir miteinander im Glauben an denselben Herrn unterwegs sind, was verbindet. So können wir uns öffnen und lernen, füreinander einzustehen, vor allem auch im Gebet.

„Back to the roots" – das Besondere an christlichen Hausgemeinden oder auch Hauskreisen neu entdecken und schätzen lernen. Doch was ist, wenn wir dazu die Möglichkeit zurzeit nicht haben? Vielleicht können wir ja selbst einen Anfang in dieser Richtung setzen, indem wir unsere Nachbarn gleich morgen zu einer Kaffeerunde einladen und dann – warum nicht? – auch über unseren Glauben miteinander ins Gespräch kommen. Das könnte der Startschuss zu einer Hausgemeinde wie bei Nympha sein.

Holger Panteleit

 Herr, erwecke deine Kirche und fange bei mir an.
Aus China

11

Sonntag
MAI

2025

☀ 05:37 21:01
☽ 20:12 04:44

Jubilate (Jauchzet Gott, alle Lande! Psalm 66,1)

Bibellese: Psalm 45
Ein Gedicht der Korachiter, zu singen nach der Melodie „Lilien", ein Lied auf die Liebe.   *(Vers 1)*

Mein Gott, du Gott der Liebe, du liebst mich ohne Ende, füllst immerzu mir liebevoll die leeren Hände. Du unbeschreiblich Liebender, du bist die Liebe in Person, begegnest mir in deinem Wort, in Jesus, deinem Sohn. Die Liebe kommt von dir, ich kann sie nicht erfassen, mich nur von dir, mein Herr und Gott, beständig lieben lassen. Mein Herz zerspringt vor Glück, es schlägt durch deine Liebe, weil du mich wirklich liebst, und mir, trotz meiner Schuld, täglich Vergebung gibst. Ich danke dir von Herzen und liebe dich allein, will allezeit und überall von dir geliebt ja sein, damit ich jedermann, genau wie du es tust, von Herzen lieben kann.|
Mein Gott, du Gott der Liebe, ich kann es nicht verstehn, wie konnte ich nur ohne dich einmal durchs Leben gehn, wie ohne deine Liebe leben, der Feindschaft und dem Hass in meinem Herzen Spielraum

geben? Brachtest die Liebe in mein Lebenshaus, mit Liebe füllst du meinen Mangel aus. Ich kann den Nächsten endlich wieder sehn, sein Leid und seine tiefe Not erkennen und verstehn, liebend und helfend ihm zur Seite stehn, und mit ihm durch das Dunkel gehn.

Mein Gott, du Gott der Liebe, mehr Reichtum, Herrschermacht und Königspracht hat meistens uns kein Glück gebracht. Sind unser Durst und Hunger gerade erst gestillt, aus unseren Herzen neue Begehrlichkeit, Begierde quillt. Wir verschlingen ständig, was es gibt, auch wenn es uns sehr schwer im Magen liegt, vertilgen gierig Stück für Stück, bekommen nie genug, und bleiben leer zurück; denn ohne deine Liebe fehlt uns das echte Glück!

Mein Gott, du Gott der Liebe, Liebe von dir erfülle mich, dein Liebesgeist ergieße sich auf alle Menschen, Groß und Klein, von Hass und Feindschaft völlig rein, geheiligt durch den Gottesgeist, der uns den Weg zum Nächsten weist, uns jederzeit mit Ehrfurcht leitet, zur „ersten Liebe" uns begleitet, geplant, geschaffen und geliebt, von Gott, der uns das Leben gibt.   *Reinhart Henseling*

Ein bahnbrechendes Geschehen

Einführung zum Buch Joël

Das Buch Joël – die zweite Schrift der sogenannten kleinen Propheten – lässt mit einer Frage aufhorchen: „Gab es das in euren Tagen oder in den Tagen euer Vorfahren?" (Joël 1,2). „Das", was in den folgenden vier Kapiteln geschildert wird, hört sich in der Tat unvergleichlich an.

Zunächst soll man sich eine schreckliche Heuschrecken-plage vorstellen, die den Menschen ihre gesamte Lebensgrundlage entzieht. Die Dimension dieser an sich schon furchtbaren Katastrophe wird noch dadurch ins Unermessliche gesteigert, dass sie wie die Vorbotin der Invasion eines feindlichen Heeres erscheint (Joël 1,6) – eines Heeres, an dessen Spitze Gott selbst steht (Joël 2,11)! „Das" wird als der „Tag des Herrn" bezeichnet. Wer könnte ihn überleben? Realistisch betrachtet niemand. „Doch selbst jetzt noch" (Joël 2,12) ist es nicht zu spät, zu Gott umzukehren. Auch „das", nämlich dass es aus diesem Inferno eine Rettung gibt, klingt unglaublich.

Mit der Zusage der schützenden Gegenwart Gottes für das verfolgte Israel endet der erste Teil der Joëlschrift.

Doch damit nicht genug! Bevor der „Tag des Herrn" kommt, werden weitere „unerhörte" Dinge geschehen, heißt es: Gottes Geist wird allen Israeliten zuteil, nicht nur Propheten, sondern Alten und Jungen gleichermaßen (Joël 3). Die Pfingstgeschichte im Neuen Testament greift diese Vision auf, um zu zeigen, dass die Zusage Gottes immer noch gilt: Jeder, der sich dem Gott Israels anschließt, erlebt Befreiung (Joël 3,5). Darin liegt auch der Schlüssel für das Verständnis des letzten Kapitels (Joël 4), in dem von einem endgültigen Urteil Gottes über die Menschheit im „Gerichtstal" (Joël 4,1.12.14) die Rede ist. Es droht ein furchtbares Gemetzel („Pflugscharen zu Schwertern", Joël 4,10) „Das" wird aber eben gerade nicht konkret ausgemalt. Vorstellen soll man sich nicht die Gewalt dieser Welt, sondern die Wohltaten, die Gott seinem Volk zuteilwerden lässt. Vorbei die schreckliche Dürre, der verheerende Krieg – „die Berge triefen vom Saft der Trauben, und die Hügel fließen über von Milch" (Joël 4,18)! *Dirk Sager*

Bibellese: Joël 1,1-20

Hört her, ihr Alten und Erfahrenen, hört her, alle Leute im Land! Ist so etwas Unerhörtes schon einmal vorgekommen, zu euren Lebzeiten oder zur Zeit eurer Vorfahren?

(Vers 2)

Was ist das Unerhörte, das der Prophet Joël im ganzen Land ausruft? Eine unermessliche Katastrophe stellt er allen vor Augen. Pflanzen wurden von Schädlingen so kahlgefressen, dass es drastischste Folgen mit sich brachte. Ernten fielen über Jahre hin aus. Wie räuberische und gewalttätige Heere überfielen Heuschrecken das Land und hinterließen Leid. Gottesdienste fanden nicht mehr statt, weil keine Opfer mehr gebracht werden konnten. Joël lässt keine der schrecklichen Szenarien aus. Bekannt waren diese allen. Manche hatten das selbst erlebt. Andere haben über Generationen davon gehört und als Bedrohung vor Augen.

Wie reagieren Menschen in solchen Katastrophen? Es gibt die, die angesichts der drohenden Not noch alles an Vergnügen und denkbaren Freuden mitnehmen wollen, keine Party mehr auslassen und wie im Rausch leben. Das sind wohl die, die Joël als Betrunkene und Zecher (Vers 5) anspricht. Sie sollen aus sorgloser Weinlaune aufgerüttelt werden. Ebenso spricht Joël die Landwirte und Winzer an (Vers 10-12). Sie sind die unmittelbar Betroffenen. Keiner kann vor der Wirklichkeit die Augen verschließen und dem Ernst der Lage ausweichen. Darum ruft Joël schließlich alle Menschen auf. Alle sollen es hören, auch die Priester und Diener Gottes. Denn aus der Katastrophe wurde auch eine Glaubensnot. Es ist ein Dilemma, das auch wir kennen. Krisen, Kriege, Katastrophen scheinen sich unaufhörlich zu steigern. Wir Menschen verwüsten weiter und weiter diese Erde. Und Gott? Schickt er die Plagen? Hat er sogar einen Plan damit? Joël ringt um Glauben. Er weist über Plage und Leid hinaus auf Gott. Auf Gott, der durch die Katastrophe selbst in Mitleidenschaft gezogen ist. Er lässt Joël sagen, „mein Land" und „mein Weinstock" sind getroffen (Vers 6-7). Plötzlich ist Gott mittendrin. Darum ruft Joël nicht nur andere zum Gebet, sondern er betet auch selbst, weil er weiß: Der Tag des Herrn ist nahe und kommt (Vers 15). Das ist es, was noch nie da gewesen ist. Und das Unerhörte ist: Gott selbst wird an diesem Tag den Menschen begegnen. *Michael Höring*

13

Dienstag
MAI

2025

☀ 05:34 21:04
☽ 22:39 05:18

Bibellese: Joël 2,1-11
Blast das Alarmhorn auf dem Zion, gebt Alarm auf dem heiligen Berg des Herrn! Zittert, ihr Bewohner des Landes! Der Tag, an dem der Herr Gericht hält, ist nahe!

(Vers 1)

Im Bett, schon fast eingeschlafen, höre ich von nebenan ein sanftes, aber deutliches „Bing!". Da weiß ich, dass auf meinem Telefon eine Nachricht eingegangen ist. Ist sie wichtig? Hat das Zeit bis morgen? Soll ich nochmal aufstehen? Erstaunlich, was ein schlichtes „Bing!" mit mir macht. Dabei kennt mein Handy auch andere Signale. Als vor einiger Zeit eine Probewarnung kam, erscholl ein unangenehmer, fast schmerzhafter Ton. Irgendwie hängt er mir noch immer im Ohr, wenn ich daran denke. Erschrocken war ich, obwohl ich es vorher wusste. Aber es ist ja Sinn der Aktion, Aufmerksamkeit zu erreichen. Auch Joël will Aufmerksamkeit. Wieder oder auch immer noch hat er es mit einer Plage zu tun, die sich verheerend über das Land ausbreitet. Für den

Propheten mündet alles Geschehen in den Tag des Herrn, den er kommen sieht. Alle verfügbaren Alarmsignale seiner Zeit sollen darum erschallen. Der Tag des Herrn – das ist typische Rede der Propheten. Sie sehen in ihm den Tag, an dem Rechenschaft gefordert und Gericht gehalten wird. Aber es ist auch der Tag, an dem Gott persönlich den Menschen begegnet. Darum ruft Joël auf, diese Begegnung schon jetzt zu suchen. Das ist der Sinn seines Alarmsignals: Menschen sollen sich schnell auf die aktuelle Situation einstellen. Sie sollen Gefahren entgehen können oder auch einfach Wichtiges nicht verpassen. Ein solcher Weckruf ist auch das folgende Lied, das der Pfarrer und Liederdichter Philipp Nikolai 1599 nach einer Pestepidemie geschrieben hat:

Wachet auf; ruft uns die Stimme
der Wächter sehr hoch auf der Zinne,
wach auf, du Stadt Jerusalem!
Mitternacht heißt diese Stunde;
sie rufen uns mit hellem Munde:
Wo seid ihr klugen Jungfrauen?
Wohlauf, der Bräutgam kommt;
steht auf, die Lampen nehmt!
Halleluja! Macht euch bereit
zu der Hochzeit;
ihr müsset ihm entgegengehn!

Michael Höring

Bibellese: Joël 2,12-17

Blast das Horn auf dem Zionsberg! Ruft einen Fasttag aus, ordnet einen Bußgottesdienst an! (Vers 15)

Endlich ist es soweit! Endlich gute Nachricht. Die Leserinnen und Leser mussten für die Andachten der beiden vergangenen Tage Geduld aufbringen. Der Autor der Andachten übrigens auch. Lang und breit hat Joël in seiner Botschaft eine schreckliche Lage geschildert. Die Katastrophen waren schon schlimm genug, aber Joël hat auch noch den kommenden Tag des Herrn als einen dunklen und nebligen Gerichtstermin markiert. War das nur eine Art Stilmittel, um auf diesem düsteren Hintergrund umso leuchtender herausstellen zu können, dass Gott gnädig, barmherzig, geduldig und von großer Güte ist und ihn die Strafe bald gereut?

Menschen, die heute mit dem Evangelium, der Guten Nachricht von Jesus Christus, vertraut sind, wissen natürlich, dass Gottes Liebe und Vergebung groß und umfassend sind. Das bestimmt unser

Glauben, Denken und Handeln. Tut es das auch noch in aller Tiefe? Der Theologe Artur Weiser (1893-1978) schreibt in seiner Auslegung des Propheten Joël: „Die Güte Gottes wird dem Glauben in ihrer unbegreiflichen Größe und Tiefe erst ganz deutlich auf dem Hintergrund seines Gerichtsernstes." Und weiter schreibt er: „Die Not ist Gottes ausgestreckte Hand; hinter ihr steht Gott wartend, ob der Mensch diese rettende Hand, in der Buße sich beugend, ergreift und sich von ihr segnen lässt, oder ob er das Erbarmen Gottes ausschlägt, so dass ihm die Not zum Gericht wird." Joël zeigt in seinem Aufruf zu Fasten und Buße, dass es um diese Tiefe geht. Der Prophet sieht in der Not Gott, der mitleidet und der den Menschen gerade in ihrer Not begegnet. Darum: immer wieder zu ihm umkehren. Die Umkehr zur Liebe und Vergebung soll von ganzem Herzen kommen (Vers 12). *Michael Höring*

Aus tiefer Not schrei ich zu dir,
Herr Gott, erhör mein Rufen.
Dein gnädig Ohr neig her zu mir
und meiner Bitt es öffne;
denn so du willst das sehen an,
was Sünd und Unrecht ist getan,
wer kann, Herr, vor dir bleiben?
Martin Luther 1524

Bibellese: Joël 2,18-27
Der Herr sagt: „Ich habe mein großes Heer gegen euch geschickt. Aber jetzt ersetze ich euch die Ernten, die die Heuschreckenschwärme vernichtet haben."   *(Vers 25)*

Ich war lange Zeit ein Mensch, der schwer Nein sagen konnte. Dies führte allmählich dazu, dass ich nicht nur in meinem Beruf aufging, sondern unmerklich auch unterging. Ehe, Familie und ich selbst standen meist an zweiter Stelle. Ein Pastor kann mit Haut und Haaren in seiner Rolle aufgehen und seine Erfüllung darin finden. Das führt schnell zu einer Schieflage. Bei mir sah diese so aus, dass der Alkohol allmählich und unbewusst meine „Überlebensmedizin" wurde. Natürlich durfte das niemand wissen. Eines Tages entdeckte meine Frau dieses „kleine Geheimnis" und führte mir die Konsequenzen vor Augen.
Ich vollzog eine rigorose Umkehr. Meine Frau war damals mein persönlicher Prophet „Joël", die konkrete Stimme Gottes in mein Leben hinein, weil

ich seine immer wieder hörbare innere Stimme ignorierte.

Diese Erfahrung blieb in meinem Leben kein Einzelfall. Oft suchte sich Gott seine „Propheten", die sich in meinem Leben zu Wort meldeten, weil ich auf seine innere Stimme nicht hören wollte. Meist waren es Nichtchristen. Auch dies musste ich lernen, dass Gott durch jeden Menschen zu mir sprechen kann. Heute bin ich erstaunt, dass Gott immer neue Wege suchte, um mich zur Umkehr zu bewegen. Er ließ mich nie einfach „weiterlaufen". Was für eine Liebe!

Wer die alltäglichen Propheten Gottes in seinem Leben nicht überhört, umkehrt und neues Leben erfährt, der wird sich auch anstecken lassen vom Aufruf Joëls: „Freut euch und jubelt über den Herrn, euren Gott! Er erweist euch seine Güte ..." (Vers 23). Der Ursprung des Zornes Gottes – sein letztes Mittel, uns zur Umkehr zu bewegen – hat seinen Ursprung in seiner Liebe zu uns. Deshalb ist sein Zorn nie das Ende, wenn wir uns bewegen lassen.

Johannes Rosemann

Fragen zum Weiterdenken
In welchen Situationen rief mich Gott durch Nichtchristen zur Umkehr?
Hörte ich seinen Ruf?

Bibellese: Joël 3,1-5

Weiter sagt der Herr: „Es kommt die Zeit, da werde ich meinen Geist ausgießen über alle Menschen. Eure Männer und Frauen werden dann zu Propheten; Alte und Junge haben Träume und Visionen." *(Vers 1)*

In der heutigen Bibellese geht es um den Geist Gottes, den Gott seinen Menschen geben will. Was Joël dem Volk weissagt, erfüllte sich. Wir können es in der Apostelgeschichte Kapitel 1 und 2 nachlesen. Und dieser Geist Gottes wirkt über die Generationen hinweg bis auf den heutigen Tag. In der Apostelgeschichte bekamen ihn die Nachfolger von Jesus. Bei Joël ist er allen Menschen verheißen. Das wird heute sehr schnell vergessen, dass Gott auch durch Menschen, die nichts mit ihm am Hut haben, zu uns reden kann. Dann geschieht oft Erstaunliches. Denken kommt in Bewegung. Verkrustungen lösen sich. Grenzen und Absperrungen werden überwunden. So interpretiere ich auch teilweise die junge aufstrebende Generation, die den Älteren ihr Versagen –

oder ihren Egoismus? – vorwirft und durch alle möglichen Mittel versucht, unsere von Gott anvertraute Wohnstätte Erde vor dem endgültigen Kollaps zu bewahren. Sie kritisieren Ungerechtigkeit unter den Generationen, die immer stärker werdende Abgrenzung unter den Völkern, die Ausgrenzung der Flüchtlinge und setzen sich für die Bewahrung der Schöpfung ein, was die Älteren wohl vernachlässigten. Sie melden sich zu Wort und teilen sich mit. Sie verschaffen sich Gehör. Mag sein, dass dabei die Sicherheit ihrer eigenen Zukunft im Vordergrund steht, es geht letztlich um uns alle.

Sind solche jungen Menschen die Nachfolger alttestamentlicher Propheten, weil Gott in seinem Volk keine findet? Will Gott sich durch sie Gehör verschaffen, weil viele bisher nicht hörten oder hören wollten?

Ich persönlich höre durch sie die Stimme des Geistes Gottes, der meinen Lebensstil deutlich hinterfragt. Denn irgendwann ist Schluss. Dann kommt das Gericht (Vers 3). Dann wird Gott aufrichten, was wir beugten, und gerade richten, was wir krümmten.

Johannes Rosemann

17

Samstag
MAI

2025

☀ 05:28 21:10
☾ 01:29 08:23

Bibellese: Joël 4,1-21

„Schmiedet aus euren Pflugscharen Schwerter, macht aus euren Winzermessern Speerspitzen! Noch der Schwächste soll erklären: Ich kämpfe wie ein Löwe!"

(Vers 10)

Bei der heutigen Bibellese ergeht es sicher manchem wie mir: erstmal tief durchatmen. Erste Annäherung an den Text: Als einer, der mit der Friedensbewegung in der DDR aufwuchs, fällt es mir schwer zu hören, was ich hier lese. „Schwerter zu Pflugscharen" (Micha 4) – so stand es auf Aufnähern vieler junger Menschen. Manche erlebten damals, wie Autoritäten sie ihnen aus dem Parka schnitten. Sie trugen ihn weiter. Jeder konnte das Loch sehen und wusste, wessen „Geistes Kind" der Träger ist. Die „Friedensstifter" trugen schließlich den Sieg davon. Die „Revolution der Kerzen" veränderte ein ganzes Land zum Guten.

Zweite Annäherung: Die Diskussion in Europa, ob man die Ukraine im Krieg unterstützt, reißt nicht ab. Können sich die Friedensbewegten auf Jesaja oder Micha berufen und die Kriegsideologen auf Joël – also beide auf die Bibel? Als ich vor einiger Zeit über Krieg und Frieden predigte und mich als Pazifist outete, entwickelte sich nach dem Gottesdienst eine spannende Diskussion mit einem überzeugten Christen. Wir kamen auf keinen Nenner. Aber wir blieben Brüder in Christus.

Dritte Annäherung: Für die Propheten – auch für Joël! – ist die Verheißung von Frieden mit der Erwartung verbunden, dass auch in der Gesellschaft friedvolle Zustände herrschen. Barmherzigkeit und gleiches Recht für alle. Zu Joëls Zeiten war man glücklich über 70 Jahre äußeren Frieden. Aber im Inneren herrschte Unrecht. Die Sozialkritik früherer Propheten war längst vergessen. Joël erinnert sich und macht es wie seine Vorgänger. Er führt die Schieflage vor Augen und kündigt die Konsequenzen an (Joël Kapitel 1 und 2).

Letzte Annäherung: Ich höre die Botschaft, die sich hinter den schrecklichen Worten und Bildern verbirgt: Böses und Unrecht – auch in Gottes Volk! – wird von Gott gesehen und ernst genommen. Am Tag des Gerichts kommt es zur Sprache und Gott schafft Recht und Gerechtigkeit. Darauf darf jeder hoffen, der unter Unrecht leidet. Damit muss jeder rechnen, der Unrecht tut. *Johannes Rosemann*

18

Sonntag
MAI

2025

☀ 05:26 21:11
☾ 02:02 09:39

Kantate (Singet dem Herrn ein neues Lied! Psalm 98,1)

Bibellese: Psalm 30
Du hast mein Klagelied in einen Freudentanz verwandelt,
mir statt des Trauerkleids ein Festgewand gegeben.
Ich musste nicht für immer verstummen;
ich kann dich mit meinen Liedern preisen.
Dir, Herr, mein Gott, gilt allezeit mein Dank!
(Vers 12-13)

Mein Gott, mein Herr, ich schrie nach dir, mein Herz, mein Geist, mein Mund. Du hörtest mich, und machtest mich gesund! Als mir das Wasser bis zum Halse stand, die Luft zum Atmen nicht mehr reichte, als auch mein letzter Lebenstraum in mir erstarb, es keinen Ausweg, keine Rettung gab, als alle Welt sich gegen mich erhob und niemand mir die Hand zur Hilfe bot, als alle Kraft und Hoffnung von mir ging, mein Leben nur am dünnen Faden hing, als ich hineinsah in mein eignes Grab, ich keinen Cent mehr für mein Leben gab, als alle Glieder streikten, meine Stimme brach, keiner mehr an mich glaubte und ich im Sterben lag, da riss mich deine Hand aus aller meiner Not, rettete mich vom schon gespürten grauenvollen Tod.

Mein Gott, wo warst du, als es mir so elend ging, ich über lange Zeiten nur in den Seilen hing, als alle mir nur Unheil brachten und über meine Mühsal lachten, als ich im allergrößten Tief mit letzter Kraft nach deiner Hilfe rief, als ich dich suchte und dich nirgends fand, als meine Zweifel meinen Glauben lähmten und niemand mir zur Seite stand, als ich an Schmerz und Trauer fast zerbrach, weil deine Hand erdrückend auf mir lag, hat deine Gnade über Schuld gesiegt und deine Treue mich erneut geliebt, hat neues Licht und Rettung mir gegeben, den Start hinein in neues, echtes Leben!

Mein Gott! Ich danke dir, du Herr der Weltgeschichte. Mit neuen Kleidern bete ich dich an. Mein Herz, mein Mund, mein ganzes Leben solln dir zur Ehre singen, dir meinen Lobpreis bringen. Erbarmt hast du dich über mich, mein Herz mit tiefem Dank erfüllt, die Tränen mir getrocknet, in dein Festtagskleid, in deine Kreuzesliebe mich gehüllt! Die Klage ist nun still, voll Freude singe ich zu dir. Ihr alle, die es hört, kommt, singt mit mir!   *Reinhart Henseling*

Zum 19. Mai 2025

Fortsetzung folgt

Einführung in die Apostelgeschichte

Lukas setzt seinen Bericht über alles, „was Jesus tat und lehrte, von Anfang an" (1,1), also das Lukas-Evangelium, fort. Jetzt rücken die Apostel ins Blickfeld, die das Evangelium von Jesus in die Welt tragen sollen. Der Startschuss fällt am Pfingsttag mit der Taufe der Apostel und der übrigen Jesus-Anhänger mit dem Heiligen Geist, so wie die Wassertaufe des Johannes das Wirken von Jesus einleitete (1,5). In den letzten Anweisungen des Auferstandenen wird bereits der Aufbau der Apostelgeschichte sichtbar: Es geht um den Weg der Zeugen von Jerusalem aus (Kp 1-7) über ganz Judäa und Samarien (Kp 8-12) bis ans äußerste Ende der Welt (Kp 13-28).

Die zwölf Apostel (mit Matthias als Ersatz für Judas Iskariot) werden aber eher stiefmütterlich behandelt. In Jerusalem spielen Petrus, Johannes und Jakobus eine Rolle. Petrus und Johannes wirken auch in Judäa und Samarien. Und die Verbreitung des Evangeliums in die westliche Welt obliegt dem einstigen Christenverfolger Paulus, der nur an einer Stelle, zusammen mit

Barnabas, als Apostel bezeichnet wird (14,14), aber den meisten Raum einnimmt. Daneben spielen eine Reihe anderer Personen eine Rolle, zum Beispiel die „Diakone" Stephanus und Philippus, der Gemeindeleiter Jakobus, ein Halbbruder von Jesus, der Zypriot Barnabas, die Paulus-Mitarbeiter Silas und Timotheus sowie die Purpurhändlerin Lydia, der Zeltmacher Aquila und seine Frau Priszilla und der Judenchrist Apollos.

Die Apostelgeschichte ist ein Buch der Grenzüberschreitungen. In der Mitte des Buches (Kp 15) werden die Zugangsvoraussetzungen geklärt, nämlich die Fragen: Wie wird ein Heide als Nichtjude Christ? Wie leben Juden und Nichtjuden zusammen? Muss man sich zur Erlangung des Heils beschneiden lassen? Man einigt sich auf einige von allen einzuhaltende Mindeststandards, die sich auf Speise- und Ehegebote beziehen. Im Ergebnis ein niederschwelliges Angebot, das eine mich bis heute beeindruckende Offenheit für alle an Jesus und der christlichen Gemeinschaft Interessierte zeigt.

Die Apostelgeschichte ist auch ein Buch des Heiligen Geistes, der die treibende Kraft der christlichen Mission ist. Ein Buch der Visionen, die die Übergänge zur Heidenmission vorbereiten. Ein Buch vieler unterschiedlicher, sehr situationsbezogener missionarischer Reden. Und nicht zuletzt ein Buch, das offen ist für eine weitere Fortsetzung, denn das Ziel „bis ans äußerste Ende der Erde" wurde mit der Ankunft des Paulus in Rom offensichtlich noch nicht erreicht.   *Hans-Werner Kube*

19
Montag
MAI

Bibellese: Apostelgeschichte 1,1-14
Als Jesus wieder einmal bei ihnen war und mit ihnen aß, schärfte er ihnen ein: „Bleibt in Jerusalem und wartet auf den Geist, den mein Vater versprochen hat."
(Vers 4)

Warten gehört leider nicht zu meinen Stärken. Viel lieber „mache" ich etwas und setze mich in Bewegung. Und auf etwas Unbekanntes zu warten, das ich mir gar nicht vorstellen kann, stelle ich mir noch viel schwieriger vor. Vierzig Tage lang hat sich Jesus nach seiner Auferstehung den Jüngern gezeigt und über sein Reich gesprochen. Solange Jesus unter ihnen weilte, waren die Jünger wohl begeistert, vielleicht sogar euphorisch. Bestimmt wollten sie jede Sekunde mit ihm auskosten und von ihm lernen. Aber sie ahnen bereits, dass diese Zeit begrenzt ist.

Bald schon würde er sie verlassen. Sie sollten dann alle in Jerusalem bleiben und warten. Nicht arbeiten gehen, nicht nach Hause gehen. Nein, sie sollen auf den Heiligen Geist warten, mit dem sie dann getauft würden (Vers 5).

Was mag dieser Befehl bei den Jüngern ausgelöst haben? Freude, Spannung, Begeisterung oder Anspannung, Verunsicherung? Wir wissen es nicht. Aber wir wissen, dass sich das Warten gelohnt hat. Uns ist die Fortsetzung der Geschichte bekannt. Jedes Jahr freue ich mich neu auf Pfingsten und staune über die Ereignisse, die damals in Jerusalem stattfanden.

Wo bin ich heute zum Warten gezwungen? Wo sind meine Hände gebunden? Wo kann ich einfach nichts tun, um etwas zu ändern oder zu beschleunigen? Vielleicht haben auch wir vor langer Zeit eine Prophetie erhalten und warten, dass sie endlich eintrifft. Gott hat Ruhe und Frieden, Leben in Fülle verheißen. Erlebe ich das oder bin ich auch da gezwungen zu warten? Seit Generationen warten wir darauf, dass Jesus wiederkommt. Was wird noch alles geschehen, bis das eintrifft? Ich bin überzeugt, dass sich dieses Warten lohnt. Was Jesus verspricht, wird er halten!

Karin Hadorn-Ingold

 Stimmen Sie doch ein in das Lied: Es liegt Kraft in dem Warten auf den Herrn. Text: Arne Kopfermann, Melodie: Brenton Brown (2005), Ken Riley (2005). https://youtu.be/4NFrLa-O-Bo

20

Dienstag
MAI

2025

☀ 05:24 21:14
☽ 02:43 12:22

Bibellese: Apostelgeschichte 1,15-26
Petrus sagte: „Wir brauchen also einen Ersatz für Judas. Es muss einer von den Männern sein, die mit uns Aposteln zusammen waren während der ganzen Zeit, in der Jesus, der Herr, unter uns gelebt und gewirkt hat."

(Vers 21)

Was für eine spannende Geschichte. Jesus ist in den Himmel aufgefahren und die Jünger kehren nach Jerusalem zurück. Sie versammeln sich, wo sie schon mit Jesus waren und beten. Es steht dort, dass es ungefähr hundertzwanzig Menschen waren. Diese Gemeinschaft war bestimmt unglaublich schön und wohltuend. Aber sie müssen über ein wenig erbauliches Thema sprechen: Judas, einer vom engsten Kreis der Jünger, hatte nach seinem Verrat ein schreckliches Ende gefunden. Nun muss dieser Verräter ersetzt werden. Aber mit wem?

Haben Sie auch schon solche Situationen erlebt? Es muss ja nicht gleich so dramatisch wie ein Verrat sein. Vielleicht ist jemand aus irgendwelchen Gründen aus einem Gremium ausgestiegen und muss ersetzt werden. Oder in unserer kleinen Gemeinde fehlt es oft an geeigneten Leuten für gewisse Ämter. Wie gehen wir vor? Welche Kompetenzen sind uns wichtig? Wie wählen wir Menschen in neue Funktionen? Der heutigen Bibellese entnehmen wir, dass die Gemeinde gebetet hat. Das ist sicher die Grundlage! Dann listet Petrus Kriterien auf, die für die neue Funktion oberste Priorität haben. Die Jünger haben das Glück, dass sie zwei geeignete Personen zur Auswahl haben. Welcher also? Nach weiterem Gebet entscheidet das Los. Mit Matthias sind die Jünger wieder komplett. Wie es dem Verlierer Joseph Justus danach ergangen ist, steht leider nicht in der Bibel. Wie gehen wir mit Menschen um, die nicht gewählt wurden? Oder habe ich das sogar schon persönlich erlebt? Obwohl ich mich für eine Aufgabe gemeldet habe, wurde eine andere Person vorgezogen? Das ist alles nicht einfach und braucht Fingerspitzengefühl und Demut von allen Seiten. Da bete ich ganz gerne wie Petrus in Vers 24: Herr, du kennst jeden Menschen ganz genau. Zeige uns, wer nach deinem Willen den Auftrag übernehmen soll!

Karin Hadorn-Ingold

Bibellese: Apostelgeschichte 2,1-13

Plötzlich gab es ein mächtiges Rauschen, wie wenn ein Sturm vom Himmel herabweht. Das Rauschen erfüllte das ganze Haus, in dem sie waren. Dann sahen sie etwas wie Feuer, das sich zerteilte, und auf jeden ließ sich eine Flammenzunge nieder.   *(Vers 2-3)*

Die Jünger von Jesus waren noch einmal zusammengekommen. Das war keinesfalls selbstverständlich, denn hinter ihnen lagen bewegte Zeiten. Jesu Tod, seine Auferstehung und Himmelfahrt hatten ihre Hoffnungen kräftig durcheinandergewirbelt. Glaube ist kein Selbstläufer. Daran hat sich bis heute nichts geändert. Die Krisen dieser Welt und auch persönliche Herausforderungen und Schicksalsschläge können unser Gottvertrauen heftig auf die Probe stellen. Mehr als einmal habe ich persönlich die Erfahrung gemacht, dass aus eigener Kraft eine Wendung sehr schwierig wird.

So mag es den Jüngern auch ergangen sein. Der entscheidende Impuls musste von außen kommen.

Wie gut, dass Gott sieht und weiß, was zu tun ist. Mit dem ersten christlichen Pfingstfest leitet Gott eine neue Zeit ein. Der Geburtstag der Kirche wird zu einer echten Überraschungsparty. Und damit alle mitbekommen, was hier geschieht, lässt Gott es richtig krachen: Statt eines müden „Happy Birthday" ein gewaltiges Brausen, das das ganze Haus erbeben lässt. Statt Kerzen auf der Geburtstagstorte Flammen über den Köpfen der Anwesenden. Statt belangloser Gespräche an der Kaffeetafel tiefgreifende Worte, die alle Sprachbarrieren überwinden. Gottes Geist verändert Dinge, Menschen, Verhältnisse. Mit dieser Gewissheit dürfen wir auch heute leben. Gottes Geist ist ein zeitloses Geschenk, das bis heute nichts an Kraft verloren hat. Manchmal bin ich zu kleingläubig und zu bescheiden, um es immer wieder auszupacken und mich darüber zu freuen. Aber gerade dann darf ich Gott bitten: Herr, gib mir deinen Heiligen Geist, der mich mit Kraft und Leben erfüllt. *Hartmut Hunsmann*

O komm, du Geist der Wahrheit,
und kehre bei uns ein;
verbreite Licht und Klarheit,
verbanne Trug und Schein ...
Philipp Spitta (1827) 1833

Bibellese: Apostelgeschichte 2,14-21

Petrus rief laut: „Hier geschieht, was Gott durch den Propheten Joël angekündigt hat: ‚Wenn die letzte Zeit anbricht, sagt Gott, dann gieße ich über alle Menschen meinen Geist aus.'" (Vers 16-17)

Vor Kurzem bin ich nach sehr vielen Jahren wieder einmal an einen Ort gekommen, an dem ich einen Teil meiner Kindheit verbracht habe. Sehr viel hat sich inzwischen verändert in der kleinen Stadt. Manches war nicht wiederzuerkennen. Aber anderes schien genauso wie zu früheren Zeiten zu sein. Straßen und Häuser, die auch nach Jahrzehnten noch sehr vertraut wirkten. Beim Anblick dieser bekannten Gegebenheiten wurden Erinnerungen wach. Begegnungen mit Menschen und schöne Erlebnisse wurden in meinen Gedanken wieder lebendig. Selbst Namen, die mir sonst wahrscheinlich nicht mehr eingefallen wären, kamen mir wieder in den Sinn. Ich vermute, das alles wäre ohne die Rückkehr an diesen Ort nicht geschehen.

Der Apostel Petrus wagt in seiner Pfingstpredigt auch einen Rückblick. Einen, der noch viel weitere und tiefere Bedeutung hat. Er knüpft an Gottes Verheißung an, die dieser vor Jahrhunderten gemacht hatte. Gottes Geist, den er an Pfingsten gibt, kommt nicht unerwartet und überraschend, sondern mit seinem Kommen erfüllt sich ein Teil der Geschichte Gottes mit uns Menschen. Mich ermutigt es immer wieder, Gottes Handeln mit mir und mit allen Menschen nicht nur punktuell zu betrachten. Gott bleibt sich treu und lässt wirklich geschehen, was er versprochen hat. Das gilt nicht nur für das Wirken seines Geistes, sondern auch für die Verheißungen und Versprechen, die über meinem Leben stehen. Der gezielte Blick auf diese Zusagen, auch wenn sie schon lange zurückliegen, lässt sie lebendig werden und zu einer neuen Ermutigung. Ich darf daraus Kraft schöpfen für meinen Alltag. *Hartmut Hunsmann*

Denkt der frühern Jahre,
wie auf eurem Pfad
euch das Wunderbare
immer noch genaht.

Jochen Klepper 1938
Aus: Ja, ich will euch tragen

23

Freitag
MAI

2025

☀ 05:20 21:18
☾ 03:23 16:36

Bibellese: Apostelgeschichte 2,22-36
Petrus rief laut: „Alle Menschen in Israel sollen an dem, was sie hier sehen und hören, mit Gewissheit erkennen: Gott hat diesen Jesus, den ihr gekreuzigt habt, zum Herrn und Christus gemacht." (Vers 36)

Ich war zu einer Hochzeit eingeladen. Die Traupredigt hielt eine junge Pfarrerin. Es war eine wirklich gute Hochzeitspredigt, die einfühlsam auf das Brautpaar einging und in einladender Weise den Bogen zum Glauben spannte. Es gehe in Ehe und Familie nicht nur um Beziehung zueinander, sondern auch um die Beziehung zu Gott, so der Tenor der Ansprache. Auch mich selbst haben diese Worte ermutigt. Erst etwas später, als ich noch einmal über das Gehörte nachdachte, kam mir der Gedanke, dass da irgendwie etwas fehlte. Jesus kam im ganzen Gottesdienst nicht vor. Mich hat das zu der Frage geführt: „Wie rede ich eigentlich von meinem Glauben?"
Wenn ich ehrlich bin, spreche ich manchmal auch lieber „nur" von Gott als von Jesus. Besonders bei

Menschen, die meine Überzeugungen nicht unbedingt teilen. Von Gott zu reden scheint noch irgendwie salonfähig. Wenn Jesus ins Gespräch kommt, wird es schnell schwierig. Viele Menschen können mit ihm als Gottes Sohn und Retter der Welt nichts anfangen. Petrus zeigt in seiner Pfingstpredigt klare Kante. Alle Menschen sollen erkennen, dass Gott den gekreuzigten Jesus zum Herrn dieser Welt gemacht hat. Das gehört zum Kern des Evangeliums.

Es geht um Jesus. Kein Weg führt daran vorbei. Darum dürfen wir mutig und klar von ihm reden. Ich möchte von Petrus lernen, in dieser Freiheit und Klarheit von meinem Glauben zu sprechen, mich nicht zu verstecken hinter Formulierungen, die möglichst wenig Anstoß erregen, sondern ein klares Bekenntnis zu meinem Herrn auf den Lippen zu haben.

Hartmut Hunsmann

♫ Halleluja bringe, wer den Herren kennet,
wer den Herren Jesus liebet.
Halleluja singe, welcher Christus nennet,
sich von Herzen ihm ergibet.
O wohl dir! Glaube mir:
endlich wirst du droben ohne Sünd ihn loben.

Joachim Neander 1680
Aus: Wunderbarer König, Herrscher von uns allen

Bibellese: Apostelgeschichte 2,37-41

Viele nahmen die Botschaft des Petrus an und ließen sich taufen. Etwa dreitausend Menschen wurden an diesem Tag zur Gemeinde hinzugefügt.　　*(Vers 41)*

Das Evangelium ist kein Schönwetterbericht, sondern die Doppelbotschaft von Gericht und Gnade. Denn wenn Gnade rettet, muss erklärt werden, wovor. Die Hörer provozierten Gott aufs Äußerste. Eigentlich müsste Gott mit ihnen fertig sein. Das macht Petrus ihnen klar. Doch Jesus sucht Verlorene, um sie zu retten, und das Pfingstwunder zeigt, dass Gott mit ihnen doch nicht fertig ist. Dieses Doppel-Evangelium ist ihnen ins Herz gefahren. Erschüttert, ratlos und dennoch hoffnungsvoll fragen sie nach dem Ausweg aus der Sackgasse ihres Lebens. Bekehrung ist die Antwort. Das nehmen sich viele zu Herzen, stellen ihre Lebensweiche um und besiegeln alles mit der Taufe.

So geschieht es bis heute. Gab es denn in Jerusalem Wasser für so viele Taufen? Ja, denn die Archäologen gruben nicht nur die Teiche Schiloach und Betesda aus, sondern auch viele Tauchbäder, sogenannte Mikwen. In einer Mikwe tauchten sich Juden häufig unter, doch Körperhygiene war nur ein positiver Nebeneffekt. Zweck war die kultisch-rituelle Reinheit. Die christliche Taufe dagegen sagt etwas anderes. Mit ihr bekennt ein Mensch: Jesus machte mich durch Vergebung rein; ich ging mit Gott den Bund eines guten Gewissens ein, beginne die verbindliche Jesus-Nachfolge und nehme die Berufung zur Gemeinschaft an.   *Jörg Swoboda*

♫ Du, Herr, kennst meine Seele,
kannst ins Verborgne sehn.
Dass du mich Sünder dennoch liebst,
das kann ich nicht verstehn.
Ganz gleich, wie ich gelebt hab
in Stolz und Eigensinn,
du öffnest mir die Tür und sagst,
dass ich willkommen bin.
Ich bin zu dir gekommen,
verzweifelt und geknickt,
und klopfte scheu an deine Tür,
hast mich nicht weggeschickt.
Seit ich bei dir bin, Jesus,
erfahr ich, wie du liebst.
Es macht dir Freude, wenn du mir
bedingungslos vergibst.   *Jörg Swoboda*

25

Sonntag
MAI

2025

☀ 05:18   21:21
☽ 03:53   19:41

Rogate (Betet)

Bibellese: Psalm 67

Gott, die Völker sollen dir danken,
alle Völker sollen dich preisen!
Sie sollen vor Glück und Freude singen;
denn du regierst sie alle gerecht,
du lenkst alle Nationen auf der Erde.   (Vers 4-5)

Musik hören viele gern, Zukunftsmusik garantiert alle. Das heutige Psalmlied gehört dazu. Es beschreibt eine ideale Welt trotz der ganz anderen Realität. An der Krücke einer verzweifelten Friedenshoffnung humpeln die Völker durch die Weltgeschichte. „Die Weltgeschichte ist eine Akte aus dem Irrenhaus", schrieb einer über unsere entzauberte Welt. Die Sehnsucht nach Gerechtigkeit und Erlösung ist riesengroß. Christen beten für die Regierenden und jeden Friedensstifter. Sie tragen, wo immer es geht, selbst zum Frieden bei. Der Psalmdichter schwingt sich mit den Flügeln des Glaubens auf und nimmt die Friedensvision als innigen Wunsch vorweg. Es ist, als entfaltete er die Botschaft der

Weihnachtsengel: „Ehre sei Gott und Friede auf Erden." Ja, dann wäre die Welt im Lot! Vom strahlenden Angesicht Gottes erhellt, gäbe es innere Erleuchtung und geistliche Erkenntnis überall. Wie aus einem Springbrunnen sprudeln die Worte danken viermal, sich freuen, jauchzen, recht richten und regieren. Der Segen Gottes würde gläubige Ehrfurcht bei den Menschen wecken. Zwar danken „die Völker und alle Heiden" (L) noch nicht, aber wenigstens die Christen „in" den Völkern. Sie „singen vor Glück und Freude" und schöpfen daraus Kraft für heute, denn sie wissen, dass die Vision sich erfüllen wird, wenn Christus wiederkommt. Denn wer glaubt, sieht mehr. *Jörg Swoboda*

♫ Freiheit wird dann sein, herrlich wird es sein, Freiheit wird dann sein, wenn Jesus wiederkommt. Kein Leid und keine Mauer, kein Schmerz und keine Trauer. Freiheit wird dann sein, wenn Jesus kommt. Wir sind auf einer Reise in Gottes neue Welt. Wir leiden unter vielem, was uns hier nicht gefällt. Noch gibt es Krieg und Folter und Ungerechtigkeit, doch gibt es keine Tränen in Gottes Herrlichkeit. Wir setzen unsre Hoffnung in Gottes neue Welt, wo niemand mehr Raketen zu unserm Schutz aufstellt. Wir sehnen uns nach Frieden und nach Geborgenheit. Wir werden es erleben in Gottes neuer Zeit. *Theo Lehmann*

26

Montag
MAI

Bibellese: Apostelgeschichte 2,42-47

Alle, die zum Glauben gekommen waren, priesen Gott und wurden vom ganzen Volk geachtet. Der Herr aber führte ihnen jeden Tag weitere Menschen zu, die gerettet werden sollten. (Vers 44.47)

Welch heller Ton als Fazit von Pfingsten! Knapp, aber aufschlussreich notiert Lukas, was für Christen typisch ist: Sie blieben in der Lehre der Apostel, in der Gemeinschaft, im Brotbrechen und im Gebet. Diese vierfache Praxis macht den Glauben standfest wie vier Beine einen Stuhl. „Beharrlich festhalten" macht hellhörig. Ihr Glaube war also gefährdet. Kein Wunder: Wenn Menschen Jesus nachfolgen, versucht Satan, die Bekehrung umzukehren. Glaube ist nicht bequem. Wir werden in Kämpfe verwickelt. Anstatt zum Gottesdienst zu gehen, pflegen heute manche Christen ohne Not ihre Spiritualität privat bei Fernsehgottesdiensten. Sie verkündigen dann nicht mehr beim Abendmahl den Erlöser-Tod „des Herrn, bis er kommt" (1. Korinther 11,26 L).

Nur wer sich persönlich begegnet, erfährt auch von Nöten anderer und kann nur dann in Solidargemeinschaft mit anderen helfen (Vers 45).

Jesus leitete seine Jünger an, den ständigen Kontakt zu Gott zur Lebenshaltung zu machen (Lukas 18,1). Beten wird hier zum Bestandteil des Gemeindelebens. Diese Ausstrahlung und die Wunder und Zeichen der Apostel gehen den Leuten durch und durch. Das Evangelium zieht Kreise. Trotz der Attraktivität des Gemeindelebens – auch wir freuen uns über eine „gute Presse" – betont Lukas am Ende des Abschnitts, dass das Wachstum der blühenden Gemeinde auf die Initiative Gottes zurückgeht.

Jörg Swoboda

Wegweisend leben aus deiner Kraft,
Liebe geben, die Hoffnung schafft,
Worte sagen, die Trennungen enden,
Hände regen, um Not zu wenden –
Herr, mit deiner Hilfe wollen wir's tun.
Ja, das wollen wir tun.
Sind wir versammelt und doch allein,
kann uns, Herr, nur dein Geist befrein,
uns beim Mahl neu mit dir zu verbinden,
als Gemeinde uns neu zu finden,
Herr, lass heute dieses Wunder geschehn,
lass dies Wunder geschehn.

Jörg Swoboda

Bibellese: Apostelgeschichte 3,1-10

Petrus fasste den Gelähmten bei der rechten Hand und half ihm auf. Im gleichen Augenblick erstarkten seine Füße und Knöchel; mit einem Sprung war er auf den Beinen und ging umher. (Vers 7-8)

Petrus und Johannes waren auf dem Weg zum Gebet im Tempel. An diesem Tag sahen sie, wie ein gelähmter Mann zum Tempel getragen wurde. Am sogenannten schönen Tor setzten sie ihn ab. Ein gut gewählter Ort, denn es gingen viele Menschen zum Gebet, und Almosengeben gehörte zu den guten Taten. So konnte sich der Gelähmte wenigstens etwas zu seinem Lebensunterhalt dazuverdienen.

Als Petrus und Johannes durch dieses Tor gehen wollten, sprach sie der Gelähmte an und bat um ein Almosen. Petrus und Johannes blieben stehen, sie ließen sich auf dem Weg zum Gebet unterbrechen und nahmen die Not des Mannes wahr. Was tun? Geld hatten sie keines. Petrus und Johannes gaben, was sie hatten. Sie wussten um die heilende Kraft durch Jesus. Petrus sagte zum Gelähmten: „Sieh mich an." Wahrscheinlich war der Gelähmte erstaunt: Wer wollte ihn schon sehen, ihn, der da jeden Tag saß und bettelte. Da wollten ihn zwei wirklich wahrnehmen. Etwas unsicher hob er seine Augen zu ihnen und erwartete eine Münze. Die Blicke trafen sich. Wenn sich Blicke treffen, kann Unerwartetes geschehen. So war es. Petrus und Johannes hatten keine materiellen Werte, ihre Gabe war es, ihm die heilende Botschaft Jesu weiterzugeben.

Petrus sagte dem gelähmten Mann den Satz, auf den er so sehnlich gewartet hatte – ein Leben lang: „Gold und Silber habe ich nicht; doch was ich habe, will ich dir geben. Im Namen von Jesus Christus aus Nazaret: Steh auf und geh umher!" (Vers 6). Wie soll das gehen? Petrus ergriff ihn bei der rechten Hand und richtete ihn auf. Der Mann vertraute der Botschaft und ließ sich aufrichten. Aufrechtstehen verändert die Weltsicht. Er spürte, wie er stehen konnte und wie seine Füße ihn trugen. Was für ein Lebensgefühl! Petrus und Johannes gaben weiter, was sie hatten, nicht das, was der Gelähmte gewohnt war zu bekommen, und der Mann ließ sich darauf ein.

Oft ist das, was wir von Herzen geben können, genau das, was gebraucht wird. Tun wir es.   *Winfried Bolay*

28

Mittwoch
MAI

2025

☀ 05:15 21:25
☽ 05:33 23:56

Bibellese: Apostelgeschichte 3,11-26
Petrus sagte: „Das Vertrauen auf diesen Jesus hat dem Mann, der hier steht und den ihr alle kennt, Kraft gegeben. Der Name von Jesus hat in ihm Glauben geweckt und ihm die volle Gesundheit geschenkt, die ihr an ihm seht." *(Vers 16)*

Der Genesene war voller Freude und er ging mit Petrus und Johannes in den Tempel. Als behinderter Mensch war es ihm damals nicht gestattet, den Tempel zu betreten. Zum ersten Mal in seinem Leben durfte er nun zum Gebet in den Tempel gehen. Endlich dazugehören. Vielleicht wissen wir aus eigener Erfahrung, was das bedeutet. Er fiel auf und die Leute munkelten: Das ist doch der Gelähmte, der am schönen Tor saß und bettelte. Verwundert, irritiert, staunend schauten sie auf ihn, auch auf Petrus und Johannes, denn manche hatten beobachtet, wie das Wunder geschah. Da ergriff Petrus das Wort und stellte klar, dass es nicht ihre Kraft war, die den Gelähmten heil werden ließ, sondern: „Das

Vertrauen auf diesen Jesus hat dem Mann, der hier steht und den ihr alle kennt, Kraft gegeben."

Wir wissen aus eigener Erfahrung, dass im Vertrauen ein großes Kraftpotenzial steckt. Wo wir Vertrauen haben, werden wir nicht durch Zweifel und Unsicherheit gebremst, sondern die Kraft, die Energie kann fließen. Interessant, dass Petrus noch hinzufügt: „Der Name von Jesus hat in ihm Glauben geweckt und ihm die volle Gesundheit geschenkt, die ihr an ihm seht." Der Gelähmte mag von Jesus so manches gehört haben, aber was er für ihn bedeuten kann, hat er nicht geahnt. Es gibt oft diesen besonderen Moment im Leben, da erkennen wir, was unser Leben trägt, erkennen wir die Kraft des Evangeliums und dann wird sie zu der Lebenskraft, die unser Leben hält. Vielleicht erinnern wir uns selbst an manche Lähmung im Leben, die uns festhielt, und dann kam die Begegnung mit diesem Jesus durch ein Ereignis, mit dem wir nicht gerechnet haben, und es setzte uns wieder in Bewegung. Der Theologe Dietrich Bonhoeffer hat das im Gefängnis erlebt und 1944 geschrieben:

Von guten Mächten wunderbar geborgen
erwarten wir getrost, was kommen mag.
Gott ist mit uns am Abend und am Morgen
und ganz gewiss an jedem neuen Tag.

Winfried Bolay

Bibellese: Psalm 47
Gott ist zu seinem Thron hinaufgestiegen,
unter Jubelrufen und Hörnerschall nimmt er ihn ein.
Singt und spielt zu Gottes Ehre!
Singt und spielt zur Ehre unseres Königs!   (Vers 6-7)

Christi Himmelfahrt – einer der christlichen Feiertage, die man oft nicht so richtig zu deuten vermag. Für viele ist er ein geschickter Brückentag im Jahreslauf. Wie wird diese Geschichte von der Himmelfahrt für uns verstehbar?

Barockkirchen haben an der Decke eine kreisrunde Öffnung, die meist verschlossen ist. Die Luke wurde an Himmelfahrt geöffnet und eine Christusfigur entschwand in den Himmel. Diese Darstellung war durchaus eindrücklich und zeigte: Jesus ist nicht mehr unter uns, er ist zum Vater in den Himmel aufgefahren.

Diese „Gottverlassenheit" kann schon ängstigen. Wo ist der, auf den wir gesetzt haben? So fragten die Jüngerinnen und Jünger damals. Sie erfuhren, was es heißt, wenn Jesus da ist, mitgeht, den Sturm beruhigt, die Kranken heilt, das Evangelium vom Leben verkündet, das bleibt. Dann das Erschrecken bei seinem Leiden und Sterben, die großartige Erfahrung der Auferstehung. Und nun?

Die Bilder von der Himmelfahrt Jesu, die uns die verschiedenen Epochen überliefern, zeigen Jüngerinnen und Jünger, die mit Erstaunen und Entsetzen diesen Jesus entschwinden sehen. Dieses Erschrecken wird in einem Brauch sichtbar. Die Flamme der Osterkerze wird an Himmelfahrt ausgeblasen. Das Licht verlöscht. Wir kennen die unterschiedlichen Lebensbewegungen, in denen nach glaubensvoller Zeit durch schwere Ereignisse die Osterkerze ihren Schein verliert. Aber Himmelfahrt ist das kleine Fest zwischen Ostern und Pfingsten, das erzählt, dass Jesus beim Vater ist. Die Feuerflamme an Pfingsten zündet die Osterkerze wieder an. Jesus selbst hat verheißen, dass der Heilige Geist, der Tröster, gesandt wird, der uns beisteht. So wird Himmelfahrt der Brückentag von Ostern nach Pfingsten.

Psalm 47 sagt: Gott ist zu seinem Thron hinaufgestiegen, unter Jubelrufen und Hörnerschall. Menschlichem Zugriff entnommen, aber mitten unter uns. Welche Freude!   *Winfried Bolay*

30

Freitag
MAI

2025

☀ 05:13 21:27
☽ 07:58 00:46

Bibellese: Apostelgeschichte 4,1-12

Petrus antwortete, erfüllt vom Heiligen Geist: „Führer des Volkes und seine Ältesten! Wir werden hier vor Gericht gestellt, weil wir einem Kranken geholfen haben, und wir sollen Rechenschaft geben, wodurch er geheilt worden ist." (Vers 8-9)

Jedes Jahr laden wir als Gemeinde in unserer Stadt öffentlich dazu ein, „Pakete zum Leben" zu packen. Wir hoffen, dass viele Menschen uns darin unterstützen, Lebensmittelpakete für Bedürftige in Südost-Europa und der Ukraine zu füllen. Das tun viele Mitbürger auch – aber nicht alle. In einem Jahr warb unsere Tochter auf Facebook darum, sich zu beteiligen. Sie erntete nicht nur positive Kommentare, sondern auch Kritik und Häme. Das Geld sei doch wohl besser für Arme bei uns zu verwenden. Als Christen stehen wir mit dem, was wir tun, in der Öffentlichkeit „vor Gericht". Menschen haben ihre Meinung zu dem, was wir tun. Nicht alles gefällt allen. Das ist vor allem in den Sozialen Medien zu bemerken. Wie gehen wir damit um, kritisiert oder sogar angefeindet zu werden?

Interessant, was Petrus dazu schreibt (1. Petrus 3,13-17): „Kann euch überhaupt jemand Böses antun, wenn ihr euch mit ganzer Hingabe darum bemüht, das Gute zu tun? Wenn ihr aber trotzdem leiden müsst, weil ihr tut, was Gott will, dann dürft ihr euch glücklich preisen. Habt keine Angst vor Menschen; lasst euch nicht erschrecken! Christus allein ist der Herr; haltet ihn heilig in euren Herzen und weicht vor niemand zurück! Seid immer bereit, Rede und Antwort zu stehen, wenn jemand fragt, warum ihr so von Hoffnung erfüllt seid. Antwortet taktvoll und bescheiden und mit dem gebotenen Respekt – in dem Bewusstsein, dass ihr ein reines Gewissen habt. Dann werden alle beschämt sein, die euch verleumden, wenn sie sehen, was für ein einwandfreies Leben ihr in Verbindung mit Christus führt. Wenn Gott es aber anders beschlossen hat und es auf sie keinen Eindruck macht, ist es auf jeden Fall besser, für gute Taten zu leiden als für schlechte." Ob Petrus mit diesen Gedanken wohl an seine Erfahrung vor dem Hohen Rat gedacht hat? Kann sein. Für uns geht es darum, gelassen und unbeirrt das zu tun, was Gott uns aufträgt – egal, ob es anderen gefällt oder nicht.

Gerhard Mosner

31
Samstag
MAI

2025

☀ 05:12 21:28
☽ 09:22 01:19

Bibellese: Apostelgeschichte 4,13-22
Petrus und Johannes erwiderten den Mitgliedern des jüdischen Rates: „Entscheidet selbst, ob es vor Gott recht ist, euch mehr zu gehorchen als ihm!" *(Vers 19)*

Für Petrus und Johannes stellt sich eine herausfordernde Frage: „Ist es richtig, sich den staatlichen und religiösen Autoritäten zu fügen; sich anzupassen – oder ist es nötig, Widerstand zu leisten und den Mund aufzumachen?" Sie können nicht anders, als das weiterzusagen, was Gott ihnen gesagt hat. Egal, was die Mächtigen wollen – sie haben Jesus als Christus zu bezeugen.

Sich fügen oder in den Widerstand gehen? Zu allen Zeiten haben Glaubende – und nicht nur die – ihr Gewissen prüfen müssen und Antworten gesucht. Ein bedeutendes historisches Beispiel war vor 60 Jahren der gewaltlose „Marsch auf Washington für Arbeit und Freiheit". Ziel war unter anderem die Überwindung der Rassentrennung in den USA. Auf dem Höhepunkt der Kundgebung in Washington hielt Martin Luther King seine legendäre Rede: „I have a dream..." Aufstehen gegen empfundene Ungerechtigkeiten, notfalls auch mit „zivilem Ungehorsam", ist auch heutzutage ein Thema. Denken wir nur an die Bewegung „Fridays for Future". Ist es berechtigt, um des Erhalts der Natur willen (wir würden sagen: um der Schöpfung Gottes willen) unbequem zu werden und konkret Widerstand zu leisten? Es wird immer ein Abwägen sein, ob und mit welchen Mitteln das nötig ist. Klar ist, dass Demonstrationen und Aktionen gewaltfrei sein müssen. Da gibt es dann allerdings auch Grauzonen und Grenzüberschreitungen. Dennoch dürfen Christen sich diesen Fragen, auch wenn sie unbequem sind, nicht einfach entziehen. An welchen Stellen gilt auch heutzutage: „Man muss Gott mehr gehorchen als den Menschen!"?

Gerhard Mosner

 Der amerikanische Schriftsteller und Philosoph Henry David Thoreau verfasste 1848 seinen Essay „Civil Disobedience" (Ziviler Ungehorsam). Darin betont er, dass es letztendlich das persönliche Gewissen als letzte Autorität ist, dem man folgen müsse, auch wenn damit ein Verstoß gegen das geltende Recht einhergeht.

Gerhard Mosner

1

Sonntag
JUNI

2025

☀ 05:11   21:29
☽ 10:45   01:41

Exaudi (Herr, höre meine Stimme! Psalm 27,7)

Bibellese: Psalm 27

Herr, zeige mir den richtigen Weg,
leite mich auf gerader Bahn,
damit meine Feinde schweigen müssen. *(Vers 11)*

Es geht in diesem Vers und diesem Psalm darum, dass der Beter sich mit Feinden und Anfeindungen auseinandersetzen muss. Der Psalmbeter spricht von gierigen Gegnern und falschen Zeugen, die gegen ihn auftreten (Vers 12). Wie geht man mit Anfeindungen und Ungerechtigkeiten um? Davon gibt es ja viele. Wer kennt nicht hämische Worte, Benachteiligung, Mobbing bis hin zu den großen Gemeinheiten wie häusliche Gewalt, sexueller Missbrauch, Betrug und vielen Formen von Habgier, Gewalt und Krieg?

Da kann man schon mal aus der Haut fahren, oder? Da liegen böse Worte auf der Zunge und im Kopf macht sich die Phantasie breit, was man mit diesem oder jenem anstellen würde, wenn man ihn oder sie in die Finger bekäme.

Wie geht man damit um, wenn man innerlich über-kocht? Da kommt die Bitte des Psalmbeters ins Spiel: „Herr, zeige mir den richtigen Weg, leite mich auf gerader Bahn." Der gerade Weg ist der gute, von Gott vorgesehene Weg, mit Ungerechtigkeiten umzugehen. Dazu gibt es im Neuen Testament viele Hinweise, zum Beispiel: „Vergeltet Böses nicht mit Bösem, und gebt Beleidigungen nicht wieder zurück! Im Gegenteil, segnet eure Beleidiger" (1. Petrus 3,9). Oder: „Nehmt keine Rache, holt euch nicht selbst euer Recht, meine Lieben, sondern überlasst das Gericht Gott. Er sagt ja in den Heiligen Schriften: ‚Ich bin der Rächer, ich habe mir das Gericht vorbehal-ten, ich selbst werde vergelten'" (Römer 12,19).

Der Psalmbeter macht es so, dass er sich bewusst von seinen Gegnern ab und hin zu Gott wendet. Ihm ist es eine Hilfe, in den Tempel zu gehen, Gott zu suchen und zu ehren. Da fühlt er sich geborgen. Da wird er ruhig. Eine gute Strategie, von der wir lernen können, wenn es mal wieder in uns „hochkocht".

Gerhard Mosner

 Monatsspruch

Mir aber hat Gott gezeigt, dass man keinen Men-schen unheilig oder unrein nennen darf.

(Apostelgeschichte 10,28 E)

Bibellese: Apostelgeschichte 4,23-31
Die Gemeinde betete: „Strecke deine Hand aus und heile Kranke! Und lass staunenerregende Wunder geschehen durch den Namen deines heiligen Bevollmächtigten Jesus!" (Vers 30)

Haltet den Mund von diesem Jesus!" So wurden Petrus und Johannes vom Hohen Rat weggeschickt. Die Drohung der religiösen und politischen Macht ist offensichtlich. Was sollen die Jünger tun? Sich ängstlich verkriechen? Nein, sie suchen die Glaubensgeschwister auf und berichten. Und sie beten. Es geht ihnen nicht darum, geschützt zu werden. Sie beten den an, der die wahre Macht hat, und bitten ihn, seine Macht zu zeigen. Im Namen Jesu mögen Heilungen geschehen und andere Wunderzeichen, damit Menschen überwältigt werden und an Jesus Christus glauben.
Und was geschieht? Ja, es werden auch Heilungen geschehen sein. Aber mehr noch wird zweierlei betont: Die Jünger und Jüngerinnen bekommen

Mut, von Jesus zu reden, sich nicht zu verstecken, sondern ihn zu bezeugen. Und zweitens wird als Folge genannt, dass sie in der Gemeinde herzlich miteinander verbunden waren, beieinander blieben und sich umeinander kümmerten. Das war ein starkes Zeugnis!

Was heißt das für uns? Wie beten wir, auch wenn wir nicht in Zeiten der Verfolgung leben, aber in einer Atmosphäre der Gleichgültigkeit und unterschwelligen Verächtlichkeit gegenüber dem christlichen Glauben? Da möchte man manchmal den Kopf einziehen und schön still sein. Nein! Lernen wir von der ersten Gemeinde. Beten wir darum, dass wir uns nicht einschüchtern lassen, sondern mutig den Mund für Jesus aufmachen. Beten wir darum, dass er selbst seine Macht zeigt, Menschen heilt und verändert. Beten wir darum, dass die Gemeinde, in der wir leben, durch ihren liebevollen Zusammenhalt ein starkes Bekenntnis in der Umgebung ist. Das wird Wirkung zeigen.   *Gerhard Mosner*

Trotz dem alten Drachen, Trotz dem Todesrachen,
Trotz der Furcht dazu!
Tobe, Welt, und springe; ich steh hier und singe
in gar sicher Ruh ...

Johann Franck 1653
Aus: Jesu, meine Freude

3

Dienstag
JUNI

Bibellese: Apostelgeschichte 4,32-37
*Es gab unter ihnen niemand, der Not leiden musste.
Denn die in der Gemeinde, die Grundstücke oder Häuser besaßen, verkauften sie, wenn es an etwas fehlte.*

(Vers 34)

Die Anfänge der Jerusalemer Gemeinde lassen mich immer wieder staunen. Wir lesen von Menschen, die beseelt von den Erlebnissen des Pfingstwunders hingebungsvoll ihren Glauben lebten und praktisch füreinander einstanden. Selbstverständlich wurde Besitz verkauft und der Erlös bedarfsgerecht verteilt. Mein und Dein gab es nicht mehr. Irgendwann erfahren wir aber auch, dass Jesus nicht wie erwartet kurzfristig wiederkehrte und die Gemeinde bald verarmte und Kollekten für sie gesammelt wurden. Bei aller Begeisterung und dem Sehnen nach einer der urchristlichen Gemeinschaft ähnlichen Erfahrung kann ich mir nicht vorstellen, dass Gott uns animieren will, gleichermaßen unser Tafelsilber zu Geld zu machen, ohne an das Morgen zu denken.

Aber wie können wir heute füreinander einstehen, ohne selbst im Anschluss zu verarmen? Wie notleidenden Mitgliedern begegnen, ohne sie in eine Abhängigkeit zu bringen oder zu beschämen? Die Hingabe der urchristlichen Gemeinde, alles aufzugeben für Gott und die Glaubensgeschwister, inspiriert mich. Sie lässt mich fragen, wo ich über das zum Leben Notwendige hinaus Reichtümer horte, die im Reich Gottes zur Linderung der Not Bedürftiger besser angelegt wären. Was begeistert mich so, dass ich lieber Schätze im Himmel sammeln möchte als irdischen Plunder? Was veranlasst mich, Zeit und Geld zu investieren?

Und dann stolpere ich über das Wort „niemand". Niemand musste Not leiden. Das ist in der heutigen Welt unmöglich zu erreichen, schreit mich die Not hier doch an fast jedem U-Bahnhof an, von der weltweiten Not ganz zu schweigen. Doch der Text handelt von der Jerusalemer Gemeinde – nicht der ganzen Welt. So besinne ich mich darauf, wo ich meinen Beitrag leisten kann. Ich muss nicht die ganze Welt retten, denn das tat Jesus bereits. *Stefanie Desamours*

Herr, zeige mir, was ich tun kann, um die Not in einem Teil dieser Welt oder für Menschen in der Gemeinde konkret zu lindern.

Stefanie Desamours

Bibellese: Apostelgeschichte 5,1-11

Auch ein Mann namens Hananias und seine Frau Saphira verkauften ein Stück Land. Hananias behielt mit Wissen seiner Frau einen Teil des Geldes zurück.

(Vers 1-2)

Achtung Spoiler für die Bibellese: Hananias und Saphira sterben! Warum? Ich denke, Vers 4 ist der Schlüssel: Sie hätten das Land nicht verkaufen müssen oder hätten vom Erlös geben können, was sie möchten – hätte, hätte, aber sie logen. Sie belogen Gott und den Heiligen Geist über den Erlös, sodass Hananias bei der Lüge ertappt „den Geist aufgibt", wie Luther übersetzt. Der Heilige Geist, auf Hebräisch Ruach, was Lebensatem bedeutet, weicht von ihm und er stirbt, genauso wie kurz darauf seine Frau Saphira. Diese Geschichte ist ein Lehrstück über Gruppendynamik, denn offenbar gehörte es in der Jerusalemer Urgemeinde irgendwann zum guten Ton eines christlichen Lebens dazu, als Land- oder Hausbesitzer seinen Besitz zu veräußern und den

Erlös Bedürftigen zur Verfügung zu stellen, ohne dass jemand diese Doktrin offiziell aufgestellt hätte. Aber Gott lässt sich nicht belügen.

Wie bei Hananias und Saphira kennt er auch unsere Gedanken und Absichten. So frage ich mich und Sie: Wie geht es Ihnen im Glaubensleben? Wo tun Sie Dinge, weil man das eben so macht? Wo bringen Sie sich ein, weil es sonst kein anderer tut, aber ein echtes Anliegen ist es Ihnen nicht? Wo folgen Sie einer Gruppendynamik, ohne davon überzeugt zu sein? Gott sei Dank gab ich noch nicht den Geist auf, aber möglicherweise geht mir hier und da die Luft aus, weil ich mich an der falschen Stelle engagiere. Vielleicht pfeife ich bei manchen Tätigkeiten auf dem letzten Loch, weil ich sie mit falschen Intentionen ausführe. Weil ich glaube, etwas tun zu müssen, was man nun mal so macht oder es zum vermeintlich guten Ton eines christlichen Lebens gehört.

Die gute Nachricht dieser krassen Geschichte ist für mich, dass es bei Gott keinen Gruppenzwang gibt. Er kennt mich und meine Gedanken von ferne, da darf ich ehrlich sein, mit ihm, mit mir selbst und meinen Absichten. Ich darf mutig Dinge tun und die Dinge lassen, die ich nicht von ganzem Herzen vertreten kann. Herr, leite und führe mich dazu durch deinen Geist!

Stefanie Desamours

Bibellese: Apostelgeschichte 5,12-16

Eine heilige Scheu hielt die Außenstehenden davon ab, sich zur Gemeinde zu gesellen. Umso mehr führte der Herr selbst ihnen Menschen zu, die zum Glauben gekommen waren. *(Vers 13-14)*

Wie muss die Jerusalemer Urgemeinde auf Außenstehende gewirkt haben, dass diese eine heilige Scheu an den Tag legten? All die Wunder, die Gott durch die Apostel wirkte, die Hingabe der Mitglieder, ihre Opferbereitschaft, ihre Gemeinschaft. Ich stelle mir vor, dass es reizvoll erschien, dazuzugehören, Teil von etwas Größerem zu sein, Gottes Wirken so direkt erleben zu können. Gleichzeitig löste es vielleicht Fragen aus, was da passiert und was mit den Menschen plötzlich los ist, was sie veranlasst, Besitz zu verkaufen und ständig Leute zu sich nach Hause einzuladen. So paradox diese Textstelle klingt, so sehr zeigt sie doch auf, worum es geht. Die Gemeinschaft und das religiöse Leben der Urgemeinde wirkten anziehend, aber sie waren nicht der Schlüssel. Gottes Wirken allein ist der entscheidende Faktor und lässt die Gemeinde wachsen. Das ist nichts, was Menschen tun können. Gott allein führt Menschen zum Glauben. Der Heilige Geist lässt Menschen Gott bekennen. Dennoch sind die Gemeinden damals und heute nicht bedeutungslos. Wo sollte Gott Menschen hinzufügen, wenn es keine Gemeinde gäbe?

Die Frage ist nur, ob das, was wir in unseren Gemeinden so leben und veranstalten an religiöser Praxis, tatsächlich noch so anziehend auf Außenstehende wirkt. Sind es nur noch fromme Rituale, die wir zelebrieren, weil es schon immer so gemacht wurde, oder feiern wir einen Gott, der heute noch erfahrbar ist und den wir in unserem Alltag erleben? Eine authentische Spiritualität ist auch heute noch etwas, was Menschen interessiert und nach Mehr fragen lässt. Dafür braucht es Gemeinden, die für die Menschen mit ihren Belangen heute relevant sind, die dabei auf Gott verweisen, ihn feiern, ihn erleben und mit ihm gemeinsam unterwegs sind.

Stefanie Desamours

Frage zum Weiterdenken
Wie kann ich meinen Glauben authentisch leben, so dass es Außenstehende interessiert, aber nicht abschreckt?

Bibellese: Apostelgeschichte 5,17-33
Petrus und die anderen Apostel antworteten: „Gott muss man mehr gehorchen als den Menschen."

(Vers 29)

Gehorchen – das ist ein Reizwort. Viele tun sich schwer mit „Gehorsam", auch gegenüber der biblischen Botschaft und sogar Gott selbst. Gehorsam steht oft für eine Haltung, die den Verstand und das persönliche Mitgefühl am Eingang abgibt und die Verantwortung fürs eigene Tun einer höheren Instanz zuschreibt. „Chef hat's gesagt, ich hab' ja nur gemacht, was mir befohlen wurde." Wie viel Unheil durch diese Haltung bis heute in die Welt kommt, ist schier unermesslich.

Andererseits: Gehorsam steht auch für Respekt gegenüber einer Autorität, ebenso für Loyalität, Treue und Stabilität. Ist jemand bereit, sich unterzuordnen, kann er damit die Sache stärken, um die es geht? Gott zu gehorchen bedeutet, mich selbst nicht für das Maß aller Dinge zu halten, sein Wirken in meinem Leben und darüber hinaus willkommen zu heißen. Gehorsam kommt im Deutschen vom Verb „hören". Zuhören, gehören, „horchen" steckt mit drin. Wo horche ich ganz genau hin? Welche inneren oder äußeren Stimmen befehlen mir mein Handeln? Wem „gehöre" ich? Die Apostel zeigen Gehorsam – sie hören auf Gott. Gegen die jetzigen Autoritäten aber, die das Sagen haben und vor allem auf die eigene Stärke erpicht sind, halten sie stand. Das nötigt mir Respekt ab, denn Sanktionen in Kauf zu nehmen für meine Meinung, meinen Glauben, das kostet etwas. In Zeiten zunehmender Polarisierung in unserem Land, wo radikale Kräfte genau so eine Haltung für sich in Anspruch nehmen – „Staat? Gesetze? Regeln? Da pfeif ich drauf!" – tue ich mich allerdings schwer mit einer vollmundigen Empfehlung, gegenüber Institutionen und Gesetzen ungehorsam zu sein. Es braucht ein Regelwerk fürs Zusammenleben. Der Zweck des Ungehorsams der Apostel aber ist klar: Sie gehorchen Gott mit seiner liebenden und versöhnenden Kraft – nicht, um den Staat oder die Religion zu zerstören wie radikale Kräfte, sondern um Leben in Gemeinschaft und Gerechtigkeit zu schaffen. Für uns bleibt die Frage: Worauf höre ich? Wie sieht mein Gehorsam gegenüber Gott konkret aus?

Christine Guse

7

Bibellese: Apostelgeschichte 5,34-42

Gamaliël sagte: „Geht nicht gegen diese Leute vor! Lasst sie laufen! Wenn das, was sie wollen und was sie da angefangen haben, nur von Menschen kommt, löst sich alles von selbst wieder auf. Kommt es aber von Gott, dann könnt ihr nichts gegen sie machen."

(Vers 38-39)

Mit Steinen hatten wir ein Labyrinth in der Kirche gelegt, die Form ähnlich der in Chartres, es war ein Jahresschlussgottesdienst mit Zeit zum Nachsinnen. Langsam ging ich hinein, nahm Kurve um Kurve. Mal war ich der Mitte ganz nahe, um im nächsten Moment zu erschrecken: Oh, ich laufe einen langen Weg weit weg, nach ganz außen! Dinge meines Lebens kamen mir im Gehen in den Sinn, ich meditierte gelingende und offene Situationen. Kein Wunder: Das Labyrinth ist ein altes Symbol für den menschlichen Lebensweg. Im Christentum wurde es schon sehr früh aufgenommen als Symbol für den Lebensweg mit Gott. Anders als im Irrgarten gibt es im Labyrinth keine Sackgassen oder „falschen" Wege. Man kann dort nicht verloren gehen, egal wie weit weg man von der Mitte ist. Manchmal kam mir jemand entgegen oder ging neben mir – ich musste darauf reagieren, mich vorsichtig bewegen, aber ich wurde auch unvermutet begleitet. Alle waren für sich und doch gemeinsam unterwegs. Mir persönlich war es Freude und Trost zugleich, durch das Labyrinth zu gehen. Vor allem spürte ich mehr und mehr Gelassenheit für das, was nicht so klappt oder wo ich unsicher war. Ich fühlte mich gehalten von Gott, egal, wo ich war.

Eine ähnliche Gelassenheit bringt auch Gamaliël mit. Ihn haut so schnell nichts aus der Bahn. Einmal mit Gott unterwegs, fürchtet er sich nicht so rasch, sondern weiß um die Kraft aus der Mitte – aus der Schrift, aus dem gemeinsamen geistlichen Leben. Darum kann er auch Ruhe, Gelassenheit und einen kühlen Kopf in die Debatte einbringen. Die anderen Ratsmitglieder hätten zu den Aposteln gerne aufgeregt gesagt: Stopp! Hier ist eine Sackgasse, geht zurück. Doch Gamaliël ist bereit, Gottes Handeln auch in Unbekanntem und in fremden Menschen zu entdecken. Ich wünsche uns, Gottes Botschaft auf unserem Weg gerade auch im Unbekannten zu finden.

Christine Guse

8

Pfingstfest
Sonntag
JUNI

2025

☀ 05:07 21:36
☾ 19:13 03:05

Bibellese: Psalm 118,1-14
Vom Herrn kommt meine Kraft,
ihm singe ich mein Lied,
denn er hat mich gerettet.   *(Vers 14)*

Es gibt so vieles, was wir stolz besingen;
voll Leidenschaft, mit großer Euphorie.
In Stadien, Sälen und in Kirche ging
zugrunde singend manche Kalorie.
Die Lieder, die dort prächtig klingen,
bezeugen Einheit, Zuversicht und Kraft.
Doch übertönen wir durch unser Singen
mitunter auch den Riss, der in uns klafft.
Denn wenn verklungen sind die letzten Strophen,
bleibt uns der Heimweg durch die stille Nacht.
In einer Welt mit Angst und Katastrophen,
die auch uns Singenden zu schaffen macht.
Und in der Stille abendlicher Stunden
ergreift mich Scham, weil Zuversicht mir fehlt.
Weil das, was singend ich schon überwunden,
mein Herz und Denken täglich quält.

Und zeugt das nicht von einem schwachen Glauben
an den barmherz'gen und allmächt'gen Gott,
wenn Zweifel mir die Unbeschwertheit rauben
und mir die Kraft versagt im grauen Trott?
Wie oft sang ich vom starken Herrn, der rettet!
Mit ihm ging ich durch manches schwere Jahr;
und doch bin ich wie Petrus, der da wettet:
Auch, wenn der Hahn kräht, Herr, bleib ich dir nah.
So manchen Hahn ließ mir der Herr erkrähen
und gab ein neues Lied mir in den Mund:
statt singend in Triumph mich zu ergehen,
war er im Stolpern mir der feste Grund.
Wer Gott nur glaubt, hat selbst bis in den Tod Kraft!
Für manche mag das ja das Motto sein.
Ich aber lebe von der guten Botschaft:
Du, Herr bist stark – deshalb muss ich's nicht sein.
So sing ich dem, der leere Becher vollmacht,
denn er ist groß, voll Liebe und voll Macht;
verheißt nicht Macht, doch gibt den Schwachen
Vollmacht,
wenn er aus stolzer Dur vertrauensvolles Moll macht.

Benjamin Schelwis

9

Pfingstmontag
JUNI

Bibellese: Psalm 118,15-29
Der Stein, den die Bauleute als wertlos weggeworfen haben, ist zum Eckstein geworden. Der Herr hat dieses Wunder vollbracht und wir haben es gesehen.

(Vers 22-23)

Unzählige Dinge sind nicht zu verstehn:
wie manche hinter Wolken die Sonne noch sehn.
Wie Menschen trotz Kummer und Not noch lachen
– da kann ich mir keinen Reim drauf finden!

Oder Flüchtlinge! Wie soll man trotz all dieser vielen,
die kommen, noch immer Samariter spielen?
Allen helfen zu wollen, ist wirklich verkehrt –
oder hat sich schon jemals ein Brotstück vermehrt?

Auch der Glaube an Gott macht mich ziemlich nervös.
Was nicht sichtbar ist, find' ich unseriös.
Als Realist bleib ich beim harten Fakt:
Das Leben ist Drama – mit einem Akt.

Wer mehr sich erhofft, dem ist nicht zu vertrauen,
denn mit Hoffnung lässt sich kein Königreich bauen!
Auch Glaube und Liebe sind nette Geschichten,
doch ein Weltbild lässt sich auf diesen Drei'n nicht
errichten.

Zum Bau'n braucht man gerade Steine, die passen.
Die Unpassenden will ich Phantasten lassen.
Den Träumenden, denen, die Luftschlösser weben.
Was die dann draus machen – wir werden's erle-
ben.   *Benjamin Schelwis*

 Guter Gott, oft denken wir, wir kennen deinen Willen.
Und dann geht es uns wie den Bauleuten im Psalm:
Deine Maßstäbe beschämen uns. Sie sind größer als
unser Verstehen. Wie schnell gehen wir achtlos über
anscheinend Unbedeutendes hinweg: über Ereignisse, Dinge oder Begegnungen. Doch dir gefällt es,
aus für uns Unpassendem etwas Großes zu machen.
Schenk uns deinen liebenden und prophetischen
Blick und bewahre uns davor, die Welt und deine
Geschöpfe nach unseren beschränkten Maßstäben
zu messen. Fange schon heute damit an.
                                    Benjamin Schelwis

Bibellese: Apostelgeschichte 6,1-7

Die Zwölf sagten: „Wählt aus eurer Mitte sieben Männer aus, die einen guten Ruf haben und vom Geist Gottes und von Weisheit erfüllt sind." (Vers 3)

Die junge Gemeinde in Jerusalem wächst und konzentriert sich auf grundlegende Aufgaben. Sie verteilen Lebensmittel an Menschen, die nicht genug zum Leben haben. Dabei entstehen Konflikte, es geht nicht gerecht zu, es kommt zu sozialen Spannungen zwischen den unterschiedlichen Kulturen. Die Konfliktlösung, die uns in der Apostelgeschichte präsentiert wird, ist eine mit einer sehr geraden Linie. Zunächst werden Prioritäten gesetzt: Die Verkündigung des Wortes Gottes und das Gebet stehen an erster Stelle. Damit die Leiter sich genau darum wieder kümmern können, werden Aufgaben delegiert. Dabei werden die Aufgaben wichtig und die Konflikte ernst genommen. Den Schwachen wird zugehört und ihren Bedürfnissen begegnet. Und es wird nicht an Ressourcen gespart. Ganze sieben

Personen, voll Weisheit und voll des Heiligen Geistes, kümmern sich um die wichtige Aufgabe, den Hungrigen Brot zu geben.

So könnte Konfliktlösung anhand einiger Fragen mit der Kraft des Heiligen Geistes auch in unserem Leben, in der Gesellschaft, in der Gemeinde aussehen. Frage 1: Was sind meine Prioritäten? Habe ich einen klaren Fokus? Oder muss ich mir das, was mir wichtig ist, neu bewusst machen, mich an meine Prioritäten erinnern? Frage 2: Höre ich den Schwachen zu oder bin ich taub geworden für ihre Anliegen? Gehe ich mit offenen Augen und Ohren durchs Leben? Wo ist es notwendig, dass ich den Schwachen eine Stimme verleihe? Frage 3: Muss oder kann ich mich selbst um die Angelegenheiten kümmern? Welche Ressourcen habe ich zur Verfügung? Welche Aufgaben kann ich delegieren? Wer kann mir helfen?

Tanja Meth

 Vater im Himmel, danke für deinen guten Heiligen Geist, der uns Kraft und Weisheit gibt, auch in schwierigen Lebenslagen. Bitte schenke uns Kraft, Mut und Gelassenheit, diesen Situationen zu begegnen, und komm mit deinem Frieden in unser Leben, dorthin, wo wir ihn brauchen. *Tanja Meth*

Bibellese: Apostelgeschichte 6,8-15

Da traten Leute aus verschiedenen jüdischen Gemeinden gegen ihn auf und verwickelten ihn in ein Streitgespräch. Aber sie waren der Weisheit und dem Geist nicht gewachsen, die aus Stephanus sprachen.

(Vers 9-10)

Wieder ein Streitgespräch, diesmal ein theologisches, und es geht ans Eingemachte. Stephanus steht alleine mehreren Menschen aus verschiedenen Gemeinden gegenüber und argumentiert mutig, erfüllt vom Heiligen Geist. Er vertritt seine Überzeugungen und nimmt dabei sogar seinen eigenen Tod in Kauf. Stephanus erscheint den Beteiligten wie ein Engel. Das macht deutlich: Gott redet selbst persönlich durch ihn. Gott hat etwas Wichtiges mitzuteilen.

Das führt zum einen zu der Frage: Was bedeutet uns unser Glaube? Hören wir auf den Heiligen Geist in unserem Herzen, der zu uns spricht und der uns motiviert, auch manchmal unbequeme und unkonventionelle Wege zu gehen? Zum anderen lädt das Setting ein zu fragen: Wie aufgeschlossen sind wir gegenüber Neuem? Steckt in dem Neuen, das vielleicht auch unbequem sein mag, weil es Traditionen und Gewohnheiten hinterfragt, vielleicht sogar die Wahrheit?

Die Menschen, mit denen Stephanus streitet, sehen ihren Glauben und den ihrer Väter in Gefahr. Deshalb reagieren sie so empfindlich. Sie verstehen das, was Stephanus ihnen sagt, es leuchtet ihnen ein, ihnen ist bewusst, dass sie dem Heiligen Geist nichts entgegenzusetzen haben, und trotzdem: Sie fühlen sich in ihren Lehren und ihrem Glauben bedroht. Das ist verständlich und eine natürliche menschliche Reaktion: Neues erst einmal zu blockieren und abzuwehren. Es braucht oft eine Zeit des Verarbeitens und des Wirkenlassens, bis man sich auf Neues einlassen kann. Diese Zeit lassen sich die Gesprächspartner von Stephanus nicht. Deshalb ziehen sie dramatische Konsequenzen, die Stephanus mit dem Leben bezahlen muss.

Nicht alles Neue ist gut, aber es lohnt sich, das Neue zu prüfen und nach der Wahrheit zu fragen, auch wenn sie Veränderung bedeutet. Denn auf der Suche nach dem, was wahr ist, besteht die Möglichkeit, der Wahrheit in Person zu begegnen: Jesus Christus.

Tanja Meth

Bibellese: Apostelgeschichte 7,1-16
Stephanus antwortete: „Jakobs Söhne, unsere Stamm-
väter, waren jedoch eifersüchtig auf ihren Bruder Josef
und verkauften ihn als Sklaven nach Ägypten. Aber
Gott war mit Josef und half ihm aus allen Schwierigkei-
ten." *(Vers 9-10)*

Kürzlich war ich in einer griechisch-orthodoxen
Kirche. Sobald ich sie betrat, umgab mich eine
andere Welt. Wände und Decke waren lückenlos
mit biblischen Szenen ausgemalt. Von den Säulen
sahen mich Heilige aus den Jahrhunderten an. Ich
war eigetaucht in die Geschichte Gottes, vor allem
in die biblische. Plötzlich war ich Teil davon – indem
ich in dieser Kirche stand.
Was Stephanus mit seinen Zuhörern macht, ist etwas
Ähnliches. Er nimmt sie hinein in die Geschichte von
Gottes Taten. So will er zeigen, dass auch Jesus in
diese Geschichte hineingehört – und dass man ihm
als schriftkundigem Juden daher vertrauen kann.
Stephanus erzählt das Leben von Josef nach. In ganz

vielen Momenten war Josef anderen ausgeliefert. Seine Brüder verkauften ihn als Sklaven. Menschen schienen es zu sein, die das Drehbuch seines Lebens schrieben. Doch da gab es noch einen anderen Autor. Josef benennt ihn: „Ich bin Josef, euer Bruder, den ihr nach Ägypten verkauft habt! ... Gott hat mich vor euch her nach Ägypten gesandt" (1. Mose/Genesis 45,4-5). „Ihr habt verkauft" – das ist die Ebene der Fakten. „Gott hat gesandt" – das ist die Ebene der eigentlichen Wahrheit. So stellt es auch Stephanus vor seinen Zuhörern heraus.

Wie gut ist es zu wissen, dass unser Lebensbuch nicht nur von anderen Menschen verfasst wird und nicht nur von uns selbst. Wie gut, dass Gott der entscheidende Autor ist. Vielleicht ist heute ein Tag, an dem Sie wenig eigene Spielräume haben. Andere agieren, Sie kommen sich wie ein Rädchen im Getriebe vor. Andere handeln, Sie werden „behandelt". Doch das ist nicht die ganze Wahrheit! Da ist auch noch Gottes Handschrift auf den Seiten Ihres Lebensbuches. Möge er es Ihnen schenken, dass Sie etwas davon entziffern! *Ulrich Wendel*

 Schwierigkeiten sind der Boden, auf dem Gott sich offenbaren kann.

Hudson Taylor (1823-1905), Missionar in China

13

Freitag
JUNI

2025
☀ 05:05 21:39
☽ -.- 06:15

Bibellese: Apostelgeschichte 7,17-29
Stephanus antwortete: „Mose dachte, seine Brüder, die Israeliten, würden begreifen, dass Gott sie durch ihn befreien wollte; aber sie begriffen es nicht." (Vers 25)

In einen unreifen Apfel zu beißen, macht keinen Spaß. Hart und sauer! Er muss noch reifen. Sauer mag es Mose aufgestoßen sein, dass seine hebräischen Brüder seine guten Absichten nicht verstanden. Er wollte doch helfen! Deswegen erschlug er den Ägypter. Doch so erkannten die Israeliten in Mose nur einen Totschläger und keinen Befreier. Mose hatte auf eigene Faust gehandelt. Bis Gott ihn tatsächlich als Befreier gebrauchen konnte, sollten noch 40 Jahre vergehen. Vier Jahrzehnte Reifungszeit. Erst dann würde Mose genießbar sein und tauglich für Gott und sein Volk.

Zeiten, in denen nichts Sinnvolles zu passieren scheint – wie Moses Jahre in Midian –, können für uns eine tiefe Bedeutung gewinnen. Es können Reifungszeiten werden. Sie durchzustehen macht meist keinen Spaß. Doch anschließend sind wir für Gott tauglich. Unser Herr kann etwas mit uns anfangen – zum Segen anderer. Manchmal können andere erst dann den Segen erfassen, den Gott uns anvertraut, weil wir selbst erst nach einer bestimmten Zeit fähige Segensträger geworden sind. Umarmen wir also Zeiten des scheinbaren Stillstands.

Wie finden wir heraus, ob wir gerade negativ blockiert sind – oder eine stille Reifungszeit erleben? Manchmal im Gespräch mit anderen und im betenden Dialog mit Gott. Manchmal auch erst ganz zum Schluss im Rückblick. In jedem Fall ist es gut, mit Gott darüber zu reden: Bin ich von den richtigen Motiven bewegt? Kannst du mich gebrauchen? In welchen Bereichen sollte ich noch reifer werden?

Ulrich Wendel

♫ Wir warten deiner mit Geduld
in unsern Leidenstagen;
wir trösten uns, dass du die Schuld
am Kreuz hast abgetragen.
So können wir nun gern mit dir
uns auch zum Kreuz bequemen,
bis du es weg wirst nehmen.

Philipp Friedrich Hiller 1767
Aus: Wir warten dein, o Gottessohn

14

Samstag
JUNI

Bibellese: Apostelgeschichte 7,30-43
Stephanus antwortete: „Dieser Mose ist es auch, der zu den Israeliten sagte: ‚Einen Propheten wie mich wird Gott aus euren Brüdern berufen.'"   *(Vers 37)*

Alle Brücken, ob lang gespannt oder kurz, haben etwas gemeinsam: Sie sind auf beiden Seiten verankert in jeweils einem Brückenkopf. Eine Brücke kann nur so tragfähig sein, wie die Brückenköpfe es sind. Um seinen Zeitgenossen Jesus nahezubringen, zeigt Stephanus in seiner Rede einen Brückenkopf auf. Er zitiert das Versprechen an Mose: Gott wollte einen einzigartigen und maßgeblichen Propheten berufen, herausragend wie Mose selbst. Damit bereitet Stephanus das Ziel seiner Rede vor: Jesus herauszustellen. Schon früh wurde die Ankündigung des „Propheten wie Mose" als Messias-Hinweis verstanden. Ob die Hörer von Stephanus das auch so verstehen? Der Brückenkopf ist stabil. Die Brücke zu Jesus wird ausgespannt. Doch am Ende lehnen die Hörer Jesus ab. Schade.

Wir könnten den Kopf schütteln über den Unverstand der Juden damals. Doch solch eine Kritik fällt uns schnell selbst auf die Füße. Wie ist es denn mit all dem, was Gott uns beibringen möchte? Welche Brücken spannt er zu uns hin aus, damit wir seine Absichten erfassen? Seine Herrschaft – das Reich Gottes – begrüßen? Ihm Raum geben? Kann Gott uns erreichen oder ist der Brückenkopf auf unserer Seite morsch?

Stephanus' Brückenkopf war Gottes Wort, die Bibel. Auch heute noch setzt Gott seine „Brücke" sehr oft auf sein Wort auf. Wie gut, wenn er damit bei uns einen Anknüpfungspunkt hat. Das ist die große Chance, wenn wir mit der Bibel vertraut sind und uns in ihr auskennen: Von ihr aus erreicht Gott uns, berührt unser Leben und gewinnt Einfluss. Auch unsere Beziehung zu Jesus wird stärker, wenn sie sich immer wieder an die Bibel anknüpfen kann. So ist die Rede von Stephanus auch eine Verheißung an uns – und eine Einladung, den Brückenkopf Gottes namens „Bibel" in unserem Leben auszubauen.

Ulrich Wendel

 Zeitschrift „Faszination Bibel", SCM Bundes-Verlag

15

Sonntag
JUNI

2025

☀ 05:05 21:40
☽ 00:30 08:49

Trinitatis

Bibellese: Psalm 13
Sieh mich doch wieder an, Herr!
Gib mir Antwort, du mein Gott!
Mach es wieder hell vor meinen Augen,
damit ich nicht in Todesnacht versinke!   *(Vers 4)*

Da sieht es schon schlimm aus, wenn jemand die Angst hat, in Todesnacht zu versinken, selbst wenn er noch am Leben ist. Das klingt nach Dunkel, Einsamkeit und vielen offenen Fragen im Leben. Menschen erleben das. Manchmal ist es nur eine Phase, die wieder vorbeigeht. Wenn sich die Lebensumstände wieder ändern, eine Krankheit geheilt werden kann, sich Perspektiven eröffnen. Oder wenn man einen guten Gesprächspartner oder eine gute Therapeutin findet. Oder wenn dann doch irgendwann der Lebensstil wieder zum Leben passt. Leider erleben Menschen aber auch, dass es nicht mehr hell wird. Sie verfallen in Depressionen und brauchen vielleicht viele Jahre, um wieder das Licht zu sehen.

Dieser Psalm ist ein altes Gebet und doch könnte es wahrscheinlich bei vielen von uns auf einem Zettel im Geldbeutel stecken oder auf dem Nachttisch liegen. Worte, die man sich ausleihen kann, wenn einem nichts mehr einfällt. Wenn der Kummer drückt und die Menschen bedrohlich erscheinen. Eine Vorlage für ein Gebet, wenn ich gerade nicht mehr beten kann. Weil ich Gott schon lange aus meinem Leben entsorgt habe oder weil er so weit weg scheint und ich nicht mehr daran denke, dass er etwas mit mir zu tun hat. Oder weil ich nicht damit rechne, bei ihm Hilfe zu finden. Und dann kommt es doch aus den Tiefen meines Inneren hervor. Ein Stoßgebet, ein Hilfeschrei, eine Bitte um Rettung in höchster Not.

Was für eine Erleichterung, denke ich. Die Entfremdung kann überwunden werden. Ich kann mich Gott wieder in die Arme schmeißen, auch wenn ich lange nicht sicher war, ob es ihn wirklich gibt, ob ich ihm vertrauen kann, was ich überhaupt glaube. In diesen Krisenzeiten lässt er sich finden, ich kann mich daran erinnern, was auch schon gut war. Ich kann wieder auf Antwort hoffen und dass Gott es hell macht in meinen Gedanken, in meinem Leben und dass mein Glaube einen neuen Glanz bekommt.

Ute Armbruster-Stephan

Bibellese: Apostelgeschichte 7,44-53

Stephanus antwortete: „Eure Vorfahren haben die Boten Gottes umgebracht, die das Kommen des einzig Gerechten angekündigt hatten. Den habt ihr nun verraten und ermordet!" (Vers 52)

Als Jesus am Kreuz starb, waren seine Nachfolgerinnen und Nachfolger entsetzt. Das Unvorstellbare war passiert: der Bote Gottes und Sohn Gottes – umgebracht! Doch ganz so unvorstellbar war das gar nicht gewesen. Dass man Boten Gottes tötete, hatte eine Vorgeschichte. Viele Propheten mussten schon ein gewaltsames Ende erleiden. Für Jesus war das Kreuz also nicht völlig überraschend gekommen. Weil er seine Heiligen Schriften kannte, ahnte er und wusste bald, was auf ihn zukommen würde. Und dennoch ging er diesen Weg. Aus welchen Beweggründen tat er das?

Vor einiger Zeit erlebte ich einen bewegenden Karfreitagsgottesdienst. Nach der Predigt gab es die Möglichkeit, nach vorn zu gehen, sich an einen Tisch zu setzen und etwas zu betrachten, das von den Teilnehmerplätzen aus nicht sichtbar war. Alle, die dort hingingen und ein wenig verweilt hatten, kamen strahlend oder gar mit breitem Grinsen zurück. Das wollte ich auch sehen. Aufgebaut war ein Spiegel; ich glaube, „Für dich" stand darauf. Und ein Brief lag da zum Lesen. In ihm stand unter anderem: „Ich bin der, der für dich bezahlt hat. Du bist frei. ... Durch meine Wunden habe ich dich geheilt. Und du bist all das Leid wert gewesen. Ich bereue nichts. In Gegenteil: Ich freue mich, dass du jetzt ganz bei mir sein kannst." Ich war tief berührt: Jesus bereut nichts! Ich war es ihm wert! Das also war sein Beweggrund, als er ans Kreuz ging und als er schon lange vorher ahnte und wusste, was auf ihn zukam. Er bereut nichts! Ich war es ihm wert. Und so ging auch ich strahlend und mit einem breiten Grinsen auf meinen Platz zurück.   *Ulrich Wendel*

 Heute ist der kirchliche Gedenktag für Johannes Tauler, der am 16. Juni 1361 starb. Er ermutigte dazu, auf dem Weg der Umkehr und inneren Einkehr die Vereinigung mit Gott zu suchen. Martin Luther und auch spätere Pietisten schätzten Johannes Tauler hoch.

Ulrich Wendel

Bibellese: Apostelgeschichte 7,54-8,3

Stephanus blickte zum Himmel empor, vom Heiligen Geist erfüllt; er sah Gott im Glanz seiner Herrlichkeit und Jesus an seiner rechten Seite. *(Vers 55)*

Und wieder eine Chance vergeben. Pep Guardiola kann es nicht fassen. Enttäuscht lässt er sich zu Boden fallen und verharrt für einige Augenblicke auf allen vieren am Spielfeldrand. Das hatte ich so noch nicht gesehen. Aber die Reporterin kommentiert, dass wir diese Geste bei ihm schon kennen. Guardiola ist das Gegenstück zu dem Fußballtrainer, der mit stoischer Ruhe die Partie von der Linie aus verfolgt. Wenn es darauf ankommt, ist er neunzig Minuten lang in Bewegung, um seine Mannschaft anzufeuern. Dass Guardiola in dieser Situation zu Boden geht, zeigt etwas davon, wie sehr er bei seiner Mannschaft ist, mitfiebert und mitleidet. Natürlich ist das seinem Team und allen im Stadion sowieso klar, und trotzdem ist es noch einmal etwas anderes, wenn es mit dieser ungewohnten Geste sichtbar wird.

Stephanus, der als erster christlicher Märtyrer in die Geschichte eingegangen ist, sieht bei seiner Steinigung den Himmel offen und Jesus zur Rechten des Vaters stehen. Dass Jesus hier nicht zur Rechten des Vaters sitzt, sondern dass er steht, hatte ich nie wahrgenommen. Dann sollte ich eine Prüfungspredigt korrigieren. Der Kollege in Ausbildung wählte als Predigttext diese Geschichte und machte darauf aufmerksam, dass in der stehenden Haltung die besondere Zuwendung Jesu zu Stephanus zum Ausdruck kommt. Das hielt ich für eine Überinterpretation und wollte es in der Bewertung entsprechend monieren, aber mein Co-Korrektor überzeugte mich, dass die Geste Jesu tatsächlich an dieser Stelle bedeutsam ist. Als wäre Jesus aufgesprungen und im Begriff, einzuschreiten gegen das schlimme Unrecht, das seinem treuen Zeugen gerade widerfährt.

Dass Jesus „ganz bei seiner Mannschaft ist", mitfiebert, mitleidet und dass er bei uns ist, wenn der Weg hart und steinig wird, das wissen wir in unseren Köpfen. Aber es ist doch etwas anderes, es an einer solchen Geste noch einmal ablesen zu können. Stephanus kommt nicht mit dem Leben davon, aber er darf etwas sehen von der Solidarität Jesu. Das hilft ihm durchzuhalten. Und wie sein Herr geht er nur auf den ersten Blick als Verlierer vom Platz.

Martin Brusius

18

Mittwoch
JUNI

2025

☀ 05:05 21:41
☾ 01:17 12:54

Bibellese: Apostelgeschichte 8,4-25
Bis jetzt war Simon es gewesen, der alle Aufmerksamkeit auf sich gezogen hatte, und alle Leute, von den einfachsten bis zu den gebildetsten, sagten von ihm: „Er ist die Kraft Gottes, die die Große genannt wird!"

(Vers 10)

Wieder eine dieser Geschichten, bei denen alles so ganz anders ist. Bei „Zauberer" denken viele heute an Harry Potter, aber niemand an eine stadtbekannte Persönlichkeit. Und die Christen heute sind schon lange nicht mehr die neue, angesagte Bewegung, sondern kommen als etablierte Kirchen daher mit viel Ballast aus einer langen Geschichte. Wann hat sich das letzte Mal ein Prominenter zu Jesus bekehrt, sodass es für allgemeinen Gesprächsstoff sorgte? Und dass die Predigt des Evangeliums ganz selbstverständlich mit Zeichen und Wundern verbunden ist, wurde von manchen Gemeinden in den vergangenen Jahren neu betont, aber insgesamt mit eher bescheidener Resonanz.

Fast alles ist anders hier in der Apostelgeschichte. Ausnahme: Dem Magier Simon geht es um Aufmerksamkeit und die lässt sich am Ende mit etwas Geschick immer in Geld „ummünzen." Das war vermutlich sein eigentlicher Zauber-Trick. Ähnlich wie heute, nur ohne YouTube-Kanal und Klicks und Follower. Nicht alles war also anders damals. Aber wie ist es mit dieser auffälligen Bemerkung, dass sich die einfachsten und die gebildeten Leute in ihrem religiösen Urteil einig waren? Für beide stand fest, dass durch Simon eine besondere göttliche Kraft wirksam war. Wie ist es heute mit den Gebildeten und weniger Gebildeten und ihrer Haltung in Sachen Religion? Ein Lehrer aus unserer Gemeinde erzählte, dass es für ihn im Kollegium unter Akademikern besonders schwer ist, sich als Christ zu outen. Aber in bildungsferneren Milieus werden wir als Christen in unseren Gegenden auch immer mehr zu Exoten. Das muss kein Nachteil sein. Exoten haben mehr Aufmerksamkeit. Aber es geht beim Christsein nicht um magische Tricks, wie wir die göttliche Kraft für unsere Zwecke anzapfen können, sondern um die Verbindung zur Quelle des Lebens, die uns selbst lebendig macht. Und dass wir das große geheimnisvolle Gegenüber unseres Lebens im Vertrauen auf Jesus mit „Du" ansprechen dürfen.   *Martin Brusius*

Bibellese: Apostelgeschichte 8,26-40

Der Geist Gottes sagte zu Philippus: „Lauf hin und folge diesem Wagen!" Philippus lief hin und hörte, wie der Mann laut aus dem Buch des Propheten Jesaja las.

(Vers 29-30)

Die Geschichte von Philippus und dem Finanzverwalter gefällt mir auf den ersten Blick. Und bei genauerem Hinschauen noch mehr. Mir gefällt, wie Gott da jemanden auf die Seite nimmt, der sehr beschäftigt war. Philippus hatte in Samaria alle Hände voll zu tun. Eine junge Gemeinde entsteht und wir dürfen uns vorstellen, dass er Gemeindeleiter ist. Ständig kommen neue Menschen dazu, die integriert werden müssen. Die Gemeinde braucht ihren Leiter. Philippus ist sehr beschäftigt. Aber er wird im wahrsten Sinn des Wortes in die Wüste geschickt, um für einen ganz bestimmten Menschen da zu sein. Einen Menschen, den Philippus sich kaum ausgesucht hätte. Vielleicht hatte er sogar Vorurteile. Ein Ausländer! Ein Schwarzer! Ein Eunuch!

Wir erfahren – im Gegensatz zu Philippus – im Vorfeld der Begegnung sogar noch mehr, nämlich, dass dieser hohe Hofbeamte nicht als Tourist nach Jerusalem gereist war, sondern um anzubeten.

Hat er gefunden, was er suchte? Wohl kaum. Als „Entmannter" – so sagt es das jüdische Gesetz – hat er nur im Vorhof der Heiden Platz, aber er wird nie ganz zum Volk Gottes dazugehören können. Vielleicht ist die Buchrolle in seiner Hand so etwas wie ein Trostpflaster. Es ist nur ein Prophetenbuch, nicht die Thora. Jedenfalls ist das Buch in seiner Hand noch nicht die lebendige Beziehung zu Gott. Dann kommt Philippus dazu. „Halte dich zu dem Wagen", heißt es in der Lutherbibel an dieser Stelle. Und weil Philippus nah dran ist, merkt er, was den Mann beschäftigt, kann behutsam nachfragen und es ergibt sich ein Gespräch, das in die Tiefe führt und in den Wunsch des Finanzverwalters mündet, sich taufen zu lassen. Das Nah-dran-Sein ist wichtig – so nah, dass Menschen einen ganz kurzen Weg haben, wenn sie sagen: „Jetzt bräuchte ich aber jemanden, der einen Draht zu Gott hat." Bleibt zu hoffen, dass wir in diesen entscheidenden Momenten „fit" sind. Dass wir uns so wie Philippus als zutiefst geistlich geprägte Persönlichkeiten auf so eine Begegnung einlassen können, in der Menschen eine persönliche Beziehung zu Gott suchen.   *Martin Brusius*

Bibellese: Apostelgeschichte 9,1-9

Saulus stand von der Erde auf und öffnete die Augen –
aber er konnte nichts mehr sehen. (Vers 8)

Vor einiger Zeit wurden bei uns im Ort die Bus-
haltestellen saniert. Das wurde auch höchste
Zeit, denn ihr Zustand war mehr als bedenklich. Die
Überdachung wurde erneuert, aber vor allem wurden neue Pflastersteine eingebracht. Über die neuen
Randsteine habe ich mich anfangs sehr gewundert.
Wozu sollen die vielen Rillen und Vertiefungen dienen? Wären glatte Steine nicht völlig ausreichend
gewesen? Durch einen Bericht über Menschen, die
ein erheblich eingeschränktes Sehvermögen haben,
wurde ich aufmerksam. Diese sind meist mit einem
Stock unterwegs und erkunden so ihre Umgebung.
Durch die besondere Form der Randsteine können
sie genau erkennen, wo sich die Haltestelle befindet.
Dadurch erhalten sie eine Orientierung und können
so sicher die öffentlichen Verkehrsmittel benutzen.
Nachdem Saulus vor Damaskus dem Auferstandenen

begegnete, ist er blind. Seine Begleiter müssen ihn an die Hand nehmen, um ihn so sicher in die Stadt zu geleiten. Zugleich wird deutlich, dass es nicht nur um eine Sehbehinderung geht. Saulus ist auch innerlich die Orientierung abhandengekommen. Das, was für ihn bisher von großer Bedeutung war, hat sich als falsch herausgestellt. Sein bisheriger Weg, sein bisheriges Denken und Handeln waren eine Sackgasse. Glaubte er, durch sein leidenschaftliches Verfolgen der Anhänger Jesu Gott besonders zu dienen, so muss er jetzt feststellen, dass er den Auferstandenen, den Sohn Gottes verfolgte. Zugleich verschafft ihm dieser plötzliche Verlust der Sehkraft auch Zeit, Zeit zum Nachdenken und für eine Neuausrichtung, eine Neuorientierung. Diese Auszeit lässt ihn ganz neu auf die Stimme Gottes hören. Solche Zeiten sind nicht angenehm, wenn man merkt, dass alles ins Wanken gerät und wir die Orientierung verlieren. Aber sie lassen uns innehalten, sodass wir neu auf die Stimme Gottes hören können.   *Michael Schröder*

 Weiß ich den Weg auch nicht, du weißt ihn wohl;
das macht die Seele still und friedevoll.
Ists doch umsonst, dass ich mich sorgend müh,
dass ängstlich schlägt mein Herz, sei's spät, sei's früh.
Hedwig von Redern 1901

21

Samstag
JUNI

2025

☀ 05:06 21:42
☾ 01:56 17:12

Bibellese: Apostelgeschichte 9,11-19a

Im selben Augenblick fiel es Saulus wie Schuppen von den Augen und er konnte wieder sehen. Er stand auf und ließ sich taufen. *(Vers 18)*

Es ist Mitte des 18. Jahrhunderts. Eine Zeit, in der der Sklavenhandel eine Blütezeit erlebte. Menschen wurden aus ihrer Heimat verschleppt und unter menschenunwürdigen Umständen vor allem von Afrika nach Nordamerika gebracht. John Newton war zu dieser Zeit Kapitän eines solchen Sklavenschiffes. Je mehr die Sklaven zusammengepfercht wurden, umso höher fiel der Gewinn aus. Doch dann geriet sein Schiff in einen schweren Sturm, sein Leben war bedroht und er meinte, dieses Unglück nicht zu überleben. Wie durch ein Wunder konnte er einen sicheren Hafen anlaufen. Nach und nach wurde ihm klar, dass bei diesem Ereignis Gott seine Hände im Spiel hatte. Es konnte kein Zufall sein, dass er und die Menschen mit ihm bewahrt wurden. Von da an änderte er sein Leben. Er behandelte endlich die Sklaven wie Menschen. Später setzte er sich mit anderen für ein Verbot der Sklaverei ein. Ja, er wurde sogar Geistlicher. Einige Jahre nach diesen Ereignissen dichtete er das Lied „Amazing grace", das bis heute von Menschen in aller Welt gesungen wird und von dem Wendepunkt in seinem Leben erzählt. In diesem Unwetter merkte Newton, wie der lebendige Gott sich ihm in den Weg stellte, in sein Leben eingriff und ihn zur Umkehr rief. Ihm wurde deutlich, wie die Gnade und die Liebe Gottes in Jesus auch ihm gilt. Nicht alle hatten und haben ein solch dramatisches Ereignis in ihrem Leben. Und doch merken viele, wie sich der lebendige Gott ihnen in den Weg stellt und immer wieder in das Leben eingreift. Sie spüren, wie ihnen die Augen geöffnet werden über ihren bisherigen Lebensweg. Sie fangen an zu begreifen, wie die Gnade Gottes ganz konkret ihnen selbst gilt, jedem Einzelnen. *Michael Schröder*

Amazing grace! How sweet the sound!
That saved a wretch like me!
I once was lost, but now I'm found;
was blind, but now I see.

John Newton 1799
(Erstaunliche Gnade! Welch süßer Klang! Sie rettete einen Schuft wie mich! Ich war verloren und wurde gefunden, war blind und kann jetzt wieder sehen.)

22

Sonntag
JUNI

2025

☀ 05:06 21:42
☽ 02:15 18:45

1. Sonntag nach Trinitatis

Bibellese: Psalm 28
Herr, ich rufe zu dir um Hilfe!
Du mein Beschützer, stell dich nicht taub!
Wenn du mich schweigend von dir weist,
dann ist für mein Leben keine Hoffnung mehr. (Vers 1)

Hier bin ich, mal wieder alleine.
Kein Mensch, kein Gott,
niemand, die mich auf irgendeine Weise
tröstet und versteht.
Fühl mich einsam und verlassen –
und dann les' ich diese Zeilen,
bin auf einmal doch nicht allein
mit meinen Gefühlen.
Fühl mich verstanden von fremden Gedanken.
Fremde teilen in uralten Zeilen
etwas mit, das ich begreifen kann.
Etwas, das meinem Innersten gleicht.
Und doch gehen mir die Gedanken zu weit.
Worte von Vergeltung zwischen Zeilen
von Verzweiflung und Hilfeschreien.

Worte von Vergeltung gefolgt von
Anbetung und Lobgesang.
Worte an einen strafenden Gott,
der rettet und richtet,
der schützt und vernichtet.
Unrecht für Unrecht –
dieses Bild von Gott so fremd,
entspricht es doch auch meinem Empfinden.
Darf ich beten, wie ich fühle?
Meine puren, ungefilterten Gefühle
offenlegen, aussprechen, über meine Lippen
kommen lassen?
Ich lese die Zeilen
und fühl mich nicht mehr allein.

Ich finde es faszinierend, wie sowohl Lobgesang
als auch Gedanken der Vergeltung in den Psalmen
existieren. In diesem Psalm spricht der Psalmist von
einem schützenden und starken Gott und gleichzeitig von dem Wunsch, dass andere Menschen für
ihre Taten bestraft werden. Todeswünsche sind uns
vielleicht fremd, aber bösartige Gedanken kommen
schneller, als man denkt. Muss ich meine Gedanken
also schnell beiseiteschieben und Buße tun oder
kann ich mit diesen im Gebet vor Gott kommen? Der
Psalmist tat es.   *Lena Bachmann*

Bibellese: Apostelgeschichte 9,19b-31

Da nahm Barnabas die Sache in die Hand und brachte
Saulus zu den Aposteln. Er erzählte ihnen, wie Saulus
auf dem Weg nach Damaskus den Herrn gesehen und
der Herr zu ihm gesprochen hatte. (Vers 27)

Hast du das gehört? Das kann doch alles gar nicht
wahr sein. Angeblich soll dieser Saulus jetzt
behaupten, auch an Jesus, den versprochenen Messias, zu glauben. Das ist bestimmt eine böse Taktik,
um noch mehr Menschen aufzuspüren, die Jesus
nachfolgen. Eine solche Lebenswende kann doch
gar nicht echt sein. So radikal ändert sich ein Mensch
nicht. Da muss man sehr skeptisch sein.

So oder so ähnlich haben nicht nur die Glaubenden in Damaskus gedacht, auch in Jerusalem gab es
viele solcher warnenden Stimmen. Saulus behaupte
nur, das Reden Gottes gehört zu haben, um sich be
uns einzuschmeicheln. Wenn wir nicht aufpassen
so werden auch wir um unseres Glaubens willer
verfolgt und eingesperrt werden.

Verständlich, diese Skepsis, oder? Man kann es kaum glauben, wenn sich jemand um 180 Grad dreht und nun in die entgegengesetzte Richtung geht.

Da ist es gut, Leute wie den Barnabas zu haben. Er lässt sich nicht von den Bedenken beeinflussen. Er glaubt Saulus, dass dieser vor Damaskus dem Auferstandenen begegnet ist. Die Stimme, die er gehört hatte, war echt, und seine Lebenswende ist eine Folge dieser Begegnung. Mutig nimmt Barnabas Saulus an die Hand, begleitet ihn und setzt sich für ihn ein. Er steht ihm bei den ersten Schritten im neuen Leben bei.

Wie gut ist es, selbst zu einem solchen Barnabas zu werden, Menschen zu begleiten, die zum Glauben an Jesus gekommen sind und nun ihr Leben neu ordnen. Da wird vielleicht manches noch unklar sein, die ersten Schritte sind unsicher und Fehler sind nicht auszuschließen. Da braucht es solche, die nicht skeptisch sind, sondern zur Seite stehen und begleiten. Ach ja, der Name Barnabas bedeutet: Sohn des Trostes – er ist einer, der ermutigt.   *Michael Schröder*

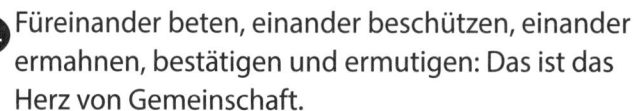 Füreinander beten, einander beschützen, einander ermahnen, bestätigen und ermutigen: Das ist das Herz von Gemeinschaft.

Gordon MacDonald (* 1939),
US-amerikanischer Pastor und Bestsellerautor

24

Dienstag
JUNI

Bibellese: Apostelgeschichte 9,32-43
„Äneas", sagte Petrus zu ihm, „Jesus Christus hat dich geheilt. Steh auf und mach dein Bett!" Im selben Augenblick konnte Äneas aufstehen. *(Vers 34)*

Ein schlimmer Autounfall vor vielen Jahren. Es gab Verletzte und auch einen Toten zu beklagen. Ein junges Mädchen wurde schwerverletzt in ein Krankenhaus eingeliefert und die Ärzte kämpften um ihr Leben. Viele beteten für sie und für die Familie. Der Vater trat eines Tages an das Krankenbett und bat darum, dass der lebendige Herr eingreifen und das Mädchen wieder gesundmachen solle. Doch dieses geschah nicht. Kurze Zeit später wurden die medizinischen Geräte abgeschaltet und das Mädchen verstarb.

Es war nicht die einzige derartige Erfahrung, die ich in meinem Leben bisher gemacht habe. Wie oft haben wir, habe ich darum gebetet, dass wir wie Petrus damals erfahren können, dass Gott eingreift und über unser Verstehen hinaus Heilung schenkt

Und ja, das haben wir gelegentlich tatsächlich so erlebt, aber oft trat das Erhoffte eben nicht ein. Und ja, die neutestamentlichen Berichte von den Heilungen ermutigen mich, erwartungsvoll zu beten. Wir können mit dem Handeln Gottes auch in unserer Zeit rechnen. Zugleich können diese Berichte zu einer Anfechtung werden, wenn unser wochen- und manchmal monatelanges Beten anscheinend nicht erhört wird.

Warum nur anscheinend? Es ist doch keine Heilung passiert. Liebe Angehörige, Freunde und Bekannte erliegen ihren Krankheiten. Aber hat Gott nicht doch geantwortet? Vielleicht in einer Weise, die wir so nicht erwartet haben. Schon die Menschen zur Zeit des Neuen Testamentes haben genau diese Spannung erlebt. Nicht alle Kranken wurden geheilt, einige schon. Aber hat Gott nicht verheißen, dass er die Menschen heil machen wird? Hat er nicht zugesagt, dass wir mit ihm verbunden sind und dass es nichts gibt, was diese Gemeinschaft aufheben kann? Ja, diese Berichte machen eine Spannung deutlich, in der wir leben. Aber ist diese nicht das, was wir mit dem Wort „glauben" bezeichnen?

Michael Schröder

Bibellese: Apostelgeschichte 10,1-23a

„Wir kommen vom Hauptmann Kornelius", sagten die Boten zu Petrus. „Ein heiliger Engel hat ihm aufgetragen, dich in sein Haus einzuladen und zu hören, was du zu sagen hast."   *(Vers 22)*

Dreimal kommen in diesem Bibelvers Boten vor. Ja, tatsächlich dreimal, obwohl das Wort „Boten" nur einmal gebraucht wird. Trotzdem ist von drei verschiedenen Boten die Rede. Die ersten sind sofort zu erkennen: Es sind die Boten, die der römische Hauptmann Kornelius zu Petrus schickte. Sie überbringen eine Einladung. Die zweite Art von Bote verbirgt sich hinter den Worten „ein heiliger Engel". Das in der Bibel verwendete Wort für „Engel" heißt nämlich auch „Bote" oder „Gesandter". Ein Engel ist ein Bote Gottes. Und die dritte Art von Bote? Er hat im Neuen Testament die Stellung eines Apostels und wird hier mit seinem Namen Petrus genannt. Der Begriff „Apostel" bedeutet ebenfalls „Gesandter" oder „Bote". Petrus ist also ein Bote von

Jesus Christus, dem gekreuzigten und auferstandenen Herrn der Welt. Er ist der wichtigste aller hier genannten Boten.

Viele Menschen, auch solche, die kein Interesse an Kirche und christlichem Glauben haben, glauben an Engel. Für sie sind Engel vor allem als Schutzgeister wichtig, zu denen man in seiner Angst vor Unglücksfällen Zuflucht nimmt. Auch die Bibel kennt Schutzengel. Vor allem aber schildert sie Engel als den himmlischen Hofstaat, der Gott als Diener und Boten zur Verfügung steht. Wenn Gott Engel zu Menschen sendet, wie zum Hauptmann Kornelius, dann will er eine besondere Offenbarung vorbereiten. Die Offenbarung, um die es hier geht, ist die Eingliederung von Nichtjuden in das Volk Gottes, das bis dahin nur aus Juden bestand.

Diese Eingliederung geschieht durch den Glauben an Jesus Christus und die Taufe auf seinen Namen. Die Botschaft, die diesen Glauben weckt und in der Taufe angenommen wird, wird aber nicht durch den Engel verkündigt, sondern durch Petrus. Das Erscheinen des Engels diente nur dazu, dass die Botschaft des Apostels offene Ohren findet. So gilt es bis heute: Nicht Engel überbringen die rettende Botschaft, sondern die Apostel als Boten von Jesus Christus. Sie reden zu uns durch die Bibel. Was sie zu sagen haben, darauf sollen wir hören.   *Uwe Swarat*

26
JUNI
Donnerstag

2025

☀ 05:07 21:42
☽ 05:30 23:15

Bibellese: Apostelgeschichte 10,23b-33
Petrus sagte: „Ihr wisst, dass ein Jude nicht mit einem Nichtjuden verkehren und vollends nicht sein Haus betreten darf. Aber mir hat Gott gezeigt, dass ich keinen Menschen als unrein oder unberührbar betrachten soll." *(Vers 28)*

„Unrein, unrein!", mussten damals Menschen mit aussätziger Haut rufen, wenn sich jemand näherte. So schreibt es das Mosegesetz vor (3. Mose/ Levitikus 13,45-46). Unreinheit hat in der Bibel nichts mit mangelnder Hygiene oder Ansteckungsgefahr zu tun. Es bezeichnet einen Zustand, in dem man nicht vor Gott treten darf. Auch der Kontakt mit Menschen, welche die mosaischen Reinheitsgebote nicht einhalten, machte einen Menschen unrein. Deshalb suchten die Juden zur Zeit von Jesus und seinen Aposteln sich von Nichtjuden fernzuhalten. So hatte es auch der Apostel Petrus immer getan. Aber jetzt lässt er sich ins Haus eines römischen Hauptmanns einladen, also eines nach bisherigen

Maßstäben „unreinen" Nichtjuden. Wie ist das möglich? Petrus erklärt: Gott zeigte mir, dass ich keinen Menschen als unrein betrachten soll. Gott zeigte ihm das? Aber Gott hatte doch die Reinheitsgebote erlassen. Hob er sie jetzt etwa auf?

Ja, in der Tat, das tat er! Und zwar dadurch, dass er seinen ewigen Sohn in Jesus von Nazaret Mensch werden ließ. Das Sterben von Jesus am Kreuz nahm Gott als Sühne für alle Menschen an und machte Jesus durch die Auferstehung von den Toten zum Herrn über alles. Damit war ein neuer Bund zwischen Gott und Mensch gestiftet, in dem alle, die an Jesus glauben, Vergebung der Sünden und Aufnahme in Gottes Volk erhalten. Die durch die Reinheitsgebote errichtete Mauer zwischen Juden und Nichtjuden ist niedergerissen. Jetzt haben alle Menschen die Möglichkeit, sich Gott zu nahen – zuerst die Juden (Römer 1,16).

Wenn Nichtjuden fragen, was Jesus ihnen brachte, dann lautet also die Antwort: Jesus verschaffte den Zugang zu Gott und zum ewigen Leben! Das kann man nur demütig annehmen und Gott dafür danken.

Uwe Swarat

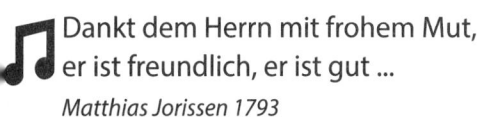 Dankt dem Herrn mit frohem Mut,
er ist freundlich, er ist gut ...
Matthias Jorissen 1793

Bibellese: Apostelgeschichte 10,34-48

Die Christen jüdischer Herkunft, die mit Petrus aus Joppe gekommen waren, gerieten außer sich vor Staunen, dass Gott nun auch über die Nichtjuden seinen Geist ausgegossen hatte. *(Vers 45)*

Ein zweites Pfingsten war geschehen, das „Pfingsten der Heiden", wie man es im Unterschied zum ersten Pfingsten, dem „Pfingsten der Juden" (Apostelgeschichte 2), nannte. Pfingsten bedeutet die erstmalige Ausgießung des Heiligen Geistes auf alle Glieder des Gottesvolkes. Diese Ausgießung war zunächst in Jerusalem an jüdischen Jesusjüngern geschehen. Jetzt geschah sie in der Römerstadt Cäsarea am Meer an eine Versammlung, die aus lauter Nichtjuden bestand.

Für die Christen jüdischer Herkunft, die den Apostel Petrus von Joppe – dem heutigen Tel Aviv – nach Cäsarea begleitet hatten, war diese Geistausgießung eine große Überraschung. Die prophetischen Verheißungen einer allgemeinen Geistausgießung in der Endzeit hatten sie bisher nur auf das Volk Israel bezogen. Das lag auch nahe, denn Israel war und ist ja das unter allen Völkern auserwählte Volk Gottes. Jetzt aber zeigte ihnen Gott durch die Ausgießung des Geistes auf heidnische Römer, dass die Erwählung Israels sich auf die Jesusgläubigen in allen Völkern erweitert hatte. Jesus ist nicht nur der Messias Israels, sondern der Heiland aller Völker. Nicht mehr das Mosegesetz ist der Weg zum Heil, sondern der Glaube an Jesus!

Diese Öffnung des Gottesvolks für Nichtjuden war die Konsequenz des Wirkens von Jesus. Das war seinen Jüngern allerdings nicht sofort klar, sondern darauf mussten sie erst durch Gottes deutlich erkennbares Handeln hingewiesen werden. Dieses Gotteshandeln sahen sie nun hier und staunten. Petrus ordnete an, dass die Nichtjuden, die den Heiligen Geist empfangen hatten, auf den Namen von Jesus getauft und so sichtbar der Christengemeinde hinzugefügt wurden. Der Geist und die Taufe sind miteinander das Tor zur Christengemeinde. *Uwe Swarat*

♫ Lobsinge, getaufte Gemeinde des Herrn,
ihr Gläubigen alle von nah und von fern!
Es eint uns mit Christus ein heiliger Bund,
hat Gottes Verheißung zum ewigen Grund.
nach Siegfried Küpfer 1854

28
Samstag
JUNI

2025

☀ 05:08   21:42
☽ 08:20   –.–

Bibellese: Apostelgeschichte 11,1-18

Als Petrus nach Jerusalem zurückkehrte, machten die Apostel und Brüder in Judäa ihm Vorwürfe: „Du bist zu Leuten gegangen, die nicht zu unserem Volk gehören! Du hast sogar mit ihnen gegessen!"   *(Vers 2-3)*

Was soll denn daran Schlimmes sein, dass Petrus mit Nichtjuden gemeinsam aß? Heute wird es ja sehr begrüßt, wenn man sich mit Fremden gemeinsam an einen Tisch setzt. Und wurde nicht auch von Jesus berichtet: „Dieser nimmt die Sünder an und isst mit ihnen" (Lukas 15,2 L)? Warum soll das also bei Petrus falsch gewesen sein? Auch die Kritiker des Petrus in der Jerusalemer Urgemeinde kannten natürlich die Tischgemeinschaften von Jesus. Das waren zwar Sünder, sagten sie sicher, aber die gehörten zu unserem Volk, zu dem von Gott erwählten Volk Israel. Und bei den Mahlzeiten mit Jesus wurden die Reinheitsgebote des Mosegesetzes eingehalten. Genau das aber war jetzt nicht der Fall, als Petrus sich mit dem römischen Hauptmann

Kornelius und seiner Familie an einen Tisch setzte. Petrus hatte damit das biblische Gesetz gebrochen. Wie konnte er so etwas tun?

Petrus war gern bereit, es ihnen zu erklären. Aus zwei Gründen ist er zu Nichtjuden gegangen und hat mit ihnen gegessen. Grund Nummer eins: Gott hatte ihm durch eine Vision gezeigt, dass er keinen Menschen als unrein oder unberührbar betrachten soll. Die biblischen Reinheitsgebote sollten ihn nicht abhalten, ins Haus des Römers zu gehen und ihm die Gute Nachricht von Jesus Christus zu predigen. Hier endete also die Geltung des Mosegesetzes. Und Grund Nummer zwei: Als Petrus den Nichtjuden im Haus des Kornelius die gute Nachricht von Jesus Christus predigte, da kam der Heilige Geist auf sie herab, genauso wie zuvor an Pfingsten auf die Apostel. Auch das war eine klare Botschaft von Gott: Diese Nichtjuden waren zum Glauben an Jesus Christus gekommen und hatten die Taufe mit dem Heiligen Geist empfangen, so dass sie auch die Wassertaufe auf den Namen von Jesus empfangen und in die Christengemeinde aufgenommen werden konnten, ja, mussten. Denn Gott hatte es so entschieden. Darum können nichtjüdische Christen Gott preisen und sagen: Gott eröffnete auch uns den Weg, zu ihm umzukehren und das wahre Leben zu gewinnen. Gott sei ewiglich Dank!   *Uwe Swarat*

29

Sonntag
JUNI

2025

☀ 05:09 21:42
☽ 09:42 00:01

2. Sonntag nach Trinitatis

Bibellese: Psalm 12
Auf die Worte des Herrn ist Verlass,
sie sind rein und echt wie Silber,
das im Schmelzofen siebenmal gereinigt wurde.

(Vers 7)

Ungelogen, genauso war das: Die Frau im Zug redete engagiert auf ihren Nachbarn ein. Der wusste nicht, wie er reagieren sollte. Denn sie erklärte den Krieg Putins gegen die Ukraine für völlig gerechtfertigt. Dann meinte sie noch: ARD und ZDF schau ich schon lange nicht mehr; ich glaube denen kein Wort. Nun können Sie, liebe Leserin, lieber Leser, entscheiden, ob Sie sich auf meine Erzählung verlassen wollen. Nicht so leicht, das gebe ich zu. Wir leben in Zeiten von Fake News, Hassrede (Hate-speech) und Verdrehung der Tatsachen zum eigenen Vorteil. Genauso war das zur Zeit von Psalm 12. Was ist da alles los!? Da sind Menschen mit „Heuchel-Lippen"; die „reden doppelzüngig, mal so und mal so" (Vers 3). Dem stehen Gottes Worte gegenüber. Gott redet eindeutig. Echt. Ohne Falsch. Ohne Hintergedanken. Das veranschaulicht das Bild vom „siebenmal gereinigten Silber". Doch was „will" Gott mit seinem Reden? Der Psalm bittet um Gottes Eingreifen, um Rettung (Vers 2). Und die ist nötig. Denn all die Lügen, die Halbwahrheiten, das verletzende Gerede (heute auch: die Beleidigungen in sozialen Netzwerken) bewirken, dass es „kein gutes Miteinander" mehr gibt. Auf Gottes Wort ist Verlass, weil es Gott immer um „Rettung" geht, um die „Wehrlosen", die durch die schlimmen Worte verletzt sind (Vers 6).

Ich gebe zu: Ich bin im Zug nicht aufgestanden, habe der Hassrede der Frau nicht widersprochen. Hinterher dachte ich: Das wäre nötig gewesen. Der Kirchenvater Augustinus empfiehlt übrigens zu diesem Psalm die Seligpreisungen zu lesen. Dann ist unser Reden gesegnet! *Joachim Georg*

 Eine Lüge ist bereits dreimal um die Erde gelaufen, bevor sich die Wahrheit die Schuhe anzieht.

Mark Twain (1835-1910), US-amerikanischer Schriftsteller

Bibellese: Apostelgeschichte 11,19-30

Die Apostel schickten Barnabas nach Antiochia. Als er hinkam und sah, was Gott dort gewirkt hatte, freute er sich. Er machte allen Mut und bestärkte sie ihn ihrem Vorsatz, dem Herrn treu zu bleiben. (Vers 22-23)

Gab es in den christlichen Gemeinden in Antiochia etwa keine Probleme? Konnte sich Barnabas einfach so freuen, ohne Schwierigkeiten wahrzunehmen? Nicht einmal eine kleine Andeutung, die auf ein Problem hinweist? Viele von uns sind stark problemorientiert geprägt. Wenn etwas nicht hundertprozentig ist, tun sich viele schwer mit unbeschwertem Loben. Irgendetwas muss doch kritikwürdig, irgendetwas muss doch noch zu verbessern sein! Ein ständig zielgerichtetes Schauen auf Defizite hindert daran zu merken, was durch Gottes Wirken Hilfreiches und Positives entsteht. Dies als Frage der Mentalität einzuordnen, bringt nichts. Wie ein Engel von außen kommt Barnabas und sieht, was entstanden ist: die kleinen christlichen Gemeinschaften.

Menschen tragen sich in Verbundenheit gegenseitig. Sie hatten begonnen, im Sinne Jesu ihr Leben zu gestalten. Was so ein Besuch bewirken kann!

Mit Barnabas korrigiere ich meinen Blickwinkel. Zuerst halte ich bewusst Ausschau danach, was Gottes guter Geist bewirkt. Was ich da entdecke, lässt mich staunen. Es macht mich zuversichtlich, glücklich und dankbar. Wie Barnabas Menschen zu bestärken, Jesus die Mitte in ihrem Leben sein zu lassen, tut not. Und in seinem Sinne weiterzumachen mit dem, was wir als gemeinschaftsfördernd erkannt haben. Gerade in Zeiten von Stagnation, Niedergang, Veränderung tun solche Leute gut. Nicht, dass unhaltbare Zustände ignoriert würden. Der Blickwinkel macht's. Danke für den Besuch von außen, der uns darauf hinweisen kann. Gott lässt sich finden. Jeden Tag. In Begegnung mit Menschen in der Gemeinde und darüber hinaus. Danke für all diejenigen, die mir helfen, Gottes Wirken zu entdecken, in dem, was trägt und werden will.

Christin Eibisch

Bibellese: Apostelgeschichte 12,1-17

Als Petrus zu sich kam, sagte er: „Es ist also wirklich wahr! Der Herr hat seinen Engel geschickt, um mich vor Herodes zu retten und vor dem zu bewahren, was das jüdische Volk sich erhofft hat!" (Vers 11)

Ist's Traum oder wirklich? Ich kenne Zustände, da ist mir das nicht klar. Wenn ich am Einschlafen bin oder beim Aufwachen, zwischen der Welt der Träume und mich in der Gegenwart orientiere. Oder es passiert etwas außerordentlich Wunderbares, ich mittendrin und muss mich vergewissern, ob das wirklich wahr ist. Damals, als ich wider Erwarten die halsbrecherische Bergwanderung geschafft hatte, Glückshormone durchströmten mich.

Petrus wurde wider Erwarten bewahrt. Jakobus, sein Bruder im Glauben, war kürzlich umgebracht worden, das hatte er vor Augen. Womöglich hatte sich Petrus im Gefängnis darauf eingestellt, ebenfalls als unbequemer Zeitgenosse umgebracht zu werden. Ist's Traum oder wirklich? Es kommt anders. Nicht, weil er darauf Einfluss gehabt hätte. Einer Übermacht ausgeliefert zu sein, nichts tun zu können, ist schrecklich. Kürzlich las ich von einer Frau, der eine herkömmliche Krebstherapie nicht half. Sie unterzog sich an einem Tumorzentrum einer neuartigen Krebstherapie, die noch in der Testphase steckte. Aus der kurzen prognostizierten Lebenszeit waren zwölf Jahre geworden. Sie gilt als geheilt. Ist's Traum oder wirklich? Höre ich von solchen Erlebnissen, dann durchströmt mich ein großer Trost. Es ist, als öffnete sich der Himmel. Gott zeigt mir, dass er stärker als die zerstörerischste Macht ist. Und dass der Ewige unser Leben birgt. Es lohnt sich, im Sinne Jesu weiterzuleben. Angesichts eines solchen Ereignisses, das jemandem geschenkt wird oder von dem ich erfahre, überprüfe ich, ob meine Prioritäten noch stimmen. Ich brauche weniger von dem, was mich kraft- und freudlos macht, jedoch mehr davon, wo ich mich im guten Fluss fühle. *Christin Eibisch*

 Monatsspruch
Sorgt euch um nichts, sondern bringt in jeder Lage betend und flehend eure Bitten mit Dank vor Gott!
(Philipper 4,6 E)

Bibellese: Apostelgeschichte 12,18-25

Herodes hielt in öffentlicher Volksversammlung eine Rede an die Abordnung aus Tyros und Sidon. Das Volk von Cäsarea aber rief laut: „So redet ein Gott, nicht ein Mensch!" *(Vers 21-22)*

Ein öffentliches Glaubensbekenntnis? Nein. Achtung! Schauen wir näher hin. Auf den ersten Blick tritt jemand wie Herodes überzeugend auf, gibt sich rhetorisch brillant, spielt mit Gefühlen der Zuhörerinnen und Zuhörer. Er kann die Gemüter aufputschen. Die Leute sind außer sich vor Begeisterung. Sie sind nahe dran, einen Gott in diesem Politiker zu sehen. Doch niemand ahnt, was passiert: Von jetzt auf gleich geht dieser Herrscher zugrunde. Kritik hatte er nicht geduldet. Eingeschüchtert hatte er viele Menschen, vielen Gewalt angetan, nicht wenige umgebracht. Denn er fürchtete, durch sie an Macht zu verlieren. Wenn sich eine politische Macht auf Hetze, Verleumdung und Beseitigung vermeintlicher Gegner gründet, führt dies früher oder später in den

Untergang. Seien wir gewarnt! Schauen wir näher hin: Nicht jede und jeder, die oder der öffentlich sehr gut reden kann und an der Oberfläche überzeugend wirkt, hat Gutes für das Zusammenleben im Sinn. Stimmen, die auf Missstände aufmerksam machen und an Mitmenschen erinnern, die unter die Räder kommen, werden unbedingt gebraucht. Alle, die in politische Verantwortung gewählt werden und wurden, müssen sich auf ihre Motive hin befragen lassen. Sie müssen daran gemessen werden, was perspektivisch ein friedliches gesellschaftliches Leben fördert.

Christin Eibisch

♫ Tu der Völker Türen auf;
deines Himmelreiches Lauf
hemme keine List noch Macht.
Schaffe Licht in dunkler Nacht.
Erbarm dich, Herr.

Gib den Boten Kraft und Mut,
Glauben, Hoffnung, Liebesglut
und lass reiche Frucht aufgehn,
wo sie unter Tränen sä'n.
Erbarm dich, Herr.

Christian Gottlob Barth 1827
Aus: Sonne der Gerechtigkeit

Bibellese: Apostelgeschichte 13,1-12

Als der Statthalter sah, was geschehen war, kam er zum Glauben; denn er war tief beeindruckt davon, wie mächtig sich die Lehre von Jesus, dem Herrn, erwiesen hatte. *(Vers 12)*

Paulus und Barnabas werden von der Gemeinde in Antiochia zu ihrer ersten Missionsreise ausgesandt. Die jungen Christen wollen die unglaubliche Botschaft nicht für sich behalten, deshalb sollen die beiden Missionare das lebensverändernde Evangelium von Jesus verbreiten. Ihre erste Station ist Zypern, die Heimat von Barnabas. Es ist gut, auf vertrautem Boden zu beginnen, hier haben sie quasi ein „Heimspiel". Deshalb hat es sich Paulus auch zur Gewohnheit gemacht, immer zuerst in der Synagoge zu predigen. Zuerst die Juden – dann die Heiden. Die nächste Station ist Paphos, dort haben sie eine Begegnung mit dem Magier Barjesus, der mit aller Kraft versucht, den Statthalter vom Glauben abzuhalten. Aber Saulus, der hier erstmalig auch

Paulus genannt wird, blickt ihn scharf an und der Magier erblindet. In Finsternis gehüllt, tappt er suchend umher.

„Ich glaube nur, was ich sehe", so höre ich es oft. „Ist das wirklich so?", denke ich dann bei mir. Viel zu oft habe ich dieses Argument schon gehört. Ist das Sichtbare wirklich ein Garant für Glauben? Dann hätten ja zur Erdenzeit von Jesus Tausende von Augenzeugen gläubig werden müssen. Jesus selbst hat gesagt: „Freuen dürfen sich alle, die mich nicht sehen und trotzdem glauben!" (Johannes 20,29). Und doch weiß ich von mir selbst, dass ich mich gerne mit eigenen Augen von etwas überzeuge.

Der Statthalter ist tief beeindruckt, von dem, was er sieht. Was beeindruckt Menschen, wenn sie uns sehen? Ist etwas von der mächtigen Wirkung zu erkennen, die der Glaube an Jesus in meinem Leben hat? Weckt mein Lebensstil bei meinen Mitmenschen Interesse am Glauben oder lasse ich sie weiterhin im Dunkeln tappen? *Siegmar Borchert*

 Für das christliche Leben ist ein Beispiel mehr wert als tausend Argumente; ein Leben besser als hundert Briefe; eine Demonstration wirkungsvoller als zehn Diskussionen.

Corrie ten Boom (1892-1983),
niederländische Widerstandskämpferin

Bibellese: Apostelgeschichte 13,13-25
Paulus sagte: „Einen der Nachkommen von ebendiesem David hat Gott nun seinem Volk Israel als Retter gesandt, wie er es versprochen hatte, nämlich Jesus."
                                                    (Vers 23)

Du hast es aber versprochen!" Enttäuscht sieht mein Enkel mich an, als ich mal wieder keine Zeit zum Spielen mit ihm habe. Paulus erinnert seine Zuhörer an das Versprechen Gottes. Dazu weckt er ihr Geschichtsbewusstsein, verweist auf ihre geistlichen Wurzeln. „Seht doch, wie sehr sich Gott über viele Jahrhunderte darum bemüht hat, euren Glauben zu stärken oder zu erhalten. Ihr seid erwählt und gerettet. Immer wieder hat Gott auf das Drängen eurer Leute hin Menschen eingesetzt, die das Volk verantwortlich führen und Gottes guten Willen mitteilen, bis hin zu David, einen Mann nach Gottes Herzen, der in allem Gottes Willen tun wird."
Als Nachfahre von diesem David erwarteten die Menschen aus der Zeit vor und nach Christi Geburt

den Messias, den lang herbeigesehnten Retter. Wenn im Neuen Testament Jesus als Sohn Davids bezeichnet wird, so bezieht sich das nicht nur auf seine Abstammung, sondern vielmehr liegt diesem Ausdruck eine Hoffnung zugrunde, die ihre Erfüllung in eben diesem Jesus gefunden hat. Menschen, die durch Jesus Annahme, Heilung und Vergebung erfuhren, erkannten in ihm den versprochenen Retter. Auch die Pharisäer hörten die Bekenntnisrufe zu Jesus, dem „Sohn Davids", und sie verstanden genau, was damit gemeint war. Aber sie waren im Gegensatz zu jenen, die es glaubend und vertrauend ausriefen, durch ihren eigenen Stolz so geblendet, dass sie nicht sahen, was sogar die blinden Bettler erkennen konnten, dass hier der versprochene Messias war, auf den sie schon ihr ganzes Leben gewartet hatten. Jesus sagt von sich selbst, dass er zugleich „der Wurzelspross und Nachkomme Davids" ist (Offenbarung 22,16).

Und Paulus bezeugt, dass Jesus die sichere Wurzel und das tragfähige Fundament für unseren Glauben ist. Nicht die Zugehörigkeit zu einem bestimmten Volk oder einer Glaubensgemeinschaft gibt uns Halt, sondern allein in Jesus finden wir Heil und Erlösung. Und nicht weniger hat Gott auch uns versprochen!

Siegmar Borchert

Bibellese: Apostelgeschichte 13,26-43

Paulus sagte: „Durch diesen Jesus wird euch die Vergebung eurer Schuld angeboten! Wer von euch Jesus vertraut, wird vor Gott als gerecht bestehen können."

(Vers 38-39)

D as ist voll ungerecht ...!" Wie oft habe ich diesen Ausruf gehört und wie viel mehr habe ich selber innerlich so gerufen. Tatsächlich empfinde ich vieles in dieser Welt als ungerecht.

Da steht ein Prominenter nach millionenschwerem Steuerbetrug vor Gericht und bekommt nur eine sehr geringe Strafe, während ein anderer für ein vergleichbar kleines Vergehen hart verurteilt wird. Das ist doch ungerecht! Muss der Richter nicht den gleichen Maßstab für Gerechtigkeit an alle anlegen?

Paulus sagt nun, dass jeder, der Jesus Christus vertraut, von Gott gerecht gesprochen wird. So einfach? Und einfach so? Müsste man daraus nicht eigentlich den Schluss ziehen, dass Gott dann selbst ungerecht ist, wenn er so etwas tut? Ausdruck seiner

Gerechtigkeit müsste es doch sein, dass er den Schuldigen für seine Schuld bestraft!

Gott sei Dank dafür, dass er uns nicht gerecht behandelt! Denn der gerechte Lohn für unser Leben wäre der Tod. „Wir leiden hier die Strafe, die wir verdient haben", so spricht ein sterbender Verbrecher, der zusammen mit Jesus gekreuzigt wurde. „Aber der da", sagt er mit Blick auf Jesus, „hat nichts Unrechtes getan" (Lukas 23,41).

Martin Luther nennt das den „fröhlichen Wechsel": Christus nimmt die menschliche Schuld auf sich, der Mensch bekommt die Gnade geschenkt. Und das nicht auf der Grundlage eigener Leistungen, sondern allein aufgrund des vertrauenden Glaubens.

Deshalb spricht Paulus auch von dem Angebot, Jesus zu vertrauen. Darauf, dass Gott in Christus genug getan hat, um für uns Gerechtigkeit herzustellen. Wenn wir, wie der Verbrecher am Kreuz, von uns selbst weg und auf Jesus schauen, werden wir gerettet. Sein Sterben macht uns gerecht vor Gott, wenn wir ihm vertrauen. *Siegmar Borchert*

6

Sonntag
JULI

2025

☀ 05:14 21:39
☽ 18:13 01:26

3. Sonntag nach Trinitatis

Bibellese: Psalm 103

Wie ein Vater mit seinen Kindern Erbarmen hat,
so hat der Herr Erbarmen mit denen, die ihn ehren.

(Vers 13)

„Wie ein Vater mit seinen Kindern Erbarmen hat ...“
Du großer Gott! Ich bin ein Vater!
Hatte und habe ich immer Erbarmen?
Tauge ich für meine Kinder als Beispiel für deine väterliche Barmherzigkeit?
Berührt es immer mein Herz, wenn eines meiner Kinder leidet?
Habe ich ein offenes Ohr? Nehme ich mir Zeit?

Immer wieder werde ich schuldig an meinen Kindern. Ich bin längst nicht so barmherzig wie du.
Aber ich will es immer mehr werden!
Hilfst du mir dabei? Ja, das tust du.
Weil du immer genug Erbarmen hast für alle deine Kinder. Auch für mich. Und für meine Kinder.
Du mein guter Vater. Du unser Vater im Himmel!

„...so hat der Herr Erbarmen mit denen, die ihn ehren."
Großer Gott, ich gehöre dir, bin dein Kind!
Ehre ich dich immer?
Tauge ich darin für meine Mitmenschen als Vorbild?
Du bist würdig, geehrt zu werden.
Dich ehren, ist das mein Lebensstil?
Oder drängen andere Ansprüche und Einflüsse dich aus dem Zentrum meines Lebens?

Immer wieder bleibe ich dir Ehre schuldig, die dir gebührt. Ich verehre dich nur bruchstückhaft.
Aber ich will darin wachsen, dich zu ehren!
Hilfst du mir dabei? Ja, das tust du.
Weil du so viel Geduld hast mit allen deinen Kindern.
Auch mit mir. Und mit meinen Kindern.
Du mein guter Vater. Du unser Vater im Himmel!
In Jesu Namen, Amen.   *Wilfried Jotter*

Jesus ist kommen, die Ursach zum Leben.
Hochgelobt sei der erbarmende Gott,
der uns den Ursprung des Segens gegeben;
dieser verschlinget Fluch, Jammer und Tod.
Selig, die ihm sich beständig ergeben!
Jesus ist kommen, die Ursach zum Leben.

Johann Ludwig Konrad Allendorf 1736
Aus: Jesus ist kommen, Grund ewiger Freude

Bibellese: Apostelgeschichte 13,44-52

Als die Nichtjuden das hörten, brachen sie in Jubel aus. Sie wollten gar nicht mehr aufhören, Gott für seine rettende Botschaft zu preisen. Und alle, die für das ewige Leben bestimmt waren, kamen zum Glauben. (Vers 48)

Mein lieber Paulus, manchmal werde ich als Evangelist schon ein wenig neidisch auf dich. Wenn du predigst, strömen die Massen zusammen, ja „fast die ganze Stadt" (Vers 44) will dabei sein. So aufsehenerregend und neu ist das, was sie zu hören bekommen. In meinem Dienst als Reiseevangelist erlebe ich es auch immer wieder, dass meine Zuhörer diese für sie bisher unerhörte Botschaft aufnehmen wie ein trockener Schwamm und anschließend auf diese Nachricht ihrer Rettung mit großer Freude und Dankbarkeit reagieren. Die angemessene Reaktion auf das Evangelium und das Geschenk der Erlösung ist in der Tat Jubel. Aber genau an dieser Stelle schleicht sich eine Frage in meinen Kopf: Wann habe ich eigentlich das letzte Mal über meinen Glauben gejubelt? Wann brach die Freude über meine Erlösung sprichwörtlich aus allen Knopflöchern? Oder freue ich mich doch eher nach innen, so dass es niemand um mich herum mitbekommt?

Die Neuhörer jubeln, aber diejenigen, denen das Wort Gottes bereits bekannt war, können sich nicht freuen. Vielmehr packt sie der Neid, sie hetzen gegen Paulus und Barnabas und jagen sie fort. Wie kann das sein? Wäre es nicht angebrachter, sich mit den Neugläubigen zu freuen?

Ab und zu erlebe auch ich, dass mein Bekenntnis zu Jesus gegensätzliche Reaktionen hervorruft. Paulus und Barnabas lassen sich dadurch nicht aufhalten. Von nun an konzentrieren sie sich darauf, das Evangelium denen zu predigen, die es noch nie zuvor gehört hatten. Und die Folge davon ist: „Die Botschaft Gottes verbreitete sich in der ganzen Gegend" (Vers 49) und erreichte schließlich irgendwann auch unsere Ohren und Herzen. Darüber möchte ich viel öfter jubeln. Und somit aktiv dazu beitragen, dass noch viele Menschen diese Gute Nachricht freudig aufnehmen. Dann werde ich mit ihnen jubeln.

Siegmar Borchert

8

Dienstag
JULI

2025

☀ 05:16 21:38
☽ 20:30 02:20

Bibellese: Apostelgeschichte 14,1-7
Die feindlich gesinnte Gruppe – Nichtjuden ebenso wie Juden samt den beiderseitigen führenden Männern – bereitete einen Anschlag gegen Paulus und Barnabas vor. Sie wollten an den beiden ihre Wut auslassen und sie steinigen. *(Vers 5)*

Alles fängt klein an. Da ist nicht als Erstes der große Knall, Knatsch und Konflikt. Ganz und gar nicht. Alles fängt klein an, mit einer Begegnung, in der Synagoge. Paulus und Barnabas teilen ihren Glauben, erzählen von dem, was ihr Leben veränderte und heute ausmacht. Und ihr Wort zeigt Wirkung. Menschen kommen zum Glauben, Juden wie Griechen. Das passt nicht allen. Denn es gibt auch solche Hörer, die bei dem Weg bleiben wollen, auf dem sie gerade unterwegs sind. Das, was sie hörten, scheint ihnen aber keine Ruhe zu lassen. Spüren sie doch die Veränderung bei anderen. Sie sehen ihre neuen Wege. Und darauf reagieren sie. Nicht entspannt, sondern spaltend. Denn die, die sich jetzt am

Evangelium orientieren, sollen doch bitte schön wieder so wie bisher weitermachen. Wie man das erreichen kann? Sicherlich nicht dadurch, dass man aufstachelt, hetzt, gegeneinander aufbringt. Und doch machen sie es so. Lager bilden sich. Die Spaltung scheint perfekt. Und was dann noch hinzukommt: Es geschehen Zeichen und Wunder. Darüber kann man nun wirklich nicht einfach nur hinwegsehen. Die Aggression scheint anzusteigen und die Wut immens zu sein. So groß, dass Paulus und Barnabas ausgeschaltet werden sollen. Anwendung von Gewalt wird zum Mittel der Wahl. Am Ende sollen die beiden gesteinigt werden.

Förmlich spürt man durch den Text hindurch, wie die Eskalation immer höhere Stufen erreicht. Wir als Leserinnen und Leser heute reiben uns die Augen. Wie kann es sein, dass Menschen des Glaubens zu solchen Mitteln greifen, um ihre Ziele zu erreichen? Ich will mich hinterfragen lassen, welche Mittel ich für gerechtfertigt halte, um das zu erreichen, was ich für richtig halte. Menschen auseinanderzubringen und Gewalt anzuwenden, ist meines Erachtens mit nichts zu rechtfertigen. Vielmehr will ich aufmerksam sein, was das Anderssein des anderen in mir auslöst. Und ich will aufmerksam den Segen wahrnehmen, den Gott durch die anderen wirkt.

André Carouge

Bibellese: Apostelgeschichte 14,8-20a

Als die Volksmenge sah, was Paulus getan hatte, riefen alle in ihrer lykaonischen Sprache: „Die Götter haben Menschengestalt angenommen und sind zu uns herabgestiegen!" (Vers 11)

Ein Gelähmter kann wieder gehen. Ein Wunder! Noch nie war er einen Schritt gegangen. Jetzt ist er aufgesprungen und geht umher. Das geht nicht spurlos an den anderen vorbei. Es fällt auf. Es ist offensichtlich. Ihre Deutung des Ganzen machen sie auf dem Hintergrund dessen, was sie bisher glaubten. Das scheint ihnen logisch zu sein. Paulus und Barnabas müssen Götter sein. Götter in Menschengestalt. Sie sind zum Gelähmten gekommen, ja zu ihnen allen. Gar nicht so einfach für Paulus und Barnabas zu erklären, was hier wirklich geschah. Zu groß ist die Dynamik in der Menge. Zu groß die Bewunderung und die Freude über das, was sie sehen und wie sie es verstehen. Nein, sie sind keine Götter in Menschengestalt. Sie sind Menschen, Mitmenschen, die eine gute Nachricht weitergeben. Eine gute Nachricht, die damit zu tun hat, dass Gott tatsächlich Menschengestalt annahm. Nicht in ihnen, sondern in Jesus Christus, den sie verkündigen. Gott ist herabgestiegen. Ja, das ist er. Er ist gekommen, weil er sich allen zuwenden will. Auch denen, die gerade ganz anders unterwegs sind, die anderen Göttern nachlaufen, in anderen Tempeln Opfer bringen. Gott nahm Menschengestalt an und stieg herab. Er kam nahe und will sich erfahren lassen. Gar nicht so einfach, das an den Mann und an die Frau zu bringen. Die Reaktion der Masse fordert von Paulus und Barnabas größte Mühe, viele Worte, ein deutliches Signal: Sie zerreißen ihre Kleider.

Am Ende der Erzählung kann der Gelähmte gehen und die Massen sind immer noch aufgebracht. Und es kommen andere, die endlich ihren Plan umsetzen wollen – jetzt mit Hilfe derjenigen, die gerade vor Ort sind. Am Ende fliegen Steine. Paulus und Barnabas, die deutlich sagten, wer sie sind, sollen aus dem Leben befördert werden. Am Ende geht die Geschichte gerade noch einmal für beide gut aus. Sie kommen mit dem Leben davon. Ob die Menschen auf der Straße das Leben fanden, von dem die beiden sprachen, bleibt offen. Hoffentlich fand es der eine oder die andere. *André Carouge*

Bibellese: Apostelgeschichte 14,20b-28

Überall machten Paulus und Barnabas den Christen Mut und ermahnten sie, unbeirrt am Glauben festzuhalten. „Der Weg in Gottes neue Welt", sagten sie zu ihnen, „führt uns durch viel Not und Verfolgung."

(Vers 22)

Zwei unterwegs mit dem Evangelium, mit einer wirklich guten Botschaft. Was macht eigentlich eine gute Botschaft für Sie aus? Unabhängig von unserer Lebenssituation müsste sie sicherlich eines machen: Mut. Denn den brauchen wir, für unser Leben, für unseren Alltag und für unseren Glauben. Paulus und Barnabas sind Mutmacher. Überall, wo sie hinkommen, stärken sie die Christen. Machen ihnen Mut dranzubleiben, immer wieder Glauben zu wagen, mit Jesus zu leben und mit ihm zu rechnen. Menschen, die uns Mut machen, motivieren uns. Und nicht selten haben wir das nötig. Die beiden Mutmacher sind Realisten. Paulus und Barnabas wissen aus eigenem Erleben, dass das Leben in der

Nachfolge von Jesus nicht nur Sonnenseiten bereithält. Auch davon können sie erzählen, zum Beispiel aus Lystra. Und wie ihr Einsatz dort sie fast das Leben gekostet hätte. Nein, das Leben als Christ ist nicht „Friede, Freude, Eierkuchen". Keine bequeme Reise in den Himmel. Sondern auf dem Weg dorthin gibt es viel Not und Verfolgung. Aber daran sollen die Christen nicht verzweifeln, sondern mutig mit Jesus weitergehen. Zwei Mutmacher mit einer wichtigen Botschaft: Bleibt dran. Bleibt realistisch. Geht mutig weiter mit Jesus.

Im Ältestenkreis meiner Gemeinde fiel oft als Redewendung ein rheinisches Sprichwort. Bis heute vergaß ich es nicht. Es lautet: „Wir sind bei Schmitz-Backes noch nicht vorbei!" Dieses Sprichwort stammt aus dem mittelalterlichen Köln. Damals gab es noch das Spießrutenlaufen. Und auf eben diesem Weg lag die Bäckerei Schmitz. Das Sprichwort bedeutet so viel wie: Es ist noch nicht vorbei. Da kommt noch was auf uns zu. Paulus und Barnabas sind sich dessen bewusst. Deshalb versuchen sie, ihre Zuhörer stark zu machen, sie zu ermutigen. Keine falschen Versprechungen. Denn: Wir sind bei Schmitz-Backes alle noch nicht vorbei. Vor uns liegt noch ein Weg, der manches für uns bereithält. Nur Mut! Mut, weil Jesus uns bereits heute schon auf unserem Weg entgegenkommt.
André Carouge

11

Bibellese: Apostelgeschichte 15,1-21
Petrus sagte: „Es ist doch allein die Gnade Gottes, auf die wir unser Vertrauen setzen und von der wir unsere Rettung erwarten!" (Vers 11)

Ein Streit unter Christen und Christinnen! Darf es das geben? Natürlich wünscht sich niemand einen solchen Streit. Wenn es Streit gibt, ist es nicht hilfreich zu fragen, ob es diesen geben darf, sondern höchstens zu fragen, wie wir mit unterschiedlichen Meinungen umgehen wollen. Dafür ist die heutige Bibellese ein passender biblischer Text.

Mir fällt auf, dass ganz offen darüber gesprochen wird, dass ein Streit über die Beschneidung entstanden ist. Man war sich uneinig, ob Heiden, die zum Glauben an Christus gekommen sind, noch beschnitten werden müssen oder nicht. Wir lesen, dass es zu „einem nicht geringen Streit" gekommen ist. Jede Konfliktlösung muss damit beginnen, dass ein Streit nicht unter den Teppich gekehrt wird, sondern auf den Tisch gebracht wird.

Dieser Streit hat zum sogenannten Apostelkonzil in Jerusalem geführt. Man hat sich getroffen, um die unterschiedlichen Meinungen anzuhören, aber auch, um gemeinsam auf Gott zu hören. Die Teilnehmenden haben miteinander und nicht übereinander gesprochen. Es ist auch heute wichtig, dass wir spüren, dass jene Menschen, die anders denken und empfinden, ebenfalls zu beachtende Aspekte und Gedanken einbringen. Eine hilfreiche Lösung kann nur gemeinsam gefunden werden.

Im theologischen Streit hilft es, sich an der Mitte des Glaubens zu orientieren. Worin sind wir uns einig? Was wollen wir trotz Streit nicht aufgeben? Der heutige Vers verweist auf diese Mitte, die Gnade Gottes. Auf ihr fußt unser Glaube und unser Christsein. Allein durch Gottes Gnade ist es möglich, Gemeinschaft mit Gott zu haben. Das relativiert jene Bereiche, denen wir gerne eine zu hohe Bedeutung zumessen.

Markus Bach

♫ Herr Jesus, Grundstein der Gemeinde,
kein andrer Grund ist außer dir.
Wer einen andern Grund wollt legen,
würd irregehen für und für.
Die Kirche steht auf dir allein
und wird drum unzerstörbar sein.

Karl Eisele 1939

12
Samstag
JULI

2025

☀ 05:20 21:35
☽ 22:55 06:35

Bibellese: Apostelgeschichte 15,22-35

Die Apostel und die Gemeindeältesten schrieben: „Esst kein Fleisch von Tieren, die als Opfer für die Götzen geschlachtet wurden; genießt kein Blut; esst kein Fleisch von Tieren, deren Blut nicht vollständig ausgeflossen ist; und hütet euch vor Blutschande. Wenn ihr euch vor diesen Dingen in Acht nehmt, tut ihr recht!" (Vers 29)

Im gestrigen Abschnitt haben wir von der Beschlussfassung zu den notwendigen Dingen gelesen, die Christinnen und Christen einzuhalten haben. Heute geht es darum, wie der Beschluss gut und für alle verständlich kommuniziert wird.

Der eigentliche Beschluss lautet, dass es keine weitere Voraussetzung als allein Gottes Gnade für das Heil der Menschen braucht. Allein die Gnade genügt, die in Jesus Christus sichtbar wurde. Ist es da nicht ein Widerspruch zu diesem Beschluss, dass hier Vorschriften benannt werden, die einzuhalten sind? Der eigentliche Streitpunkt, die Beschneidung, ist zwar nicht darunter. Trotzdem werden Speisevorschriften aus dem Gesetz des Mose aufgenommen, die zu beachten sind. Genügt die Gnade Gottes also doch nicht?

Die Verfasser dieses Schreibens wollen nicht den Beschluss relativieren oder über die Hintertüre doch noch ein paar jüdische Speisevorschriften einfügen. Ihnen geht es darum, wie die aus Judenchristen und Heidenchristen gemischte Gemeinde in Antiochia mit dem Beschluss des Apostelkonzils umgehen kann. Es soll nicht Siegerinnen und Verlierer geben. Besonders beim gemeinsamen Essen soll Rücksicht aufeinander genommen werden. Die Gnade Gottes bleibt alleinige Grundlage für die Gemeinschaft. Aber gerade deshalb ist es möglich, einen gnädigen Umgang miteinander zu pflegen und aufeinander Rücksicht zu nehmen. *Markus Bach*

Herr Jesus, Grundstein der Gemeinde,
von Ewigkeit bist du gelegt;
du bist es, der mit ewgen Kräften
und heilger Liebe alles trägt.
Der Fels des Heils allein du bist
für alle Zeit, Herr Jesus Christ.

Kurt Eisele 1939

13

Sonntag
JULI

2025

☀ 05:21 21:34
☽ 23:11 07:58

4. Sonntag nach Trinitatis

Bibellese: Psalm 7
Den Herrn will ich preisen für seine Treue;
ihm, dem höchsten Gott,
singe ich dankbar mein Lied. (Vers 18)

Im letzten Augenblick setze ich meinen Fuß auf das Trittbett der Tram, so dass sich die Tür nicht vollkommen schließen kann und sich langsam wieder öffnet. Gehetzte Blicke treffen mich und sagen mir wortlos und doch verständlich: „Nicht noch eine Person in diesem schon längst vollen Wagen!" Dabei bin ich gar nicht allein. An meinem Arm hält sich der Junge einer befreundeten Familie fest. Wir quetschen uns in das Gedränge und suchen einen Ort, wo wir einigermaßen stehen können. Die Tram setzt sich in Bewegung.

Ich schaue mich um. Frauen und Männer mit gelangweilten Blicken, einige in ihre Smartphones vertieft. Auch wenn wir eng ineinander verkeilt stehen, wollen alle zum Ausdruck bringen, dass die anderen in diesem Wagen sie nichts angehen. Wir alle schweigen uns gegenseitig an. Aber nicht alle. Plötzlich höre ich eine Stimme in meiner Nähe, die voller Überzeugung singt: „Eifach super, dass du da bisch!" Überrascht schaue ich an meinem Arm hinunter und stelle fest, der Gesang kommt von dort, von dem kleinen Jungen. Wir sind auf dem Heimweg vom Puppentheater für Kinder unserer Kirche und da gehört dieses Lied am Anfang einfach dazu. Und da singt es schon weiter: „Chum mir lobe Gott, de Herr!" Nahezu tausend Gedanken gehen mir fast gleichzeitig durch den Kopf. Soll ich Einhalt gebieten? Mitsingen? Entschuldigend dreinschauen? So tun, als kenne ich den Jungen nicht, was natürlich nicht geht, da er an meiner Hand klebt. Ich schaue mich um und beobachte die Reaktionen. Ich sehe ein Gesicht mit hochgezogenen Augenbrauen, eher erstaunt als verärgert. Auf einem anderen Gesicht zeichnet sich ein Schmunzeln ab. Die Smartphone-Gucker sehen sich plötzlich in der Tram um und nehmen wahr, was um sie herum geschieht. Und als der Kleine dann singt: „Chum mir stampfe", stampfen tatsächlich einige mit.

Markus Bach

Bibellese: Apostelgeschichte 15,36-16,5

Paulus wollte Timotheus gern als seinen Begleiter auf die Reise mitnehmen. Mit Rücksicht auf die Juden in der Gegend beschnitt er ihn; denn sie wussten alle, dass sein Vater ein Grieche war. (Vers 3)

„Mann, Papa, haben die hier stramme Hosen an!", bemerkte der Fünfjährige, als eine junge Frau vor ihm zum Gebet aufstand. Sie war in sehr legerer Sommerkleidung in den Gottesdienst gekommen. Der Vater zuckte die Schultern, ich lächelte beide an. Natürlich ist dies eine Lappalie, aber es fragt sich: Wieweit nehme ich mich selbst zurück, um den anderen keinen Anstoß zu geben?

Warum nimmt Paulus so viel Rücksicht auf die Juden? Wollte er ihr religiöses Empfinden nicht verletzen? Nahm er seine eigene Tradition zum Maßstab? Wollte er sich nach allen Seiten gegen Angriffe absichern? Das mag auch eine Rolle gespielt haben. Aber sein Hauptmotiv für die Beschneidung des Timotheus war es, der Verkündigung des Evangeliums keine Hindernisse in den Weg zu legen. Durch seine jüdische Mutter gehörte Timotheus zwar zu den Juden, aber seine völlige Anerkennung war an die Beschneidung gebunden. Nur dann konnte er in der Synagoge mitreden oder die Botschaft von Jesus auch jüdischen Menschen glaubwürdig nahebringen. Durch seinen griechischen Vater galt er als Grieche. Als Grieche hätte er nie den Tempel in Jerusalem besuchen können. Paulus will Timotheus alle Möglichkeiten eröffnen, dass er als sein Nachfolger überall das Evangelium bekannt machen kann.

Die Zeiten ändern sich. Heute hat jeder seinen eigenen Maßstab, wie er oder sie sich gibt und darstellt. Er erwartet von allen Verständnis und Toleranz. Dabei bleibt manchmal die Rücksichtnahme auf den anderen auf der Strecke. Sind für die Älteren Traditionen, angemessene Kleidung, aussagekräftiges Liedgut im Gottesdienst wichtig, wünschen sich Jüngere offene Gottesdienstformen, Vielfalt in Musik und Beiträgen. Beide Gruppen müssen Rücksicht nehmen, um auf verschiedene Weisen Menschen für Jesus zu gewinnen. Eine Atmosphäre der Liebe und Wertschätzung aller macht eine Gemeinde anziehend.

Jutta Georg

Bibellese: Apostelgeschichte 16,6-15

Der Herr öffnete Lydia das Herz, sodass sie begierig auf-
nahm, was Paulus sagte. Sie ließ sich mit ihrer ganzen
Hausgemeinschaft, ihren Angehörigen und Dienstleu-
ten, taufen.   *(Vers 14-15)*

Wir hatten 50-jähriges Abiturtreffen und jeder
erzählte aus seinem Leben. Peter berichtete
von seiner Karriere beim Bundeskriminalamt und
von seiner guten Familie. Ein gelungenes Leben.
Doch er schloss mit den Worten: „Aber den Sinn im
Leben habe ich immer noch nicht gefunden."
So ähnlich würde es auch Lydia ausgedrückt haben.
Sie war eine erfolgreiche Geschäftsfrau mit mehreren Angestellten. Sie besaß ein großes Haus mit
dazugehöriger Dienerschaft. In der Gesellschaft war
sie anerkannt und geschätzt, kurz, eine Frau mitten
im Leben, die alles erreicht hatte. Und doch fehlte
ihr etwas. Ihre innere Leere trieb sie zu den Frauen,
die sich am Fluss trafen, um zu beten. Als Nicht-
jüdin gehörte sie nicht voll dazu, doch es war ihr

wichtig, dabei zu sein. Sie hatte eine tiefe Sehnsucht nach Gott. Diesmal kamen zwei jüdische Männer und sprachen über Jesus von Nazaret, wie er als Gottessohn zur Rettung der Menschen kam. Plötzlich spürte sie: Ich bin gemeint! Sie hörte zu und wusste: Ich will eine Nachfolgerin Jesu werden. Gott hatte ihr Herz angerührt, so dass sie die Botschaft verstand und erkannte, sie wollte zu diesem Jesus gehören. Das bezeugte sie durch die Taufe. In der Verbindung zu ihm fand ihre innere Leere Erfüllung. Auch heute beurteilen wir oft die Menschen nach ihrem Aussehen, ihrem Reichtum, ihrer gesellschaftlichen Stellung. „Wie es drinnen aussieht, geht niemand was an", sagt der Volksmund. Mancher steigt aus und bricht seine Karriere ab. Der coole Teenager plagt sich mit Selbstmordgedanken, von denen niemand weiß. Die gepflegte ältere Dame ist vereinsamt und weiß nicht, warum sie noch da ist. Beten wir, dass Gott ihre Herzen anrührt, dass sie ihn als liebenden Vater erkennen. Dass sie Jesus als ihren Herrn begreifen, der sie führen und für andere zum Segen setzen will. Wenn Gott unser Herz berührt, dann ändert sich die Rangordnung aller bisherigen Werte.   *Jutta Georg*

16

Mittwoch
JULI

2025

☀ 05:25 21:31
☽ 23:49 12:05

Bibellese: Apostelgeschichte 16,16-24
Die Sklavin lief hinter Paulus und uns anderen her und rief: „Diese Leute sind Diener des höchsten Gottes! Sie zeigen euch den Weg zur Rettung." (Vers 17)

Mit einer Bekannten lief ich über einen mittelalterlichen Markt in Norddeutschland. Gleich beim ersten Wahrsagerzelt blieb sie stehen und meinte: „Da gehe ich jetzt mal rein und lasse mir die Zukunft vorhersagen!" Ich riet ihr davon ab: „Du wirst nur noch größere Angst haben, als du jetzt schon hast!" Es gelang mir, sie an mehreren dieser Stände vorbeizulotsen, und schließlich verließen wir den Markt ohne Wahrsagen. Bis heute versuchen geschäftstüchtige Menschen, mit Hellsehen, Wahrsagen, Heilungen Gewinn zu machen.
In der Bibellese wird deutlich, dass hinter diesen Praktiken meist die Macht Satans steht. Es ist kein Spiel, sich auf diese Dinge einzulassen. Diese Frau war im doppelten Sinne Sklavin. Einmal wurde sie von ihren Herren als Geldquelle ausgenutzt und

zugleich war sie Opfer von Satans Macht. Umso erstaunlicher, dass sie in Paulus und seinen Begleitern Diener des höchsten Gottes erkennt. Sie wusste, Gott hat mehr Macht als Satan. Lautstark gibt sie Gott die Ehre. Sie wusste auch um das Verlorensein. Statt weiter die Menschen mit Wahrsagen zu betrügen, zeigt sie ihnen jetzt den Weg zur Rettung. Ihr Zeugnis bereitet den Boden für das Evangelium, das Paulus verkündigt. Nun kann Paulus gar nicht mehr anders, als die Macht dieses höchsten Gottes für alle sichtbar zu machen. Vollmächtig befreit er die Frau von diesem quälenden Geist. Gott will, dass alle Menschen gerettet werden, um ewiges Leben zu bekommen. Aus der Selbstherrlichkeit der Gottlosigkeit, aus den Bindungen der Sucht, aus den Verstrickungen der Schuld, aus den Abhängigkeiten von Menschen und Gewohnheiten will Gott retten und uns ganz befreien. *Jutta Georg*

Gott ist Herr, der Herr ist Einer,
und demselben gleichet keiner,
nur der Sohn, der ist ihm gleich;
dessen Stuhl ist unumstößlich,
dessen Leben unauflöslich,
dessen Reich ein ewig Reich.
Philipp Friedrich Hiller (1755) 1757
Aus: Jesus Christus herrscht als König

17
Donnerstag
JULI

2025

☀ 05:26 21:30
☽ -.-   13:28

Bibellese: Apostelgeschichte 16,25-40
Der Wärter fragte: „Ihr Herren, Götter oder Boten der Götter! Was muss ich tun, um gerettet zu werden?" Sie antworteten: „Jesus ist der Herr! Erkenne ihn als Herrn an und setze dein Vertrauen auf ihn, dann wirst du gerettet und die Deinen mit dir!" (Vers 30-31)

Unbemerkt hatte sich der Teenager bei der Bergwanderung von der Gruppe entfernt. Er wollte eine Abkürzung nehmen. Erst bei der Ankunft im Freizeitheim wurde sein Fehlen bemerkt. Weil es dunkel geworden war, konnte die Bergwacht erst am nächsten Tag mit der Suche beginnen. Sie fand ihn schlafend unter einem Busch. Nur wenig weiter wäre er einen steilen Abhang hinuntergestürzt.

Wir alle können wahrscheinlich wunderbare Rettungsgeschichten aus unserem Leben erzählen. Hier geht es aber um Rettung für die Ewigkeit. Dramatische Ereignisse hatten den Gefangenenwärter so erschüttert, dass er nur noch an Selbstmord dachte. Erst als Paulus die Situation klärte, kam er zur Besinnung. „Was muss ich tun, um gerettet zu werden?", fragte er verzweifelt.

Diese Frage wird heute kaum noch gestellt. Das Bewusstsein, dass wir ohne Verbindung zu Jesus verloren sind, ist fast verschwunden. Auch das Wissen, dass es nach dem Tode weitergeht, fehlt weitgehend. „Es geht ohne Gott in die Dunkelheit, aber mit ihm gehen wir ins Licht!", singt Manfred Siebald in einem bekannten Lied. Die Rettung liegt darin, Gott bedingungslos als Herrn anzuerkennen. Da vergeht alle Selbstherrlichkeit, dass ich selber weiß, was für mich gut ist. So wird aus der Gottlosigkeit ein festes Vertrauen, das Gott mein Leben führt. Er macht es gut, auch mit meinem Ende. Die Aussicht auf die Ewigkeit mit Jesus überstrahlt alle Dunkelheiten unseres Lebens. *Jutta Georg*

Jesus Christus herrscht als König,
alles wird ihm untertänig,
alles legt ihm Gott zu Fuß.
Aller Zunge soll bekennen,
Jesus sei der Herr zu nennen,
dem man Ehre geben muss.

Philipp Friedrich Hiller (1755) 1757

In herzlicher Verbundenheit
Einführung in den Philipperbrief

Der Apostel Paulus schreibt den Brief an die christliche Gemeinde in Philippi zusammen mit seinem Mitarbeiter Timotheus. Es ist der persönlichste Brief des Apostels an eine Gemeinde. Er ist ihr so sehr verbunden, dass er von ihr entgegen seiner sonstigen Gewohnheit Geldspenden für seinen Lebensunterhalt annimmt (4,10-20).

Paulus schreibt aus dem Gefängnis. Auch hier kann er die Gute Nachricht von Jesus Christus verbreiten (1,12-13). Der Ausgang des Verfahrens ist ungewiss. Es könnte zu einem Todesurteil kommen. Aber Paulus rechnet mit seiner Freilassung, weil er so Christus weiter dienen kann und der Gemeinde erhalten bleibt (2,18-26). Selbst wenn es anders ausgehen würde: Es wäre kein Unglück, sondern würde zur Ehre von Christus geschehen und Paulus wäre dann bei ihm. Aber wo war er in Haft? Drei Orte werden diskutiert: Ephesus, Cäsarea und Rom. Auch wenn eine Haft in Ephesus in der Apostelgeschichte nicht erwähnt wird, spricht doch einiges für diesen Abfassungsort, nicht zuletzt die relative

Nähe zu Philippi, die den regen Nachrichtenaustausch und die Reisen von Boten zwischen dem Ort der Gefangenschaft und Philippi verständlich machen würde. Die Abfassung wäre dann früh anzusetzen, also Anfang bis Mitte der 50er Jahre.

Der Aufbau des Briefes ist nicht ganz deutlich. Besonders die scharfe Warnung vor Irrlehrern, „diesen elenden Hunden, diesen falschen Missionaren, diesen Zerschnittenen" wird als Bruch empfunden (3,2ff). Möglicherweise hat die Abfassung längere Zeit in Anspruch genommen und Paulus hat inzwischen neue Nachrichten erhalten, auf die er nun eingeht.

Der Ton des Briefs ist von Freude bestimmt, trotz Gefangenschaft und trotz Leidenserfahrungen der Philipper: Freude über das Engagement der Gemeinde (1,4-5), über die Furchtlosigkeit der örtlichen Christen bei der Verkündigung (1,14-18), über die Möglichkeit, Christus zu dienen, egal, was die Folgen sind (2,17-18), über die Genesung des Epaphroditus von tödlicher Krankheit und nach einem lebensgefährlichen Einsatz (2,25-30), über die baldige Wiederkunft des Herrn (4,4-5), über die Fürsorge der Gemeinde für den Apostel (4,10).

Der bekannteste Text ist der Christushymnus (2,5-11), den Paulus vermutlich zitiert und der von der Selbsterniedrigung des Christus und seiner Erhöhung durch Gott handelt. Dies soll der Gemeinde als Vorbild dienen.   *Hans-Werner Kube*

18

Freitag
JULI

2025

☀ 05:27　21:29
☽ 00:02　14:55

Bibellese: Philipper 1,1-11

Paulus und Timotheus schreiben: Ich bete zu Gott, dass eure Liebe immer reicher wird an Einsicht und Verständnis. Dann könnt ihr in jeder Lage entscheiden, was das Rechte ist.　　　　　　　　　　　*(Vers 9-10)*

„Woher soll ich denn wissen, dass das so nicht klappt?", seufzt unsere Tochter und starrt auf die misslungene Torte. Ein kleiner Nebensatz falsch gedeutet führte zu einem Gerinnen der Creme. Ungenießbar! Falsch verstanden. Wie schnell passiert das im Miteinander in Familie und Kirche und wie schnell werden „ungenießbare" Folgen sichtbar: verhinderte Offenheit im Gebet oder im Austausch der Kleingruppe, verletzende Kritik, Verweigerung von Kontakt oder Mitarbeit.

Ganz anders geht Paulus vor. Er sendet den Philippern eine Info über ein Gebet, das ihm auf dem Herzen liegt. Zunehmende Verbundenheit und Liebe ist ein Fundament, das in Krisen Selbsterkenntnis ermöglicht. Einen Fehler zu machen, ist eine Sache, eine Einsicht darüber zu gewinnen eine andere. Hier ist eine reflektierte Haltung nötig, um einzusehen: Das war mein Anteil am Missverständnis oder an der verschlechterten Beziehung. Wenn wir denken: „Die sind so komisch geworden!", zeigt dies, dass Einsicht und Weisheit fehlen. In unserem Miteinander kann die wachsende Liebe Neues ermöglichen: Freunde, die sich nach Jahren der Funkstille sagen: „Das war nicht gut, wie ich reagierte!" Eltern, die ihren Kindern sagen: „Ich habe es dir zu wenig gesagt: Du bist mir sehr lieb!" Glaubensgeschwister, die sich um Entschuldigung bitten: „Ich war nicht klug, das so strikt zu behaupten." Wer voll Weisheit und Einsicht handelt, erntet Respekt, weil es die Liebe von Jesus unter uns spürbar macht.

Auch heute sind wir aufgerufen, das Gebet von Paulus zu unserem werden zu lassen und die Liebe unter uns zu vermehren. Welche Beziehungen und Situationen in meinem Leben sind durch Missverständnisse „ungenießbar" geworden und brauchen meine Weisheit?

Stefanie Diekmann

 Herr, deine Liebe wirksam werden zu lassen, hat viel mit mir zu tun. Ich lege vor dich, was mich davon abhält, mich einsichtig zu zeigen. Ich bitte dich um die Kraft, das Richtige zu tun.

Stefanie Diekmann

Bibellese: Philipper 1,12-18a
Ob es mit Hintergedanken geschieht oder aufrichtig – die Hauptsache ist, dass Christus auf jede Weise verkündet wird. *(Vers 18a)*

Immer mal wieder erwischen meine Frau und ich uns dabei, wie wir über schlechte Werbung herziehen und uns darüber unterhalten, wie unpassend der Song, wie schlecht die Motive, wie grässlich die Farben sind, die in einem Spot gewählt wurden. Und zack, erreichten die Werbemacher eins ihrer Ziele: Ihre Werbung und damit auch das Produkt ist im Gespräch. Liest man die heutige Bibellese, dann scheint solche „Antiwerbung" schon von Paulus erfunden worden zu sein: „Regt euch nicht auf, wenn Menschen sich wegen meiner Gefangenschaft profilieren wollen. Regt euch nicht auf, dass ich gefangen bin. Gott kann das scheinbar Schlechte zum Gutem wenden." Wenn wir in unseren Motiven und in unserem Verhalten ehrenwert sind, wird Gottes Geist aus dem scheinbar Negativen Gutes machen. So wie aus Mist guter Dünger wird, wenn er auf den Acker gebracht wird.

Ich muss immer wieder bewundernd feststellen, wie sehr Paulus von Gottes Geist erfüllt ist und gelenkt wird. Er denkt bei allem Ergehen nicht zuerst an sich. Sein Blick ist fest ausgerichtet auf das, was das Werk und Wirken von Jesus fördert. Er sitzt zusammengeschlagen und gefoltert im Gefängnis, aber er singt mit Silas gemeinsam Loblieder zur Ehre Gottes. Er erleidet Schiffbruch und er ist gespannt, wie Gott ihn weiterführen wird. Er wird beschimpft und er denkt daran, wie er den Menschen das Evangelium noch besser nahebringen kann. Ich höre jetzt manchen denken oder auch laut sagen: „Das könnte ich nie!", und ganz ehrlich, das denke ich auch. Könnten wir Paulus fragen, wie er das alles überstand, würde er uns antworten: „Aus meiner Kraft kann ich das auch nicht. Aber ich erlebe Gottes Wirken durch seinen Heiligen Geist in mir." Paulus ist es geradezu in sein Herz geschrieben, dass er nicht für sich kämpft, sondern durch und für Christus. Und deshalb ist es auch sein Reflex, bei Herausforderungen zu beten. Dieser Reflex darf auch unserer werden: das Herz von Christus neu füllen zu lassen und sich Weisung von Christus zu holen, um mit neuer Zuversicht und Freude für unseren Herrn einzustehen.

Henrik Diekmann

20
Sonntag
JULI

2025

☀ 05:30 21:26
☽ 00:41 17:54

5. Sonntag nach Trinitatis

Bibellese: Psalm 26

Herr, ich hatte deine Güte immer vor Augen,
im Wissen um deine Treue habe ich mein Leben ge-
führt. *(Vers 3)*

O Mann, mit diesem Psalm habe ich so meine Probleme. Liest man nur den obigen Vers, dann wirkt die Aussage des Psalmschreibers wie ein Bekenntnis zur Liebe und Treue Gottes. Lese ich aber den ganzen Psalm, dann sehe ich einen Beter, der Gott sein frommes und gläubiges Leben vor Augen hält, damit Gott sich daran erinnert, dass er dem Schreiber auf jeden Fall bei seinen Problemen zur Hilfe kommt: „Sieh doch, wie treu ich dir bin. Da musst du mir doch helfen!" Können wir Gott durch unser Verhalten erpressen, dass er uns auf jeden Fall Gutes tun muss?

Ich denke an den Unfall einer gläubigen Frau aus unserer Gemeinde. Sie hatte im Urlaub einen tödlichen Badeunfall. Sie hatte für Jesus noch so viel vor, machte gerade eine Bibelschulausbildung, um sich auf den Predigtdienst vorzubereiten, missionierte auf den Straßen, leitete eine kleine Gemeinde. Hätte sie mehr wie der Psalmschreiber beten sollen, damit Gott für sie eintritt und sie schützt? Tat sie noch zu wenig für Gott, damit er sie sieht und in seine Obhut nimmt?

Je öfter ich den Psalm lese, umso mehr entdecke ich, dass der Psalmschreiber weniger Gott auffordert, seine Treue zu erkennen, als sich selbst bewusst zu machen, wer Gott in seinem Leben ist, und als sich neu bewusst zu machen, wer Gott für ihn ist. Gott ist gütig. Gott ist der Herr der Wahrheit. Gott ist treu. Gott ist nicht hinterhältig, sondern verlässlich. Gott tut viele Wunder. Gott gibt Sicherheit und Festigkeit im Leben. Das sind Bekenntnisse, Erfahrungen im Leben mit Gott, dem Herrn. Wenn das Leben des Schreibers im Vertrauen auf Gott gegründet ist und er die Gemeinschaft mit Gott mehr liebt als menschliche Vorteile, dann darf er auf Gottes Handeln in seinem Leben vertrauen. Dann darf er sich bewusst machen: Auch in den Krisen seines Lebens wird er von Gott gehalten. Und selbst wenn der Tod versucht, ihm das Leben zu rauben, so hat der Tod nur Macht über das irdische Leben, nicht aber über die Gemeinschaft mit Gott. Was für ein Trost! Was für eine Hoffnung!

Henrik Diekmann

21

Montag
JULI

2025

☀ 05:31 21:25
☽ 01:13 19:16

Bibellese: Philipper 1,18b-26
Paulus und Timotheus schreiben: Darüber freue ich mich; aber auch künftig werde ich Grund haben, mich zu freuen.   *(Vers 18b)*

„Etwas Zeitloses und schön schlicht" suchen sich die meisten Menschen aus, wenn sie ein Bad fliesen. Muster und Form sollen unbedingt noch in mehr als drei Jahren angenehm und hübsch sein. Und Überraschung: Die kleinen Mosaik-Fliesen brachten 1990 alle zum Seufzen, Terrakotta-Fliesen zeigen deutlich, dass um 2000 renoviert wurde, Holzoptik kam 2010 und 2020 musste das Zeitlose dann grau und groß sein. Zeitloses sucht man bei Farben, Form und Funktion vergebens.

Paulus stellt ein Thema vor, das keinen Anlass benötigt und auch keine zeitliche Aktualität. Jesus Christus ist der Halt, die Kraftquelle und die brandaktuelle Rettungsbotschaft, die auch morgen noch Bestand haben wird. Paulus beschreibt in dem Abschnitt, wie er hin- und hergerissen ist. In seiner misslichen Lage sieht er zwei Auswege: Rettung durch die Fürbitte aus dem Gefängnis oder Rettung aus dem Elend durch Sterben. Es wird zu seiner Rettung führen durch Christus – in jedem Fall.

Vielleicht fehlt es uns heute manchmal am Pathos von Paulus, wenn er so entschieden zusammenfasst: „Denn Leben, das ist für mich Christus; darum bringt Sterben für mich nur Gewinn" (Vers 21). Die zeitlose Ewigkeitsnachricht darin ist die Top-Nachricht für Sie: Mit Jesus im Leben verbunden sein ist eine gewinnbringende Haltung. Mit Christus verbunden sein im Sterben ist ein Geschenk für heute und morgen. *Stefanie Diekmann*

Fragen zum Weiterdenken
Wie oft verlor unser Glaube die zeitlose Dimension? Wie kann ich Leben und Sterben als Gewinn empfinden?
Was macht mich zynisch, ängstlich oder mutlos?
Wir wissen theoretisch, dass Jesus uns hält. Wie kommt dieses Wissen wieder in unser Herz?

Seliges Wissen: Jesus ist mein!
Frieden mit Gott bringt er mir allein.
Leben von oben, ewiges Heil,
völlige Sühnung ward mir zuteil.

Frances Jane van Alstyne-Crosby 1873
Dt: nach Heinrich Rickers 1901

Bibellese: Philipper 1,27-2,4
Steht alle fest zusammen in derselben Gesinnung!
Kämpft einmütig für den Glauben, der in der Guten
Nachricht gründet. *(Vers 27)*

Als Junge spielte ich im Fußballverein unseres kleinen Dorfes. Fast alle Jungs des Dorfes waren dort aktiv, damit wir überhaupt eine Elf zusammenbekamen. Diesem Umstand war es wohl zu verdanken, dass auch ich mitspielen durfte. Wir spielten aber nicht nur zusammen Fußball. Wir trafen uns auch auf dem Schulhof, auf dem Dorfplatz und bei anderen Gelegenheiten. Wir machten alles Mögliche miteinander, manchmal stritten und rauften wir uns auch heftig. Wir waren eben eine ganz normale Horde Jungs, die von Zeit zu Zeit wieder einmal die Hackordnung neu ausfechten mussten. Aber wenn wir gegen eine gegnerische Mannschaft auf dem Fußballplatz standen, war klar: Jetzt raufen wir uns zusammen und sind ein Team! Da werden alle Querelen zurückgestellt, sonst haben wir keine

Chance zu gewinnen. Jetzt ist den Anweisungen des Trainers Folge zu leisten. Er hat eine Strategie und einen Plan, er will uns zum Sieg über den Gegner führen.

Wie ein guter Trainer leitet Paulus die Gemeinde der Christen in Philippi an. Er gibt klare, nachvollziehbare Anweisungen: Seid alle miteinander ein Herz und eine Seele! Alle! Die ganze Gemeinde. Nicht nur die, die sich sowieso schon mögen und gerne als Clique beim Stehkaffee nach dem Gottesdienst zusammenstehen. Seid alle eins miteinander im gemeinsamen Kampf für den Glauben! Für den Glauben, der in der guten Nachricht von Jesus Christus gründet! Nur er rettet Verlorene und versöhnt sie durch seinen Sühnetod am Kreuz mit Gott. Wir mögen in manchen Fragen unterschiedliche Meinungen und Sichtweisen haben. Aber das darf nicht zu einem Nebeneinander oder gar Gegeneinander innerhalb der Gemeinde führen. Nur im Miteinander und Füreinander können wir standhaft den Kampf bestehen und im Glauben an den Herrn Jesus Christus treu sein, allen Einschüchterungen und Widersprüchen gegen das Evangelium zum Trotz.   *Wilfried Jotter*

23 **Mittwoch** **2025**
JULI ☀ 05:34 21:22
☽ 03:06 21:10

Bibellese: Philipper 2,5-11
Habt im Umgang miteinander stets vor Augen, was für einen Maßstab Jesus Christus gesetzt hat. *(Vers 5)*

Im Laufe der vergangenen 35 Jahre durften meine Frau und ich viele junge Paare auf das gemeinsame Leben in der Ehe vorbereiten. Wir führten mit ihnen einen Ehevorbereitungskurs durch, der mehrere Treffen erforderlich machte und verschiedene Facetten des Ehelebens zum Inhalt hatte. Da ging es um die Gestaltung des gemeinsamen Lebens und Glaubens, um Fragen des Umgangs mit Finanzen, um familiäre Hintergründe, um faires Streiten und die Suche nach Konfliktlösungen und um manches andere mehr. Im Laufe dieser Treffen kristallisierte sich stets die entscheidende Grundhaltung heraus, die für eine gelingende Ehe unerlässlich ist: Geht gut miteinander um! Das kürzeste Eheseminar besteht aus diesen vier Wörtern. Wir ergänzen es um drei weitere Wörter: Geht gut miteinander um, mit Gottes Hilfe!

Das, was für eine Ehebeziehung gut ist, ist auch für unsere Beziehungen in der Gemeinde gut: Geht gut miteinander um, mit Gottes Hilfe! Paulus macht deutlich, wie wichtig diese Grundhaltung ist. Und er zeigt, wer den richtigen Maßstab für einen guten Umgang miteinander gesetzt hat: kein Geringerer als unser Herr Jesus Christus selbst! Im Vorbild seines Lebens und Wirkens zeigt sich, worauf es ankommt: nicht auf die eigene Position verweisen und auf Vorrechten beharren. Stattdessen eine dienende Haltung einnehmen. Mensch sein, Gleicher unter Gleichen. Die persönlichen Ressourcen an Zeit, Kraft, Besitz und Fähigkeiten mit anderen teilen. Gott gehorchen und seine Aufträge für uns in Demut annehmen und ausführen. Jesus starb am Kreuz für uns, beladen mit der Last unserer Sünden! Wenn wir gemäß dem Vorbild Jesu alle miteinander gut umgehen wollen, dann werden wir Jesus Christus in unserer Mitte erleben! Wir alle werden schmerzlich unser Scheitern an diesem hohen Anspruch erleiden. Aber dieses gemeinsame Scheitern wird uns allen vor Augen führen, wie hoch der auferstandene Herr über uns allen steht und wie er uns alle voller Gnade in seine liebenden Arme schließt. Und wir werden alle miteinander feierlich bekennen: „Jesus Christus ist der Herr!" Er macht uns eins!

Wilfried Jotter

Bibellese: Philipper 2,12-18

Ihr sollt euch als Gottes vollkommene Kinder erweisen mitten unter verirrten und verdorbenen Menschen; ihr sollt leuchten unter ihnen wie die Sterne am nächtlichen Himmel. (Vers 15)

Vor über 30 Jahren bin ich als junger Erwachsener für ein Jahr auf einen Bauernhof gezogen. Die Familie dort war Mitglied der Kirchengemeinde, in der ich für dieses Jahr mitgearbeitet hatte. Von Anfang an hat mich die Atmosphäre auf diesem Bauernhof beeindruckt. Jeden Nachmittag nach der Schule kamen einige Jungen aus dem Dorf, um mitzuhelfen und einfach beim Hofleben mit dabei zu sein. Ich merkte schnell, dass die nicht alle kamen, weil sie sowieso schon immer Bauern werden wollten. Nein, es waren nicht ganz einfache Jungs dabei, die oft keine leichte Situation zu Hause hatten. Sie kamen, weil sie hier ganz und gar so angenommen wurden, wie sie waren. Weil sie mithelfen durften, obwohl sie zunächst keine Ahnung von der Arbeit hatten. Sie kamen, weil sie angezogen wurden von der Atmosphäre, die der Bauer und seine Frau hier geschaffen hatten. Eine von Liebe und Zuwendung, von Vertrauen und Machenlassen. In meinen Augen haben die beiden geleuchtet „wie Sterne am nächtlichen Himmel" und dieses Leuchten hat junge Menschen angezogen und sie verändert. Die Bauersleute haben die gute Nachricht verkörpert, durch ihr Leben und Handeln, ohne große Worte.

Natürlich können wir nicht alle so leuchten, jede und jeder hat andere Gaben und Fähigkeiten. Aber den Auftrag zu leuchten, also die Nächstenliebe spürbar und sichtbar zu machen, haben wir alle. „Verirrte und verdorbene Menschen" gibt es heute genug. Egoismus und Habgier prägen Teile unserer Gesellschaft, für viele geht es nur um ihr eigenes Vorankommen, ohne Rücksicht auf die anderen. Besonders Menschen, die in der Leistungsgesellschaft nicht mithalten können, werden gerne an den Rand gedrängt. Aber gerade hier sind wir Christen, wir Kinder Gottes gefragt, einen anderen Umgang mit diesen Menschen an den Tag zu legen. Hier können wir leuchten und zeigen, was Nächstenliebe ist: Menschen so anzunehmen, wie sie sind, sie zu lieben, so wie Gott sie geschaffen hat. Das ist manchmal recht mühsam – aber die Folgen solches „Leuchtens wie die Sterne" ist unbezahlbar. *Frank Aichele*

25

Freitag
JULI

2025

☀ 05:37 21:20
☾ 05:52 22:04

Bibellese: Philipper 2,19-30
Paulus und Timotheus schreiben: Empfangt Epaphroditus als Bruder und nehmt ihn voll Freude auf.

(Vers 29)

Vor Kurzem sah ich eine Karikatur des Schweizer Karikaturisten Patrick Chappatte in der Zeitung: Die Szene zeigt eine Straße, daneben eine Wiese, über die drei recht armselige Flüchtlinge laufen. Vor ihnen ein großes Schild „Willkommen in Deutschland", weiter hinten ist eine kleine Stadt zu erkennen. Neben dem Schild auf der Wiese steht ein Polizeiauto und zwei Polizeibeamte „empfangen" die drei Flüchtlinge. Ein Beamter deutet auf das Schild und sagt zu den Flüchtlingen, wohl auf Englisch: „Da steht, dass Sie umkehren müssen." Drastisch wird hier unsere „Willkommenskultur" auf die Schippe genommen. Wenn wir ehrlich sind, spiegelt das doch die Realität unserer Gesellschaft wider. Willkommenskultur gibt es nur für wenige Ausgewählte, die wir hier als Arbeitskräfte gebrauchen können.

Ansonsten ist bei uns wie in fast ganz Europa das Motto: „Schotten dicht." Wir wollen unseren Wohlstand für uns bewahren und nicht mit den Armen der Welt teilen. Schon gar nicht sollen sie zu uns kommen und unsere Idylle stören.

Aber anscheinend war das auch schon für die ersten Christen ein Problem. Warum sonst müsste Paulus die Philipper darum bitten und besonders betonen, dass Epaphroditus als „Bruder" aufgenommen werden soll. Er war ja ein Christ, ein Bruder, ein von Gott geliebter Mensch. Epaphroditus war wohl von den Philippern zuvor als Bote gesandt worden, hat aber deren Erwartungen nicht erfüllt, sie wohl enttäuscht. Paulus dagegen lobt ihn. Er sieht nicht nur die „äußere Leistung" des Epaphroditus – denn die war wohl krankheitsbedingt nicht so berauschend. Er sieht in ihm den Bruder mit seinen Fähigkeiten und Gaben, auch mit seinen Beschränkungen und Problemen. Sollten wir nicht Flüchtlinge genauso sehen und entsprechend aufnehmen? Mit ihren Fähigkeiten und Gaben, mit ihren Beschränkungen, ihren Problemen, ihrer oft sehr leidvollen Geschichte. Ich bin mir sicher, eine wirkliche Willkommenskultur bereichert uns. Und Hebräer 13,2 bringt es auf den Punkt: „Vergesst nicht, Gastfreundschaft zu üben, denn auf diese Weise haben einige, ohne es zu wissen, Engel bei sich aufgenommen."

Frank Aichele

26
Samstag
JULI

2025

☀ 05:38   21:18
☽ 07:17   22:20

Bibellese: Philipper 3,1-11
Ich möchte nichts anderes mehr kennen als Christus.
(Vers 10)

Klingt uns das nicht sehr arrogant und exklusiv? Nur Christus kennen wollen? In einer Zeit rasant zunehmender Erkenntnisse und menschlicher Möglichkeiten? Gilt so eine Aussage heute nicht als intolerant? Und dies auch angesichts all der Gräueltaten, die im Namen des Christentums begangen wurden? Dabei geht es zunächst um die grundlegende Frage, was mir persönlich wichtig ist. Zur Zeit der ersten Gemeinden gab es auch sehr unterschiedliche Wissensstände und unterschiedliche Bekenntnisse. Das jüdische Land war wie heute noch eine strategisch wichtige Region zwischen unterschiedlichen Völkern, Kulturen und Religionen. Persische und indische Einflüsse aus dem Osten, Ägypten im Südwesten, dazu das große Römische Reich. Jede Kultur brachte ihr Denken auf den Handelswegen durch Judäa mit und damit unterschiedliche

Göttervorstellungen und Praktiken. Diese Zeit war genauso multikulturell und von verschiedenen Religionen geprägt wie heute. Damals wuchs das naturwissenschaftliche Wissen rasant an. Viele unserer heutigen Erkenntnisse haben ihre Grundlage im damaligen Forschen und Denken, zum Beispiel in der Mathematik, die damals große Fortschritte machte. Der Austausch mit anderen Nationen und deren Wissen bereicherte und forderte gleichzeitig heraus: Was ist bleibend wichtig und gültig? Schon damals war dieses einseitig klingende Bekenntnis zu Jesus Christus für viele anstößig. Als es verbunden wurde mit der Weigerung, den römischen Kaiser als Gott zu verehren, führte dies zu ersten großen Verfolgungen. Den an Christus Glaubenden war klar, dass sie dies gegebenenfalls mit ihrem Leben bezahlen mussten. Sie waren unsterblich in Jesus Christus verliebt! Dafür waren sie bereit, ihr Leben zu geben, wie es bei Paulus und vielen anderen der Fall war. Bis heute hat sich daran nichts geändert. Wer sich zu Christus bekennt, kann Gegenwind erleben und muss dies in vielen Ländern dieser Welt mit dem Leben bezahlen.

Was ist meine Grundüberzeugung, von welcher ich gerne anderen erzähle? Ist mir Christus so wichtig, dass ich anderen von ihm erzählen möchte?

Wolfgang Bay

27

Sonntag
JULI

2025

☀ 05:39 21:17
☽ 08:37 22:32

6. Sonntag nach Trinitatis

Bibellese: Psalm 21

Herr, der König freut sich und jubelt laut.
Durch deine Nähe erfüllst du ihn mit Freude.

(Vers 2.7)

Wie oft jubelt man eigentlich vor Freude? Und zwar so richtig. Laut und frei und mit Körpereinsatz. Da fallen mir Achterbahnen, moderne Konzerte oder große Feiern ein. Das sind Orte, an denen es akzeptabel ist, laut zu sein, die Arme in die Luft zu reißen und ein lautes „Whoo" von sich zu geben. Was wäre, wenn man das im Alltag tun würde? In der Buchhandlung, weil die lang ersehnte Fortsetzung endlich erschienen ist? An der Arbeit, weil man ein dickes Lob für die gute Arbeit bekam? Das Gehalt ist endlich da, man wird bekocht, die Lieblingsband geht auf Tour ...? Es gibt viele Dinge, über die wir uns freuen. Jedoch halten wir uns zurück, springen nicht jubelnd in die Luft und zeigen allen Menschen, wie sehr wir uns freuen. Wieso eigentlich nicht? Vielleicht ist unsere Freude nicht jedes Mal so groß, dass wir ihr derart Raum schaffen müssen. Teilweise sind es sicherlich auch gesellschaftliche Gepflogenheiten. Würde man im Café einfach laut losjubeln wegen einer guten Nachricht, würden die meisten Menschen doch recht komisch gucken.

Aber wie ist das eigentlich in unseren Kirchen? Wie viel Platz hat die Freude dort? In zahlreichen Liedern wird die Freude am Herrn besungen. Zeilen wie „Ich rufe laut, denn du bist gut", „Du bringst mich zum Tanzen ... Freude, die von innen kommt" oder „Dann jauchzt mein Herz dir, großer Herrscher, zu" bringen Freude zum Ausdruck. Aber sehen tun wir davon meist doch recht wenig. Sollte der Sitznachbar tatsächlich anfangen zu tanzen, wäre das in vielen Fällen eher unangenehm als erwünscht. Zu einem Lied zu klatschen, ist nur dann angebracht, wenn alle mitmachen. Freude, die von innen kommt, bleibt in viele Gottesdiensten auch genau dort. Ob sich das ändert, liegt nicht allein in unserer eigenen Hand. Aber wir können auf uns selbst schauen und daran arbeiten, mit unserer Freude nicht hinterm Berg zu halten. Vielleicht müssen wir wieder lernen, unserer Freude Raum zu geben und sichtbar zu machen. Und wer weiß, vielleicht stecken wir mit unserer Freude sogar andere Menschen an.   *Lena Bachmann*

28

Montag
JULI

2025

☀ 05:41   21:15
☽ 09:54   22:43

Bibellese: Philipper 3,12-16
Lasst uns auf jeden Fall auf dem Weg bleiben, den wir als richtig erkannt haben.   (Vers 16)

Die Bezeichnung „Christen" wurde erstmals in einer der ersten größeren Gemeinden in Antiochia verwendete. Davor wurden die Jesusnachfolger oft als „Gemeinschaft des Weges" bezeichnet. In der Zeit der Abfassung dieses Briefes war dabei das Unterwegs-Sein in die Ewigkeit mit im Blick. Einige der Geschwister hatten Jesus Christus als Auferstandenen persönlich erlebt. Sie sehnten sich nach seiner Wiederkunft und waren bereit, zu ihm zu gehen in seine Herrlichkeit und Ewigkeit. Diese Perspektive ist bei uns eher aus dem Blick geraten. Wir wollen möglichst lange und unbeschwert leben. Wer spricht heute schon von der „Sehnsucht, heim in die Ewigkeit zu gehen", wie es zur Zeit der Urgemeinde der Fall war?
Heute stößt Pilgern auf dem Jakobsweg nach Santiago de Compostela und andere Orte auf großes

Interesse. Wir wollen Kirche in Bewegung und in Begegnung sein. Doch, wohin geht unser Weg heute konkret? Welchen Weg sollen wir einschlagen in so vielen Lebensfragen? Woher bekommen wir Orientierung? Wer führt dabei wen in der Gemeinde? Was soll und darf die Gemeindeleitung und was die Leitung der Kirche oder des Bundes? Welche weltweiten und lokalen Belange gelten dabei als wichtig und richtig?

Bis heute gilt: Lasst uns gemeinsam den richtigen Weg erkennen und dann auch gehen. Wir wollen und wollen weiter miteinander unterwegs sein. Ein afrikanisches Sprichwort lautet: „Wenn du schnell gehen willst, dann gehe alleine. Wenn du weit gehen willst, musst du mit anderen zusammen gehen!" Mit dem Himmel als Ziel heißt es, gemeinsam Gottes Wort auszulegen und danach zu leben. Gottes Geist will uns im Alltag anleiten! Jesus Christus ist weiter als Auferstandener mit uns.

Durch Gottes- und Nächstenliebe nehmen wir Anteil am Bau seines Reiches hier und in Ewigkeit. Dies wird erlebbar in unserem ökumenischen Einsatz für Gerechtigkeit, Frieden und die Bewahrung der Schöpfung. Gottes Segen gibt Kraft auf dem Weg.

Wolfgang Bay

29

Dienstag
JULI

2025

☀ 05:42 21:14
☽ 11:07 22:53

Bibellese: Philipper 3,17-21

Paulus und Timotheus schreiben: Haltet euch an mein Vorbild, Brüder und Schwestern, und nehmt euch ein Beispiel an denen, die so leben, wie ihr es an mir seht.

(Vers 17)

Manchmal ist es gut, etwas zu lernen, indem man es einfach möglichst genau nachmacht. Nachahmung kann eine sehr heilsame Methode sein. Weil mich eine ziemlich schmerzhafte körperliche Blockade lahmgelegt hatte, wurde mir vom Orthopäden Rehabilitationssport verschrieben. Ich stand mit einer Gruppe von Leuten in einem Raum, dessen Vorderseite aus einem großen Spiegel bestand. In fast jeder Stunde gab es neue Übungen, die uns die Kursleiterin, eine Physiotherapeutin, beibrachte. Nicht nur mit Erklärungen, wozu diese Übung gut war und welche Bereiche durch die Übung gedehnt wurden, sondern auch, indem sie uns diese Übung vor dem Spiegel vormachte. Oft sagte sie dann: „Ich mache es euch vor. Wenn es euch zu viel wird, macht eine Pause. Und zu Hause könnt ihr die Übungen dann auch für euch selbst machen." Mir hat es sehr geholfen, dass eine erfahrene und kompetente Person da war, die das, was mir helfen kann, selbst vorlebte und mich nicht mit klugen Erklärungen bei den Übungen allein ließ.

Der Apostel vergleicht das Leben eines Christen in seinem Brief an die Gemeinde in Philippi mit einem sportlichen Wettlauf. Auch da, das ist die Überzeugung des Apostels, gibt es immer wieder unangenehme Beeinträchtigungen. Deshalb bietet sich Paulus als Vorbild an: „An meinem Leben könnt ihr sehen, wie mir mein Glaube in schwierigen Situationen geholfen hat." Es braucht auch im Glaubensleben eines Christen nicht nur Leute, die ein großes Bibelwissen haben oder den Glauben gut erklären können, sondern an denen man Glaubensübungen sehen kann. Zum Beispiel für die heilsame Übung des Gebetes am Frühstückstisch. *Christoph Neumann*

Die Menschen glauben den Augen mehr als den Ohren. Lehren sind ein langweiliger Weg, Vorbilder ein kurzer, der schnell zum Ziel führt.

Lucius Annaeus Seneca (1 v. Chr. – 65 n. Chr.), römischer Philosoph

---

Bibellese: Philipper 4,1-9
Alle in eurer Umgebung sollen zu spüren bekommen,
wie freundlich und gütig ihr seid. Der Herr kommt
bald! *(Vers 5)*

Wenn die Liebe Gottes in ein Herz fällt, dann
zieht sie Kreise. Das ist der Wunsch des Apostels Paulus an die Christen in Philippi: „Gib das, was
du von Gott bekommen hast, weiter! Lass Gottes
Freundlichkeit in deinem Leben Kreise ziehen." Wie
Gottes Liebe Kreise ziehen kann, sodass viele Menschen sie zu spüren bekommen, das habe ich mit
einem Lied erlebt.
Als Teenager hörte ich das Lied „Ins Wasser fällt ein
Stein" zum ersten Mal in einem Gottesdienst. Einige
Zeit später habe ich es im Jugendchor selbst in vielen Veranstaltungen gesungen. Da heißt es: „Nimm
Gottes Liebe an. Du brauchst dich nicht allein zu
mühn. Denn seine Liebe kann in deinem Leben
Kreise ziehn." Jedes Mal, wenn ich dieses Lied gesungen habe, wurde Gottes Liebe für mich spürbar. Und

so ist es wohl vielen anderen auch ergangen, denn es steht heute in vielen Gesangbüchern.

Erst viele Jahre später hat mir Manfred Siebald, der Übersetzer des Liedes, erzählt, dass er in einem Schallplattenladen in Amerika eine CD gefunden hatte, auf der dieses Lied aufgenommen worden war und den Titel trug: „Pass it on" („Gibs weiter"). Da war ein Mensch, Kurt Kaiser, ein US-amerikanischer Musiker und Komponist, dem die Liebe Gottes ins Herz gefallen war, sodass er ein Lied schrieb, das als CD den weiten Weg übers Meer bis in mein Herz fand. So kann ein Lied Kreise ziehen, wie ein Stein, der ins Wasser fällt, bis über das weite Meer.

Christoph Neumann

 In einer Zeit der Vermassung, der abnehmenden Menschlichkeit und verflachten Freundlichkeit ist jeder aufgerufen, seinem Nächsten das Leben einladend zu machen.

Paul Deitenbeck (1912-2000), deutscher Pfarrer und Schriftsteller

---

Bibellese: Philipper 4,10-23
Paulus und Timotheus schreiben: Allem bin ich gewachsen durch den, der mich stark macht. *(Vers 13)*

Es ist gut, wenn man jemand kennt, der alles kann. Ich war zu Besuch bei einem Freund. Als mir die Familie ihre Wohnung zeigte, kamen wir ins Kinderzimmer. Der kleine Steppke zeigte mit Stolz sein Spielzeug. Besonders gerne spielte er mit Autos. Bei einem kleinen LKW, der da auf dem Boden lag, fehlte ein Rad. „Mit dem kannst du aber nicht mehr gut fahren. Da fehlt ja ein Rad!", sage ich. Da antwortete er mit dem Brustton der Überzeugung: „Das ist nicht schlimm. Das macht mein Papa wieder heil. Mein Papa kann alles."

Wie schön ist es, wenn Kinder ein so großes Vertrauen in ihren Vater haben. Sie erleben, dass da jemand ist, der stärker ist als sie. Der Aufgaben erledigen kann, die ihnen unmöglich erscheinen. Der offensichtlich alles kann. Der Dinge, die kaputt gegangen sind, wieder repariert. Und wenn ein Vater, wie mein Freund, handwerklich begabt ist, dann kann er auch so manches Spielzeug wieder flottmachen. Wir Erwachsenen wissen: Dieses Vertrauen bleibt nicht bestehen. Schon bald machen unsere Kinder die Erfahrung, dass auch Väter und Mütter schwach und alt werden, dass sie sehr begrenzt sind in ihren Möglichkeiten und auch viele Fehler machen.

Der Apostel Paulus schreibt der Gemeinde in Philippi als Erwachsener. Auch er hat die Erfahrung gemacht, dass es keinen Menschen gibt, der ein Alleskönner ist. Aber Paulus hat einen anderen Vater. Der Vater im Himmel ist für Paulus ein „Papa, der alles kann". Zu ihm hat Paulus ein großes kindliches Vertrauen, so wie der kleine Bub zu meinem Freund.

In Gott finden auch wir einen Vater, der das heilen kann, was in unserem Leben kaputt gegangen ist. Dieser Vater im Himmel macht uns stark, den Widerwärtigkeiten des Lebens zu trotzen. *Christoph Neumann*

Du sprichst dein Ja und Amen,
wenn wir in Jesu Namen
dir, Vater, bittend nahn.
Die Schätze deiner Gnade
sind auf dem Pilgerpfade
den Deinen reichlich aufgetan.

Rudolf Brockhaus 1898
Aus: O Vater, sieh die Deinen

1

Freitag
AUGUST

Bibellese: Apostelgeschichte 17,1-15
Die Juden in Beröa nahmen die Botschaft mit großer Bereitwilligkeit auf und studierten täglich die Heiligen Schriften, um zu sehen, ob das, was Paulus sagte, auch zutraf. *(Vers 11)*

Wenn Menschen Christen werden, so sagt man dazu auch, dass sie „zum Glauben gekommen" seien. Und tatsächlich ist an dieser Redewendung viel Wahres dran. Sie geht in Ordnung. Jedenfalls dann, wenn man sich klarmacht, dass „Zum-Glauben-Kommen" etwas anderes ist, als den Glauben hervorzubringen. Kein Mensch kann den Glauben erzeugen oder machen. Und niemand kann den Glauben erwerben, verdienen oder gar ererben. Denn der Glaube kommt zum Menschen. Der Glaube kommt zum Menschen, weil Jesus Christus im Heiligen Geist zum Menschen kommt. Als die allervertrauenswürdigste Person, die uns jemals begegnet ist. Und weil Christus zu uns kommt, darum lassen wir uns von ihm bewegen, zu ihm zu kommen. Im

Deutschen hat man dafür das schöne Wort „sich verlassen". Jesus Christus kommt aber im Heiligen Geist so zu uns, dass er dazu Menschen gebraucht, die von ihm und seinem Leben, seinem Sterben und seiner Auferstehung erzählen. Und die das erzählen, wissen davon wiederum durch die biblischen Texte, die sie hörten und lasen. Wenn dann glaubende Menschen von ihrem Glauben und ihren Erfahrungen mit Hilfe der biblischen Texte erzählen, so stoßen sie bei ihren Zuhörerinnen und Zuhörern auf unterschiedliche Reaktionen. Das reicht von freundlicher Ablehnung bis zu aggressiver Zurückweisung. Da findet sich aber auch Offenheit und die Bereitschaft, sich auf das Gehörte einzulassen und es kritisch zu prüfen. In Beröa taten das einige Leute und viele andere taten es ihnen später nach. Es ist ein guter erster Schritt auf den Glauben zu. Ein Schritt in die Richtung auf den zu, der uns entgegenkommt. Und auf den wir uns dann verlassen, um bei ihm zum Glauben zu „kommen". Und das wohl einmal zum ersten Mal in unserem Leben. Aber danach dann immer wieder neu.   *Volker Spangenberg*

Monatsspruch

Gottes Hilfe habe ich erfahren bis zum heutigen Tag und stehe nun hier und bin sein Zeuge.

(Apostelgeschichte 26,22 L)

2

Bibellese: Apostelgeschichte 17,16-34

Die Philosophen nahmen Paulus mit zum Areopag und wollten Näheres erfahren. „Uns interessiert deine Lehre", sagten sie. (Vers 19)

Es gibt Reden, die vergisst man nicht. Dazu gehört die Bergpredigt von Jesus. Aber auch Martin Luthers flammende Rede 1521 vor dem Reichstag zu Worms, die man sinngemäß mit den Worten zusammenfasste: „Hier stehe ich, ich kann nicht anders." Oder Martin Luther Kings Rede 1963 beim Marsch auf Washington: „Ich habe einen Traum!"
Eine große und unvergessliche Rede ist auch die des Paulus auf einem Athener Hügel. Ihre Auslegung füllt viele kluge Bücher. Dass sie zustande gekommen ist, verdankt sich zunächst dem Mut des Völkerapostels. Er scheut das Gespräch mit den gelehrten Köpfen nicht, die ihn wenig schmeichelhaft einen „Körnerpicker" nennen. Die aber dann doch neugierig genug sind, um mehr über das Befremdliche zu hören, was ihnen da zu Ohren kommt. Schließlich ist es ihr

Beruf, darüber nachzudenken, was es mit Mensch und Welt auf sich hat. Und genau darauf erhalten sie eine Antwort. Ja, es gibt eine Herkunft des Menschen von einem Gott. Und ja, der Mensch ist darum mit seiner Lebensführung verantwortlich auf seinen Schöpfer bezogen. Das denken sie als Philosophen auch. Doch dann kommt der Punkt, da denken und machen die Gelehrten nicht mehr mit. Auferstehung von den Toten? Gottes Handeln in und durch einen Menschen? Rettung durch dessen Tod und dadurch Rettung der Menschheit aus dem Tod? Das ist für die meisten Zuhörer dann doch geradezu irrwitzig. Denn das ist durch philosophische Erkenntnis nicht zu konstruieren. Dieses Handeln Gottes durch Jesus Christus zu unserem Heil kann man sich nur sagen lassen. Und darauf kann man sich nur im Glauben einlassen. Darum unterscheidet sich bei der Rede von der Auferstehung die Reaktion der Menschen. Damals wie heute. Viele wenden sich ab. Manche geraten ins Nachdenken. Und einige kommen zum Glauben – Gott sei Dank.   *Volker Spangenberg*

Ein Gramm Glaube wiegt mehr als Berge von Philosophie.

Charles Haddon Spurgeon (1834-1892), britischer baptistischer Pastor

3

Sonntag
AUGUST

2025

☀ 05:50 21:06
☽ 17:09 -.-

Bibellese: Psalm 11
Der Herr sieht die Treuen, die ihm gehorchen,
und die Untreuen, die ihn missachten;
wer Gewalt liebt, den hasst er von Herzen. *(Vers 5)*

Da streiten sie miteinander in ein und demselben Gebet: die Resignation und die Hoffnung, der Fatalismus und das Gottvertrauen. Im Leben der Glaubenden gibt es kein „immer fröhlich, immer immer fröhlich, alle Tage Sonnenschein" – wie im Lied. Sondern da gibt es auch das finstere Tal, wo Glaube und Anfechtung miteinander ringen. Ja, das Leben kann schön sein. Glücklich, wer das in diesem Moment sagen kann. Und ja, das Leben ist oft grausam. Traurig und schrecklich für alle, die das in diesem Augenblick sagen müssen. Die vielleicht sogar nur noch stumm unter Tränen die Hände ringen können. Vieles macht uns sprachlos und hilflos. Menschen, die auf Menschen Jagd machen. Heimliche Niedertracht neben offener Brutalität. Kleine Bosheiten und freche Vergewaltigung von Recht und Moral. Und dann steigt jene Frage auf, die alle Menschen kennen und die auch alle Frommen kennen, tausendmal gestellt und tausendmal gehört: Was kann ich als einzelner Mensch da schon ausrichten? Es ist nun mal, wie es ist. Das Leben ist nicht fair. Also, Vöglein, flieh in die schützenden Berge.

„Halt! Falsche Richtung", sagt das Psalmgebet. Ja, flieh. Aber flieh in die Arme des Gottes, der die Gewalt hasst und die Gerechtigkeit liebt. Hier ist der feste Grund unter dem schwankenden Balken des Lebens. Hier ist der Anker für den Glauben und für die Hoffnung, dass sich am Ende nicht die Barbarei und nicht das Böse durchsetzen werden. Sondern Gottes Gerechtigkeit und Wahrhaftigkeit. Hier ist auch die Quelle der Kraft für Mutlose und Resignierte, für Betrogene und Verletzte und für die, die sich ins Schneckenhaus zurückgezogen haben. Gott selbst hasst die Gewalt. Darum werden am Ende nicht die Mörder über ihre Opfer triumphieren. Und diese Gewissheit gibt uns neue Kräfte, nicht davonzuflattern. Sondern, wo immer wir können, der Gewalt und der Ungerechtigkeit um uns und unter uns zu widerstehen.   *Volker Spangenberg*

4

Montag
AUGUST

Bibellese: Apostelgeschichte 18,1-22

*Paulus bezeugte den Juden, dass Jesus der versproche-
ne Retter ist. Als sie ihm aber widersprachen und Läste-
rungen gegen Jesus ausstießen, schüttelte er den Staub
aus seinen Kleidern und sagte: „Ihr habt es euch selbst
zuzuschreiben, wenn ihr verloren geht. Mich trifft keine
Schuld. Von jetzt ab werde ich mich an die Nichtjuden
wenden."*   *(Vers 5-6)*

Seit mehr als einem Jahr baut unsere Gemeinde
ein neues Gemeindezentrum. Langsam nähern
wir uns der Zielgeraden. Es wird Zeit zu überlegen,
welche Angebote wir in den neuen Räumen machen
wollen. Nicht wenige, die sich an der Planung beteiligen, erhoffen von einem Ortswechsel auch eine
neue Außenwirkung. Seit der Coronapandemie
haben viele christliche Gemeinden Erfahrungen mit
Gottesdiensten an neuen Orten gesammelt. Man feierte Gottesdienste in Kirchengärten, in Parkanlagen,
auf Marktplätzen, an Seen und auf Schulhöfen. Nicht
selten wurden Menschen, die so gut wie nie einen

Fuß in eine Kirche setzen, auf diese Angebote aufmerksam. Manchmal ist es nötig, Ortswechsel vorzunehmen, um das Evangelium anderen Zuhörerkreisen zu eröffnen.

Der Apostel Paulus suchte für seine Verkündigung häufig Synagogengottesdienste auf. Hier konnte er das Neue, dass Jesus Christus der erwartete Messias ist, mit der jüdischen Tradition verbinden. In Korinth allerdings wird die Verkündigung des Apostels von einer starken Gruppe abgelehnt. Als Reaktion darauf lässt Paulus den Ort, an dem er Ablehnung erfährt, hinter sich. Der neue Versammlungsraum liegt gleich neben der Synagoge, die der Apostel verlässt. Für Paulus allerdings ist dieser Wechsel auch ein Zeichen, dass er das Evangelium zunehmend mehr den Heiden verkünden will. Inhaltlich gibt es keine Veränderungen. Weiterhin bezeugt der Apostel Jesus Christus als den Messias und den Auferstandenen. Vielleicht ist es gut, öfter Gottesdienste in neuer Umgebung zu feiern. Sich nach draußen zu wagen, um die Glaubensbotschaft Menschen zu bringen, die den Weg in die Kirche nicht finden. Von Paulus können wir lernen, andere Wege zuzulassen. Auch, wenn wir ein neues Gemeindezentrum bauen, werden wir Schritte nach außen gehen (müssen), um die gute Botschaft von Jesus Christus bekannt zu machen. *Jörg Kibitzki*

Bibellese: Apostelgeschichte 18, 23-19,7
Paulus erklärte: „Johannes hat das Volk zur Umkehr aufgefordert; seine Taufe war das Siegel auf die Bereitschaft, ein neues Leben anzufangen. Doch sagte er allen, sie müssten, um gerettet zu werden, ihr Vertrauen auf den setzen, der nach ihm komme: auf Jesus."

(Vers 4)

Wir versammelten uns vor einer großen Kirche. Das Kind unserer Bekannten sollte getauft werden. Als die Taufgesellschaft beisammen war, drückte jemand gegen die schwere Kirchentür, um sie zu öffnen. Die Kirchentür war verschlossen. Wir waren irritiert. Da hörten wir von innen eine Stimme: „Was ist euer Ansinnen?" Hierauf antworteten die Eltern: „Wir wollen unser Kind taufen lassen." Dann öffnete sich die Tür. Vor der Taufe gab es noch eine kurze Unterweisung, die darauf hinwies, dass das Kind auf den Namen des dreieinigen Gottes getauft wird. In mir klang während der ganzen Taufe immer noch die Frage nach dem Ansinnen nach.

Ich überlegte, dass es wichtig ist, vor allem an Übergängen sein Leben an Jesus Christus festzumachen. Die Jünger des Johannes, die der Apostel Paulus bei seiner Reise trifft, sind Menschen des Übergangs. Sie haben die Bußtaufe erhalten, aber noch nichts vom Heiligen Geist erfahren. Sie haben einen ersten Schritt gemacht, aber der zweite liegt noch vor ihnen. Weil der Apostel Paulus das erkennt, unterrichtet er sie im Glauben an Jesus Christus. Es ist das Anliegen des Apostels, Menschen den Weg zu Jesus Christus zu weisen. Er möchte die Johannesjünger nicht in ihrer Unwissenheit über den Heiligen Geist und Christus belassen. Die Bereitschaft, ein neues Leben anzufangen, soll in Christus das Ziel finden.

Ich denke, dass es immer wieder im Leben Situationen gibt, die uns zeigen: Wir sind noch nicht am Ziel. Menschen suchen nach Befreiung, nach Halt und Trost. Eltern wünschen sich Schutz und Nähe für ihre Kinder. Paare brauchen die Gewissheit, dass sie nicht allein in die gemeinsame Zukunft gehen. Paulus hat Jesus Christus als die verändernde Kraft seines Lebens erfahren. Diese Erfahrung möchte der Apostel auf keinen Fall für sich behalten. Sie soll möglichst viele Menschen ergreifen, so wie die Jünger des Johannes. *Jörg Kibitzki*

Bibellese: Apostelgeschichte 19,8-22
Als die Juden die neue Lehre vor der ganzen Versamm-
lung verspotteten, kehrte Paulus ihnen den Rücken und
löste die Jünger und Jüngerinnen aus der Synagogen-
gemeinde. Von nun an sprach er täglich im Lehrsaal
eines Griechen namens Tyrannus. (Vers 9)

Paulus ist enttäuscht. Seitdem er Jesus Christus auf
dramatische Art und Weise begegnet war, hat sich
sein Leben gewaltig geändert. Nun ist es das Anliegen des Apostels, viele Männer und Frauen dafür zu
gewinnen, ein Leben mit Jesus Christus zu führen.
Im Zeichen dieses neuen Lebens begibt er sich auf
die Reise, um auf viele Arten und Weisen Menschen
für Jesus Christus zu gewinnen. Gern besucht er,
wenn er an neue Orte kommt, zunächst einmal die
Synagogengottesdienste. Hier, im Gottesdienst der
Juden, sieht er Anknüpfungspunkte für seine Verkündigung von Jesus Christus, dem Auferstandenen. Allerdings stößt die Lehre vom auferstandenen Jesus Christus im Synagogengottesdienst von

Ephesus auf erheblichen Widerstand. Aufgrund dessen, was Paulus verkündet, wird er verspottet und zur Witzfigur erklärt. Das tut weh. Der Apostel kann nicht anders, er verlässt die Synagoge und wechselt in einen anderen Versammlungsraum. Einen Teil derer, die ihm zuhören, kann er mitnehmen. Was für den Apostel extrem ärgerlich ist, kann ich auf der anderen Seite aber auch ganz gut verstehen. Zu groß ist für viele der Schritt, eine vertraute Tradition zu verlassen. Was bislang Sicherheit und Kontinuität vermittelt hat, sollte auf einmal nur noch eine Vorstufe sein? Die Veränderungen sind für etliche eine Überforderung.

Manchmal können schon kleinere Prozesse neuen Denkens zu Abwehrreaktionen führen. Die Gegner des Paulus ärgern sich über die neue Lehre und verteidigen, was ihnen vertraut ist. Offensichtlich sind dabei auch harte Worte gefallen. Viele Juden sind trotz missionarischer Anstrengungen nicht zum Christentum konvertiert. Im Römerbrief wird sich Paulus intensiv mit dem Verhältnis zum Volk Israel auseinandersetzen. Israel bleibt für ihn immer eine heilige Wurzel, aus der heilige Zweige des christlichen Glaubens hervorgehen. Auch wenn Paulus in den Lehrsaal des Tyrannus wechselt, bleibt er fest davon überzeugt, dass Gottes Liebe zu seinem Volk unumstößlich ist.   *Jörg Kibitzki*

Bibellese: Apostelgeschichte 19,23-40

Paulus selbst wollte sich der Menge stellen, aber die Jünger ließen ihn nicht aus dem Haus. *(Vers 30)*

Der Apostel Paulus war alles andere als konfliktscheu. Ganz im Gegenteil: Er neigte vielmehr dazu, kein Blatt vor den Mund zu nehmen und Konflikte um des Evangeliums willen konfrontativ anzugehen. Die Bibellese der letzten Wochen hat dies mehrfach veranschaulicht: Ob in Philippi (Apostelgeschichte 16,16-40), ob in Thessalonich (Apostelgeschichte 17,5-9) oder in Korinth (Apostelgeschichte 18,12-17), immer wieder stellt sich der Apostel unbeirrt allen aufkeimenden Auseinandersetzungen. Stets versucht er dabei, durch Dialogangebote eine friedliche Lösung anzubahnen. Trotzdem finden sich auch in seinem Lebenslauf Situationen, in denen es angebrachter erschien, dem jeweils bestehenden Konflikt aus dem Weg zu gehen. Beispielsweise flieht er einmal auf Anraten seiner Mitchristen in einem über die Stadtmauer heruntergelassenen Korb

(Apostelgeschichte 9,23-25). Ein anderes Mal wird er von anderen Mitchristen schnellstens nach Athen geleitet, als er in Beröa Verfolgung erlitt (Apostelgeschichte 17,14-15). Auch in der heutigen Bibellese scheint eine weitere Konfliktvermeidung wohl die klügere Entscheidung. Wiederum sind es Mitchristen, welche „ihn nicht aus dem Haus" ließen, um einer Konflikteskalation vorzubeugen.

Tatsächlich kann es manchmal klüger sein, einem Konflikt auszuweichen. Nicht nur dann, wenn Gefahr für Leib und Leben besteht. Auch bei geringfügigen Meinungsunterschieden oder wenn wenig Aussicht auf eine positive Lösung besteht oder wenn ein Konflikt eine extreme emotionale Belastung verursacht, kann es ratsam sein, zumindest vorübergehend Abstand zu nehmen. Auf den Rat anderer Mitchristen zu hören, unterstützt zudem dabei, selbst wieder zur Ruhe zu finden. So Gott will, kann man sich dann vielleicht etwas später der Auseinandersetzung erneut stellen. Mir war das berühmte Gelassenheitsgebet des US-amerikanischen Theologen Reinhold Niebuhr (1892-1971) eine gute Begleitung in Konfliktsituationen. Darin heißt es: „Gott, gib mir die Gelassenheit, Dinge hinzunehmen, die ich nicht ändern kann, den Mut, Dinge zu ändern, die ich ändern kann, und die Weisheit, das eine vom anderen zu unterscheiden."

Peter Mergler

8

Freitag
AUGUST

2025

☀ 05:57 20:57
☽ 21:00 04:14

Bibellese: Apostelgeschichte 20,1-16

Auf der Fensterbank saß ein junger Mann mit Namen Eutychus. Als Paulus so lange sprach, schlief er ein und fiel drei Stockwerke tief aus dem Fenster. Als sie ihn aufhoben, war er tot. *(Vers 9)*

Im Guinnessbuch der Weltrekorde besitzt der US-amerikanische Pastor Zach Zehnder den Eintrag für die längste Rede. Der 31-jährige Geistliche verwendete seine Predigten als Grundlage und hielt damit im Jahr 2014 eine Marathon-Predigt. Sie dauerte 53 Stunden und 18 Minuten! Zuvor lag der Weltrekord bei 48 Stunden und 31 Minuten. Zehnder erklärte, dass er über Themen vom ersten bis zum letzten Buch der Bibel gesprochen hat. Seine Motivation für diesen Weltrekord bestand darin, Spenden für eine städtische Einrichtung zur therapeutischen Behandlung von Alkohol- und Drogenabhängigen zu sammeln. Insgesamt hörten fast 500 Menschen seinen Rekordvorträgen zu. Letztlich kamen 100 000 Dollar zusammen. In der Endphase des Predigtmarathons, als Zehnder bereits müde wurde, halfen ihm einige seiner Zuhörer beim Wachbleiben: Sie hatten Wasserspritzpistolen mitgebracht, um ihren Pastor damit zu „erfrischen". Soweit bekannt ist, gab es jedoch keinen einzigen Zuhörer, welcher der Weltrekord-Predigt die ganze Zeit über lauschen konnte. Kein Wunder: Allgemein wird nämlich angenommen, dass die optimale Konzentrationszeit für die meisten Menschen zwischen 25 und 45 Minuten liegt.

In der heutigen Bibellese fiel es zumindest Eutychus schwer, sich über die ganze Predigtzeit hinweg aufrecht zu halten. Dass dies zunächst tragisch und dann doch mit einem Wunder Gottes endet, hat schon oft sowohl Lächeln als auch Gotteslob hervorgerufen. Allerdings gibt es tatsächlich einige grundlegende Tipps, um auch längeren Predigten gut zuhören zu können, zum Beispiel: nachts zuvor nicht zu spät ins Bett gehen; sich während der Predigt Notizen zu den wichtigsten Gedanken anfertigen; den Blickkontakt zum Verkündiger halten; sich das Gesagte bildlich vorstellen; Sitzposition und Körperhaltung öfters verändern oder nach der Predigt über deren Inhalt mit anderen ins Gespräch kommen. Dass das Wort Gottes dann aber beim Hörer neues oder verändertes Leben bewirkt, bleibt letztlich ein Geschenk des Heiligen Geistes. *Peter Mergler*

Bibellese: Apostelgeschichte 20,17-38
Paulus sagte zu den Ältesten der Gemeinde in Ephesus:
„Seht, ich gehe jetzt nach Jerusalem – gefesselt vom
Heiligen Geist und als sein Gefangener. Ich weiß nicht,
wie es mir dort ergehen wird." *(Vers 22)*

Der Begriff „Resilienz" bezieht sich auf die Fähigkeit eines Menschen, sich auf Herausforderungen, Krisen oder stressige Situationen einstellen und diese bewältigen zu können. Im Kern geht es darum, trotz Widrigkeiten, Stress oder Druck psychisch und emotional stabil zu bleiben und letztendlich gestärkt aus schwierigen Zeiten hervorzugehen. Resiliente Menschen können ihre negativen Erfahrungen in Wachstumschancen umwandeln und sich an veränderte Umstände anpassen, ohne dass ihre psychische Gesundheit und ihr Wohlbefinden ernsthaft beeinträchtigt werden.
Eine große Herausforderung an diese Resilienzfähigkeit stellen gerade solche Situationen dar, wie sie in unserer heutigen Bibellese vorzufinden sind: Der

Weg nach Jerusalem ist aus der Sicht des Apostels zwar „vom Heiligen Geist" vorgezeichnet, aber Paulus gesteht: „Ich weiß nicht, wie es mir dort ergehen wird." Er lebt also in der herausfordernden Spannung zwischen dem Wissen um die Führung Gottes einerseits und der Ungewissheit darüber, wie sich seine Zukunft im Detail ausgestalten wird, andererseits.

Ähnliche Situationen stellen auch heute noch die individuelle Resilienzfähigkeit auf eine harte Belastungsprobe. Ob es um eine neue Arbeitsstelle geht oder ob ein Schulwechsel beziehungsweise der Wechsel auf eine Universität ansteht; ob es um einen Umzug in eine neue Wohngegend geht oder darum, ein neues Medikament auszuprobieren oder sich auf eine neue Freundschaft, auf einen Partner oder auf eine andere Gemeinde einzulassen: Immer steht die Herausforderung vor Augen, die Führung des Heiligen Geistes anzunehmen und das Neue trotz bleibender Ungewissheiten im Vertrauen auf Gottes Hilfe anzugehen. Meiner Erfahrung nach ist es dabei letzten Endes der Glaube an den lebendigen Gott, der mich gegen die Ungewissheiten des Lebens resilienter macht. In seiner Hand bin ich geborgen und kann im Hinblick auf meine eigene Zukunft freudig miteinstimmen: „Weiß ich den Weg auch nicht, du weißt ihn wohl; das macht die Seele still und friedevoll" (Hedwig von Redern).   *Peter Mergler*

Bibellese: Psalm 14

Der Herr blickt vom Himmel herab auf die Menschen.
Er will sehen, ob es da welche gibt,
die Verstand haben und nach ihm fragen. *(Vers 2)*

Experten sind gefragt: IT-Spezialisten und Medizintechniker, Islamkenner und Fortpflanzungsbiologen, Tiefenpsychologen, Astrophysiker und Archäologen. Nur einer braucht keine Experten, obwohl viele zu wissen meinen, was er tun müsste: Gott. Er hält Ausschau nach Menschen, die fragen. Denn mit Fragen fängt jede Erkenntnis an, auch die Gotteserkenntnis. Wo komme ich her? Warum wachsen die Blumen? Wie funktioniert eine Kamera und wie meine Augen? Warum gibt es Böses auf der Welt? Und warum ist die Angst in meinem Herzen? Wer zeigt mir den Weg zum Leben? Und wer hilft mir, das Gute zu tun? Was ist das Ziel meines Lebens und der Weltgeschichte?

Gott hält Ausschau – nicht nach Alleskönnern, Prachtkerlen und Besserwissern. „Der Herr blickt vom Himmel ... Er will sehen, ob es welche gibt, die Verstand haben und nach ihm fragen."

Gottes Ausschau nach uns Menschen ähnelt wohl ein bisschen dem, wenn wir als Großeltern unsere Enkelkinder sehen: Wir freuen uns natürlich, wenn sie gewachsen sind und etwas dazugelernt haben. Aber das Schönste ist doch, wenn sie uns mit leuchtenden Kinderaugen anschauen und auf unseren Schoß klettern. Oder wenn sie von einer Mauer in unsere Arme springen. Ihr Vertrauen erfreut unser Herz.

Selig, wer nach Gott fragt, wer ihn sucht in den Wundern der Schöpfung, in den Abläufen der Geschichte, in den Worten der Bibel, in seinem Sohn Jesus Christus. Wer aufrichtig sucht, den wird er nicht ins Leere laufen lassen. Jesus verspricht: „Denn wer sucht, der findet; und wer anklopft, dem wird geöffnet" (Matthäus 7,8).   *Albrecht Weißbach*

 Wenn Gott den Menschen misst, legt er das Maßband nicht um seinen Kopf, sondern um sein Herz.

Corrie ten Boom (1892-1983),
niederländische Widerstandskämpferin

11

Montag
AUGUST

2025

☀ 06:02 20:51
☽ 21:45 08:27

Bibellese: Apostelgeschichte 21,1-14
Der Prophet Agabus nahm Paulus den Gürtel ab, fesselte sich damit die Hände und die Füße und sagte: „So spricht der Heilige Geist: ‚Den Mann, dem dieser Gürtel gehört, werden die Juden in Jerusalem genauso fesseln und ihn den Fremden ausliefern, die Gott nicht kennen.'" (Vers 11)

„Mir sind die Hände gebunden", sagt der Arzt, der das teure Medikament aufgrund von Kürzungen der Krankenkasse nicht verschreiben darf. „Mir sind die Hände gebunden", verkündet der Politiker, dem der Etat für sein soziales Projekt vom Finanzminister zusammengestrichen wurde. „Mir sind die Hände gebunden", äußert schließlich der Chef, der einen langjährigen Mitarbeiter schweren Herzens auf die Straße setzen muss, weil es ihm von der Führungsetage so aufdiktiert wurde. Diese Redensart verdeutlicht, dass jemand in einer bestimmten Situation keine Handlungsfreiheit oder Kontrolle mehr besitzt und sich den bestehenden Umständen völlig ausgeliefert fühlt. Es ist möglich, dass das Sprichwort ursprünglich aus der historischen Praxis des Fesselns der Hände bei Gefängnisinsassen stammt. Im Laufe der Zeit hat sich diese Vorstellung dann sprachlich zu einem festen Ausdruck entwickelt.

Geführt durch den Heiligen Geist weist der Prophet Agabus den Apostel Paulus mit der Selbstfesselung der Gliedmaßen ebenfalls auf eine bevorstehende Gefängnissituation hin. Doch das Wunder passiert: Obwohl Paulus künftig von sich aus weder Kontrolle noch Einflussnahme auf seine Gefängnisstrafe besitzt, schafft Gott ihm dennoch immer wieder einige Handlungsfreiheiten. So kann er trotz seiner Gefangenschaft beispielsweise mehrfach sein Bekehrungserlebnis als Zeugnis frei verkündigen (Apostelgeschichte 22,1-21; 26,1-23). Bis zum Prozess war es ihm darüber hinaus sogar volle zwei Jahre lang möglich, in seiner eigenen Mietwohnung in Rom seinen Glauben an Jesus Christus ungehindert zu bezeugen (Apostelgeschichte 28,30-31). Dort also, wo Menschen, die mit Christus leben, scheinbar „die Hände gebunden sind" und sie sich den bestehenden Umständen völlig ausgeliefert fühlen, schafft Gott immer noch ungeahnte Möglichkeiten. Gott weiß nämlich, wie er mit denen, die ihm vertrauen, trotz aller widrigen Umstände an sein gutes Ziel kommt.

Peter Mergler

Bibellese: Apostelgeschichte 21,15-26

Die Ältesten der Gemeinde sagten zu Paulus: „Man hat den Judenchristen hier erzählt, du würdest allen Juden, die unter den fremden Völkern leben, den Abfall von Mose predigen. Du würdest sie auffordern, ihre Kinder nicht mehr zu beschneiden und nicht länger nach den Vorschriften des Gesetzes zu leben." (Vers 21)

Kann es sein, dass in Gemeinde XY…?" „Ja, das hörte ich auch schon. Bei YZ ist es sogar noch schlimmer!" „Und unsere Kirchenleitung sagt nichts dazu!" „Im Internet las ich, dass …" Manches, was man liest oder sich erzählt, mag der Wahrheit entsprechen, manches war zwar so, muss aber in einem ganz anderen Zusammenhang gesehen werden. Und manches ist schlichtweg falsch. Wir leben in einer Zeit, in der Fake News immer schwerer von echten Nachrichten zu unterscheiden sind. Und wir leben in einer Zeit, in der die Aufregung über möglicherweise Schlimmes auch deswegen groß ist, weil diese Meldungen in unsicherer Zeit nur noch stärker verunsichern. Der gute und verlässliche Lebens- und Glaubensrahmen scheint in Gefahr zu sein. Fake News zu hören und aufgeregt zu verbreiten, gibt einem scheinbar etwas Sicherheit zurück: Ich kann mich wappnen.

So ähnlich wird es damals in Jerusalem gewesen sein. Da machte es auch schnell die Runde: „Habt ihr schon gehört? Dieser Paulus glaubt und lehrt nicht mehr richtig. Er fordert sogar zu Abfall von den wahren Glaubenswahrheiten auf. Schlimm! Passt auf!" Fake News gab es also schon immer. Auch über Paulus wurden sie verbreitet. Und was macht Paulus? Er verteidigt sich nicht, sondern sagt und lebt deutlich und öffentlich, was er glaubt. Seinen guten Ruf und seine Sicherheit macht er in Gott fest. Menschen mögen ihm wohl Schaden zufügen können, ihm aber nicht seinen Wert in Jesus Christus nehmen. Paulus wusste: „Gott ist mein Retter, er schützt meine Ehre; mein starker Fels ist er und meine Zuflucht!" (Psalm 62,8). Paulus ist mir da ein Vorbild! Wenn ich das nächste Mal etwas höre, das mich aufregt, weil es vielleicht schlimm sein könnte: Auch dann will ich meine Glaubenssicherheit an Jesus festmachen. Ich muss dann nicht herumerzählen, „wie schlimm die Welt ist", sondern kann getrost und deutlich Jesus nachfolgen.   *Andrea Kallweit-Bensel*

13

Mittwoch
AUGUST

2025

☀ 06:05 20:48
☽ 22:10 11:15

Bibellese: Apostelgeschichte 21,27-40

Die Menge stürzte sich auf Paulus und wollte ihn schon umbringen, da wurde dem Kommandanten der römischen Garnison gemeldet: „Ganz Jerusalem ist in Aufruhr!" (Vers 31)

Was für ein Chaos in Jerusalem! So richtig wissen die wenigsten, um was es genau geht. Aber da ist einer, der hat auf jeden Fall Schuld. „Das ist doch der, der zum Abfall vom Glauben aufforderte!" „Ich glaube, der brachte sogar einen Griechen in den Tempel." „Ja, das stimmt! Ich sah ihn mit einem Griechen zusammen!" „Ehrlich? Im Tempel?" „Naja, in der Nähe, aber die waren bestimmt zusammen drin!" „Wie furchtbar! Es wird immer schlimmer mit der Welt und der Glaube wird beliebig!" Ein ziemliches Chaos herrscht in Jerusalem. In diesem Durcheinander von Meinungen, Anschuldigungen und Gewalt scheint es Paulus jetzt tatsächlich an den Kragen zu gehen. Da kann ihn niemand mehr schützen. Aber kurz bevor die aufgebrachte Menge Paulus lynchen kann, erscheinen der römische Stadtkommandant und seine Soldaten. Kurzerhand nehmen sie erstmal Paulus fest, um dann erfahren zu können, was eigentlich los war. Gott greift ein! Und dazu gebraucht er die römischen Soldaten.

Gott greift ein, wenn alles nur noch im Chaos ist. Und Gott gebraucht ungewöhnliche Mittel. Vielleicht geht es dem einen ähnlich wie Paulus: Er wird gemobbt. Es werden falsche Anschuldigungen gegen ihn vorgebracht. Dann meldet sich der Kollege zu Wort, der sonst nicht viel spricht, und die Dinge klären sich. Vielleicht weiß eine nicht, wie sie alles schaffen kann, was sie noch erledigen muss, und dann putzt die ansonsten immer meckernde Nachbarin einfach ihre Treppe mit. Vielleicht gibt es einen theologischen Streit in einer Kirchengemeinde und dann sagt ausgerechnet eine 14-Jährige etwas, das der Gemeinde hilft, mit Unterschieden umzugehen. Gott greift ein, wenn alles nur noch im Chaos ist. Und Gott gebraucht ungewöhnliche Mittel. Daran will ich festhalten. Gott kann! Gott greift ein. Und ich will ihn erkennen, auch in seinen ungewöhnlichen Wegen.

Andrea Kallweit-Bensel

14

Donnerstag
AUGUST

Bibellese: Apostelgeschichte 22,1-22

„Herr", sagte Paulus, „gerade die Leute in Jerusalem müssten mir doch glauben; denn sie wissen ja, wie ich früher in den Synagogen deine Anhänger festnehmen und auspeitschen ließ."   (Vers 19)

Ich war es nicht. Das müssen Sie mir glauben!" Diesen Satz hören wir häufig in Krimis, oftmals von unschuldig Verdächtigen ausgesprochen. Aber ihnen wird nicht geglaubt. „Ich sagte das nicht. Das musst du mir glauben! Du weißt doch, dass ich..." Wenn solche Sätze gesprochen werden, dann ist das Vertrauen nicht mehr da zwischen Ehepaaren, unter Kollegen, im Familienkreis. Irgendetwas zerstörte das Vertrauen und man ist sich des anderen nicht mehr sicher. Und derjenige, dem die Schuld daran gegeben wird, derjenige, dem etwas angelastet wird, der weiß nicht, wie ihm geschieht. Die anderen kennen mich doch, sie müssten es doch eigentlich besser wissen. Solche Situationen gibt es. Wenn jemand falsch beurteilt wird, dann schmerzt es sehr. Nicht immer ist es dann möglich, die Dinge schnell zu klären. Auch für Christen nicht.

Paulus erlebte das in Jerusalem und versteht es nicht. „Die müssten mich doch eigentlich kennen!", sagt er. Für Paulus ging die Situation nicht so aus, wie er es sich wünschte. Aber Jesus nutzte sie, er sandte Paulus an viele andere Orte der Welt und Paulus wurde dort Missionar und Gemeindegründer. Wichtig war: Paulus hegte keinen Groll. Er selbst verhielt sich nicht ungerecht gegen die, die ihm Unrecht unterstellten. Paulus blieb integer in seinem Leben und Glauben. So konnte er trotz allem befreit neue Wege gehen, seine Berufung leben und bis heute ein Vorbild im Glauben sein.

Andrea Kallweit-Bensel

Der österreichische Psychiater Viktor Frankl (1905-1997) sagte einmal: „Nicht das Leben ist uns etwas schuldig, sondern wir sind dem Leben etwas schuldig." Das kann auch bedeuten: Nicht Gott ist uns ein angenehmes Leben schuldig, sondern wir sind Gott unsere Hingabe schuldig.

Andrea Kallweit-Bensel

15

Freitag
AUGUST

Bibellese: Apostelgeschichte 22,23-30
Die Männer, die Paulus verhören sollten, ließen sofort von ihm ab, und der Kommandant bekam es mit der Angst zu tun, weil er einen römischen Bürger hatte fesseln lassen. *(Vers 29)*

Neulich traf ich eine gebürtige Afrikanerin, aufgewachsen in Deutschland, derzeit Wissenschaftliche Mitarbeiterin und Doktorandin mit geregeltem Einkommen an einer Universität. Sie erzählte mir davon, wie schwer es für sie sei, eine Wohnung zu finden: Ihr Name, ihr Pass – sie hat kaum die Chance auf eine Wohnungsbesichtigung. Als sie sich dann mit einem neuen Kollegen zu einer WG zusammentat, ging alles deutlich leichter: Er hatte einen deutschen Namen und die deutsche Staatsangehörigkeit. Die WG ist jedoch für beide eine Notlösung und so sucht sie weiter. Eine andere Bekannte von mir, eine Tamilin, die schon viele Jahre in Deutschland lebt, beantragte jetzt die deutsche Staatsangehörigkeit. So vieles würde für sie leichter werden mit einem deutschen Pass, sagt sie. Das Bürgerrecht spielte schon zur Zeit der Bibel eine Rolle. Paulus schützte es in diesem Moment vor den Geißelhieben, wie es in der Bibellese geschildert ist. Der römische Oberst, der sich das römische Bürgerrecht für teures Geld gekauft hatte, verhielt sich plötzlich richtig hochachtungsvoll Paulus gegenüber, der schon von Geburt an römischer Bürger war.

Eigentlich ist es jedoch damals wie heute nicht fair, einen Menschen aufgrund seines Passes zu beurteilen. Bei Jesus ist das anders. Jesus macht keinen Unterschied. Er ist für alle gestorben und auferstanden. Der Wert, den er seinen Menschen zuspricht, ist darum unvergleichlich groß. Christen haben das „Bürgerrecht im Himmel" (Philipper 3,20). Und zwar schon jetzt.

Andrea Kallweit-Bensel

Jauchzet ihm, ihr heilgen Knechte,
rühmt, vollendete Gerechte
und du auserwählte Schar!
Singt ein neues Lied in Chören,
Christus als den Herrn zu ehren,
der da herrschet immerdar.

Philipp Friedrich Hiller (1756) 1757
Aus: Jesus Christus herrscht als König

16

Samstag
AUGUST

Bibellese: Apostelgeschichte 23,1-11

Paulus spaltete den Rat in zwei Lager, denn Sadduzäer und Pharisäer fingen sofort an, miteinander zu streiten. *(Vers 7)*

Ganz schön clever, dieser Paulus: Da steht er als Angeklagter vor Gericht – und schafft es, die Gerichtsversammlung, den Hohen Rat, in zwei sich streitende Lager zu spalten. Damit schlägt er zwei Fliegen mit einer Klappe. Denn zum einen bezeugt er einen ganz zentralen Punkt des christlichen Glaubens, wegen dem er vor Gericht steht: die Hoffnung auf die Auferstehung der Toten (Vers 6). Und zum anderen bewirkt er mit diesem Zeugnis einen Tumult unter seinen Richtern. Denn er weiß, dass die eine Partei des Hohen Rates, die Sadduzäer, nicht an eine Auferstehung der Toten glauben – im Gegensatz zur anderen Partei, den Pharisäern, der er selbst auch angehört (Vers 6). Mit dem Ergebnis: Die Verhandlung wird ergebnislos aufgelöst – und es kommt zu keiner Neuverhandlung, da „der Fall

Paulus" bis dahin in die Zuständigkeit der Römer überführt wird.

Genial: Da hat einer durch sein Wissen und seine Intelligenz auf raffinierte Weise den Kopf aus der Schlinge gezogen. Wir sollen als Christinnen und Christen eben nicht nur glauben, sondern auch denken! Jesus hat seinen Jüngern als Regel für ihr Verhalten unter Gegnern einmal eingeschärft: „Seid klug wie die Schlangen" (Matthäus 10,16), die Gefahren blitzschnell erkennen und entwischen. Genau das hat Paulus hier auch getan.

Doch solches kluge Denken geschieht im Rahmen des Glaubens – dem von Jesus sogleich verheißen wird: „Sorgt euch nicht, was ihr reden sollt, denn es wird euch in jener Stunde gegeben werden, was ihr sagen sollt" (Matthäus 10,19 L).

In solch glaubendem Vertrauen dürfen wir gewiss sein, dass Gott unseren Verstand gebrauchen wird, in schwierigen Situationen das Richtige zu sagen und zu tun. Dabei geht es nicht in erster Linie darum, dass wir „ungeschoren" davonkommen, sondern dass das Zeugnis von Jesus und der Überwindung des Todes zu Gehör kommt.   *Roland Gebauer*

Bischof in schweren Zeiten

Heute vor **150 Jahren,** am 16. August 1875, **wurde** in Liebengrün/Thüringen **Friedrich Heinrich Otto Melle** als Sohn eines Landwirts **geboren.** Er studierte ab 1897 Theologie in Berlin, wirkte ab 1900 als Missionar in Ungarn und wurde später Superintendent in Wien. 1920 wurde er zum Direktor des methodistischen Predigerseminars in Frankfurt am Main gewählt. Der US-amerikanische Bischof Nuelsen leitete seit 1912 die Methodistenkirche in Zentraleuropa von Zürich aus. Die politischen Entwicklungen dieser Jahre brachten ihn zur Erkenntnis, dass dies auf die Dauer nicht mehr möglich sei. So trat nach Zustimmung der Generalkonferenz 1936 die erste deutsche Zentralkonferenz zusammen und wählte Dr. F. H. Otto Melle zu ihrem ersten Bischof.

Melle war ökumenisch engagiert, besonders in der Evangelischen Allianz und im Christlichen Studentenweltbund. In der Vereinigung Evangelischer Freikirchen (VEF) war er einige Jahre Präsident. 1937 war er neben dem Baptisten Paul Schmidt der einzige deutsche Delegierte bei der Ökumenischen Weltkonferenz für Praktisches Christentum in Oxford. Dort verteidigte er in einer Plenarrede die nationalsozialistische Politik, was zu einem tiefen Zerwürfnis in der internationalen Ökumene führte. Beobachter urteilen später: Bischof Melle und Paul Schmidt waren der kirchenpolitischen Situation genauso wenig gewachsen wie der staatspolitischen.

Innerkirchlich war die Situation schwierig. Viele Prediger standen im Heeresdienst, Laien versorgten die Gemeinden, Gebäude wurden zerstört. In seinem Dienst als Bischof war er aufs Äußerste gefordert. Im Juli 1945 kamen erstmals wieder die Vertreter des methodistischen Kirchenvorstands zusammen und formulierten ein Wort des Bekenntnisses zur Haltung der Kirche im sogenannten Dritten Reich. 1946 fand die erste Zentralkonferenz nach dem Krieg statt mit Gästen aus dem europäischen Ausland und aus Amerika. Bischof Melle sandte eine Botschaft aus dem Krankenhaus, wo er nach einem Schlaganfall lag. Darin fand sich kein Wort der Kritik und der Buße, des Schuldeingeständnisses und der Reue. 1947 ist Bischof Melle an den Folgen seiner Krankheit gestorben. Als erster methodistischer Bischof in Deutschland hat er in einer sehr schweren Zeit seinen Dienst getan. Heute blicken wir kritisch darauf und es ist eine erstaunliche Entwicklung, dass die methodistische Gemeinschaft, vor allem aus Amerika, Deutschland nach dem Krieg geschwisterlich unterstützt hat. Sein Nachfolger wurde Johann Wilhelm Ernst Sommer. *Ute Armbruster-Stephan*

17

Sonntag
AUGUST

2025

☀ 06:11 20:40
☽ 23:54 17:05

Bibellese: Psalm 63

Gott! Du machst mich satt und glücklich
wie bei einem Festmahl;
mit jubelnden Lippen preise ich dich. *(Vers 6)*

„Satt und glücklich" – was für ein Zustand! Höchst erstrebenswert! Dafür gibt mancher Hunderte von Euros aus: für ein Festmahl Marke Gourmet. Doch eine Garantie für Glück ist das nicht, es kann dabei auch Störfaktoren geben. Der Beter des Psalms hat gewiss ein anderes Festmahl vor Augen, wie es im Alten Orient und Israel bei religiösen und familiären Feiern üblich war. Da zählten nicht nur Essen und Trinken, sondern auch die Gemeinschaft mit anderen Menschen in einer festlich-freudigen Stimmung. Gott sei Dank gibt es so etwas auch noch heute. Solche Stunden zählen zu den schönsten des Lebens – sind aber kein Dauerzustand, denn der Alltag mit seinen Nöten und Problemen holt uns in der Regel bald wieder ein. Es ist schon kurios, dass der Beter von Sattheit, Glück und Festmahl in seinen schlaflosen Nächten spricht (so der nächste Vers, der mit dem obigen eine Einheit bildet). Wir empfinden so etwas meist als unangenehm und mühsam, quälen uns herum und hoffen, bald wieder einzuschlafen.

Welch eine Alternative bietet hier unser Psalm an: mitten in der Nacht glücklich zu sein, mit einer satten Seele (so wörtlich) und in festlicher Stimmung! Wie geht das denn? Offenbar ganz einfach: Man braucht sich nur auf Gott zu besinnen! Denn nichts anderes tut der Beter: „In nächtlichen Stunden, auf meinem Bett, gehen meine Gedanken zu dir und betend sinne ich über dich nach." Dabei „machst du mich satt und glücklich" – und „mit jubelnden Lippen preise ich dich".

So etwas dürfen wir immer wieder erfahren. Es gibt dafür keine Garantie, weil es ein Geschenk ist. Wenn man sich in der Dunkelheit des Lebens an Gott wendet, beginnt oftmals ein Licht zu leuchten, das alles Dunkle erhellt – und in die Gemeinschaft mit dem lebendigen, allmächtigen Gott und seiner Fülle stellt. Das ist Glück und Sattheit, die einen jubeln lassen kann – auch in der Finsternis.

Roland Gebauer

18

Montag
AUGUST

2025

☀ 06:13 20:38
☽ –.– 18:15

Bibellese: Apostelgeschichte 23,12-35

*Die Soldaten brachten Paulus nach Cäsarea und über-
gaben den Brief und den Gefangenen dem Statthalter
Felix.* *(Vers 33)*

Soldaten können auch Gutes tun! Egal, wie man
zur Frage des Wehrdienstes steht: Gott kann
Menschen, die in diesem Dienst stehen, für seine
Zwecke gebrauchen. Das sollte uns zumindest vor
vorschnellen Urteilen und Verurteilungen bewahren – zumal in Zeiten, wo man sich (auch) in Europa
gegen Leid und todbringende kriegerische Angriffe
wehren muss. Ein tödlicher Angriff war auch auf Paulus geplant. Doch er misslingt, weil das römische
Militär, in dessen Händen sich Paulus befindet, hell-
wach ist und entschlossen handelt (Vers 12-24). Da
der verantwortliche Befehlshaber von der Unschuld
des Apostels überzeugt ist (Vers 29), bringt er ihn in
sicheren Gewahrsam – durch eine nächtliche, möglichst unauffällige Verlegung an einen anderen Ort
(Vers 31-33).

Der von Gott auserwählte Zeuge des Evangeliums für die heidnische Welt befindet sich in einer lebensgefährlichen Lage – und Gott gebraucht heidnische Soldaten, um ihn zu retten. Mit einem Brief an die oberste politische Instanz, dem römischen Statthalter, sorgt er dafür, dass dem Apostel der Heiden nichts angetan wird, sondern Recht und Gesetz eingehalten werden.

Das ist nicht selbstverständlich – und zeigt: Gott nimmt Menschen, die ihn nicht kennen und anderen Göttern und Werten dienen, für seine Sache in Dienst. Auch ihnen soll die Botschaft von Jesus Christus verkündigt werden – auf dass sie den wahren Gott erkennen und im Glauben an ihn wahres, erfülltes Leben empfangen.

Das ist sein Anliegen bis heute – neben der Erhaltung der Schöpfung und des menschlichen Lebens und Zusammenlebens. Dazu kann er alle Menschen und Vorgänge in Dienst nehmen. Deshalb dürfen wir uns selbst und unsere Mitmenschen als potenzielle „Werkzeuge" des guten Willens Gottes ansehen und mit seinem Wirken auch da rechnen, wo wir es vielleicht nicht für möglich halten.   *Roland Gebauer*

Bibellese: Apostelgeschichte 24,1-21

Paulus begann: „Ich diene dem Gott unserer Vorfahren in der Weise, wie es jener neuen Richtung entspricht, die sie als Sekte bezeichnen. Doch genau auf diese Weise diene ich ihm wirklich! Ich erkenne alles an, was im Gesetz Moses und in den Prophetenbüchern steht."

(Vers 14)

Nicht nur als junger Christ mit gerade mal 18 Jahren sah ich mich mit dem Vorwurf konfrontiert, zu einer Sekte zu gehören. Damals besuchte ich zusammen mit anderen Jugendlichen sonntags eine Baptistengemeinde in Wuppertal. Natürlich konnte ich zu Hause von meinem Glauben nicht schweigen und machte so meinen fünf Jahre jüngeren Bruder auf Jesus aufmerksam. Er zeigte sich interessiert und offen für den christlichen Glauben. Dies passte meinem Vater überhaupt nicht: „Wenn du deinen Bruder in diese Sekte mitnimmst, kannst du gleich deine Sachen packen und hier ausziehen", drohte er mir. Aufgrund seiner römisch-katholischen

Kirchenzugehörigkeit hielt er die Baptistengemeinde für eine gefährliche Sekte. Nachdem ich bereits aus der römisch-katholischen Kirche ausgetreten war, befürchtete er nun, ich könne auch meinen Bruder vom katholischen Glauben abbringen. Dies war für mich als junger Christ eine schwierige Situation, zumal ich mir – wie Paulus vor dem Statthalter Felix – keiner Schuld bewusst war und doch lediglich Gott dienen wollte.

Später spürte ich bei so manchen zwischenkirchlichen Begegnungen, vor allen Dingen seitens der beiden großen Landeskirchen, eine gewisse Skepsis gegenüber den kleinen Freikirchen. Dies hatte nicht selten mit negativen Erfahrungen und Begegnungen mit Freikirchlern zu tun, die sie leidvoll als arrogant und überheblich erlebten.

Auf diesem Hintergrund ist vielleicht auch zu verstehen, weshalb der Chef der Caritas, als er mir das Angebot machte, bei der Notfallseelsorge einzusteigen, im selben Atemzug darauf hinwies, dass es hier nicht um Mission gehe. Ich war damals erst der zweite freikirchliche Vertreter in der ökumenischen Notfallseelsorge.

Mittlerweile habe ich gelernt, dass das Reich Gottes erheblich größer ist als die Freikirchen, und ich habe Glauben bei Menschen gefunden, wo ich es nicht ahnte.   *Siegfried Ochs*

Bibellese: Apostelgeschichte 24,22-27
Der Statthalter Felix hoffte im Stillen, von Paulus Be-stechungsgelder zu bekommen. Darum ließ er ihn von Zeit zu Zeit rufen und unterhielt sich mit ihm. (Vers 26)

Jeder ist käuflich, wenn der Preis stimmt!" Mit diesem Satz könnte man die heutige Bibellese überschreiben. Lukas lässt uns hier einen Blick in die Abgründe des römischen Politikers und Statthalters Felix werfen. Dagegen bleibt Paulus sich selbst und seiner Mission treu, nämlich Menschen zu einem Leben mit Jesus Christus einzuladen. Auch wenn er hier in Cäsarea zwei Jahre – scheinbar aussichtslos – im Gefängnis auf seine Verhandlung warten muss. Mehrfach bittet ihn der Statthalter zur Audienz und lässt sich über den neuen „Weg" (Vers 22 L) informieren, allerdings ohne erkennbare Bereitschaft, diesen neuen „Weg" auch beschreiten zu wollen. Stattdessen erhofft er sich von Paulus finanzielle Vorteile in Form von klingender Münze. Wie sich Paulus wohl gefühlt haben muss?

Nicht nur die Gier nach dem Geld kann uns vom neuen „Weg" und damit vom Leben mit Jesus Christus abhalten, sondern auch die Fixierung auf einen anderen Menschen.

Seit Jahren besuchte Bernd den Jugendkreis unserer Gemeinde und konnte sich dennoch nicht für den Glauben an Jesus entscheiden. Er war bei allen missionarischen Einsätzen dabei, packte mit an, wo Hilfe gebraucht wurde. Er war ein treuer und zuverlässiger Partner. Ich weiß heute nicht mehr, was ihn dazu führte, schließlich doch eine eindeutige Entscheidung für ein Leben mit Jesus zu treffen. Diese Entscheidung, einen neuen „Weg", einen Weg mit Jesus zu gehen, spürte man ihm deutlich ab.

Doch plötzlich blieb er dem Jugendkreis wieder fern und wurde für uns unerreichbar. Eine Frau war in sein Leben getreten, die mit dem christlichen Glauben nichts zu tun haben wollte. So brach er seinen eingeschlagenen Glaubensweg abrupt ab und wir verloren uns aus den Augen.

Der eine lässt sich von der Faszination des Geldes beherrschen, der andere unterliegt der Faszination einer Frau. Paulus ist im Gefängnis eingesperrt und dennoch frei im Glauben an den Auferstanden, den Herrn aller Herren. Mit wem möchten wir tauschen?

Siegfried Ochs

Bibellese: Apostelgeschichte 25,1-12

Paulus erwiderte dem Statthalter Festus: „Wäre ich im Unrecht und hätte etwas getan, worauf die Todesstrafe steht, so wäre ich sofort bereit zu sterben. Da aber feststeht, dass ihre Anklagen falsch sind, kann mich niemand bloß aus Gefälligkeit an sie ausliefern. Ich verlange, dass mein Fall vor den Kaiser kommt!" (Vers 11)

Man könnte erwarten, dass Paulus nach mehr als zwei Jahren im Gefängnis zermürbt und resigniert ist. Doch als er hier vor dem neuen Statthalter Festus von denselben Juden wieder zu Unrecht angeklagt wird, beruft er sich erneut auf sein römisches Bürgerrecht. Statt den Juden in Jerusalem überstellt zu werden, pocht er darauf, seinen Fall vom Kaiser in Rom entscheiden zu lassen. Frei nach dem Jesuswort: „Seid klug wie die Schlangen und ohne Falsch wie die Tauben" (Matthäus 10,16 L). Durch eine offene Straßenkinderarbeit lernten wir als Gemeinde eine geschiedene kurdische Mutter mit ihren fünf minderjährigen Kindern kennen, die von der Abschiebung in die Türkei bedroht waren. Sie konnten in einer Altkatholischen Gemeinde Kirchenasyl bekommen, das von der Stadt, wenn auch widerwillig, geduldet wurde. Nach 18 Monaten Kirchenasyl konnte die Familie durch die Heirat der Mutter mit einem Deutschen endlich in die Freiheit entlassen werden.

In vielen Gesprächen mit den Verantwortlichen der Stadt und dem Ausländeramt war mir immer wieder signalisiert worden hatte, dass aufgrund der rechtlichen Lage keine Möglichkeit für eine Aufenthaltsbefugnis bestehe.

Zwei Kirchenvertreter und ein Beigeordneter der Stadt sollten auf Vermittlung des Oberbürgermeisters im Düsseldorfer Innenministerium abklären, ob es nicht doch noch eine humanitäre Lösung geben könne. Letztlich war dies eine rein inszenierte Fahrt gewesen. Bevor die Gruppe das Innenministerium erreicht hatte, war bereits das „Nein" aus Düsseldorf den Zeitungsredaktionen der Stadt übermittelt worden. Zum Ende des Kirchenasyls stellte sich dann heraus, dass die Ausländerbehörde natürlich einen Ermessungsspielraum hatte, diesen aber immer gegen die Familie einsetzte.

Wie Paulus sollten und dürfen wir, auch wenn die Chancen schlecht stehen, um das Recht ringen und nach Lösungen suchen.   *Siegfried Ochs*

Bibellese: Apostelgeschichte 25,13-27

König Agrippa und seine Schwester Berenike erschienen am nächsten Tag in ihrer ganzen fürstlichen Pracht und betraten, begleitet von hohen römischen Offizieren und den maßgebenden Persönlichkeiten der Stadt, den Audienzsaal. Festus gab den Befehl, und Paulus wurde hereingeführt. (Vers 23)

Paulus wird angeklagt. Dabei stellt sich seine Unschuld im juristischen Sinn heraus. Der zuständige römische Beamte Felix und der jüdische König Agrippa sind dafür Zeugen. Sowohl nach römischem als auch nach jüdischem Recht finden sie keinen Anhaltspunkt für eine Verurteilung. Weil Paulus auf sein Recht pocht, dass ihm in Rom der Prozess gemacht wird, muss er dorthin gebracht werden. Aber der Prokurator Felix weiß nicht einmal, wie er dem kaiserlichen Gericht die Anklage irgendwie erklären soll.

Damit ist offensichtlich, dass Paulus wegen seines Glaubens verfolgt wird. Weil er glaubt, dass Jesus von den Toten auferstanden ist und lebt. Dieser Jesus starb aus Liebe zu allen Menschen am Kreuz. Aus einer Liebe, die Gottes Liebe ist. Er verfolgt und verklagt niemals Andersgläubige. Ich schätze die Gelegenheit, die er mir gibt, mich in freier Dankbarkeit für ihn zu entscheiden. Und deshalb wünsche ich mir Glaubens- und Gewissensfreiheit für jeden Menschen. Das wird auch in unserer bunten deutschen Gesellschaft zur Herausforderung: Anderen die Freiheit zu geben, die ich selbst für mich beanspruche. Aber wir Christen können dabei mutig vorangehen. Und zwar ohne Angst! Mein eigener Glaube ist deshalb nicht gefährdet, denn der Auferstandene lebt! *Werner Jöhrmann*

 Wir behaupten nicht nur unsre religiöse Freiheit, sondern wir fordern sie für jeden Menschen, der den Boden des Vaterlandes bewohnt, wir fordern sie in völlig gleichem Maße für Alle, seien sie Christen, Juden, Muhamedaner oder was sonst.

Julius Köbner, einer der Gründungsväter der deutschen Baptisten
Aus: Manifest des freien Urchristentums an das deutsche Volk (1848)

Bibellese: Apostelgeschichte 26,1-23
Jesus sagte zu Paulus: „Ich werde dich beschützen vor den Juden und auch vor den Nichtjuden, zu denen ich dich sende."   *(Vers 17)*

Na, das ist doch mal was! Da hält einer aus dem Volk eine lange Rede. Und mehrere versammelte Spitzenpolitiker hören ihm zu. So mancher besorgte Bürger wünscht sich heute so etwas. Denn meistens scheint es umgekehrt zu sein: Politiker halten Reden und wir Bürger hören zu – oder schalten ab. Ich kann verstehen, dass einige Ausleger deshalb meinen, die Geschichte könne unmöglich genau so stattgefunden haben. Vielmehr sei sie so gestaltet worden, um uns Lesern etwas beizubringen.

Mir ist es gar nicht wichtig, ob es so war oder ein wenig anders. Ich höre hier, dass Gott mir sagt: Das Evangelium ist keine Winkelgeschichte, keine Privatsache, die ich verschämt verstecken muss. Es ist durchaus geeignet, vor der wissenschaftlichen und politischen Welt, vor den Verantwortungsträgern der Gesellschaft bezeugt und diskutiert zu werden. Und Jesus verspricht nicht nur dem Paulus, sondern allen Christen Schutz und Hilfe bei diesem öffentlichen Zeugnis.

Allerdings sollten wir dabei nicht dumme Parolen und Phrasen heraushauen, sondern wie Paulus genau überlegen, was wir sagen. Wer sich keine Mühe gibt und sich dabei auf die „Torheit des Evangeliums" und die Nutzlosigkeit menschlichen Verstandes beruft, liegt falsch. Gott kann ihn zwar trotzdem schützen. Doch die in der Bibel angesprochene Torheit meint etwas anderes: Nämlich, dass Gottes bedingungslose Liebe – wie sie am Kreuz seines Sohnes offenbar ist – aus menschlicher Sicht sinnlos oder naiv erscheint. Aber wer vom Vertrauen auf diese Liebe getragen und vom Geist Gottes erfüllt ist, kann dazu durchaus viel Vernünftiges sagen. Mit Gottes Hilfe. *Werner Jöhrmann*

 Jesus, hilf mir, das Evangelium mit Herz und Verstand zu lieben, darüber nachzudenken und offen darüber zu sprechen.
Werner Jöhrmann

24

Sonntag
AUGUST

2025

☀ 06:22 20:25
☽ 07:34 20:50

10. Sonntag nach Trinitatis

Bibellese: Psalm 17

Bewahre mich, mein Gott,
wie man sein eigenes Auge schützt,
und gib mir Zuflucht unter deinen Flügeln! *(Vers 8)*

Bewahren.
Es gibt so vieles zu bewahren. Denk ich an alle die Waren, die Dinge, die ich habe nach all den Jahren, die mir wichtig waren und wichtig sind. Lohnt es, sie zu bewahren? Es sind doch nur Materialien, das bin nicht ich.

Bewahre mich.
Das wahre Ich, wer bin ich, als Mensch? Meine Hülle, mein Körper, bewahre vor Schmerz? Oder doch mehr mein Denken, meine Seele, mein Herz? Bewahre, wovor? Vor dem Dunkel? Zieht Bewahren himmelwärts?

Mein Gott.
Du bist der Einzige, der das kann! Du hast mein Herz

gemacht, weißt, wie alles begann. Fortan warst du da, und als ich mich besann, war es klar, es ist wahr: Mein Gott, du bist der Einzige, der mich bewahren kann.

Bewahren wie das eigene Auge.
Man braucht es, das Auge. Brauchst du, Gott, mich? Wohl nicht. Doch willst und liebst du mich. In deinem Sohn Jesus Christus sehe ich, wie wertvoll und liebenswert ich in deinen Augen bin. Danke, werde von dir gestützt und bewahrt, wie man sein eigenes Auge schützt.

Wohin?
Wohin sollte ich denn gehen, fliehen, mich wenden? Will unter deinen rettenden Flügeln stehen und mich dann nie mehr wegdrehen. Behütet sein bei dir. Sehen und verstehen, wie du Geborgenheit entstehen lässt. Mein Herz wird fest. Bei dir. Nur bei dir.

Philemon Ressnig

 Vertraue dem Herrn, dass er dich bewahren kann, wie lange du auch lebst und wie vielen Versuchungen du auch ausgesetzt sein magst.

Charles Haddon Spurgeon (1834-1892),
britischer baptistischer Pastor

25

Montag
AUGUST

2025

☀ 06:24 20:23
☽ 08:48 21:00

Bibellese: Apostelgeschichte 26,24-32
König Agrippa sagte zum Statthalter Festus: „Der Mann könnte freigelassen werden, wenn er nicht an den Kaiser appelliert hätte." *(Vers 32)*

Der jüdische König und der römische Beamte stellen nochmal fest, dass Paulus unschuldig ist. Sie müssen ihn aber auf dessen eigenen Wunsch nach römischem Recht dem Kaiser überstellen. So erfüllt sich die göttliche Bestimmung des Paulus. Er bringt das Evangelium ins Zentrum der damaligen Weltmacht. Alle wirken daran mit: Juden, Nichtjuden und Paulus selbst.

Was mir an dieser Geschichte aber besonders auffällt, ist die Hochachtung und das Vertrauen, das den politischen Handlungsträgern entgegengebracht wird. Paulus vertraut sein Leben dem kaiserlichen Gericht an. Er bescheinigt dem König Agrippa eine gute Bibelkenntnis. Ja, er sagt sogar zu ihm: „Ich weiß, dass du glaubst." Nach allem, was ich über diesen Agrippa gelesen habe, war der aber grausam, unmoralisch und intrigant. Über manche heutigen Politiker ergießt sich ein Shitstorm in den sozialen Medien. Sogar wenn sie Gutes erreichen wollen. Da möchte ich lieber von Paulus lernen. Ich will unseren Verantwortlichen Gutes zutrauen und zusprechen. Denn das wird ihnen sicher eher Mut machen, das Gute zu wagen, als wenn ich sie mit Dreck bewerfe. Politikern mit Achtung zu begegnen, hat nichts mit Unterwürfigkeit oder Untertanengeist zu tun. Ich möchte ihren Dienst für die Allgemeinheit würdigen. Und ich weiß das wirklich zu schätzen. Vielleicht ist die Bibellese Anlass, einmal wieder für die zu beten, die öffentliche Ämter bekleiden.

Werner Jöhrmann

Hilf, dass ich rede stets,
womit ich kann bestehen;
lass kein unnützlich Wort
aus meinem Munde gehen;
und wenn in meinem Amt
ich reden soll und muss,
so glb den Worten Kraft
und Nachdruck ohn Verdruss.

Johann Heermann 1630
Aus: O Gott, du frommer Gott

Bibellese: Apostelgeschichte 27,1-12

Am nächsten Tag erreichten wir Sidon. Hauptmann Julius war Paulus gegenüber sehr entgegenkommend und erlaubte ihm, seine Glaubensgenossen dort zu besuchen und sich bei ihnen zu erholen. (Vers 3)

Manche Menschen begleiten uns viele Jahre des Lebens. Andere kreuzen nur kurz unseren Weg. Ob sie älter oder jünger sind, spielt dabei keine entscheidende Rolle. Wohl aber, dass sie es gut mit uns meinen. In ihrer Nähe fühlt man sich richtig wohl und wertgeschätzt. Das heißt nicht, dass sie uns nie widersprechen. Nein. Aber Kritik aus ihrem Mund klingt einfach anders, zugewandter, liebevoller, verstehender. Ein Mensch, der mir gut tut, ist ein Freund, eine Freundin, ein Mentor oder eine Beraterin. Es ist schön, so jemanden um sich zu haben.

Paulus wurde auf seinen Missionsreisen mit vielen Schwierigkeiten konfrontiert. Er erlebte Verfolgung, Hunger und Bedrohung. Doch er fand auch immer wieder Menschen, die es gut mit ihm gemeint haben. Julius, der römische Hauptmann, war so einer. Er war Paulus wohlgesonnen. Vielleicht ahnte er schon, dass Paulus eine sehr wichtige Rolle auf der Reise spielen wird. So ließ er ihm ziemlich viel Freiheit. Paulus durfte in Sidon Freunde besuchen. Diese konnten ihn versorgen. Eine echte Stärkung für die lange, beschwerliche Reise. Gott wollte, dass Paulus nach Rom reist und dort sein Zeuge ist (Apostelgeschichte 23,11). Er sorgte auch dafür, dass Paulus diesen Auftrag ausfüllen konnte. Dazu stellte er ihm Menschen zur Seite, die ihm geholfen haben, wie hier den Julius.

Ob Gott auch mir Menschen schickt, die mich darin unterstützen, meine Berufung zu leben? Ja, das durfte ich schon oft erleben. Und so denke ich voller Dankbarkeit an meine Familie, Freundinnen, geistliche Vorbilder, Lehrer und Wegbegleiterinnen. Was wäre ich ohne sie? Das mag ich mir gar nicht vorstellen. Wenn ich Hilfe brauche, kann ich mich auf sie verlassen. Ohne Wenn und Aber. Danke, Gott, für Menschen, die du mir schickst, die mir guttun.

Heidrun Hertig

Bibellese: Apostelgeschichte 27,13-26
Tagelang zeigten sich weder Sonne noch Sterne am Himmel. Der Sturm ließ nicht nach, und so verloren wir am Ende jede Hoffnung auf Rettung. (Vers 20)

Ich erinnere mich noch genau an den Sturm, den ich auf einer Schiffsreise ans Nordkap erlebte. Es war sehr aufregend, Windstärke 12! Unser Schiff geriet in eine gefährliche Schieflage. Vielen Reisenden war der Appetit vergangen. Es wurde eine unruhige Nacht. Aber Gott sei Dank, am nächsten Morgen war alles vorbei und die See wieder ruhig.

Ganz anders der Sturm aus Apostelgeschichte 27. Er dauerte nicht nur ein paar Stunden, sondern zwei Wochen. Das Schiff, auf dem sich Paulus befand, wurde vom tosenden Meer hin und her getrieben. Die Verzweiflung unter den Matrosen muss sehr groß gewesen sein, denn sie warfen Teile der Ladung und der Schiffsausrüstung ins Meer. Kein Wunder, dass die Reisenden nicht nur schwer seekrank wurden, sondern auch jegliche Hoffnung verloren.

Im Leben kann es auch „Lebensstürme" oder gar „Schiffbrüche" geben. Da kann schon mal der ganze Lebensmut dahin sein, wenn nach vielen Jahren eine Ehe zu Bruch geht, eine berufliche Existenz scheitert oder eine schlimme Diagnose das ganze Leben ins Wanken bringt. Wie soll es nur weitergehen? Werde ich das überleben? Manchmal stehen wir da und wissen nicht, wie uns geschieht. Gott, wo bist du?

In schwierigen Situationen spreche ich besonders oft mit Gott. Es tut mir gut, mir die Sorgen von der Seele zu reden und mich zu vergewissern, dass Gott auch im Sturm bei mir ist. Auch Paulus hat in ausgeloser Lage den direkten Draht zu Gott behalten. „Lasst den Mut nicht sinken. Wir werden alle überleben", konnte er den verängstigen Menschen zurufen. Seine Worte gaben den Menschen wieder Lebensmut. So wie Paulus möchte auch ich andere ermutigen. Menschen in ihren Lebensstürmen ein offenes Ohr anbieten, sie begleiten und auf Gottes Hilfe aufmerksam machen. Denn Gott lässt uns nie alleine, auch in stürmischen Zeiten nicht.

Heidrun Hertig

Bibellese: Apostelgeschichte 27,27-44
Dann nahm Paulus ein Brot, sprach darüber vor allen
ein Dankgebet, brach das Brot in Stücke und fing an zu
essen. Da bekamen alle auf dem Schiff wieder Mut und
aßen ebenfalls.   *(Vers 35-36)*

Ein Stückchen Brot – was ist das schon?
Ein harter Kanten, uralt, knochenhart.
Ein Stückchen Brot – was ist das schon?
Oft landet es im Müll, weil es nicht mehr schmeckt.
Angeblich.
Ein Stückchen Brot – was ist das schon?
Unsagbar viel für den, der am Verhungern ist.
Es ist die Hoffnung: Das Leben geht weiter.
Brot gibt Kraft und neuen Mut, ob weich oder hart.
Paulus nahm das Brot und dankte Gott. In der Mitte
der Überlebenden feierte er Abendmahl. Das machte
diesen Moment zu einem heiligen Augenblick. Gott
hatte ihr Leben bewahrt. Keiner war ertrunken.
Wenn das kein Grund ist, Gott zu danken! Nach zwei
langen Wochen konnten sie das erste Mal wieder

essen. 276 Leute wurden satt und bekamen wieder Lebensmut. Das Schiff ging verloren, aber alle Menschen blieben am Leben. Ein Wunder! Genau wie Paulus vorher gesagt hatte (Vers 22). Nun war es Zeit, wieder nach vorne zu schauen. Das Leben geht weiter.

Ich erinnere mich an meinen Großvater. Als junger Mann mit Frau und zwei kleinen Töchtern wurde er gezwungen, in einen Krieg zu ziehen, den er nicht gewollt hatte. Und als endlich dieser Krieg zu Ende war, musste er vier Jahre als Kriegsgefangener irgendwo in Jugoslawien bleiben. Zu Hause hatte er Kühe und Felder, hier besaß er nichts. In dieser Zeit lernte er, wie sich Hunger anfühlt. Aber er lernte auch, was ein Stück Brot bedeutet. Eine alte Frau am Straßenrand steckte ihm heimlich einen harten Kanten Brot zu. Das hat ihm vielleicht das Leben gerettet.

Ein Stückchen Brot – was ist das schon?

Es ist die Hoffnung: Das Leben geht weiter.

Brot brauchen wir alle. Und einen, der es mit uns teilt.

Ich hoffe, dass auch wir einen Paulus an Bord oder eine Frau am Straßenrand haben, die mit uns das Brot teilen. Und uns erinnern, Gott zu danken, weil es nicht selbstverständlich ist, dass wir leben dürfen.

Heidrun Hertig

29

Freitag
AUGUST

2025

☀ 06:30 20:14
☽ 13:39 21:52

Bibellese: Apostelgeschichte 28,1-16

Die Christen in Rom hatten von unserer Ankunft in Puteoli gehört und kamen uns bis Tres-Tabernae (Drei Tavernen) entgegen, einige sogar bis Forum Appii (Appiusmarkt). Als Paulus sie sah, dankte er Gott und wurde voller Zuversicht. (Vers 15)

Noch war ich fröhlich bei der Arbeit, da läutet es und Fritz steht in der Tür. Er berichtet, dass seine Frau gerade gestern an Krebs gestorben ist – zu jung. Ich befinde mich im Wellental. Fritz erst recht. Wer kennt das nicht, das Auf und Ab des Lebens?

Auch Paulus ist auf einer stürmischen Reise. Als Gefangener von Wogen hinaufgeworfen und hinabgeschleudert und das nicht nur wörtlich. Runter geht es, das Schiff zerbirst. Dann wieder hoch, Sicherheit an Land. Und wieder tief hinab, der schicksalhafte Biss der Giftschlange. Und wieder hoch! Gott tut ein Wunder und heilt, ja der Heiland bringt Heilungen für viele Menschen auf der Insel. Vieles spricht dafür, dass die Inselbewohner auch das größte Wunder erfahren, die Heilung ihrer Herzen von der Sünde durch Jesus Christus. Dann geht es wieder runter. Das Bangen bleibt, die Fesseln und die beklemmende Ankunft in Rom rücken unaufhaltsam näher. Paulus sendet wohl kurz nach der Ankunft in Puteoli, dem damaligen Hauptumschlaghafen, in der Nähe des heutigen Neapels, einen Bericht über seine Ankunft nach Rom. Offensichtlich ist Paulus sehr ermutigt durch die Ankunft der Christen, die ihm entgegenkommen und diesen stürmischen Weg mit ihm gehen.

Klug ist es, sich vom Auf und Ab des Lebens nicht überraschen zu lassen, sondern zu überlegen, mit wem ein Weg gegangen werden kann. Glaubensgeschwister ermutigen und geben Zuversicht. In fröhlichen Zeiten freuen sie sich mit und im Leid weinen sie mit. Paulus erkennt darin ein Geschenk Gottes und dankt ihm dafür. Für welche Menschen an Ihrer Seite möchten Sie heute danken?

Nach der Abschiedsfeier sagt mir Fritz, sichtlich bewegt und tief betroffen, also mitten im Wellental, wie froh er ist, dass er nicht allein unterwegs ist. Dass er im Hauskreis Halt und immer ein offenes Ohr findet und seine gläubigen Söhne ihn auch jetzt auf diesem Wegabschnitt begleiten. Das schenkt Zuversicht, auch im Tal.

Philemon Ressnig

Bibellese: Apostelgeschichte 28,17-31

Paulus sagte zu den Juden: „Ich muss euch sagen, Gott hat dieses Heil jetzt den anderen Völkern angeboten. Und die werden hören!"　　　　　　　　*(Vers 28)*

Reichtum ist in unserer Welt allgegenwärtig. Mein Sohn erzählt mir gerne, mit welchen Luxuskarossen seine Lieblings-Youtuber durch die Gegend kutschieren und diese auf Hochglanz poliert in ihren Videos der ganzen Welt zur Schau stellen. Er bleibt bei knallig orangefarbenen Lamborghinis mit besonders glänzenden Augen stehen und fragte kürzlich, wie teuer es denn wäre, wenigstens mal eine Stunde damit herumzufahren. Wie überschwänglich groß wäre wohl seine Freude, wenn er nur einmal mitfahren könnte!

Wir Menschen haben kleine und große Wünsche und Träume. Kleineres sind materielle Dinge, größere Wünsche sind oft immateriell.

In der heutigen Bibellese müssen wir erstaunt feststellen, dass Paulus den Juden in Rom das absolut

Wertvollste des Universums anbietet: das Heil in Jesus Christus. Es ist für Paulus so wertvoll, dass er selbst an anderer Stelle seinen früheren Reichtum, seine Verdienste und seine frühere hohe Stellung als glanzlosen Dreck abtut. Wir können es uns richtig ausmalen, wie Paulus den Juden mit Leidenschaft vom Heiland erzählt: Jesus hat alle Reichtümer des Himmels verlassen, um uns reich zu machen. Er starb am Kreuz, damit wir leben können. Er ging in die Gottverlassenheit, um uns mit dem Vater zu versöhnen. Er ließ sich zerschlagen, damit durch seine unverdiente Gnade kaputte Herzen geheilt werden. Da können selbst tausend Lamborghinis nur noch einpacken. Aber die jüdischen Zuhörer schlagen dieses Geschenk aus! Paulus ist zuversichtlich, dass andere Nationen und Völker dieses unfassbar wunderbare Geschenk des Heils annehmen werden.

Bei all unserem Wünschen dürfen wir wissen: Das größte Geschenk aller Zeiten haben wir im Heil. Es ist an der Zeit, es anzuschauen, zu bestaunen, einzutauchen und zu ergreifen. *Philemon Ressnig*

♫ Herr, dein Wort, die edle Gabe,
diesen Schatz erhalte mir,
denn ich zieh es aller Habe
und dem größten Reichtum für ...

Nikolaus Ludwig von Zinzendorf 1725

31

Sonntag
AUGUST

2025

☀ 06:34   20:10
☽ 16:03   22:48

11. Sonntag nach Trinitatis

Bibellese: Psalm 119,49-56
Herr, solang ich Gast auf dieser Erde bin,
sind deine Regeln Inhalt meiner Lieder.   **(Vers 54)**

Ich wüsste nicht, dass ich das außer in diesem Psalm schon einmal irgendwo gehört hätte: Dass Regeln der Inhalt von Liedern sein können. Ich kenne auch niemanden, der zum Beispiel das Bürgerliche Gesetzbuch vertont hätte. Was macht dem Beter das Gesetz Gottes so wertvoll, dass er es besingen will? Vermutlich ist es das, was er im ersten Halbsatz ausdrückt: Er sieht sich als Gast auf der Erde. Im Hebräischen steht es noch deutlicher: „Zu Liedern sind mir deine Bestimmungen geworden im Land meiner Fremdlingschaft." Wer fremd in einem Land ist, der fühlt sich unsicher. Man spricht die Sprache nicht, kennt nicht die Sitten und Gepflogenheiten. Der Fremde gehört im Alten Testament zu den Schwachen der Gesellschaft und steht unter dem besonderen Schutz Gottes, zusammen mit Witwen und Waisen. Darum geht es dem Beter. Er kommt sich fremd vor im feindlichen Leben. Die Leute lachen über ihn. Sie verstehen ihn und seine Treue zu Gott gar nicht. Er ist ein Exot, ein Alien, wie von einem anderen Stern. Da wird Gottes Gebot ihm zur Heimat. Darin fühlt er sich sicher und geborgen.

So habe ich noch nie über die Gebote Gottes nachgedacht. Aber ich finde, es hat etwas. Die Gebote Gottes geben mir Halt, sie sind mir eine Hilfe zu leben. Darin fühle ich mich sicher, weil ich weiß, dass sie alle aus der Liebe Gottes zu uns Menschen erwachsen sind. Und es geht auch nicht nur um Gebote, sondern um das ganze Wort Gottes. Und wenn ich an all die vertonten Bibelstellen denke, dann kommen wir doch dem sehr nahe, was hier beschrieben ist. Gottes Wort ist Inhalt unserer Lieder. Und das ist gut so. Denn dann erreichen sie auch unser Herz. *Martin Simon*

Mein Herz hängt treu und feste
an dem, was dein Wort lehrt.
Herr, tu bei mir das Beste,
sonst ich zuschanden werd.
Wenn du mich leitest, treuer Gott,
so kann ich richtig laufen
den Weg deiner Gebot.

Cornelius Becker 1602
Aus: Wohl denen, die da wandeln

Bibellese: 4. Mose/Numeri 6,22-27
*Der Herr blicke euch freundlich an und schenke euch
seine Liebe!* *(Vers 25)*

Ich erinnere mich noch gut an Zeiten, in denen ich
wenig in den Gottesdiensten verstand. Da ich nicht
christlich sozialisiert war, waren mir Lieder, Bibeltexte und Gebete fremd. Was mir schnell vertraut
wurde, auch wenn ich nicht alles begriff, war der
Segen am Ende eines Gottesdienstes; auf ihn freute
ich mich immer, saugte ihn förmlich auf. Gerade den
alten aaronitischen Segen. Ich spürte die Wirkkraft
des Segens. Jahrtausendealte Worte, derer ich bis
heute nie überdrüssig wurde. Gerade in ihrer stetigen Wiederholung, in der ich mich mit vielen Menschen auf der Welt auch vor mir und nach mir verbunden wusste. Manche Worte langweilen, je öfter
man sie hört. Anderes nutzt sich bei häufigerem
Gebrauch ab. Beim Segen ist es nicht so. Er lebt
von der Wiederholung und wird lebendig bei der
Wiederholung. Er kann eigentlich gar nicht häufig

genug zugesprochen werden. Zurückhaltung beim Segen ist fehl am Platz. Segen ist ein Zeichen für Gottes freundliche, zugewandte, wirksame und liebevolle Gegenwart im Leben. Ein Zeichen. Unser Wort „segnen" ist abgeleitet vom lateinischen Wort „signare". „Signare" bedeutet, mit einem Zeichen versehen. Der Segen ist ein wirksames Zeichen. Er ist mehr als Worte, mehr als eine Information. Auch die erhobenen Hände und das Zeichen des Kreuzes beim gottesdienstlichen Segen sind wie ein göttliches Versprechen. Gott verspricht Freundlichkeit und Liebe, Gnade und Frieden.

Kurz bevor ich diesen Text aufschrieb, war ich auf der Intensivstation einer Klinik. Eine Frau, die vermeintlich nicht ansprechbar war, versah ich mit dem Zeichen des aaronitischen Segens. Signare. Der Segen Gottes spricht zu Menschen; sie sind für ihn ansprechbar. Er berührt. Das erfuhr ich als Jugendliche selbst im Gottesdienst. Das erleben heute Menschen in der Klinik oder im Hospiz, auch wenn ihnen Gott sonst entfernter ist, im Segen werden sie berührt von etwas Größerem. Segen rührt an. Gott berührt uns.   *Vera Kolbe*

Monatsspruch
Gott ist unsre Zuversicht und Stärke. *(Psalm 46,2 L)*

Bibellese: 4. Mose/Numeri 9,15-23
Die Israeliten blieben oder brachen auf, wie der Herr es
befahl. *(Vers 23)*

Gott ist beständig da. Gott geht mit. Gott offenbart sich. Mit Gott finde ich meinen Lebensrhythmus. Davon erzählt die möglicherweise etwas fremd anmutende Erzählung von der Wolken- und Feuersäule. Immer wieder werden wir mit Fragen nach unserer Lebensgestaltung konfrontiert: Wann ist es gut aufzubrechen oder einen neuen Weg, eine neue Lebensrichtung einzuschlagen? Wann ist es dran zu verweilen, innezuhalten, ja sich niederzulassen und zu lagern? Wie finde ich die Richtung und Orientierung bei großen wie auch kleineren Lebensentscheidungen?

Das Volk Israel bindet seinen Lebensweg und Lebensrhythmus an Gott. Sie können dies tun, weil er ihnen ein deutlich sichtbares Zeichen seiner Gegenwart gibt. Als das Volk das heilige Zelt, die Wohnung, errichtete, kam die Wolke des Herrn und bedeckte es. In der folgenden Nacht leuchtete diese Wolke wie Feuer. So war es die ganze Zeit: Die Wolke bedeckte die Hütte am Tag und bei Nacht der Feuerschein. Die Wolke ist das Zeichen der göttlichen Präsenz. Gott ist da und gibt damit Orientierung. Das Volk Israel bleibt in der Nähe und Gegenwart Gottes. Es bindet seinen Weg an Gott, denn wenn die Wolke sich lagerte, lagerte das Volk. Wenn sie aufbrach, brach das Volk auf. Den eigenen Lebensrhythmus – das Aufbrechen, Verweilen oder Innehalten – an die Präsenz Gottes binden, dazu ermutigt diese alte Geschichte. *Vera Kolbe*

♫ Gott ist gegenwärtig.
Lasset uns anbeten
und in Ehrfurcht vor ihn treten.
Gott ist in der Mitten.
Alles in uns schweige
und sich innigst vor ihm beuge.
Wer ihn kennt, wer ihn nennt,
schlag die Augen nieder;
kommt, ergebt euch wieder!
Gerhard Tersteegen 1729

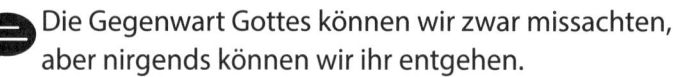 Die Gegenwart Gottes können wir zwar missachten, aber nirgends können wir ihr entgehen.
C. S. Lewis (1898-1963), irischer Schriftsteller

Bibellese: 4. Mose/Numeri 10,11-36
Unterwegs war bei Tag die Wolke des Herrn über den Israeliten.   *(Vers 34)*

Gott offenbart sich in einer Wolke. Wie schön wäre es, solch ein unübersehbares Zeichen zu haben, am Tag und in der Nacht. Immer und überall zu wissen, ob man mit Gott verbunden ist, ob Gott mit einem auf dem Lebensweg verbunden ist. Eine Wolke am Tag und das Feuer des Nachts. So hatte sich Gott offenbart. So zeigt er seine ständige Nähe. Eine Wolken- und Feuersäule gibt es auf unserem Lebensweg nicht mehr. Ein unübersehbares Zeichen der Nähe Gottes, seiner stetigen Gegenwart und Offenbarung gibt es dennoch. Das Gesicht der Wolke und des Feuers veränderte sich. Sie erhielten ein menschliches Gesicht: Jesus Christus.
Im Gesicht von Jesus Christus offenbart sich Gott, zeigt seine Nähe und sein Wesen. Jesus Christus, das Kind in Betlehem, das so klein war und auf andere Menschen angewiesen. Jesus Christus, der Mann

der die Liebe und Barmherzigkeit Gottes predigte in Wort und Tat. Jesus Christus, der Bruder, der sich an die Seite der Ausgeschlossenen und Entrechteten stellte. Jesus Christus, der Gekreuzigte, dessen Liebe den Tod nicht scheute. So offenbarte sich Gott im Gesicht von Jesus Christus, dem Kind, dem Mann, dem Bruder und dem Gekreuzigten.

Auf diese ständige Gegenwart Gottes können Christinnen und Christen Jahrtausende nach der Wolken- und Feuersäule vertrauen. Jesus Christus ist die „Wolke Gottes" – die immerwährende Gegenwart Gottes in unserem Leben. Er ist der Immanuel – der Gott mit uns.

Vera Kolbe

Herr, der du Mensch geboren wirst,
Immanuel und Friedefürst,
auf den die Väter hoffend sahn,
dich, Gott Messias, bet ich an.

Du unser Heil und höchstes Gut,
vereinest dich mit Fleisch und Blut,
wirst unser Freund und Bruder hier,
und Gottes Kinder werden wir.

Christian Fürchtegott Gellert 1757
Aus: Dies ist der Tag, den Gott gemacht

Bibellese: 4. Mose/Numeri 11,1-23
Der Herr antwortete Mose: „Ich werde von dem Geist, den ich dir gegeben habe, einen Teil nehmen und ihnen geben. Dann können sie die Verantwortung für das Volk mit dir teilen und du brauchst die Last nicht allein zu tragen." (Vers 16-17)

Es brennt an allen Enden. Unzufriedenheit da, Wut über Nörgelei dort und mittendrin ein Verantwortlicher, der auszubrennen droht. Das Projekt Exodus läuft Gefahr, sich in Rauch aufzulösen. Das soll nicht passieren. Darum soll die Verantwortung dafür auf mehrere Schultern verteilt werden. Eine Umstrukturierung tut Not. Das braucht eine sorgfältige Planung und Durchführung, damit die Neuverteilung der Verantwortung gelingt. Es ist nicht einfach, wenn diejenige Person, bei der bisher alle Fäden zusammenliefen, nicht mehr allein zuständig ist. Jetzt gibt es andere, die Einfluss, Wissen und Bedeutung haben. Jetzt wird Bisheriges neu und anders angepackt. Das kann zusätzlich Öl auf die flackernden Brandherde sein und die Aufregung weiter anheizen. Um dem entgegenzuwirken, wird offen und transparent kommuniziert. Eindrücklich wird das erzählt. In dieser Geschichte von Gott mit dem klagenden Volk und dem müden Mose wird Gott wie ein umsichtiger und weiser Patron dargestellt. Er unternimmt die nötigen Schritte in dieser Situation. Er hört hin und nimmt die Klagenden ernst, wenn ihre Überforderung deutlich wird. Er reagiert, bevor Mose ausbrennt. Er gleist Nötiges auf und stellt genug Ressourcen bereit. Er sucht das direkte Gespräch und erklärt vor Zeugen in aller Öffentlichkeit, was nun Sache und Ziel ist.

Und wir sehnen uns nach Menschen, die auf diese Weise Führung und Verantwortung übernehmen, weil wir letztlich Herausgerufene sind und Wege durch Wüsten und Konflikte gehen – dem guten Land entgegen. *Andrea Brunner*

 Anschauung über Führungsverantwortung bietet der Film „Die Verlegerin", 2017, original „The papers" mit Meryl Streep

---

Bibellese: 4. Mose/Numeri 11,24-35
Mose sagte: „Ich wäre froh, wenn alle Israeliten Prophe-
ten wären. Wenn doch der Herr seinem ganzen Volk
seinen Geist gegeben hätte!" (Vers 29)

Was steckt hinter dem Wunsch des Mose? Wenn in allen Gottes Geist wirken würde, wären dann Ziel und Vision Gottes allen klar? Gäbe es dann keine kritischen und klagenden Einwürfe mehr? Geht Mose davon aus? Und gehen wir Christinnen und Christen auch davon aus? Christlich sprechen wir oft oder nie von Gottes Geist, doch zu unser aller Glaubensverständnis gehört, dass Gottes Geist in uns wohnt (1. Korinther 3,16). Gottes Geist ist nicht nur einigen Auserwählten gegeben. Gottes Geist wurde an Pfingsten vor 2000 Jahren demokratisiert. Das ganze Volk, alle Glaubenden haben Anteil am Geist Gottes. Doch gibt es in unseren Kirchen dadurch keine kritischen und klagenden Einwürfe mehr? Sind wir dadurch weniger mit Trennungen aufgrund unterschiedlicher Auffassungen konfrontiert? Obwohl wir doch alle von derselben Quelle der Inspiration ausgehen?

Moses Wunsch mag nach Pfingsten Wirklichkeit geworden sein. Trotzdem ringen wir auch heute weiter um Auffassung und Ziel. Und erst recht ringen wir miteinander in der Frage, wo Begeisterung ihren Ursprung hat. Oft ärgern sich jene innerhalb des kirchlichen Konsenses über solche außerhalb, die sich nicht selten als die eigentlich Inspirierten betrachten. Einander die göttliche Inspiration absprechen, geschieht hüben wie drüben. So wie Mose und Josua damals wird uns auch heute zugemutet, dass Gott an unserem Verständnis vorbei Menschen begeistert. Es ist nicht in unseren Händen, wen Gott begeistert und wie er, anders als von uns gedacht, Zugang zu Menschen findet. So bleibt uns der Wunsch des Mose, dass es Gottes Geist ist, der uns allen gegeben ist.   *Andrea Brunner*

 „Wie im Himmel", 2004, von Kay Pollak. Ein Film über Begeisterung, ein gemeinsames Ziel und die eigene Stimme zu finden.

Bibellese: 4. Mose/Numeri 12,1-16

Der Herr sagte: „Mose habe ich mein ganzes Haus anvertraut. Deshalb rede ich zu ihm wie ein Mensch zu einem andern, in klaren, eindeutigen Worten. Er darf sogar mich selbst sehen." *(Vers 7-8)*

Es brodelt in der Führungsetage. Die Gründe sind gar nicht klar. Man spürt Eifersucht. Da ist ein Gerangel um Nähe und Einfluss bei der höchsten Führungsperson. Dabei sind sich alle geschwisterlich nahe und über Jahre miteinander unterwegs. Sie wissen viel übereinander, auch sehr persönliche Dinge. Und das kommt jetzt zur Sprache: Sie flüstern einander zu, übereinander, untereinander. Kindisches Spiel unter Erwachsenen.

Gott spielt nicht mit. Der Herr lässt nicht zu, dass sie sich gegenseitig ausmanövrieren, lässt nicht zu, dass Mitarbeitende sich gegenseitig schlechtreden und das Klima vergiften. Gott beraumt wie ein Patron ein Gespräch mit allen an und stellt sich klar und offen an die Seite des Angegriffenen. „Wer Mose weh tut,

tut mir weh. Wer Mose schlechtredet, redet mich schlecht."

Nicht Eifersucht und Unzufriedenheit sind übel. Übel sind ungezügelte Gefühle, die Reden und Handeln beeinflussen. Übel ist das einander Ausspielen, Kleinigkeiten Großmachen und gehässig Reden. Wohin dann mit all dem? Zu Gott tragen. Mit Gott reden, weil wir als Christen und Christinnen wissen dürfen, was später Jesus den barmherzigen Vater sagen lässt: Mein Sohn, du bist immer bei mir, und dir gehört alles, was ich habe (Lukas 15,31).

Mit dieser Zusage Gottes gelingt es, Spiele aufzudecken, Gespräche zu führen, Konsequenzen und Scham auszuhalten und um Vergebung zu bitten. Es braucht Zeit, bis alle wieder integriert sind. Und manchmal kommt es dann zu einem Fest, wenn Geschwister füreinander wieder lebendig werden und zu einer versöhnten Beziehung finden.

Andrea Brunner

7

Sonntag
SEPTEMBER

2025

☀ 06:45 19:54
☽ 19:51 06:01

12. Sonntag nach Trinitatis

Bibellese: Psalm 119,57-64
*Herr, noch mitten in der Nacht erwache ich
und preise dich, weil du gerecht entscheidest.*

(Vers 62)

Ein junger Mann fährt unter Drogen- und Alkoholeinfluss auf Rügen gegen ein Auto mit vier 18-jährigen Insassen. Die Vier kommen alle um. Der Täter erhält drei Jahre und drei Monate Haftstrafe. Ist das gerecht? Nicht einmal ein Jahr pro vernichtetes Leben? Manchmal muss ein Richter eine Entscheidung treffen, die zwar rechtlich korrekt, aber nicht gerecht ist. Warum ist das so? Weil das Gesetz gar nicht allen Einzelfällen gerecht werden kann. Menschliches Recht ist nicht immer gerecht. Wie kann man gerecht entscheiden? Das ist ein großes Thema unserer Zeit. Da geht es um soziale Gerechtigkeit. Aber kann es die überhaupt geben?
Was aber bei Menschen kaum möglich sein mag, das ist bei Gott eine Selbstverständlichkeit. Gott fällt nicht nur richtige Urteile, er urteilt auch gerecht.

Recht und Gerechtigkeit kommen bei ihm zusammen. Darum unterstellt sich der Beter des Psalms auch gerne Gottes Urteil. Er sucht Gottes Güte, er bekennt, dass auch er schuldig geworden ist und Umkehr nötig hat. Er will sich nach den Geboten Gottes richten und erfleht dafür Gottes Hilfe. Und er weiß: Auch wenn ich nicht alles richtig mache, wird Gott gerecht über mich urteilen. In Jesus hat Gott ein endgültiges Urteil über uns Menschen gefällt, das richtig und gerecht ist. Er legt alle Schuld auf Jesus, damit jeder Mensch frei ausgehen kann. Wenn irgendwer Grund hat, Gott für seine Gerechtigkeit zu loben, dann sind wir es. *Martin Simon*

Er will, dass ich mich füge.
Ich gehe nicht zurück.
Hab nur in ihm Genüge,
in seinem Wort mein Glück.
Ich werde nicht zuschanden,
wenn ich nur ihn vernehm.
Gott löst mich aus den Banden.
Gott macht mich ihm genehm.

Jochen Klepper 1938
Aus: Er weckt mich alle Morgen

Bibellese: 4. Mose/Numeri 13,1-3.17-33

Die Kundschafter berichteten: „Es ist wirklich ein Land, das von Milch und Honig überfließt."   (Vers 27)

Ein „Land erkunden" kann ein wissenschaftliches, ein touristisches oder ein militärisches Projekt sein. Entsprechend die Methoden der Erkundung: von geographischen über logistischen bis zu geheimdienstlichen. Kundschafter sind im letzteren Fall nicht Pfadfinder, sondern Spione. Israels Zukunftsprojekt heißt: „das Land Kanaan erkunden" (Vers 1), Land und Leute, Bevölkerungsdichte, Wehrhaftigkeit – ein Hauch von Spionage ist also dabei. Vor allem aber interessiert der landwirtschaftliche Ertrag: Milch und Honig sowie die Trauben als Symbol des Überflusses. Die Israeliten stehen also vor einem dicht besiedelten, prosperierenden Land. Mit dem Beweismittel der „Kalebtraube" im Gepäck sollte die Zustimmung zur Einwanderung nicht schwerfallen: „Wir schaffen das" (Vers 30). Doch die Mehrheit der Kundschafter sagt: „Nein, das schaffen wir nicht." Sie verstärken die Angst der Israeliten vor den großgewachsenen Einheimischen noch durch „Gerüchte", dass die Völker in Kanaan sich bekriegen mit hoher Sterblichkeitsrate. Dem einen hoffnungsvollen Mann, Kaleb, steht die resignierende Mehrheit gegenüber. Wieder einmal muss Gott sehen, wie er sein Zukunftsprojekt gegen seine eigenen Leute durchbringt.

Was wird aus den Kirchen, den Gemeinden? Fördern oder behindern sie die Zukunft von Gottes Friedensreich? Auch wenn sie sich wie kleine „Heuschrecken" gegenüber den „Riesen" dieser Welt vorkommen (Vers 32-33), Gott wird sein Zukunftsprojekt verwirklichen. *Christian Wolf*

 Milch war ein Grundnahrungsmittel. Eine Gegend, die davon „überfließt", muss viel Milchvieh gehalten haben. Honig gab es als Obstsirup aus Trauben, Feigen und Datteln sowie als Bienenhonig. Ab 2005 wurde im Bet-Schean-Tal eine altisraelische Imkerei aus dem 10. Jahrhundert vor Christus ausgegraben. Ihre bis zu 100 Bienenstöcke erbrachten jährlich bis zu 500 Kilogramm Honig. Ein Wadi bei Hebron heißt „Traubenbach". Dort sind auch heute bis zu drei Kilo schwere Trauben keine Seltenheit.

Christian Wolf

9

Dienstag
SEPTEMBER

Bibellese: 4. Mose/Numeri 14,1-25
Josua und Kaleb sagten: „Wenn der Herr uns gut ist, wird er uns in dieses Land hineinbringen und es uns geben." *(Vers 6.8)*

Ohne Gott geht's nicht. Die Anführer Josua und Kaleb sehen, was auf die Israeliten wartet, und treten als Ermutiger auf. Aber die Mehrheit der Kundschafter sieht schwarz für die Zukunft. Sie ziehen das Volk auf ihre Seite. Nun proben sie gemeinsam den Aufstand gegen die alten Führer Mose und Aaron. Die unterwerfen sich der rückwärtsgewandten Mehrheitsmeinung, die ihnen die Abwahl ankündigt (Vers 4-5). Die Stimmung nostalgischer Todessehnsucht kippt, die Menge wird zur Wut-Gemeinde, droht Josua und Kaleb mit Steinigung. Aus der Perspektive der „Herrlichkeit des Herrn" (Vers 10) betrachtet, ist diese Volksmeinung Missachtung, ja Verachtung der Treue Gottes zu Israel (Vers 11.23). Sie würdigt Gott herab, indem sie seine Zusagen für die Zukunft infrage stellt.

Da reißt Gottes Geduldsfaden. Er kann die Zukunftsgarantie für diese „Leute" zurücknehmen. Das bringt den gedemütigten Mose wieder ins Spiel. Er hält Gott vor, was sein eigentliches Wesen ist: Gnade, Geduld, Vergebung und grenzenlose Güte. Das sieht auch die Führung so: „Wenn der Herr uns gut ist", bleibt er bei seiner Zusage. Wenn – die irrende Mehrheit nicht wäre. Kaleb kämpft gegen sie mit Argumenten und Emotionen. Für die Zukunft Israels, für den Weg mit Gott. In ihm ist „ein anderer Geist", der Geist des Vertrauens (Vers 24). Mit dieser Generation geht es weiter. Gott bleibt der Barmherzige. Wenn wir untreu werden, er bleibt treu (nach 2. Timotheus 2,13). Die „Schuld der Väter" wird vergeben, ungeschehen kann sie nicht gemacht werden. Unter den Folgen leiden noch die nächsten Generationen. Aber die Zukunft ist für Israel wieder offen: als Weg des Vertrauens. *Christian Wolf*

 Volksmeinung ist nicht Gottes Meinung: Mit der Volksmehrheit machte sich Deutschland nach 1933 auf, die furchtbarsten Verbrechen gegen Menschen und Völker zu begehen. Ich war ein Kind. Also unschuldig. Doch die Folgen der Verbrechen trafen auch mein Leben. Meine Generation gehörte zur Gemeinschaft der Schuldigen und der Büßenden. Gott eröffnete ihr eine Zukunft. Einen Weg im Vertrauen.
Christian Wolf

Bibellese: 4. Mose/Numeri 14,26-38

Der Herr sagte: „Eure kleinen Kinder, von denen ihr gesagt habt: Sie werden den Feinden in die Hände fallen – die werde ich in das Land hineinbringen, das ihr verschmäht habt; genau sie werden es in Besitz nehmen."

(Vers 31)

Dieser Textabschnitt wiederholt vieles, was in der Kundschaftergeschichte schon erwähnt wurde. Einige Stellen klingen wie ein Kommentar dazu. Zum Beispiel die Charakterisierung Israels als „diese ganze böse Gemeinde" (Vers 35). Das aus dem Mund des Gottes zu hören, der Israel hilflos in der Wüste fand und es wie seinen eigenen Augapfel beschützt (5. Mose/Deuteronomium 32,10), das schockiert. Wie konnte die ganze Gemeinde so in Totalopposition zu ihrem Retter und Beschützer geraten? Es handelt sich nicht um Einzelfälle. Eine ganze Generation setzte sich von dem Zukunftsprojekt ab, das Gott mit ihnen verfolgt. Diese Tätergeneration – die „wehrfähigen Männer" (Vers 29) – erlebt jetzt die sich selbst erfüllende Prophezeiung von Vers 2 bis 4. Der Wunsch ist zur Verwünschung geworden. Der Fluch der bösen Tat: Sie werden in der Wüste sterben. Unser moderner Individualismus mit der Strafverfolgung der Einzeltäter greift hier nicht. Auch die „Söhne", die Nachfolgegeneration, werden unter dem Fluch der bösen Tat lebenslang leiden. „Die ganze böse Gemeinde" verspielte ihre Zukunft.

Trotzdem gibt Gott sein Zukunftsprojekt nicht auf. Er verschont Josua und Kaleb als Rest seines Volkes. Doch die schönste Überraschung, der hellste Lichtblick betrifft die „kleinen Kinder". Sie waren schon verloren gegeben, aber gerade sie werden die neue Welt sehen und die Zukunft gewinnen. Mit den kleinen Kindern und ihren Müttern (Vers 3) fängt Gott wieder neu an. *Christian Wolf*

 Gott ist ein Freund der Kinder. Das wird im Neuen Testament so richtig deutlich. Der Menschenfreund Jesus ist auch ein Kinderfreund. In Matthäus 19 stellt er die Kleinen und Schwachen ins Zentrum. Sie, die gesellschaftlich nicht zählten, sind das Modell für das Leben mit Jesus und in seiner Gemeinde. Nach dem Jesusmodell werden Kinder nicht geringschätzig behandelt oder gar mit Gewalt. Kinderfreundliche Gesetzgebung wird unterstützt.

Christian Wolf

11

Donnerstag   2025
SEPTEMBER   ☀ 06:51   19:45
     ☽ 20:50   11:53

Bibellese: 4. Mose/Numeri 14,39-45
Mose sagte: „Zieht nicht hinauf; denn der Herr wird nicht mit euch gehen! Die Feinde werden euch in die Flucht schlagen."   *(Vers 42)*

Nun doch! Die Einsicht kommt spät. Sie wollen ihren Fehler wiedergutmachen. Zu spät! Sie hören wieder nicht richtig hin. Oder blenden sie den Willen Gottes auch diesmal bewusst aus? „Morgen kehrt ihr um und zieht eures Wegs in Richtung Schilfmeer", also zurück nach Ägypten (Vers 25). Trotzig nehmen sie die entgegengesetzte Richtung und die Zukunft nun in ihre eigene Hand: Jetzt wollen wir das Richtige tun und dem Willen Gottes folgen! Sie begreifen nicht, dass sich die Umstände durch ihr eigenes Fehlverhalten veränderten. Die Gegner rüsteten auf und sind bereit zuzuschlagen. Mose warnt: „Das kann nicht gut gehen." Er wird diesen Weg nicht mitgehen und auch die Bundeslade, das Zeichen der Gegenwart Gottes, wird nicht dabei sein. Doch das fromme Selbstbewusstsein überwältigt die Israeliten. Ohne Gott, ergriffen von sich selbst, ihrer Vernunft und ihrem Mut, machen sie sich auf den Weg – und scheitern. *Christian Wolf*

Sind wir auf dem richtigen Weg?

Die Israel-Gemeinde ließ sich vom richtigen Weg abbringen. Erschrockene Kundschafter trieben ihr die Hoffnung aus. Die Folge: Gott verschob sein Zukunftsprojekt auf eine andere Zeit mit anderen Generationen. Und wir mit unseren Projekten? Wäre es nicht gut, bei all den Seminaren, Tagungen und Sitzungen immer wieder zu fragen: „Sind wir auf dem richtigen Weg?" Einzusehen, wo wir uns verrannten. Wo der Herr der Gemeinde nicht mehr mitgeht. Zwischendurch innehalten, um Trotzreaktionen zu verhindern und nicht der Ergriffenheit von uns selbst zu verfallen, von unseren tollen Ideen und unserem starken Glauben. „Wohl dem, der nicht dem Rat der Ratlosen folgt, der nicht den Weg der Weglosen geht, der nicht in der Sitzung der Seelenlosen sitzt. Wohl dem, der sich vom Wort Gottes ergreifen lässt und gern nach dem Willen Gottes fragt. Er wird auf den richtigen Weg geführt, seine Spur wird sich nicht verlieren" (nach Psalm 1).

Christian Wolf

Bibellese: 4. Mose/Numeri 17, 16-26

Der Herr sagte zu Mose: „Der Stock dessen, den ich aus-gewählt habe, wird Blätter treiben. So sorge ich dafür, dass das Murren ein Ende nimmt und die Leute von Israel sich nicht länger gegen mich auflehnen."

(Vers 20)

Die Blumenkenner und Gartenliebhaberinnen werden den Aronstab kennen. Eine Pflanze, die in vielen Gärten in unseren Breiten zu finden ist. Der schwedische Naturforscher Carl von Linné hat ihr 1753 den Namen gegeben und er ist auf diese Geschichte zurückzuführen. Der Aronstab ist ein fas-zinierendes Gewächs, das mit dekorativen Blättern, interessanten Blüten und leuchtenden Beeren auf-wartet. „Seien Sie beim Pflanzen und Pflegen der Aronstabgewächse stets vorsichtig: Sie sind in allen Teilen giftig und ihr Saft kann Haut und Augen rei-zen", so ein Gärtnertipp. 2019 wurde der Aronstab Giftpflanze des Jahres und steht in Deutschland unter Naturschutz.

Aaron also, eine schillernde biblische Figur. Bruder des Mose, Fürsprecher beim Pharao, Erbauer des Goldenen Kalbs, Unterstützer von Mose beim Krieg gegen die Amalekiter, Priester aus dem Stamm Levi. Sein Stab ergrünte als Einziger der zwölf Stäbe, die für die zwölf Stämme Israels standen, er trieb Zweige und Blüten und hatte sogar schon Mandeln. Nach diesem Wunder war den Israeliten deutlich, dass Gott Aaron erwählt hat, und sein Stab wird in der Bundeslade verwahrt.

Der Aronstab ist keine liebliche Pflanze, sondern eine schöne, interessante und gefährliche. Sie verlangt Aufmerksamkeit und Vorsicht. Die Israeliten waren unzufrieden, murrten, wollten Mose und Aaron nicht mehr als politische und geistliche Leitung. Es folgte ein harter Machtkampf unter den levitischen Gruppen, am Ende bestätigt Gott durch den blühenden Stab das Priestertum Aarons und seiner Nachkommen. Gott mischt sich ein, er bezieht Stellung, er gibt ein deutliches und verständliches Zeichen seines Willens. Wo schauen wir heute hin, um klar zu sehen, was Gott von uns will? Wo lassen wir das Murren sein und machen uns auf die Suche nach Antworten? Manchmal blüht uns etwas und gibt uns einen Hinweis.

Ute Armbruster-Stephan

Bibellese: 4. Mose/Numeri 20,1-13
Der Herr sagte zu Mose: „Hol deinen Stock und geh mit Aaron zu dem Felsen dort drüben! Befehlt dem Felsen vor der versammelten Gemeinde, euch Wasser zu geben! Dann wird Wasser daraus hervorsprudeln und ihr könnt Menschen und Vieh zu trinken geben." (Vers 7-8)

Mose und Aaron zweifeln. Alles ist schwierig. Mirjam stirbt, das Wasser geht aus, alle sind unzufrieden, erschöpft und machen ihre Anführer für ihr Elend verantwortlich.
Unzufrieden mit der Regierung, Murren und Anklagen und Anfeindungen. Alle haben den Eindruck, dass es ihnen schlecht geht, sie maulen und protestieren, drohen und hetzen. Das kommt mir auch bekannt vor. Alles ist auf einmal schlecht, die Politiker treffen nur falsche Entscheidungen, alle haben hohe Ansprüche und Bedürfnisse, der Ton in der Gesellschaft wird rauer und gewalttätiger. Ihr seid an allem schuld, was uns nicht passt, warum haben wir euch eigentlich gewählt? Habt ihr uns nichts

Besseres zu bieten? Wer will in so einem Klima noch die Verantwortung tragen?

Mose und Aaron weichen vor dem Volk zurück. Die Leute machen ihnen Angst, sie haben keine Idee, wie sie das Wasserproblem lösen und auf die allgemeine Unzufriedenheit reagieren sollen.

Als einziges Ziel bleibt ihnen das heilige Zelt, sie begeben sich in die Herrlichkeit des Herrn. Anbeten gegen Murren, Unzufriedenheit, Anklagen und Dürre?

Vielleicht wäre auch heute beten besser als maulen, bitten besser als jammern und hetzen.

Damals hat es geholfen. Gott hat eine Lösung für das Problem und Mose und Aaron schlagen wirklich Wasser aus dem Felsen und alle können trinken. Ein völlig verrücktes Wunder! Was für eine Hilfe, was für eine Erleichterung! Durstige Menschen und Tiere können vom frischen Wasser trinken, so viel sie brauchen, sich erfrischen und gut gehen lassen. Und danach war die Stimmung erst einmal wieder besser. Ein Wasserwunder ist geschehen und ein Urteil wurde gesprochen. Die tiefen Zweifel von Mose und Aaron hatten Konsequenzen. Die neue Quelle erhielt den Namen Meriba – Anklage. Sie hatten Gott nicht ernst genommen.

Ute Armbruster-Stephan

14

Sonntag
SEPTEMBER

2025

☀ 06:56 19:38
☽ 22:45 16:09

Bibellese: Psalm 119,65-72
Herr, von frechen Lügnern werde ich beschuldigt,
doch folge ich von Herzen deiner Weisung.
Sie sind zu stumpf und träge zum Verstehen;
doch mir ist dein Gesetz die größte Freude.

(Vers 69-70)

„Schmerz ist ein guter Lehrmeister", pflegte mein Kendo-Trainer immer zu sagen. Zu dieser Einsicht kommt man nicht ohne Weiteres. Auch der Beter hat einen Weg zurücklegen müssen, um diesen Satz dichten zu können. Er ist den Weg des Leidens gegangen. Er dachte, er könne sich von Gottes guten Wegen entfernen und es auf eigene Faust versuchen. Und das, obwohl er bekennt: Du bist so gut zu mir gewesen! Doch die Sache scheint schiefgegangen zu sein. Nun aber setzt er alles daran, sich an die Gebote Gottes zu halten. Es ist ihm sogar eine Freude, weil er weiß, dass es sich lohnt. Da können die Leute ruhig über ihn lachen und ihn beschuldigen. Der Psalmist weiß, dass man ihm nichts vorwerfen kann, weil Gott ihm vergeben hat. Er hat sich ein empfindsames Herz bewahrt, ganz im Gegenteil zu den frechen Lügnern, deren Herz unempfindlich wie Fett ist (so die wörtliche Übersetzung).

Damit wird eine wichtige Sache deutlich: Der Psalmist ist nicht der Meinung, dass er besser sei als die anderen. Auch er hat gesündigt. Doch sein Leid hat ihn empfindsam gemacht. Es ist ihm ein guter Lehrmeister gewesen. Manchmal versteht man erst, was gut und richtig ist, wenn man die Konsequenzen der falschen Wege sieht, spürt und erlebt.

Es lohnt sich, Jesus zu folgen. Vielleicht kann man diesen Lohn nicht wägen und zählen. Er äußert sich nicht unbedingt in einem prallen Geldbeutel, Gesundheit oder Erfolg. Aber er äußert sich in dem Frieden, den er schenkt, in der Geborgenheit und darin, dass die Seele auflebt. So habe ich es zumindest immer wieder erlebt. Der eigentliche Lohn aber kommt erst noch: das ewige Leben in Gottes Herrlichkeit.

Martin Simon

 Jesus Christus will nicht Bewunderer, sondern Nachfolger. Der Bewunderer ist die billige Volksausgabe des Nachfolgers.

Søren Kierkegaard (1813-1855),
dänischer Philosoph und evangelisch-lutherischer Theologe

15

Montag
SEPTEMBER

2025

☀ 06:57　19:36
☽ 23:55　17:07

Bibellese: 4. Mose/Numeri 20,22-29

Der Herr sagte zu Mose und Aaron: „Aarons Zeit ist abgelaufen! Weil ihr beiden mir an der Meriba-Quelle nicht gehorcht habt, darf er das Land nicht betreten, das ich dem Volk Israel versprochen habe."　　　*(Vers 23-24)*

Ende Gelände. Kein Interpretationsspielraum. Kein Verhandeln. Gott hat das Urteil gesprochen und seine Anweisungen gegeben. Das höre ich mit großer Irritation. Zweifel an Gottes Größe werden mit der Todesstrafe geahndet. Sie wird vollstreckt an einem Mann, der eine lange und facettenreiche Geschichte mit diesem Gott hat. Und die Situation war ja schwierig. Es gab kein Wasser, Menschen und Vieh verdursteten. Da kann man schon mal an der Hilfe Gottes zweifeln, auch wenn man sie vorher schon oft erlebt hatte. Und Aaron und Mose taten ja, was möglich war, sie gingen zum heiligen Zelt und warfen sich vor Gott nieder, sie machten, was er ihnen auftrug. Die Situation wurde geklärt, Wasser gab es aus dem Felsen. Aber für Aaron war der

Zweifel ein Todesurteil. Er und Mose sollen nach all den Anstrengungen und Erfahrungen der Wüstenwanderung nicht mit ins Gelobte Land kommen und das Volk nicht selbst dorthin führen – ans Ziel.

Das ist eine harte Geschichte mit einem harten Gott. Ich muss schlucken und es kommt mir in den Sinn, wie oft ich daran zweifle, ob Gott diese vielen existentiellen Probleme unserer Zeit im Blick hat und lösen kann. Kann es heute noch solche Wunder geben, dass aus einem Felsen das Wasser strömt, das allen das Leben rettet? Was bräuchten wir heute in unseren Fragen und den Problemen unserer Zeit, um Hoffnung auf eine gute Zukunft zu haben?

Bleibe ich nicht oft auch in den Fragen und Zweifeln stecken? Woher kommt mir Hoffnung und Hilfe?

Ich mache mir damit Mut, dass ich im Neuen Testament eine andere Seite dieses Gottes kennenlernen kann. Zweifel sind im Glauben eingepreist, sie gehören dazu. Aber schön sind sie nicht. Sie kosten immer etwas, sie bringen auch weiter, sie verändern meinen Weg mit Gott und sie führen im besten Fall über die Anklage zum Vertrauen: Meine Hilfe kommt vom Herrn, der Himmel und Erde gemacht hat (Psalm 121,2 L). Aber zu leicht nehmen will ich die Zweifel nicht.

Ute Armbruster-Stephan

16

Bibellese: 4. Mose/Numeri 21,4-9

Mose betete für das Volk und der Herr sagte zu ihm: „Fertige eine Schlange an und befestige sie oben an einer Stange. Wer gebissen wird, soll dieses Bild ansehen, dann wird er nicht sterben!"   *(Verse 7-8)*

Seit Jahren zieht das Volk durch die Wüste. Und Gott sorgt für sein Volk. Aber die Israeliten jammern: Früher ging es uns besser! Als die Schlangen zubeißen und viele sterben müssen, haben sie tatsächlich Grund zu klagen.

Mose nagelt eine kupferne oder bronzene Schlange an eine Stange. Wie? Soll diese Skulptur Gift unschädlich machen? Das widerspricht doch Gottes Verbot, von einem Bild Hilfe zu erwarten! Tatsächlich wird jene Reliquie später als heilbringender Gegenstand verehrt. König Hiskija lässt das magische Götzenbild vernichten (2. Könige 18,4).

Jüdische Rabbiner erklären, was dieses Rettungszeichen bedeutet. Sie schreiben: „Macht eine Schlange lebendig? Nein, sondern: Wenn die Israeliten nach oben blickten und ihr Herz ihrem Vater im Himmel unterwarfen, wurden sie geheilt."

Gott lädt also Frauen und Männer, die vor Schmerzen schreien, zum Glauben ein: „Seht, die Schlange, die Unheil bringt, ist machtlos, wenn ihr mir vertraut. Ich kümmere mich um euch, auch in der Wüste. Ich lasse euch leben."

Jesus sagt zu einem Gelehrten, der sicher die Auslegung seiner rabbinischen Vorgänger kennt: Wie diese Schlange werde ich erhöht (Johannes 3,14-15). Er meint damit das Kreuz, an das man ihn nageln wird. Und mehr: Er ist an die Seite seines himmlischen Vaters erhoben worden. Das sollen alle wissen. Uns rettet also kein Abbild aus Holz oder Stein, denn das Kreuz ist leer. Unser Retter lebt. Er heißt Jesus. Er hat die Schlange besiegt, die seit dem Sündenfall die Welt verführt. Noch wehrt sich der Böse. Aber Jesus verspricht allen, die ihm ihr Herz schenken, ewiges Leben. *Jörg Enners*

 Wir sollen hinaufblicken auf den am Kreuz erhöhten Jesus, und sollen so lang hinaufblicken, bis es uns gegeben wird, zu glauben, dass unsere und aller Welt Sünde dort abgetan sei.

Ludwig Hofacker (1798-1828), evangelischer Pfarrer und Theologe

17

Mittwoch
SEPTEMBER

2025

☀ 07:00 19:31
☽ 01:15 18:14

Bibellese: 4. Mose/Numeri 21,21-35
Die Männer Israels schickten Boten zu Sihon, dem König der Amoriter: „Erlaube uns, dass wir durch dein Land ziehen!" Aber Sihon gab ihnen den Durchzug nicht frei. (Vers 21-23)

Stellen Sie sich vor, Sie sollten als Bundeskanzler entscheiden, ob zwei Millionen Staatenlose Durchreisevisa bekommen oder nicht. Diese Leute versprächen zwar, sie seien friedlich, aber wer weiß? Sie bezahlten für Getränke und Lebensmittel und wünschten nur freie Bahn, einmal quer durch Deutschland. Würden Sie das erlauben? Eine schwierige Entscheidung.

Dass König Sihon den Israeliten die Einreise verweigert, ist verständlich. Seine Untertanen leben schon lange im Ostjordanland. Sie fürchten, von dem heimatlosen Volk überrannt zu werden. Deshalb lehnt er ab. Er will sich schützen. Aber Gott hat andere Ziele. Er will seinem Volk gerade dort eine erste Heimat geben.

Viele Menschen stehen vor Grenzen. Irgendwo hängen sie fest. Es geht nicht voran. Sie merken vielleicht, dass Gott ihre Gedanken und Pläne durchkreuzt. Er hat Türen verschlossen. Es ist unmöglich, mit dem Kopf durch die Wand gehen zu wollen. Vorerst keine Chance!

Menschen erleben auch, dass Gott unerwartet Türen öffnet, neue Möglichkeiten schafft, Gelegenheiten bietet, die sich keiner von uns ausdenken kann. Er hat, das sehen wir manchmal erst im Rückblick, viel bessere, wirklich passende Lösungen für uns.

Nicht alle Hindernisse sind Katastrophen. Probleme können aus der Welt geschafft werden. Und Krisen bieten oft eine Chance, Gottes gute Wege und Ziele, seine Macht und Wunder zu entdecken.

Gott, der Sie liebt, führt Sie durchs Leben und bringt Sie Ihrer ewigen Heimat näher. Vertrauen Sie ihm, auch wenn heute und morgen nicht alles glattlaufen sollte. *Jörg Enners*

Jesu, geh voran
auf der Lebensbahn!
Und wir wollen nicht verweilen,
dir getreulich nachzueilen;
führ uns an der Hand
bis ins Vaterland.

nach Nikolaus Ludwig von Zinzendorf (1721) 1725, London 1753, bearbeitet von Christian Gregor 1778

18

Donnerstag
SEPTEMBER

2025

☀ 07:02　19:29
☾ 02:38　18:33

Bibellese: 4. Mose/Numeri 22,1-20

Bileam antwortete den Abgesandten: „Balak mag mir alles Silber und Gold geben, das er besitzt – gegen den Befehl des Herrn, meines Gottes, kann ich auch nicht den kleinsten Schritt tun." *(Vers 18)*

Wer oder was beeinflusst mein Handeln? Sicher sind es in hohem Maße die Medien. Internet, Fernsehen, Instagram, TikTok und Co geben vielen vor, was in ist, was wir denken können und wie wir uns verhalten sollen. Sie geben uns auch Werte und Normen vor, an die viele sich halten. Wie auch immer wir das bewerten, es ist einfach so, und diese Entwicklung lässt sich auch nicht zurückschrauben.

Bileam lässt sich beeinflussen von Gott. Geld und Ehre bedeuten ihm nicht so viel. Das Erstaunliche ist, dass Bileam ja kein Israelit war. Trotzdem steht er in so einem innigen Verhältnis zum Gott Israels und hört auf ihn. Sein Wunsch und Wille sind ihm Befehl. Wie lernte er Gott wohl kennen? Und woher kommt es, dass die Verbindung so eng geworden ist? Warum ist ihm so sonnenklar, dass er nur tun wird, was Gott will? Eine Antwort ist sicher, dass Bileam jeweils die Nacht damit verbringt, Zwiesprache mit Gott zu halten. Er fragt ihn nach seinem Willen.

Diese alte Geschichte berührt mich auf eine ganz eigene Weise. Da ist ein Mann vom Euphrat, der ist offenbar weise und mit einer besonderen Fähigkeit oder sogar spirituellen Macht ausgestattet. Sein Segen und Fluch haben einen starken Einfluss. Aber dieser Mann missbraucht seine Fähigkeiten nicht. Er steht völlig uneigennützig im Dienst seines Gottes. Angesichts der nicht enden wollenden Missbrauchsfälle und -skandale in den verschiedenen Kirchen ermutigt es mich, von Bileam zu lernen. Er ist nicht käuflich, er nutzt seine Stellung nicht aus, allein sein himmlischer Herr ist ihm heilig. Des Nachts redet er mit ihm und vor allem: Er hört darauf, was Gott zu sagen hat.

Wer oder was beeinflusst mich? Die Medien oder mächtige Männer und Frauen in der Gesellschaft oder auch in der Kirche? Mein eigener Vorteil? Es ist gut, sich in erster Linie auf das zu verlassen, was Gott mir zeigt. Und seinem Wort die Priorität zu geben. Zuerst einmal darf er mich beeinflussen. Auf diesem Hintergrund bewerte ich alles, was mir an Beeinflussung begegnet, auch, was die Medien sagen und schreiben. *Petra Reinecke*

Bibellese: 4. Mose/Numeri 22,21-41
„Ich habe Unrecht getan", sagte Bileam. „Ich habe nicht gewusst, dass du dich mir in den Weg gestellt hattest."
(Vers 34)

Diesen Satz zu sagen: „Ich habe Unrecht getan", fällt uns oft schwer. In der Welt geschieht viel Unrecht und nicht immer sind wir unbeteiligt daran. Umso wichtiger ist es, Vergebung zu üben oder einzuüben. Es liegt an uns zu entscheiden, wie viel Raum wir dem Groll und dem Ärger in unserer Seele überlassen wollen. Und es liegt an uns, den ersten Schritt zum anderen hin zu machen. Und zwar nicht nur um des anderen willen, sondern um unserer selbst willen. Denn es wird uns selbst besser gehen, wenn wir vergeben. Bileam sieht sein Unrecht ein und spricht das laut aus.

Als Gemeindeberaterin bin ich viel in Gemeinden unterwegs und kann nur dazu einladen, es laut auszusprechen, wenn wir merken, dass wir irgendwo falsch abbogen und jemandem Unrecht taten. Vie

Kummer könnte unseren Gemeinschaften erspart bleiben, wenn wir so mutig und beherzt wie Bileam offen miteinander umgingen und uns gegebenenfalls auch entschuldigten.

Woher soll aber die Motivation dazu kommen, mein Herz zu zeigen, meine Verletztheit und meine Verletzlichkeit, aber auch meine Fehler zuzugeben? Bei mir kommt sie immer wieder nur von dem einen: Jesus. Vor vielen Jahren entschied ich mich, es in meinem Leben halten zu wollen wie er. In manchen Momenten blitzt sein Antlitz vor meinem inneren Auge auf. Dann, wenn ich vor lauter Frust bereit bin, auch langjährige Beziehungen aufzugeben, um recht zu behalten. Ich halte ein, komme zu mir, besinne mich. Wenn es gut läuft, bin ich auch bereit zu vergeben. Vergeben heißt ja nicht vergessen. Wie gut ist es, dass Gott dem blinden Bileam eine sehende Gefährtin auf vier Beinen und einen Engel zur Seite stellte, damit seine Augen geöffnet wurden. Ich erbitte von Gott ebensolche Hilfen für meine manchmal vom Zorn trüben Augen und Gedanken. Damit ich sagen kann: „Auch ich habe Unrecht getan."

Petra Reinecke

Masi Noor/Marina Cantacuzino, Vergebung ist ziemlich strange, Carl-Auer Verlag, ISBN 9-78-3-8497-0343-1

Bibellese: 4. Mose/Numeri 23,1-12

Bileam sagte zu Barak: „Ich kann nichts anderes sagen, als was der Herr mir in den Mund legt." (Vers 12)

Gewaltfrei war das jetzt aber nicht, Mama!" So wiesen mich unsere Kinder manchmal zurecht, wenn ich ihnen unfreundliche Dinge gesagt hatte. Sie wussten, dass ich mich mit der gewaltfreien Kommunikation nach Marshal Rosenberg beschäftigte. Kann man das überhaupt so formulieren, dass wir gewalttätig reden? Ja, wir werfen unseren Mitmenschen häufig Du-Botschaften an den Kopf, die abwertend und verletzend sind. In unserer Sprache findet viel Gewalt statt, häufig bemerken wir es nicht einmal mehr. Marshal Rosenberg plädiert für eine Kommunikation von Herz zu Herz. Er lädt uns ein zu beobachten, ohne zu bewerten, und dem anderen meine Gefühle und Bedürfnisse mitzuteilen, anstatt ihm seine Fehler an den Kopf zu werfen.

Bileam soll Israel verfluchen, er soll mit Worten Gewalt über sie ausüben und einen Bann verhängen

Das aber ist nicht im Sinn Gottes. Wen er segnet, den sollen wir nicht verfluchen. „Freuen dürfen sich alle, die Frieden stiften – Gott wird sie als seine Söhne und Töchter annehmen", heißt es in Matthäus 5,9. Im Friedenstiften liegt Segen und das Potential zum Glücklichsein. Also ist es sinnvoll, gewaltfrei miteinander zu reden, eine friedfertige Art des Sprechens einzuüben. Denn Friede ist das, was Gott seinem Knecht Bileam und auch uns in den Mund legt.

Jesus Christus selbst wird, besonders im Johannes-Evangelium, als das Wort von Gott bezeichnet. Sein ganzes Wesen und Wirken drücken Gottes Sprache aus, mit der er zu uns reden will. Es ist eine Sprache der Wertschätzung und Liebe. Jesus Christus überbringt mir die Botschaft: Gott achtet mich und will mich segnen. Und darum lautet der Auftrag an uns: Sprecht voller Respekt und in gegenseitiger Achtung miteinander! Gewaltfrei war das manchmal nicht, was ich als Mutter sagte. Wer macht mit, eine friedfertige Sprache einzuüben? *Petra Reinecke*

 Serena Rust, Wenn die Giraffe mit dem Wolf tanzt, Koha-Verlag, ISBN 9-78-3-9368-6277-5

21

Sonntag
SEPTEMBER

Bibellese: Psalm 20

Der Herr gebe dir Antwort,
wenn du in Not gerätst und zu ihm schreist;
er selbst, der Gott Jakobs, sei dein Beschützer! (Vers 2)

Ich habe nicht geschrien damals am See im Süden der Altmark. Der Schreck fuhr mir in die Glieder. Mein Ehering rutschte mir vom Finger beim Herumtollen mit Kindern einer Freizeit mitten in einem Badesee. Es war gerade am ersten Hochzeitstag. Mein einziges Stück Gold, das ich besaß, Ausdruck der wichtigsten Beziehung meines Lebens gleich nach dem Glauben an Gott! Das war schon eine Not. Kleinlaut teilte ich es einigen Rüstzeitmitarbeitenden mit, bevor ich an die Stelle schwamm, wo es passierte, um in circa drei Meter Tiefe mit fester Entschlossenheit nach dem Ring zu tauchen. Ich wollte unter Wasser die Augen öffnen, alles versuchen, um die sprichwörtliche Nadel im Heuhaufen zu finden. Doch es kam anders: Als ich mit den Fingerspitzen den sandigen Boden erreichte, hatte sich bei geschlossenen Augen ganz „zufällig" der gesuchte Ring über den Zeigefinger geschoben – halleluja, ein Wunder! Gott kann Unmögliches möglich machen. Mit dieser Hoffnung bete ich für meine Nöte und die Nöte anderer täglich zu Gott. Er möge den weltweiten Kriegen ein Ende machen, dass das Zerstören und Töten aufhört. Er möge Linderung der Schmerzen und Heilung schenken in den verschiedensten Krankheiten. Er möge die Verlassenen trösten und den Einsamen eine warme Hand schicken.

Vor kurzem wurden Christen aus der Stadt Jaranwala in Pakistan vertrieben, ihre Kirchen und Häuser geplündert und angezündet, manche mussten im Wald übernachten. Es gibt so viel Not und Leid auf unserer Erde. Männer, Frauen und Kinder bangen ums Überleben. Gott hört sie. Selbst der stumme Schrei von Millionen ungeborener Kinder, die gern das Licht der Welt erblickt hätten, erreicht sein Ohr und sein Herz. Und Gott hat eine Antwort gegeben, gleichsam einen goldenen Ring: einen neuen Bund mit ewigem Leben in Jesus. Wir finden auf dieser Erde nicht alle verlorenen Dinge wieder, denn das Paradies ist verloren. Doch wer den Namen Jesus anruft, wird gerettet, garantiert.   *Albrecht Weißbach*

22

Montag
SEPTEMBER

2025

☀ 07:08 19:20
☽ 07:45 19:19

Bibellese: 4. Mose/Numeri 23,13-30

Bileam sagte zu Balak: „Du darfst nicht meinen, Gott sei wie ein Mensch! Er lügt nicht und er ändert niemals seinen Sinn. Denn alles, was er sagt, das tut er auch. Verspricht er etwas, hält er es gewiss." (Vers 19)

Der Moabiterkönig Balak versucht ein zweites Mal, den Seher Bileam zu einem Fluch gegen das Volk Israel zu überreden. Aber Bileam tut nur das, was Gott ihm aufträgt. Gott segnet weiterhin sein Volk Israel und steht treu zu seinem Wort. Statt eines gewünschten Fluches gilt weiterhin sein Segen.

Die Treue Gottes lässt mich immer wieder staunen und dankbar werden, gerade seine Treue zu seinem Volk Israel, das er sich ausgewählt hat. Er versprach dem noch kinderlosen Abraham, dass aus seinen Nachkommen einmal ein großes Volk werden würde. Abraham hat das nicht mehr erlebt. Aber Balak sieht nun das Volk einige hundert Jahre später vor sich und bekommt es mit der Angst zu tun. Gott steht treu zu seinem Volk und seinen Versprechen, trotz aller Untreue, die man in den vorherigen Geschichten lesen konnte. Immer wieder wurde es ungehorsam und begehrte gegen Gott auf. Im Gedächtnis geblieben ist sicher die Anbetung des Goldenen Kalbs kurz nach dem Auszug aus Ägypten. Und trotzdem gilt: Gott steht treu zu Israel.

Gottes Treue lässt mich staunen und immer wieder dankbar zurückblicken, was mein eigenes Leben betrifft. Ich sehe die Fehler, die das Volk Israel gemacht hat. Und gleichzeitig sehe ich, welche Fehler ich immer wieder mache. Ich kenne viele Situationen, in denen ich versagt habe und Gott untreu geworden bin. Durch Jesus Christus habe ich Vergebung erfahren. Durch ihn weiß ich, dass Gott treu zu mir steht. Denn Gott hat seinen einzigen Sohn auch für meine Schuld hingegeben. Diese Treue mir gegenüber lässt mich jeden Tag neu staunen.

Stefan Thiemert

 Die alte Treue Gottes allmorgendlich neu zu fassen, mitten in einem Leben mit Gott täglich ein neues Leben mit ihm beginnen zu dürfen, das ist das Geschenk, das Gott uns mit jedem neuen Morgen macht.

Dietrich Bonhoeffer (1906-1945), deutscher evangelischer Theologe

23

Dienstag
SEPTEMBER

Bibellese: 4. Mose/Numeri 24,1-25
Da kam der Geist Gottes über Bileam und er sagte: „Ein jeder, der dich segnet, Israel, hat selber teil an diesem Segen. Wer dich verflucht, wird selbst vom Fluch getroffen!"   (Vers 2-3.9)

Wieder wurde der Seher Bileam vom Moabiterkönig Balak aufgefordert, das Volk Israel zu verfluchen. Und wieder ist die Reaktion Gottes, dass er Bileam zu einem Segen anleitet. Das Volk Israel wird nicht verflucht, sondern gesegnet. Der ausgewählte Vers aus der heutigen Bibellese erinnert mich an die Berufung Abrams: „Und ich will dich zum großen Volk machen und will dich segnen und dir einen großen Namen machen, und du sollst ein Segen sein. Ich will segnen, die dich segnen, und verfluchen, die dich verfluchen." (1. Mose/Genesis 12,2-3 L)
Ich habe gerade persönliche Erfahrungen mit dem Segen Gottes machen dürfen. Ich habe als Pastor meine Stelle gewechselt. Und in meinen beiden ehemaligen Gemeinden bin ich mit einem Segen

verabschiedet worden. Nun wurde ich an meiner neuen Stelle in meinen Dienst eingeführt und wurde dafür auch von verschiedenen Personen gesegnet. Wenn ich jemanden segne, dann bedeutet das, dass ich gute Worte über ihn ausspreche. Ich gebe einer Person gute Wünsche mit auf den Weg. Einer kranken Person wünsche ich, dass sie wieder gesund wird und sie die Krankheit mit Gottes Hilfe ertragen kann. Einem Ehepaar wünsche ich, dass ihre Ehe gelingt, dass sie sich in ihren Unterschiedlichkeiten als Mann und Frau ergänzen und Konflikte gut miteinander bewältigen und lösen können. Einem Menschen, der den Wohnort oder die Arbeitsstelle wechselt, wünsche ich, dass er Gott in allen Veränderungen als haltgebenden Ankerpunkt erfährt.

Wichtig ist bei allen Dingen: Gott ist derjenige, der den Segen gibt. Segen bedeutet für mich, dass Gott spürbar bei mir ist. Er ist mit mir und verändert mein Leben. Und dadurch kann ich ein Segen für meine Mitmenschen werden. *Stefan Thiemert*

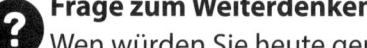 **Frage zum Weiterdenken**
Wen würden Sie heute gerne segnen?

Bibellese: 4. Mose/Numeri 27,12-23

Der Herr antwortete Mose: „Nimm Josua; ihn habe ich durch meinen Geist dazu befähigt. Lass ihn vor den Priester Eleasar und die ganze Gemeinde treten und bestelle ihn vor ihnen allen zu deinem Nachfolger. Leg deine Hände auf ihn."   *(Vers 18-19)*

In der heutigen Bibellese geht es um das Thema Nachfolge. Mose, der am Ende seines Lebens und seines Wirkens als Anführer des Volkes Israels angekommen ist, möchte einen Nachfolger. Er sorgt sich darum, dass das Volk Israel nach seinem Tod führungslos umherirren könnte, wie eine Herde Schafe ohne Hirten. Ihm liegt das Wohl des Volkes am Herzen und das finde ich gut. Er klammert sich nicht an die Macht und sagt dann: „Nach mir die Sintflut." Er geht verantwortungsvoll mit der Situation um und möchte Verantwortung abgeben.

Josua wird von Gott die zukünftige Verantwortung übertragen. Gott hat ihn bereits dazu befähigt. Und indem Mose ihm die Hände auflegt, wird ihm öffentlich die Verantwortung für das Volk Israel übertragen.

Das Thema Nachfolge und Übertragung oder Übernahme von Verantwortung beschäftigt zunehmend auch unsere Gesellschaft und unsere Gemeinden. Handwerker suchen dringend Nachwuchs, der bereit ist, die Firma weiterzuführen und für die Zukunft fitzumachen. Gelingt dies nicht, wird der Betrieb über kurz oder lang geschlossen.

In den Gemeinden versuchen wir, junge Menschen an verantwortungsvolle Aufgaben heranzuführen, sie für Leitungsaufgaben zu schulen, so dass sie in Zukunft Arbeitskreise leiten oder sich der Berufung in die Gemeindeleitung stellen. Auf der anderen Seite müssen langjährige Leiter und leitende Mitarbeiter auch dazu bereit sein, Verantwortung abzugeben und es auszuhalten, dass die jüngere Generation andere Wege mit der Gemeinde geht.

Als Nachfolger Jesu können wir wie Mose bitten, dass Gott unseren Gemeinden und Arbeitskreisen Menschen zeigt, die er durch seinen Heiligen Geist bereits befähigt hat. Wir können Gott darum bitten, dass er Menschen befähigt und Mut schenkt, Verantwortung zu übernehmen. Und wir können Gott auch darum bitten, dass wir den Mut haben, Verantwortung abzugeben und es auszuhalten, dass die nächste Generation andere Wege geht.   *Stefan Thiemert*

Bibellese: Lukas 13,18-21

Jesus sagte: „Wie geht es zu, wenn Gott seine Herrschaft aufrichtet? Womit kann ich das vergleichen? Es ist wie bei dem Senfkorn, das jemand in seinem Garten in die Erde steckte." (Vers 18-19)

Jesus lebt und verkündet das Reich Gottes in Galiläa, irgendwo in einem verlorenen Winkel im Römischen Reich. Seine Botschaft hören nur wenige Menschen und noch weniger nehmen sie ernst. Das Ganze erscheint so klein und unscheinbar. Am Ende wird Jesus von Nazaret, der Reich-Gottes-Mensch, hingerichtet. Zurückbleibt ein gut gemeinter, kaum beachteter Versuch, radikale Liebe zu leben. Scheinbar gescheitert. Und doch erwächst daraus eine große Bewegung. Die anfangs verängstigte Jüngerschar geht mutig auf die Straßen und trägt die Botschaft vom Reich Gottes, vom gekreuzigten und auferstandenen Jesus, weiter mit Wort und Tat. Zuerst werden einzelne Dörfer und Städte, dann Landstriche und ganze Herrschaften von ihrer Bewegung geprägt, aus der Jüngerschar wird die Kirche. Damit ist jetzt nicht alles einfach gut. Das Reich Gottes vermischt sich mit dem Menschlichen, auch mit dem Bösen. Auch in der Kirche findet man nicht nur Licht. Aber dennoch finden viele Menschen durch christliches Engagement Hilfe zum Leben. Wie die Vögel, die in den Zweigen des groß gewachsenen Senfkornbusches Wohnung fanden.

Zum Beispiel die wenigen Christen im afrikanischen Nordkamerun, die den verängstigten Menschen helfen, die vor der Terrorgruppe Boko Haram flohen. Egal, welche religiöse Prägung die Geflüchteten haben, bei den Christen, selbst arm, finden sie Hilfe. Am Ende verbessern sich dadurch landesweit die christlich-muslimischen Beziehungen erheblich. Da investieren Menschen das, was sie haben, ihre praktische Liebe, und es wächst Großes daraus. Das ist eine wunderbare Verheißung: Wenn wir das scheinbar Unbedeutende einsetzen im Namen des Evangeliums, was kann daraus werden!   *Michael Kißkalt*

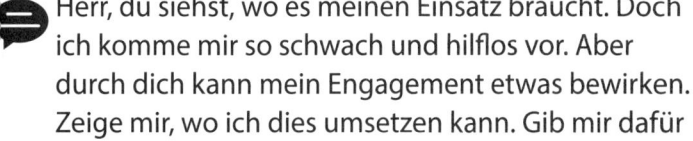 Herr, du siehst, wo es meinen Einsatz braucht. Doch ich komme mir so schwach und hilflos vor. Aber durch dich kann mein Engagement etwas bewirken. Zeige mir, wo ich dies umsetzen kann. Gib mir dafür ein offenes Herz!

Michael Kißkalt

Bibellese: Lukas 13,22-30
Jesus antwortete: „Aus Ost und West, aus Nord und Süd werden die Menschen kommen und in Gottes neuer Welt zu Tisch sitzen."   *(Vers 29)*

Gottes Herz ist ganz weit offen für Menschen aus allen Kulturen und Ländern. Wer international und interkulturell unterwegs ist, der bekommt einen Hauch davon zu spüren, wie bereichernd es ist, mit Menschen verschiedenster Prägung zusammenzutreffen oder gar zusammenzuarbeiten. Aber der Satz steht in einem eher ernsten Zusammenhang. Die Menschen, die auf die Botschaft vom Reich Gottes hörten und sie für sich annahmen, sitzen hier am Tisch. Wer dem Evangelium gegenüber ablehnend oder gleichgültig war, bleibt draußen. Gemeint sind hier besonders die Schriftgelehrten und Pharisäer, die Frommen damals, die das Verhalten von Jesus als sehr anstößig empfanden, weil es nicht ihren religiösen Regeln entsprach. Diesen tollen Satz spricht Jesus also gegen die aus, die sich als die „wahrhaft

Gläubigen" ansahen: „Ihr werdet überrascht sein, wer alles an Gottes Tisch sitzt; es wird großartig, aber Ihr werdet nicht dabei sein!" Ein hartes Wort.

Jesus sagt deutlich: Nach dem Evangelium geht es Gott zuerst um die Menschen. Religiöse oder moralische Regeln sind dem nachgeordnet. Wie lebt man also die Reich-Gottes-Botschaft? Indem man an der Frage dran ist: Was ist gut und gerecht im Blick auf die Menschen? Alles, was das Christsein ausmacht, auch Beten, Bibellesen und Gottesdienst, dient diesem Ziel, dass wir wach bleiben für unser Menschsein und für das Menschsein anderer. Dazu gehört auch die Erkenntnis, dass wir eben nicht Gott sind und uns nicht über andere erheben dürfen. Das schlichte Gebot der Liebe zu Gott und zum Nächsten und zu uns selbst fasst diese Lebenshaltung zusammen. Wenn wir das so leben, so unvollkommen es auch sein mag, dann sind wir auf dem Weg zu dem wunderbaren bunten Tisch Gottes in seiner neuen Welt. *Michael Kißkalt*

 Herr, ich freue mich auf den Tag, wenn alles gut ist, an deinem Tisch in deinem Reich. Bitte schenke mir ein offenes Herz für die Menschen um mich herum.
Michael Kißkalt

27

Samstag
SEPTEMBER

2025

☀ 07:16 19:09
☽ 13:48 20:47

Bibellese: Lukas 13,31-35

Jesus antwortete: „Jerusalem, Jerusalem, wie oft wollte ich deine Bewohner um mich scharen, wie eine Henne ihre Küken unter die Flügel nimmt! Aber ihr habt nicht gewollt." (Vers 34)

Die Situation von Jesus war nicht einfach. Mit seiner Botschaft der radikalen Liebe und Gerechtigkeit machte er sich auch Feinde. Die üblichen Normen und Regeln beachtete er nicht, wenn es um das Wohl der Menschen ging. So brachte er das politische und noch viel mehr das religiöse Establishment gegen sich auf. So richtig Erfolg hatte Jesus nicht. Davon lässt er sich aber nicht erschüttern. Er weiß um seine Bestimmung, bleibt bei seiner Haltung und bei seinem Handeln. Wohl mehr traurig als zornig spricht er diesen Weheruf über Jerusalem, sinnbildlich für das alte Gottesvolk, aus.
Wie gehen wir damit um, wenn Menschen auf unsere christliche Haltung mit Unverständnis oder gar Widerstand reagieren? Zuerst einmal muss man

gut unterscheiden, ob die ablehnende Haltung ihre Ursache darin hat, dass unser Reden und unser Tun in einem Widerspruch stehen, wir also selbst der Grund für die negativen Reaktionen sind. Dann sollten wir überlegen, wie wir Reden und Tun wieder in einen positiven Einklang bringen. Es kann aber auch sein, dass unser echtes christliches Sein und Tun Menschen irritiert und verärgert. Weil unsere christliche Haltung in Spannung steht zum egozentrischen Lebensstil der Gesellschaft. Wer seinen Glauben lebt, sagt Nein zur Ellenbogen-Mentalität, Nein zum Recht des Stärkeren und Nein zur Vernachlässigung der Schwachen. Heute würde Jesus vielleicht sagen: „Oh ihr Menschen, habt ihr aus der Geschichte nicht gelernt, dass diese Ego-Haltung eine Einbahnstraße ist und alles gegen die Wand fährt?! Nur gemeinsam, als Starke und Schwache, als Menschen aus allen Kulturen und Ländern, gemeinsam mit der Schöpfung um uns herum werden wir ein gutes Leben haben." *Michael Kißkalt*

Herr, bitte hilf mir, mit den Menschen, die die christliche Werte verachten, gerecht umzugehen. Bewahre mein Herz in der Liebe, die du allen Menschen schenkst. Hilf mir, mich klar zu verhalten und klar zu reden, ohne menschenverachtend zu sein.

Michael Kißkalt

28

Sonntag
SEPTEMBER

2025

☀ 07:18 19:06
☽ 14:54 21:26

15. Sonntag nach Trinitatis

Bibellese: Psalm 46

Frisches Wasser strömt durch die Gottesstadt,
in der die heilige Wohnung des Höchsten ist.
Gott selbst ist in ihren Mauern,
nichts kann sie erschüttern.
Er bringt ihr Hilfe, bevor der Morgen graut. (Vers 5-6)

Was hat man eigentlich vom Glauben? Wofür ist Christsein letztlich gut? Sich solche Fragen zu stellen, ist herausfordernd und wichtig. Damit der Glaube nicht nur eine Gewohnheit ist, sondern immer wieder neu zur Herzensüberzeugung wird. Die zwei Verse aus Psalm 46 geben auf diese grundsätzliche Frage zwei Antworten: Erstens erlebt man den Glauben als belebende Quelle – wie frisches Wasser. Frisches Wasser ist etwas ganz Besonderes. Es kommt direkt aus der Quelle oder aus einem sprudelnden Bach. Die Gihonquelle spielt in Jerusalem bis heute eine wichtige Rolle. Auch in der Bibel findet sie wiederholt Erwähnung. In den schwierigsten Zeiten stärkte und ernährte die Gihonquelle das Gottesvolk. Heute gilt diese Quelle in Jerusalem nicht nur Juden, sondern auch Christen und Muslimen als heilig. Im Bild gesprochen ist der Glaube nicht wie abgestandenes Wasser, sondern wie frisches Wasser aus einer Quelle. Im altgewordenen Glauben in den Kirchen ist das manchmal nicht so toll spürbar. Aber dort, wo das Evangelium gepredigt wird, erlebt man, wie belebend der Glaube ist, auch in schweren Zeiten.

Das führt uns zum zweiten Grund, warum der Glaube wirklich Hilfe zu Leben ist. Er gibt Halt in Situationen, wenn unser Leben erschüttert wird. Von diesen Erschütterungen bleiben wir nicht verschont, genauso wenig, wie die Stadt Jerusalem damals. Dass wir in diesen Erschütterungen bewahrt bleiben, liegt nicht an unserem starken Glauben, sondern daran, dass Gott in unserem Glauben wohnt. Es ist nicht nur unser individueller, persönlicher Glaube, sondern der gemeinschaftliche Glaube, der Glaube der Gemeinde, der uns trägt. In Jerusalem damals war es der Tempel Gottes; in unseren Kontexten sind es die christlichen Gemeinden, in denen Gott uns in Wort und Zeichen begegnet. Wohl uns, wenn wir mit diesem gemeinschaftlichen Glauben verbunden sind, der uns lebendig macht und uns Halt gibt.

Michael Kißkalt

Bibellese: Lukas 14,1-6

Jesus sagte. „Wenn einem von euch ein Kind in den Brunnen fällt oder auch nur ein Rind, holt er es dann nicht auf der Stelle heraus, auch wenn es gerade Sabbat ist?"　　　　　　　　　　　　　　　*(Vers 5)*

Ein provokativer Auftritt Jesu. Im Haus eines führenden Pharisäers erscheint ein Kranker. Sofort ist klar, dass sich die Situation zuspitzen wird; denn es ist Sabbat. Obwohl Jesus unter Beobachtung steht, ergreift er trotzdem mit einer Frage an die anwesenden Gesetzeskundigen die Initiative. Es geht um die Gesetzeslage, ob am Sabbat geheilt werden darf. Natürlich wittern die Gesetzesprofis die Falle und ziehen es vor zu schweigen. Sie ahnen, dass sie in einer Lehrdiskussion mit Jesus den Kürzeren ziehen könnten.

Die daraufhin vollzogene Heilung, entgegen der geltenden Gesetzesauslegung, versieht Jesus mit einer entlarvenden Ergänzung. Nach übereinstimmendem Verständnis des Gesetzes ist es nämlich zulässig, am Sabbat ein Kind oder ein Tier aus einem Brunnenschacht zu retten. Die Schlussfolgerung der provokativ durchgeführten Heilung steht so deutlich vor Augen, dass Jesus sie gar nicht mehr ausspricht: Wenn Rettung am Sabbat erlaubt ist, muss auch Heilung erlaubt sein. Die lebensbejahende Güte Gottes duldet keine spitzfindigen Einschränkungen.

Jesus will seinen gesetzeskundigen und Moral predigenden Gastgebern die Augen für Gottes großzügiges Handeln öffnen. Die Evangelien zeigen, dass das nicht wirklich gelang. Ein umfassendes Regelwerk aus alttestamentlichen Gesetzen und der Auslegung im jüdischen Talmud regelte alle Anwendungen für den Alltag. Das bot Sicherheit, auf die die Gastgeber nicht verzichten wollten. Ihr Anliegen, vor Gott möglichst alles richtig zu machen, war löblich. Aber Jesus macht ihnen provozierend deutlich, dass dadurch immer wieder berechtigte Lebensbedürfnisse von Menschen ignoriert werden. Um einer ausgeklügelten und abgesicherten „Richtigkeit" willen werde Menschen lebensnotwendige Hilfe verweigert. Darüber nachzudenken, wo das immer noch passiert, lohnt sich auch heute.   *Klaus Ulrich Ruof*

30

Dienstag
SEPTEMBER

2025

☀ 07:21   19:02
☽ 16:31   23:27

Bibellese: Lukas 14, 7-14
Jesus sagte: „Wenn dich jemand zu einem Hochzeits-mahl einlädt, dann setz dich nicht gleich auf den Eh-renplatz. Es könnte ja sein, dass eine noch vornehmere Person eingeladen ist."   *(Vers 8)*

Über viele Jahre hinweg führte das Thema Benimmregeln in der gesellschaftlichen Öffent-lichkeit und Erziehung eher ein Schattendasein. Wie man sich bei bestimmten Anlässen kleidet, wie in Briefen Personen unterschiedlicher gesellschaftli-cher oder beruflicher Stellung angesprochen wer-den oder wie Verhaltensweisen zu Tisch aussehen, erfreute sich großer Freiheit, wenn nicht gar Belie-bigkeit. Seit einigen Jahren ist Etikette wieder mehr gefragt, und angebotene Etikette-Trainings bedie-nen eine zunehmende Nachfrage.

In der biblischen Geschichte entsteht fast der Ein-druck, dass Jesus ein paar gesellschaftliche Etiket-te-Regeln für den richtigen Auftritt bei einem Fest-mahl vermittelt. Sich lieber niedriger einschätzen und weiter hinten aufhalten als sich vordrängeln und großmachen. Sich so zu verhalten, zeugt von Klugheit.

Aber Jesus geht es um mehr als nur eine gute Etikette bei Tisch. Ihm geht es um eine Selbstbescheidung, die frei davon ist, sich vorne und oben und bei den Besten einzusortieren. Auch unter Christen ist das nicht selbstverständlich. Sobald bei Veranstaltungen oder Empfängen bekannte Persönlichkeiten aus Politik, Wirtschaft, Sport oder Film und Fernsehen auftauchen, ist das Gedränge nach vorne groß. Ein bisschen Aufmerksamkeit zu erhaschen, ein Selfie zu bekommen oder sogar ein paar Sätze zu wechseln, ist erhebend. Nüchtern betrachtet ist es schon eigenartig, was diesen Reiz für das Besondere ausmacht. Aber wir Menschen scheinen davon förmlich in den Bann gezogen zu werden.

Jesus lädt mit einem Hinweis auf die Etikette dazu ein, den eigenen Selbstwert von äußeren Dingen, Bewertungen und Vergleichen freizuhalten. Das ist leichter gesagt als getan. Bescheidenheit und Demut sind dafür gute Lehrmeister.

Klaus Ulrich Ruof

BESTELLZETTEL

Ich bestelle:

_____ Abreißkalender „Wort für heute 2026"
Preis 16,00 EUR, UVP 24,60 CHF

_____ Buchausgabe „Wort für heute 2026"
Preis 15,00 EUR, UVP 23,10 CHF

_____ Großdruck-Buchausgabe „Wort für heute 2026"
Preis 20,00 EUR, UVP 30,80 CHF

_____ den kostenlosen Herbstkatalog

Änderungen vorbehalten

Brunnen Verlag , Gottlieb-Daimler-Straße 22,
35398 Gießen, Tel.: 0641 6059-0, Fax: 0641 6059-100
E-Mail: info@brunnen-verlag.de

Oncken Verlag / Blessings 4 you GmbH, Motorstr. 36,
70499 Stuttgart, Tel.: 0711 83000-0, Fax: 0711 83000-90
E-Mail: info@blessings4you.de

SCM-Shop, Max-Eyth-Str. 41, 71088 Holzgerlingen
Tel.: 07031 7414-177, Fax: 07031 7414-119
E-Mail: bestellen@scm-shop.de

_____
Name, Vorname

_____
Straße, Hausnummer

_____
Postleitzahl, Ort

_____
Telefon, Fax, E-Mail

_____
Datum, Unterschrift

Bibellese: Lukas 14,15-24

Jesus sagte: „Der Herr befahl seinem Diener: ‚Lauf schnell auf die Straßen und Gassen der Stadt und hol die Armen, Verkrüppelten, Blinden und Gelähmten her!'" (Vers 21)

Ich liebe dieses Bild: Gemeinsam um einen Tisch zu sitzen, an dem alle miteinander essen, reden, lachen, diskutieren, weinen, trösten, sich gegenseitig etwas reichen. So ist Himmel. Am besten noch an einem schattigen Plätzchen unter einem großen Baum im Garten oder Park. Je öffentlicher der Platz, umso einfacher ist es für Vorbeikommende, auf einen Plausch zu bleiben und sich dazuzusetzen. Würde Jesus heute bei uns das Gleichnis erzählen, stell ich mir vor, dann fände die Einladung in aller Öffentlichkeit und nicht hinter Mauern weder eines Privathauses noch einer Kirche statt. Denn darum ging es ihm: Himmel ist da, wo jede und jeder willkommen ist, wo leicht Zugang gefunden werden kann, keine Schwellenangst lähmt, keine extra Bedingungen herrschen, als müsse man erst dies oder das glauben oder – wie anfangs im Gleichnis – der beste Freund eines angesehenen Mannes sein. Im Gegenteil: Sei da! Sei du! Sei willkommen! Ich sehe dieses bunte lebendige Gewusel vor mir: Junge, Alte, besonders Schlaue oder vom Leben Gebeutelte, ob im Rollstuhl sitzend oder Inliner an den Füßen, barfuß oder mit Stöckelschuh, allein, mit Säugling an der Brust oder als Großfamilie, im Moment gerade traurig oder frisch verliebt, im Wagen die ganze Bleibe mit sich tragend oder mit gut gefüllter Geldbörse in der Tasche ... Alle sitzen, reden, teilen Brot und Saft, Obst und Käse und irgendwie ihr Leben in dem Moment, in dem sie sich anrühren lassen von dem, was eine erzählt. Ein Junge malt Bilder vom Krieg und Bilder vom Frieden. Die Mutter streichelt über seinen Kopf und ist gleichzeitig mit Händen und Übersetzungs-App mit ihrem Nachbarn im Gespräch. Kinder rennen hinter einem Ball her. Jemand beginnt zu singen. Viele horchen auf, nicken mit und stimmen ein. Vielsprachig singen sie vom Leben und von der Liebe. Staunend entdecken wir, wie viele Menschen hier im Park Gemeinschaft feiern. *Katrin Schneidenbach*

Monatsspruch
Jesus Christus spricht: Das Reich Gottes ist mitten unter euch. *(Lukas 17,21 L=E)*

Bibellese: Lukas 14,25-35
Jesus schloss: „Niemand von euch kann mein Jünger sein, wenn er nicht zuvor alles aufgibt, was er hat."

(Vers 33)

Gerhard Schöne besingt in einem Lied die „Liebe des Fischers" zu seiner Frau. Als der Fischer nach Hause kam, erfuhr er, dass über seine Frau ein Urteil gefällt wurde. Da sie ihm untreu war, soll sie am nächsten Morgen vom Felsen in den Tod gestoßen werden. Der Fischer, er liebt seine Frau, tut nun alles, um sie zu retten. Liebe ist radikal. Sie lässt alles hinter sich, egal, was die Leute sagen, egal, was angebracht ist, egal, was es kostet.

So macht sich der Fischer in der Nacht ans Werk und spannt über dem Abgrund aus Seilen ein Netz. Im Lied wird ausgemalt, wie er es mit Farn und Heu polstert. Als seine Frau frühmorgens in den Tod gestoßen wird, fällt sie in dieses für sie bereitete Nest der Liebe. Liebe ist radikal. Sie setzt alles auf eine Karte. Sie lässt niemanden fallen und riskiert sich selbst. Davon singt das Lied von der „Liebe des Fischers".

Davon erzählt Jesus: Nachfolge fordert uns ganz und gar. Sie ist eine Liebe und Lebenshingabe, die über allem anderen steht. Da gibt es keine Absicherung, keine Rückzugsmöglichkeit, kein Ausweichen. Liebende tun alles, um dem Leben und der Liebe zu dienen. Und was ist Nachfolge anderes, als die Liebe zu Gott und Menschen zu leben? Das kann uns herausfordern. Wir können an Grenzen kommen. Bei manchen ist die Grenze der Besitz, bei anderen die Bedeutung der Familie, bei wieder anderen geht es um den eigenen Ruf, um den sie sich sorgen. Jesus verdeutlicht: Wer ihm folgt und der Liebe dient, wird es nicht halbherzig tun. Er fragt nach der Bereitschaft, sich ganz hinzugeben. So kann einer engagiert in der Stadt ein Lebens- und Liebesnetz knüpfen, wo keiner es vermutet. Gestrandete, Flüchtende, Wohnungslose fühlen sich da aufgefangen und atmen auf. Eine andere sitzt mit Zeit und Ruhe zugewandt am Bett von Sterbenden. Oder der große Garten wird zum Spielplatz, die Wiese von Kindern niedergetrampelt bei wildem Spiel. Bist du bereit, das hinzugeben für die Liebe, für das Leben? Voller Glauben fragt und wirbt Christus.

Katrin Schneidenbach

3

Tag der Deutschen Einheit
Freitag
OKTOBER

2025

☀ 07:26 18:55
☾ 17:42 02:06

Bibellese: Lukas 15,1-10
Jesus sagte: „Ich sage euch: Genauso ist bei Gott im Himmel mehr Freude über einen Sünder, der ein neues Leben anfängt, als über neunundneunzig andere, die das nicht nötig haben." (Vers 7)

Die Pharisäer und Schriftgelehrten ärgerten sich über Jesus, weil Zöllner und Sünder zu ihm kamen und er sie annahm. In dieser angespannten Situation erzählte Jesus die beiden Geschichten vom „verlorenen Schaf" und vom „verlorenen Groschen". Wie ein Hirte ein verlorenes Schaf sucht, so sucht Jesus Zöllner, Sünder, Verzweifelte, Kranke, Fragende, Kinder und Erwachsene, die ohne Gott leben, und ruft sie in seine Nachfolge. Wenn ein Sünder ein neues Leben mit Jesus anfängt, dann ist bei Gott im Himmel mehr Freude als über neunundneunzig Gerechte, die das nicht nötig haben.

Das ist doch paradox! Ich finde Menschen sympathischer, die ein korrektes, gerechtes Leben führen, als Menschen, die ein liederliches Leben geführt und die Gebote Gottes übertreten haben. Auch wenn sie ein neues Leben mit Jesus anfangen. Denn sie haben vorher manches verbockt und dadurch möglicherweise viel Schaden angerichtet. Warum freut sich Jesus nicht über die neunundneunzig Gerechten?

Ganz einfach: Weil es „die Gerechten" nicht gibt. Die Bibel sagt: „Alle haben ja gesündigt und die Herrlichkeit Gottes verloren" (Römer 3,23 E). Wir alle haben es nötig, dass wir ein neues Leben mit Jesus anfangen. Manchmal sagen mir Menschen: „Ich tue recht und scheue niemand. Ich kann mein Leben vor Gott verantworten." Genau das war die Haltung der Pharisäer und Schriftgelehrten. Ist eine solche Haltung nicht arrogant?

Ich möchte Sie darum ermutigen: Seien Sie ehrlich vor Gott und sich selbst! Beschönigen Sie Ihre Sünden nicht! Bekennen Sie sie Jesus. Bitten Sie ihn, in Ihr Leben zu kommen. Fangen Sie ein neues Leben mit ihm an! Weil Jesus am Kreuz für unsere Sünden gestorben ist, vergibt er sie uns und schenkt uns ein neues Leben. Dann herrscht Freude bei Gott im Himmel! Dann jubeln alle Engel! Dann herrscht aber auch Freude bei Ihnen. *Beat Abry*

 Der 3. Oktober ist ein Tag der Freude, des Dankes und der Hoffnung.

Helmut Kohl (1930-2017), deutscher Politiker, am 2. Oktober 1990

Bibellese: Lukas 15,11-32

Jesus erzählte: „Der Sohn war noch ein gutes Stück vom Haus entfernt, da sah ihn schon sein Vater kommen, und das Mitleid ergriff ihn. Er lief ihm entgegen, fiel ihm um den Hals und überhäufte ihn mit Küssen." (Vers 20)

Jesus erzählt die Geschichte von den zwei verlorenen Söhnen. Die Verlorenheit des jüngeren Sohnes ist offensichtlich: Er landet bei den Schweinen. Aber auch der ältere Sohn, der fleißig und anständig ist, ist verloren. Man kann ohne Gott leben, indem man ein liederliches Leben führt. Man kann aber auch ohne Gott leben, obwohl man hochanständig, religiös und gut lebt.

Wenn wir nur auf die beiden Söhne schauten, wäre die Geschichte niederschmetternd. Aber da gibt es den Vater! Damit meinte Jesus unseren Vater im Himmel, Gott. Als der jüngere Sohn noch ein gutes Stück von zu Hause entfernt war, sah ihn sein Vater. Das bedeutet doch, dass er die ganze Zeit nach seinem Sohn Ausschau hielt. Hatte er nichts Besseres zu tun, als auf seinen nichtsnutzigen Sohn zu warten? Kaum sah er ihn, ergriff ihn das Mitleid. Er lief ihm entgegen, fiel ihm um den Hals und küsste ihn. An dieser Stelle wird die Geschichte vom jüngeren verlorenen Sohn völlig unglaubwürdig. Der Sohn hatte die Liebe seines Vaters mit Füßen getreten. Er war ohne Abschied von seinem Vater davongelaufen. In einem fremden Land verprasste er sein ganzes Erbe. Jetzt völlig verarmt, am Verhungern und am Boden zerstört, kommt er zurück. Ich als Vater hätte verärgert reagiert: „Siehst du, das passiert, wenn man nicht hören will! Das hast du jetzt davon! Okay, du darfst wieder nach Hause kommen. Aber ehrlich – was bist du für ein dummer Kerl!" Vielleicht würde ich das dem Sohn nicht so um die Ohren schlagen. Aber denken würde ich es. Und sauer wäre ich!

Aber so ist Gott nicht: Er liebt den Sünder. Auch wenn wir unser Leben an die Wand fahren. Er wartet auf uns. Es jammert ihn, wenn er unser Elend sieht. Wenn wir zu ihm kommen, läuft er uns entgegen und nimmt uns an.

Beat Abry

Du, Christus, bist es, der jeden Morgen den Ring des verlorenen Sohnes, den Ring des Festes, an meinen Finger steckt.

Frère Roger (1915-2005), Schweizer Pastor und Gründer von Taizé

5

Sonntag
OKTOBER

2025

☀ 07:29 18:50
☽ 18:09 04:56

Erntedankfest/16. Sonntag nach Trinitatis

Bibellese: Psalm 104

Die Herrlichkeit des Herrn
bleibe für immer bestehen;
der Herr freue sich an allem,
was er geschaffen hat!

(Vers 31)

Der Psalmist staunt über die Schöpfung und betet den Schöpfer an! Er ist total begeistert, wenn er die Werke Gottes anschaut. In Vers 24 (L) fasst er zusammen: „Herr, wie sind deine Werke so groß und viel! Du hast sie alle weise geordnet, und die Erde ist voll deiner Güter." Ich kenne solche Augenblicke: Bei einem wunderschönen Sonnenuntergang. Wenn wir auf einem Berggipfel stehen und in die Weite schauen. Im Frühling, wenn alles blüht. Wir staunen, wie Gott alles geschaffen und geordnet hat.

Dennoch nennt der Psalmist in Vers 31 einen Wunsch: „Die Herrlichkeit des Herrn bleibe für immer bestehen." Er betet dafür, weil er weiß, dass alles, was Gott geschaffen hat, eines Tages vergehen wird. Aber die Herrlichkeit Gottes soll bleiben. Und sie wird bleiben! Dann spürt der Beter aber auch, dass die Schöpfung Gottes durch die Sünde des Menschen bedroht ist. Wir zerstören durch unser Verhalten die Umwelt! Wir zerstören aber vor allem auch andere Menschen und sogar uns selbst. Darum ist die Bitte des Psalmisten in Vers 35 verständlich: „Die Sünder sollen ein Ende nehmen auf Erden und die Gottlosen nicht mehr sein." Wenn das geschähe, wäre die Schöpfung Gottes perfekt.

Das wird aber erst geschehen, wenn Jesus in Herrlichkeit wiederkommen wird. Dann wird Gott eine neue Erde und einen neuen Himmel aufrichten. Dort wird er bei den Menschen wohnen. Sie werden sein Volk sein. Er wird alle unsere Tränen abwischen. Es wird keinen Tod, kein Leid, kein Schmerz mehr geben. Er wird alles neu machen (Offenbarung 21,3-5). Aber bis zu diesem Augenblick werden wir beides erleben: Das Staunen über das, was Gott geschaffen hat, und das Leiden an der von der Sünde gezeichneten Welt.

Beat Abry

Fragen zum Weiterdenken

Lesen Sie bitte Römer 8,18-25. Wo in Ihrem Leben sehen Sie die Spannung zwischen Psalm 104 und Römer 8,18-25? Wie gehen Sie damit um?

Wenn Sie unter der gefallenen Schöpfung leiden, was könnte Ihnen helfen, Gottes Herrlichkeit zu sehen?

Bibellese: Lukas 16,1-13

Jesus fuhr fort: „Kein Diener kann zwei Herren zugleich dienen. Er wird den einen vernachlässigen und den anderen bevorzugen. Er wird dem einen treu sein und den anderen hintergehen. Ihr könnt nicht beiden zugleich dienen: Gott und dem Geld." (Vers 13)

Die großen und kleinen Entscheidungen des Lebens – wer kennt sie nicht? Nehme ich beim Bäcker das Schokoladencroissant oder das Käsebrötchen? Warum nicht einfach beides! Schwieriger wird die Entscheidung, wenn es darum geht, was nach der Schule passiert – Ausland oder Freiwilliges Soziales Jahr oder Ausbildung oder Studium? Wie und mit wem verbringe ich meine Zeit? Wenn ich mich für eine Sache entscheide, so entscheide ich mich oft automatisch auch gegen eine andere Sache – bei manchen Dingen geht beides einfach nicht. Auch, wenn das doch so schön wäre.

Jesus geht es hier auch um eine Entscheidung. Er ist ziemlich klar: „Keiner kann zwei Herren zugleich dienen." Es ist wie eine Warnung: Auch wenn ich es mir noch so schönrede – da, wo mein Schatz ist, ist auch mein Herz (Matthäus 6,21). Und Gott kennt unsere Herzen. In dieser Bibelstelle geht es um Geld, um Reichtum, und um die irdische Macht, die mit dem Geld kommt. Reichtum, von dem man immer mehr haben will, Geld, das einem die Illusion gibt, selber Herr zu sein. Auch in anderen Bereichen des Lebens kann man faule Kompromisse eingehen bei dem Versuch, das Beste aus beiden Welten zu haben. Die Worte von Jesus können hart klingen und auch so manche Bibelgeschichte ist nicht einfach zu verdauen. Manches soll vielleicht auch nicht einfach verdaut werden, sondern anregen: zum Reflektieren, zum Nachdenken, zum Umdenken.

Dazu möchte ich heute einladen. Die Frage mag für Sie nicht sein „Gott oder Geld?", sondern vielleicht eher: „Wer oder was ist mein Herr?" Welchen Stellenwert haben bestimmte Dinge in meinem Leben und wo steht Gott? Wir dürfen die Einladung von Jesus, eine bewusste Entscheidung für ihn und für unser Leben zu treffen, wahrnehmen. Gott gab uns die Fähigkeit, zu denken, zu fühlen und mit einem wachen Geist unterwegs zu sein – auch an diesem Tag heute, bei all den großen und kleinen Lebensentscheidungen.   *Dana Sophie Jansen*

Bibellese: Lukas 16,14-18

Jesus sagte zu den Pharisäern: „Vor den Menschen stellt ihr euch so hin, als führtet ihr ein Leben, das Gott gefällt; aber Gott sieht euch ins Herz. Was bei den Menschen Eindruck macht, das verabscheut Gott."(Vers 15)

Jesus nimmt kein Blatt vor den Mund. Klar und deutlich spricht er an, was er sieht und was er kritisiert. Wie es den Pharisäern damit wohl ergangen ist? Die Pharisäer, die die biblischen Gesetze sehr ernst nahmen und selbst auch kein Problem damit hatten, andere zurechtzuweisen. Nach außen hin machten sie alles richtig – das Gesetz wurde penibel eingehalten. Doch Jesus fordert nochmal ganz anders heraus: Auf einer Ebene, die tiefer geht – auf der Herzensebene. Was geht wirklich in deinem und meinem Herzen vor? Das kann von außen meist schlecht beurteilt werden. Doch das ist das, was bei Gott zählt. Der Begriff „Pharisäer" wird auch heute noch benutzt, oft als Bezeichnung für scheinheilige oder hochmütige Menschen. Dabei sind natürlich immer die anderen damit gemeint, aber ich doch nicht!

Und doch: Vielleicht ist da auch eine kleine Pharisäerin in mir, die es den Menschen recht machen möchte, die tadellos erscheinen will, die alles richtig macht – besser als die anderen eben. Oder vielleicht sind es auch diese kleinen Gedanken, dass man selbst das mit Gott und dem Glauben besser verstanden habe als die Person, die beim Lobpreis nicht aufsteht, nicht laut betet oder, oder, oder. Gott sieht uns ins Herz. Er weiß genau, was uns motoviert. Das kann in manchen Momenten demütigend sein, aber es ist auch befreiend. Wir sind frei von dem Druck und Zwang, es perfekt oder richtig machen zu müssen. Wir sind nicht abhängig von der Bewertung anderer. Und wir dürfen lernen, uns frei davon zu machen, die Anerkennung und Bewunderung anderer zu suchen, auch wenn sich das in dem Moment gut anfühlen mag. Gott sieht unser Herz und auch wir dürfen lernen, wirklich hinzusehen: in uns hineinzuhorchen, hinzuschauen und ehrlich mit uns selbst zu sein. *Dana Sophie Jansen*

 Höchster, herrlicher Gott, erleuchte die Finsternis meines Herzens.

Franz von Assisi (ca. 1181-1226), italienischer Ordensgründer

Bibellese: Lukas 16,19-31

Jesus erzählte: „Der Arme starb und die Engel trugen ihn an den Ort, wo das ewige Freudenmahl gefeiert wird; dort erhielt er den Ehrenplatz an der Seite Abrahams. Auch der Reiche starb und wurde begraben. In der Totenwelt litt er große Qualen." *(Vers 22-23)*

Ein Mann, der auf Erden alles hatte: Reichtum, Hab und Gut, eine übervolle Speisekammer – und ein Mann, der gesellschaftlich gesehen nichts hatte – hungrig, gebrechlich, ausgestoßen, arm. Diese biblische Situation lässt sich auch heute noch an allen Ecken der Welt wiederfinden. So vieles ist nicht gerecht: Dass es Überreiche gibt und Menschen, die in größter Armut leben. Dass Menschen aufgrund ihrer Hautfarbe, Religion oder ihres Geschlechts diskriminiert werden und dass nicht alle die gleichen Chancen haben. Der reiche Mann in der Bibellese hatte alles – und war im Totenreich doch arm. Zu seinen Lebzeiten lebte er in seiner heilen Welt – nicht einmal die Krümel von seinem reich gedeckten Tisch überließ er dem armen Mann. Sah er ihn nicht? Oder wollte er ihn nicht sehen? Und wie oft ergeht es uns ähnlich?

Es gibt so viel Leid in der Welt, dass es schwer sein kann, wirklich hinzusehen. Und auch wir haben Momente und Lebensphasen des Leides, in denen wir uns ausgestoßen und schwach fühlen wie vielleicht der arme Mann in der Geschichte. Immer wieder wird in den Erzählungen und Prophezeiungen der Bibel deutlich: Gott ist ein Gott der Gerechtigkeit. Es gibt ein Bild der Hoffnung: Eines Tages werden alle Tränen abgewischt werden und die Schmerzen vergangen sein. Eines Tages werden alle, die Hunger haben, satt werden. Doch Gott lädt uns schon jetzt dazu ein, an dieser Vision der Zukunft mitzuwirken. Es geht nicht darum, das Leid der Welt in uns aufzusaugen und uns davon lähmen zu lassen, sondern in der Hoffnung und im Vertrauen Schritte zu gehen: Und unser Brot zu teilen mit der Person neben uns, die es vielleicht gerade braucht. Wir dürfen uns mit hineinnehmen lassen in das Herz und die Mission Gottes für diese Welt und uns da, wo wir können, für mehr Gerechtigkeit und Frieden einsetzen. Nicht aus Angst heraus, sondern aus Liebe, denn Gott ist ein gnädiger Gott. *Dana Sophie Jansen*

Bibellese: Lukas 17,1-10
Jesus sagte: „Wenn dein Bruder – und das gilt entspre-
chend für die Schwester – ein Unrecht begangen hat,
dann stell ihn zur Rede, und wenn er es bereut, dann
verzeih ihm." *(Vers 3)*

Jesus lebte als Mensch zusammen mit anderen
Menschen. Er hat erfahren, dass das Miteinander holprig und heikel werden kann. Gerade noch
sind alle beseelt von einer freundschaftlichen, liebevollen Gemeinschaft, bis plötzlich alles kompliziert und schwierig erscheint. Kleinigkeiten wachsen
zu unüberschaubaren Schwierigkeiten heran. Vertrauen und Fürsorge verwandeln sich in Misstrauen,
Ignoranz und Egoismus.
Jesus gibt uns deshalb Regeln für unser Zusammenleben an die Hand. Wir sollen respektvoll und liebevoll miteinander reden, nicht abfällig und abwertend übereinander. Wer Fehler gemacht hat, möge
sich trauen, sie einzugestehen, zu bereuen und
sein Verhalten zu ändern. Wem Unrecht angetan

wurde, der soll verzeihen und es dann als erledigt betrachten.

Es klingt so einfach und unkompliziert! Schon kleine Kinder verstehen diese Regeln und empfinden sie als richtig und gerecht. Wie kann es sein, dass es dann im Alltag doch manchmal rumpelt, in großen wie in kleinen Dingen?

Ich befürchte, dass die Antwort in jedem von uns steckt: Mal ist mein Ego zu groß zum Einlenken. Mal vermute ich hinter einer Entschuldigung Unehrlichkeit und niedere Absichten. Mal versuche ich jemanden zur Rede zu stellen, bin dabei aber anklagend und nörgelig. Mal kann ich nur oberflächlich verzeihen, bekomme aber eine Enttäuschung oder Verletzung nicht so richtig aus dem Kopf und aus dem Herzen.

Eine immer mühelos funktionierende, perfekte Lösung für diese Problematik habe ich noch nicht gefunden. Was mir aber hilft, im Sinne von Jesus zu handeln? Ich nehme die Dynamik aus Situationen. In einem Streit im ersten Affekt zu handeln oder zu reden, das hat viel Eskalationspotential. Einfach mal still sein, dem Gegenüber zuhören, mit Herz und Verstand, und dann mit Ruhe und Zugewandtheit antworten und handeln. Mit liebevoller Grundhaltung daran zu arbeiten, einander zu verstehen, daran hat Jesus wahrscheinlich seine Freude. *Susanne Wirtz*

10

Freitag
OKTOBER

2025

☀ 07:38 18:39
☾ 19:50 12:32

Bibellese: Lukas 17,11-19
Jesus sagte: „Sind nicht alle zehn gesund geworden? Wo sind dann die anderen neun? Ist keiner zurückgekommen, um Gott die Ehre zu erweisen, nur dieser Fremde hier?" (Vers 17-18)

Jesus, der voller Anteilnahme, Fürsorge und Liebe zehn Menschen geheilt hat, wird enttäuscht. Er nimmt ihnen ihre Krankheit und gibt den Aussätzigen ihr Leben zurück, und nur einer von zehn kommt zurück, um sich bei ihm für dieses unglaubliche Geschenk zu bedanken. Es hätte sie kaum Mühe gekostet, einfach noch einmal zu Jesus zu gehen und sich zu bedanken. Und es wäre eine Selbstverständlichkeit gewesen im Hinblick auf das Gute, das er ihnen getan hat. Offenbar sind sie einfach weggegangen und haben nicht mehr daran gedacht, was ihnen da geschenkt worden war. Es klingt so absurd unhöflich, gedankenlos und egozentrisch, eine Ungeheuerlichkeit. Würde ich nie so machen. Oder?

Wenn ich genauer hinschaue, erkenne ich mich in dem Gleichnis auch selbst. Auch mir hat Jesus mein Leben geschenkt. Er vertraut mir all diese Möglichkeiten an, bietet mir das pralle Leben in Fülle und Erfüllung. Er schenkt es mir voller Freude, ohne eine Gegenleistung zu verlangen. Er vergibt mir, wieder und wieder, ohne dass ich es verdient hätte. Er wartet mit offenen Armen und offenem Herzen auf mich, um mit mir zu leben. Er ist immer für mich da, liebt mich ohne Limit.

Und was mache ich? Wie oft gehe ich zu ihm, um ihm zu danken und die Ehre zu geben? Mit welcher Haltung wende ich mich ihm zu? Wie drücke ich meine Dankbarkeit aus? Wie feiere ich Jesus und das Leben, das er mir geschenkt hat? Was fange ich damit an?

Dankbarkeit scheint etwas zu sein, was uns Menschen nicht leichtfällt, aber sehr wichtig ist und uns sehr guttut. Diese Haltung einzunehmen und zu leben, lässt mich mit positiver Demut erkennen, dass ich ein sensationelles Geschenk erhalten habe. Echte Dankbarkeit bringt mich dazu, mich meinem Wohltäter zuzuwenden, was die Beziehung zwischen uns verbessert und wachsen lässt. So wünsche ich es mir für meine Beziehung zu Jesus, und ich werde daran arbeiten.

Susanne Wirtz

Bibellese: Lukas 17,20-37

*Jesus sagte. „Wenn sein Tag da ist, wird der Menschen-
sohn kommen wie ein Blitz, der mit einem Schlag den
ganzen Horizont ringsum erhellt."* *(Vers 24)*

Da kommt mir doch gleich ein Bild in den Sinn:
Ein grimmig dreinschauender Wettergott hält
ein Bündel mit gezackten Pfeilen in der Hand, bereit,
sie auf die Erde zu schleudern. Einzelne Menschen
fallen tödlich getroffen zu Boden. Andere werden in
die Flammen eines vernichtenden Feuers gerissen.
Danach kehrt wieder Ruhe ein.

„Jedes Gewitter reinigt die Luft", so hieß es früher.
Gemeint war nicht nur die tatsächliche Veränderung
der Luft nach einem Gewitter, sondern auch, dass
nach einem „Donnerwetter" des Vaters sich der Streit
in der Familie beruhigen würde. Das steckt wohl als
unausgesprochene Erwartung hinter dem Wunsch
der Jünger Jesu, dass sie „seinen Tag" sehen möchten. Jesus möchte Gericht halten, die Bösen bestra-
fen und den Guten ihr Leben erleichtern.

Aber – so einfach lässt sich Jesus nicht für menschliche Wünsche vereinnahmen. Der Blitz, von dem im Bibelvers die Rede ist, ist kein vernichtender. Es geht eher um ein Wetterleuchten, das den ganzen Horizont erhellt, von da, wo der Himmel scheinbar die Erde berührt, bis zum anderen Ende. Ein Ereignis, das unübersehbar ist. So kündigt Jesus sein Kommen am Ende der Zeiten an. Überraschend, aber eindeutig. Unverfügbar für die Menschen.

Ich kann den Wunsch der Vertrauten Jesu nach seinem machtvollem Eingreifen gut verstehen. Die Welt ist schwierig. Krisen und Katastrophen bestimmen die Schlagzeilen. Autokraten gewinnen an Einfluss und Populisten nehmen für sich in Anspruch, die Welt zu erklären. Doch Jesus gibt nicht nach, er veranstaltet kein „reinigendes Gewitter". In seiner Nachfolge müssen Menschen das aushalten und durchleiden, was er ausgehalten und durchlitten hat. Erst wenn er für alle sichtbar wiederkommt, dann wird er die Verhältnisse ganz neu bestimmen – aber auch erst dann. Bis dahin tragen wir Verantwortung dafür, mit Gottes Hilfe die Welt um uns herum zum Guten mitzugestalten. *Carl Hecker*

12

Sonntag
OKTOBER

2025

☀ 07:41   18:35
☽ 21:44   15:02

17. Sonntag nach Trinitatis

Bibellese: Psalm 5
Früh am Morgen hörst du mein Rufen,
in der Frühe trage ich dir meine Sache vor
und warte auf deine Entscheidung.   *(Vers 4)*

Es ist Sonntag, in der Regel arbeitsfrei, ein Tag zur „seelischen Erhebung", wie er durch das Grundgesetzt geschützt ist. Und dann werden wir in dieses Gebet mit hineingezogen. Vor und nach diesem einen Satz ist je nach Bibelausgabe zu lesen: seufzen, flehen, schreien, Hilfeschrei – Unrecht, Frevler, Lügner, Hass, böses Tun, Blutgierige. Da ist jemand offenkundig massiv unter Druck.

Gerne würde ich einfach abschalten und den Sonntag genießen. Aber auch am Sonntag kann ich die Welt nicht einfach außen vor lassen. Lüge, Hass, Feindschaft, Ungerechtigkeit und anderes mehr machen vor dem Sonntag nicht halt. Ich muss damit umgehen. Mit dieser Lebensaufgabe wende ich mich wieder dem Psalm zu. Hier entdecke ich drei Dinge. Erstens: Der Beter verdrängt nicht die bedrohliche Situation. Sie wird laut ausgesprochen und öffentlich gemacht. Zweitens: Der Beter nimmt sein Schicksal nicht in die eigenen Hände. Am frühen Morgen macht er keine Strategiepläne, wie seine Ankläger zu überwinden wären. Er legt den Erweis seiner Unschuld und die Wiederherstellung seiner persönlichen Rechte ganz in die Hände Gottes. Drittens: Damit bringt er sein großes Vertrauen in Gottes Lebenskraft und Segen zum Ausdruck.

Das wäre doch einmal eine Form „seelischer Erhebung": Gott gegenüber die ganze Last der Welt auszubreiten – im Vertrauen darauf, dass die Welt und wir ihm nicht gleichgültig sind.

Übrigens: Die lange Liste der Feindseligkeiten im Psalm weisen ihn als ein Gebetsformular aus. Da konnte jeder und jede das eintragen, was ihm oder ihr schwer auf der Seele lag. So kann jeder und jeder heute das eintragen, was ihm oder ihr auf der Seele liegt. Auf diese Weise kann der Sonntag zu einem Tag der Entlastung und Befreiung werden.

Carl Hecker

Bibellese: Lukas 18,1-8

Jesus fragte: „Wird der Menschensohn, wenn er kommt, auf der Erde überhaupt noch Menschen finden, die in Treue auf ihn warten?" (Vers 8)

Angesprochen sind die Menschen, die Jesus über Jahre begleitet haben. Sie haben seine Wunder erlebt, seine öffentlichen Reden gehört und persönliche Orientierung bekommen. Warum sollten die nicht auf ihn warten?

Nun, die Zeit mit dem sichtbaren Jesus war keine problemlose Zeit. Jesus wurde massiv infrage gestellt, abgelehnt und am Ende als Gotteslästerer verhaftet, gefoltert und hingerichtet. Als der Evangelist Lukas die Geschichten um Jesus aufschrieb, da erging es den Gemeindemitgliedern in den jungen christlichen Gemeinden nicht besser. Auch sie mussten Ausgrenzung und Anfeindung erleiden. Genau für diese Situation erzählt Jesus sein Gleichnis: Eine Witwe lässt nicht locker, um bei einem korrupten Richter zu ihrem Recht zu kommen. Sie beweist darin einen langen Atem und das feste Vertrauen, dass sie gehört werden wird.

Ich erlebe die gegenwärtige Situation der christlichen Kirchen nicht wirklich entspannt: In der westlichen Welt geht die Zahl der Menschen, die sich zu einer Kirche halten, deutlich zurück. In anderen Ländern ist es gar schwierig bis unmöglich, sich öffentlich zum christlichen Glauben zu bekennen. Und im ganz persönlichen Rahmen fehlen oft die spürbaren Zeichen der Nähe Gottes. Mit der Zeit kann sich in einer solchen Situation schon Resignation einschleichen: Das macht doch alles keinen Sinn. Ich bemühe mich, in der Nachfolge Jesu verantwortlich zu handeln und bekomme dadurch am Ende doch nur Schwierigkeiten. Das könnte der Grund für Jesu Frage sein, ob er am Ende der Zeiten (wann immer das sein wird) noch Menschen finden wird, die etwas von ihm, die ihn erwarten?

Die Frage richtet sich an den innersten Kreis der Vertrauten. Für sie sollte Glaube nicht heißen, etwas für richtig zu halten, sondern in guten wie in schlechten Zeiten alles von Jesus Christus zu erwarten. Seinen Ausdruck findet das darin, dass wir erwartungsvoll alles von ihm erbitten. *Carl Hecker*

Bibellese: Lukas 18,9-17

Jesus erzählte: „Der Pharisäer stellte sich vorne hin und betete leise bei sich: ‚Gott, ich danke dir, dass ich nicht so bin wie die anderen Menschen, alle diese Räuber, Betrüger und Ehebrecher, oder auch wie dieser Zolleinnehmer hier!'"　　　　　　　　　　*(Vers 11)*

Gott, eigentlich habe ich ein Recht darauf, dass du mir deine Aufmerksamkeit zukommen lässt, denn ich bin anders – besser – als die anderen Menschen." Im Gebet des Pharisäers geht es nicht um Gott. Er wendet sich zwar mit leisen Worten zu Gott, aber er dreht sich nur um sich selbst. Mit seinen Worten trampelt er andere Menschen, insbesondere den Zöllner, nieder, um sich so besser darzustellen. Er spricht das zwar so nicht aus, aber es ist doch irgendwie so gemeint: Ich verdiene die Aufmerksamkeit des Höchsten viel mehr als all die anderen! Vielleicht geht es uns manches Mal auch so. Im öffentlichen Leben verteidigen wir unser Handeln dann, indem wir sagen: „Ich habe doch keinen

Menschen umgebracht. Ich bin doch nicht wie die da." Mit anderen Worten: Ich habe ein Recht auf Aufmerksamkeit. Und wir erlauben uns sogar einen Vergleich mit anderen. Gott schaut aber auf unser Herz, auf unsere Gesinnung. In 1. Petrus 5,5 (NGÜ) heißt es: „Für euch alle gilt: Geht zuvorkommend miteinander um; kleidet euch in Bescheidenheit! Nicht umsonst heißt es in der Schrift: ‚Den Hochmütigen stellt sich Gott entgegen, aber wer gering von sich denkt, den lässt er seine Gnade erfahren.'" Gott liebt auch die Menschen, die wir abwerten, um uns besser darzustellen. Er liebt alle gleich.

Wenn wir ehrlich zu uns selbst sind, müssen wir eingestehen: Wir sind nicht besser! Mit welchem Recht also erheben wir uns über andere? Wir sollten uns der Herausforderung stellen, uns nicht über andere zu erheben, sondern ihnen lieber mit Hochachtung und Liebe zu begegnen. *Leo Schouten*

🎵 Wir stolzen Menschenkinder
sind eitel arme Sünder
und wissen gar nicht viel.
Wir spinnen Luftgespinste
und suchen viele Künste
und kommen weiter von dem Ziel.

Matthias Claudius 1779
Aus: Der Mond ist aufgegangen

Bibellese: Lukas 18,18-30
*Jesus sagte: „Wie schwer haben es doch die Besitzen-
den, in die neue Welt Gottes zu kommen! Eher kommt
ein Kamel durch ein Nadelöhr als ein Reicher in Gottes
neue Welt."* (Vers 24-25)

Welche Gründe könnten vorliegen, die es einem
Besitzenden so schwer machen, in die neue
Welt Gottes zu kommen? Der Schlüssel zur Antwort
liegt in einer Aussage von Jesus über das wichtigste
Gebot. In Matthäus 22,37 (NGÜ) steht: „Du sollst den
Herrn, deinen Gott, lieben von ganzem Herzen, mit
ganzer Hingabe und mit deinem ganzen Verstand!"
Alles, was zu tun ist, ist auf Gott auszurichten. Lieben
mit all dem, was ich habe. Wer aufgefordert wird,
alles hinzugeben, um in Gottes neue Welt zu kommen, gibt alles hin. Das Halten der Gebote Gottes
ist nicht der ausschlaggebende Punkt, sondern die
Frage danach, wer oder was die oberste Priorität hat.
Wer oder was steuert eigentlich unser Leben? Jesus
sagt: „Denn euer Herz wird immer dort sein, wo ihr

eure Schätze habt." (Lukas 12,34). Die Besitzenden – wir? – haben etwas zu verlieren. Da hat der Besitz uns gepackt und wir können uns davon nicht mehr lösen. Wie schnell passiert das.

Reichtum ist nicht unbedingt ein Segen. Für den, dem er zufällt, ist es eine große Herausforderung, davon nicht abhängig zu werden und Gott nicht auf den zweiten Plan zu verweisen. Der Spagat, beiden gleich zu dienen, funktioniert nicht. Jesus sagt: „Ein Mensch kann nicht zwei Herren dienen. Für den einen wird er sich ganz einsetzen, und den anderen wird er verachten. Ihr könnt nicht Gott dienen und zugleich dem Mammon" (Matthäus 6,24 NGÜ). Wer sich von seinem Besitz lösen kann, kann mit anderen teilen. Damit wird Lebensraum und Zukunft für alle geschaffen. Besitztümer schaffen niemals Sicherheit für die Zukunft. Diese Sicherheit, ewiges Leben, wird Gott dem geben, der es mit ihm wagt und loslässt, der sich von den Banden dieser Welt löst und sein Leben ganz in Gottes Hand legt. Wofür entscheiden Sie sich?

Leo Schouten

 Europa ist heute nur dem Namen nach christlich. In Wirklichkeit betet es den Mammon an.

Mahatma Gandhi (1869-1948),
indischer Politiker und Freiheitskämpfer

Zum 16. Oktober 2025

Der bewegliche Gott

Einführung zum Buch Hesekiel/Ezechiël

Ezechiël – neben Jesaja und Jeremia das dritte große prophetische Buch im Alten Testament – ist ein sehr „bewegendes" Werk. Von Anfang bis zum Ende begleitet die Leserinnen und Lesern eine prophetische Figur, der man praktisch beim Erzählen über die Schultern schauen kann. „Am fünften Tage des vierten Monats, das ist im fünften Jahr, nachdem man König Jojachin in die Verbannung geführt hatte, als ich unter den Weggeführten am Fluss Kebar war", so berichtet die Stimme von Beginn an (Ez 1,1) in der Ichform. Sie begleitet ihre Leserschaft hinein in die gesamte Zeit des babylonischen Exils, soweit bis sie sie im „25. Jahr unserer Gefangenschaft" (Ez 40,1) an der Vision eines neuen Tempels teilhaben lässt.

Und nicht nur der Prophet bewegt sich mit seiner Hörer- und Leserschaft – auch Gott ändert seinen Ort. Anders gesagt: Das Buch Ezechiël entwickelt eine bewegliche „Theologie". In seiner Berufungsvision schaut der Prophet Gottes Glanz in Gestalt von vier Gesichtern mit vier Flügeln und vier Rädern, die in alle Himmelsrichtungen beweglich (Ez 1) und damit in der Lage sind, die Stadt Jerusalem in östlicher Richtung zu verlassen (Ez 11,22-25). Gott erweist sich als erstaunlich flexibel! Es ist aber auch eine kritische Beweglichkeit, denn den Tempel zu verlassen, bedeutet zunächst, dass Gott ihn der Zerstörung preisgibt (Ez 33,21).

Der Beweglichkeit Gottes ist es aber ebenfalls zu verdanken, dass es für Israel jenseits des Gerichts eine heilvolle Perspektive gibt. Denn Gott ist nicht ausschließlich an den Wohnort des Tempels gebunden. Gottes Herrlichkeit wird auch an fernen Orten, wie in Babylonien, erfahren – auch dann, wenn alles gegen eine heilvolle Zukunft zu sprechen scheint. Zu den erstaunlichsten Kapiteln gehört daher die Vision von der Erhebung der Totengebeine (Ez 37), die in einer deutschen Variante des Liedes „For All The Saints" („Herr, mach uns stark im Mut, der dich bekennt") besungen wird: „Tief liegt des Todes Schatten auf der Welt. Aber dein Glanz die Finsternis erhellt. Dein Lebenshauch bewegt das Totenfeld. Halleluja, halleluja!"

Dirk Sager

Bibellese: Hesekiel/Ezechiël 1,1-21

Ezechiël berichtet: Ich sah, wie der Sturm eine mächtige Wolke von Norden herantrieb; sie war von einem hellen Schein umgeben und Blitze zuckten aus ihr. Die Wolke brach auf und aus ihrem Inneren leuchtete ein helles Licht wie der Glanz von gleißendem Gold. (Vers 4)

Mit einer beeindruckenden Vision, einer Gottesbegegnung der besonderen Art, fängt das Prophetenbuch Ezechiël an. Sturm, Wolken, Blitze – Phänomene, die gut bekannt sind, die auch Angst einjagen können, eröffnen das himmlische Spektakel. Es wird schnell durchsichtig für anderes: Die Wolke bricht auf und leuchtet, ja erleuchtet den Himmel und den Propheten.

Es mutet an wie in einem Film, der mit vielen technischen Effekten arbeitet. So weit weg ist ja eine Vision davon auch nicht. Wie ein innerlicher Film überfällt und überrascht sie den Propheten. Die eigentlich bedrohlichen Naturphänomene zeigen rasch ihren ganz anderen Kern. Da bricht etwas auf und zeigt sein wahres Gesicht: ein Leuchten, überflutende Helle, ein Glanz, der Widerschein von etwas Göttlichem. Ich habe also etwas Konkretes vor Augen, eine bedrohliche Wettersituation, und sie wird durchsichtig für anderes. Ich sehe und werde überwältigt von einer inneren Sicht, die mir mehr zeigt, als meine Augen wahrnehmen. Eine Gottesbegegnung bahnt sich an, die erschüttert, überrascht und mir die Augen öffnet. Manchmal ereignet sich das im Leben. Auch bei Menschen, die keine Propheten sind oder werden. Die Welt, die meine Augen wahrnehmen, wird durchsichtig für Göttliches, für ein helles Licht. Das Bedrohliche wird überstrahlt. Meine Welt erscheint in neuem Licht. *Ulrich Ziegler*

Ich heb mein Augen sehnlich auf
und seh die Berge hoch hinauf,
wann mir mein Gott vom Himmelsthron
mit seiner Hilf zustatten komm.

Mein Hilfe kommt mir von dem Herrn,
er hilft uns ja von Herzen gern;
Himmel und Erd hat er gemacht,
hält über uns die Hut und Wacht.
(nach Psalm 121): Cornelius Becker 1602

Bibellese: Hesekiel/Ezechiël 1,22-28
Ezechiël berichtet: Die ganze Gestalt war von einem Lichtkranz umgeben, der wie ein Regenbogen aussah, der nach dem Regen in den Wolken erscheint. So zeigte sich mir der Herr in seiner strahlenden Herrlichkeit.

(Vers 27-28)

Gott zeigt sich dem Propheten – in hellem Licht, in seiner strahlenden Herrlichkeit, in überwältigendem Glanz. Unmittelbar kommt mir eine fast konträre Erscheinungsweise Gottes in den Sinn. „Er entäußerte sich selbst und nahm Knechtsgestalt an, ward den Menschen gleich und der Erscheinung nach als Mensch erkannt" (Philipper 2,7 L). Wie erfahren wir Menschen Gott? Überwältigend groß, himmlisch leuchtend, wie strahlendes Licht? Als Mensch, unscheinbar, verwechselbar und doch wie ein Bruder oder eine Schwester?

Eines verbindet die Erscheinungen Gottes. Gott zeigt sich. Er versteckt sich nicht. Gott will sich kenntlich machen. Der biblische Gott ist ein Gott für uns

Menschen. Dem Propheten zeigt sich hier Gott als eine überwältigende kosmische Erscheinung, in Jesus Christus offenbart sich Gott als Mensch, der die göttliche Liebe verkörpert. Gott zeigt sich. Er macht sich von sich aus auf den Weg und bleibt nicht bei sich. Nicht unnahbar und fern. Nicht unbegreiflich und unklar. Nicht irgendwo, sondern dieser Welt und uns Menschen zugewandt. Und die Reaktion darauf? Der Prophet hier fällt überwältigt auf die Knie. Die Menschen im Christuslied des Philipperbriefes sollen ebenfalls die Knie beugen und bekennen, dass Jesus Christus der Herr ist (Philipper 2,10-11 L). Und das, weil sich Gott zeigt und selber verdeutlicht. Seiner Welt und uns Menschen.   *Ulrich Ziegler*

♫ Offenbare dich in mir
und gestalte mich nach dir.
Mach mich dir im Wesen gleich
und mein Herz an Liebe reich.
Liebe, unermesslich groß!
Sie gilt allen grenzenlos!

Charles Wesley 1749, dt: Hartmut Handt 2001
Aus: Heilig bist du, Gott, und treu

Bibellese: Hesekiel/Ezechiël 2,1-3,3

Ezechiël berichtet: Der Geist sagte: „Du Mensch, verspeise diese Buchrolle, die ich dir gebe! Fülle deinen Magen damit!" Da aß ich die Rolle; in meinem Mund war sie süß wie Honig. (Kapitel 3, Vers 3)

Auf das Sehen des Propheten erfolgt das Hören. Gott zeigt sich und er spricht. Gott wird sichtbar und hörbar. Augen und Ohren werden beteiligt. Und noch mehr: Gottes Reden wird zu einem leiblichen Wort, zu einem im wahrsten Sinne des Wortes verinnerlichten Wort. Der Prophet schmeckt Gottes Worte, nimmt sie ganz und gar in sich auf. Näher kann einem Menschen Gottes Reden fast nicht kommen. Sie gehen durch Mark und Bein, durch Mund und Magen und erfüllt einen Menschen ganz und gar. „Dein Wort ist meinem Munde süßer als Honig", weiß auch der Psalmbeter (Psalm 119,103 L). Dabei denken die Menschen der Bibel nicht an einen Nachtisch, der halt im Nachgang gereicht wird. Es geht um das überwältigende Geschmackserlebnis schlechthin. Um ein Nachspüren und Erschmecken des göttlichen Redens. Um Worte, die ich nicht nur irgendwie höre, sondern die mich erfüllen und bewegen, die tief in mein Leben eindringen, die einen Eigengeschmack haben, die ich ganz in mich aufnehmen kann.

Es sind viele Worte, die mir Tag für Tag begegnen. Und manchmal höre ich das Reden Gottes nicht und kann seine Worte nicht schmecken. Ich kann nur hoffen und darum beten, dass mich Gottes Worte so erfüllen, dass sie mir so nahe kommen wie dem Propheten hier. Ich kann und will mich öffnen und hören und beten: Herr Gott, rede du zu mir.

Ulrich Ziegler

Zeige deines Wortes Kraft
an uns armen Wesen;
zeige, wie es neu uns schafft,
Kranke macht genesen.
Jesu, dein allmächtig Wort
fahr in uns zu wirken fort,
bis wir ganz genesen.

Christian Heinrich Zeller 1837
Aus: Treuer Heiland, wir sind hier

19

Sonntag
OKTOBER

2025

☀ 07:53 18:20
☽ 05:33 17:28

18. Sonntag nach Trinitatis

Bibellese: Psalm 1

Wie glücklich ist ein Mensch,
der Freude findet an den Weisungen des Herrn,
der Tag und Nacht in seinem Gesetz liest
und darüber nachdenkt.
Er gleicht einem Baum, der am Wasser steht.

(Vers 2-3)

Das Buch der Psalmen wird mit diesen Worten eröffnet. Die verwendeten Bilder sprechen mich sofort an. Das Leben als Baum. Der Baum steht mit seinen Wurzeln fest im Boden. Natürlich ist ein Mensch glücklich, wenn er Freude findet an den Weisungen des Herrn und sich dann Tag und Nacht damit beschäftigen darf und kann. Wer keine Freude daran findet, wird damit auch nicht glücklich. Doch selbst die frommsten und orthodoxesten von allen werden auch noch andere Dinge zu tun haben. Aber es stimmt trotzdem: Glück ist, wenn man das machen kann, was Freude bereitet. Ob wir nun „die Weisungen des Herrn" im engeren Sinne, also das

Gesetz des Mose, oder in einem weiteren Sinne, vielleicht die Bibel, verstehen wollen: Es ist sehr empfehlenswert, mit Freude an die ganze Sache heranzugehen. Hier und da können natürlich ein Bibelleseplan, Disziplin, eine Gruppe, in der man sich gegenseitig motivieren und austauschen kann, oder andere Hilfsmittel helfen. Ohne Freude ist das aber doch alles nichts. Ohne Freude treffen die Worte nicht ins Herz. Sie berühren mich nicht bei meinen echten Fragen und Nöten im Leben. Sie sagen mir nichts, was mich aufleben und wachsen und sogar fruchtbar sein lässt.

Die Freude ist doch das, was den Boden erst auflockert, damit etwas wachsen kann. Die Freude lässt den Blick heben und den Weg erkennen. Die Freude lässt uns mit den Worten der Bibel so umgehen, dass wir sie fast spielerisch mit unserem Leben ins Gespräch bringen, damit unterwegs sind und wachsen. Das verspricht der Psalm: Wer mit Freude und in allen Lebenslagen (Tag und Nacht) damit unterwegs ist, der wird im Wandel der Zeiten – auch durch die Jahreszeiten hindurch – bestehen können: stark verwurzelt wie ein Baum. Beweglich und anpassungsfähig wie ein Baum. Voller Geschichten wie ein Baum. Beteiligt an der Lebendigkeit dieser Welt wie ein Baum. *Sebastian Noß*

Bibellese: Hesekiel/Ezechiël 3,4-11

Ezechiël berichtet: Der Geist sagte zu mir: „Du Mensch, geh nun zu den Leuten von Israel und verkünde ihnen die Worte, die ich dir sage. Aber die Leute von Israel werden nicht auf dich hören, denn sie wollen nicht auf mich hören!" (Vers 4.7)

Wieso sollte man sich auf ein solch sinnloses Unterfangen einlassen und Leuten etwas erzählen, was sie sowieso nicht hören wollen? Und es wird ja nicht dabei bleiben, denn wenn einer nicht hören will, dann wird er den Überbringer der unbequemen Botschaft bekämpfen. Es ist also nicht nur sinnlos, sondern man handelt sich auch noch eine Menge Ärger ein und lässt sich das Nervenkostüm fleddern. Wer sollte darauf schon Lust haben, für alle die Spaßbremse zu sein und als Nörgler oder Besserwisser verschrien zu werden? Wenn man so denkt, kann ich verstehen, dass man zu der Antwort „Lass es einfach!" kommt. Also bleibt die Frage: „Wieso trotzdem etwas sagen, was niemand hören will?"

Wenn wir die ersten drei Verse von Kapitel 3 mitlesen, dann finden wir den ersten Grund: Gottes Wort ist wie „Honig im Mund". Das heißt, ich kann nur begeistert und überzeugend von etwas reden, was mich selbst begeistert. Es geht nicht um trockene Theorien, nicht um fromme Richtigkeiten, sondern um etwas, das die Augen leuchten lässt (1. Samuel 14,27). Der zweite Grund: weil Gott es befohlen hat. Da ist also der Wunsch, ihm zu gehorchen. Der dritte Grund ist darin zu finden, dass Gott die Probleme, die kommen werden, ankündigt. Das heißt, das, was einen demotivieren kann – Rückschläge, fehlende Zustimmung, Ablehnung – wird zur Bestätigung, auf dem richtigen Weg zu sein. Denn es passiert genau das, was Gott gesagt hat. Er will Ezechiëls Stirn so hart wie Diamant machen (Vers 9). Das ist kein mystisch religiöses Ereignis, das Ezechiël mutig sein lässt, sondern das Ergebnis davon, dass Gott ihn auf ein gutes Fundament stellt: Liebe zu Gottes Wort (Vers 1-3), Voraussage der Probleme, die kommen (Vers 7) und das Vertrauen, dass Gott in allem Herr der Lage bleibt. So bestimmt nicht die Angst die Entscheidungen, sondern die Beziehung zu und die Begegnung mit Gott.

André Wilkes

Bibellese: Hesekiel/Ezechiël 3,12-21

Ezechiël berichtet: Der Herr sagte: „Wenn ich dir ankündige, dass ein bestimmter Mensch wegen seiner schlimmen Taten sterben muss, dann bist du dafür verantwortlich, dass er es erfährt und die Gelegenheit bekommt, sich zu bessern und sein Leben zu retten."

(Vers 18)

Eine der wichtigsten Fragen im Miteinander ist die, wo die eigene Verantwortung endet und die des anderen anfängt. In der Lebenspraxis kann man häufig beobachten, dass Menschen zu offensichtlichem Unrecht schweigen, weil sie denken, dass die anderen allein selbst dafür verantwortlich sind, was sie tun. Als Begründung kann man da hören: „Ich will keinen Ärger." Also schweigt man um des lieben Friedens willen. Also um des eigenen Friedens willen, genauer gesagt, denn mit dem eigenen Schweigen lässt man die Opfer des Unrechts im Stich. Oder aber man kann erleben, dass Leute übergriffig werden und Verantwortung abnehmen, die gar nicht ihre eigene ist. So nach dem Motto: „Ich weiß schon besser als du, was wirklich gut für dich ist." Beispiel gefällig? „Ich habe sie angelogen, weil ich ihr den Schmerz ersparen wollte." Wie fürsorglich, oder? Da bestimmt man also, was dem anderen zuzumuten ist, obwohl der oder die andere gar kein Kind ist, sondern erwachsen.

Die Bibellese zeigt eine klare Grenze auf, für was man verantwortlich ist und für was nicht. Ein Grund, warum jemand nicht zu Gott umkehrt und sein Leben ändert (Vers 18-19), war übrigens damals der Gedanke, dass Gott, der Gott Israels, in Babylon, wohin die oberen Zehntausend der Israeliten verschleppt worden waren, keinen Einfluss hat. Warum sich also an Gottes Gebote halten, wenn er eh nicht da ist? Daher ist die Vision, die in den Versen 12-13 geschildert wird, wichtig, denn Ezechiël „sieht", dass Gott überall im Regiment sitzt. Das Mit-Gott-Rechnen wirkt sich doppelt aus. Zum einen motiviert es Ezechiël, die unbequemen Wahrheiten auszusprechen. Und zum anderen kann es die Angesprochenen motivieren, auf Gott zu hören und umzukehren, weil Gott eben nicht weit weg ist, sondern viel näher, als man denkt. Man darf, nein, man muss mit Gott rechnen – und entsprechend leben.   *André Wilkes*

22
Mittwoch
OKTOBER

2025

☀ 07:58 18:14
☽ 09:09 18:05

Bibellese: Hesekiel/Ezechiël 3,22-27
Ezechiël berichtet: Der Herr sagte: „Ich lasse dir die Zunge am Gaumen kleben und mache dich stumm. Du sollst die Leute von Israel nicht mehr zurechtweisen können, dieses widerspenstige Volk."   *(Vers 26)*

Die Frage, wo die eigene Verantwortung endet, ist nicht immer einfach zu beantworten. Vor allem dann nicht, wenn einem an den Menschen, zu denen Gott einen sendet, etwas liegt. Da redet sich Ezechiël also den Mund fusselig, versucht immer wieder, die Leute anzusprechen, zu warnen, herauszufordern, zu ermutigen. Da entsteht ganz schnell der Gedanke, dass er es doch schaffen muss. Das heißt, er läuft Gefahr, sich für das Versagen und die Engstirnigkeit der anderen verantwortlich zu fühlen und sich in Selbstvorwürfen zu ergehen. „Dies hätte ich anders sagen können, jenes haben sie vielleicht falsch verstanden, weil ich nicht klar genug geredet habe, sondern das war ja möglicherweise missverständlich ..." Zu den Selbstvorwürfen kann hinzukommen, dass man wütend auf die wird, die so „widerspenstig" sind.

Da erscheint unser heutiger Text wie eine Therapie, die Gott dem Ezechiël verordnet. Denn dieses massive Schweigegebot bringt zwei Wahrheiten zum Vorschein. Zum einen ist es so, dass Ezechiël lernen muss, loszulassen und sich nicht für das verantwortlich zu fühlen, was andere entschieden haben. Das klingt einfach, ist es aber nicht. Jemanden eine falsche Entscheidung treffen zu lassen, das nennt sich dann Respekt. Jemanden trotz falscher Entscheidung weiter zu lieben, das nennt sich bedingungslose Liebe. Zum anderen ist es aber so, dass Ezechiël im Haus „ans Bett gefesselt" feststellen muss – nein, kann: Es ist immer noch Gottes Volk. Es ist immer noch Gottes Sache und es ist letztlich immer noch alles in Gottes Verantwortung und in seiner Hand. Es geschieht das, was er will – und zwar mit und – wie jetzt – auch ohne Ezechiël. Das ist die beste Therapie, wenn man herausgenommen wird und dabei erleben kann, dass Gott den Weg mit seinem Volk trotzdem weitergeht. *André Wilkes*

 In der Liebe gilt Schweigen oft mehr als Sprechen.
Blaise Pascal (1623-1662),
französischer Philosoph, Mathematiker und Physiker

23

Donnerstag
OKTOBER

Bibellese: Hesekiel/Ezechiël 7,1-13.27
Ezechiël berichtet: Der Tag des Gerichts ist da! Unaufhaltsam bricht das Verderben herein. Denn Übermut und Gewalt haben überhandgenommen.   (Vers 10)

Ach je, ein Text über Unheil und Gericht – und das soll mich jetzt für meinen Tag ausrüsten und ermutigen? Zumindest zum Nachdenken will er mich bringen, der heutige Bibelvers. Denn ich habe mich gefragt, weshalb ich den Text automatisch bedrohlich und negativ verstehe. Ist es, weil ich in mir eine Ahnung trage, dass ich als in der westlichen Welt Lebende durchaus um das Ungleichgewicht und die Ungerechtigkeiten weiß, denen ich mich gar nicht entziehen kann? Dass auch ich schuldig bin, wie es in Vers 13 erwähnt ist?
Ich könnte mir vorstellen, dass ein Mensch, der genau unter den im Ezechiël-Buch beschriebenen Ungerechtigkeiten und Machtausübungen leidet, diese Ankündigung auch als Hoffnungsbotschaft verstehen dürfte. Endlich! Endlich ist es so

weit und die Unmenschen, die Unrecht-Tuer, die Nicht-den-Hals-Vollbekommenden – diese werden nun zur Rechenschaft gezogen. Endlich einmal ist jemand auf meiner Seite, schaut auf mein Recht und mein Wohlergehen! „Denn Übermut und Gewalt haben überhandgenommen" – so lesen wir es. In der BasisBibel ist dieser Bibeltext überschrieben mit „die Schrecken des Untergangs". Aber ist es so schrecklich, wenn schreckliche Zeiten schrecklich zu Ende gehen?

Aber egal welche Sichtweise ich auf ein solches Gericht habe – alle werden wir erkennen, dass Gott der Herr ist. So lesen wir es in den Versen 9 und 27. Und wenn wir erkennen, dass es Gott ist, dann erkennen wir auch, wer Gott ist. In Psalm 103 wird er uns beschrieben: barmherzig, gnädig, geduldig und von großer Güte (Vers 8 L). Der heutige Bibelvers erinnert uns zu Recht, dass es nicht einerlei ist, wie wir leben, handeln, denken und planen. Aber doch dürfen wir wissen: Denn „Sein Zorn währet einen Augenblick und lebenslang seine Gnade" (Psalm 30,6 L). Das ist die Grund-DNA unseres Gottes. Dieses Wissen hilft mir, in unserer Welt zu leben und mich zu bemühen, das Gute zu tun und das Böse zu vermeiden – obwohl ich weiß, dass ich nicht schuldlos bleiben werde.   *Brigitte Moser*

24

Freitag
OKTOBER

2025

☀ 08:01 18:10
☽ 11:35 18:49

Bibellese: Hesekiel/Ezechiël 8,1-11

Ezechiël berichtet: „Du Mensch", sagte der Herr, „siehst du, was sie da treiben? Die Leute von Israel kümmern sich nicht um meinen Tempel; stattdessen verüben sie diesen abscheulichen Götzendienst." *(Vers 6)*

Mit einer spektakulären Vision beginnt unser heutiger Bibeltext. Darin wird uns beschrieben, wie Gott mit Ezechiël interagiert und ihn fragen lässt: Du Mensch, siehst du, was sie da treiben?
Neben den vielen unterschiedlichen Empfindungen und Themen, die mir dabei durch den Kopf gehen, bin ich einmal mehr bewegt, wie Gott mit uns Menschen umgeht. Ist es nicht eindrücklich, dass Gott sich erklärt? Gott nimmt sich die Zeit, Ezechiël aufzuzeigen, was in Jerusalem geschieht und was diese Handlungen in Gott auslösen. Warum macht Gott das? Es ist ja nicht so, dass damals die Leute nicht um die Zehn Gebote wussten. Also könnte Gott doch auch kommentarlos sein Gericht über die Menschen kommen lassen. Aber nein, Gott möchte, dass der

Mensch sieht und weiß und vielleicht sogar zur Erkenntnis kommt – was da schiefläuft oder eigentlich besser: was für eine Ungeheuerlichkeit gerade passiert. Gott wird zurückgesetzt. Statt den Gott zu preisen, der sich immer wieder treu und verlässlich gezeigt hat, statt Gottesdienste im Tempel zu feiern, wird anderen Göttern gehuldigt. Bereits in den Zehn Geboten lesen wir, dass Gott eifersüchtig reagieren wird, wenn die Ehre, die Anbetung und der Dienst, der ihm zusteht, anderen Göttern zuteilwerden. Interessanterweise ist im heutigen Bibeltext die Reaktion Gottes genau gleich beschrieben (Vers 3 und 6): Die Götterstatuen und der fremde Kult rufen die Eifersucht, den Zorn Gottes hervor und wir bekommen den Eindruck, dass Eifersucht eine Leidenschaft ist, die mit Eifer sucht, was Leiden schafft. Das hat so überhaupt gar nichts mit unserem üblichen Bild von Gott zu tun. Eifersucht scheint ein niederes und unangemessenes Gefühl zu sein. Aber Gott ist nicht eifersüchtig, weil er unsicher ist oder weil er einen Mangel an Selbstwertgefühl hat. Er schlägt auch nicht einfach wahllos um sich. Vielmehr erleben wir einen Gott, dem es nicht gleichgültig ist, sondern der uns mit vollem Eifer sucht und in unsere Beziehung investiert und zu Recht unsere Hingabe einfordert.

Brigitte Moser

25

Samstag
OKTOBER

2025

☀ 08:03   18:08
☽ 12:43   19:24

Bibellese: Hesekiel/Ezechiël 8,12-18

Ezechiël berichtet: Der Herr sagte zu mir: „Du Mensch, siehst du das? Reicht es nicht, dass die Leute von Juda überall im Land Götzen verehren und Unrecht tun, dass sie es hier in meinem Tempel tun?" (Vers 17)

Heute lesen wir die Fortsetzung und zugleich Steigerung der gestrigen Andacht. Es geht wiederum um den Dienst an fremden Göttern. Aber heute erfahren wir, dass diese Feiern und Handlungen nicht nur überall im ganzen Land stattfinden, sondern auch mitten im Tempel. Im Tempel, den Gott als sein Heiligtum ausgewählt hat. Der Ort, an dem Gott den Menschen sichtbar nahe sein will.

Was im Psalm 84 so poetisch, bilderreich und ausdrucksvoll besungen wird – das Daheim-Sein bei Gott, die Geborgenheit in seinem Haus – wird nun in ein verstörendes und tragisches Gegenteil verkehrt. In der BasisBibel wird der obige Vers im zweiten Teil so übersetzt: „Immer wieder reizen sie mich und wedeln mit Zweigen vor meiner Nase!"

Ich habe mir vorgestellt, wie ich mich fühlen würde, wenn ich Gäste einladen und diese in mein Wohnzimmer bitten würde. Und wenn die Gäste dann so in meinem Heim zusammensitzen, beginnen sie zu reden. Doch es ist, wie wenn ich gar nicht da wäre. Sie ignorieren mich und nutzen alles, was mir lieb und teuer ist, wie wenn es ihnen gehören würde. Das wäre schon schlimm, wenn es irgendwo passieren würde, aber bei mir zu Hause – dort, wo ich mich heimisch und geborgen fühle. Was für ein Verrat oder zumindest eine Provokation! Ich kann die Gefühle nur erahnen, die mich erfüllen würden. Und so lese ich diesen heutigen Vers und bin erschüttert über diese Unholde. Was fällt ihnen ein!

So einfach ist es, über andere entsetzt den Kopf zu schütteln, aber wie ist es mit mir? Wie gehe ich mit Zeiten und Räumen um, in die ich einmal Gott eingeladen habe – mit meinen Gedankenräumen, meinen stillen Zeiten, meinen Sprachräumen, meinem Innersten, meinen Zielen und Prioritäten ...? Räume ich Gott den Platz ein, der ihm gebührt? Oder muss ich mir die Frage gefallen lassen: Du Mensch, siehst du das?

Ein Übungsfeld, das mich herausfordert, immer wieder neu über meine Räume und Zeiten nachzudenken.

Brigitte Moser

26

Sonntag
OKTOBER

2025

☀ 07:05 17:06
☽ 12:41 19:12

19. Sonntag nach Trinitatis

Bibellese: Psalm 32

Herr, erst wollte ich meine Schuld verschweigen;
doch davon wurde ich so krank,
dass ich von früh bis spät nur stöhnen konnte.
Darum entschloss ich mich,
dir meine Verfehlungen zu bekennen.　　　*(Vers 3.5)*

„Pass auf, kleines Auge, was du siehst! Denn der Vater im Himmel schaut herab auf dich, drum pass auf, kleines Auge, was du siehst." Mit diesem Kinderlied wuchs ich auf, es vermittelte mir, dass der Vater im Himmel alles sieht. Ich zog den Schluss daraus, er wisse alles. Daher müsse ich ihm das doch nicht nochmal erzählen. Vielleicht fällt es mir deshalb bis heute so schwer, ihm Schuld und Sünden zu beichten. In der römisch-katholischen Kirche lernen schon Kinder zu beichten, Schuld zu bekennen.

Beides hat wohl zwei Seiten. Der Beter verarbeitet seine Erfahrungen in diesem Psalm. Er will Gott sein Fehlverhalten nicht preisgeben und wird sogar krank. Viele Menschen erkranken, wenn sie etwas belastet, das kann sich in Magenproblemen, Kopf-schmerzen, Antriebsarmut und vielem mehr äußern. Dem Beter ergeht es so. Dann erzählt er Gott alles, was ihn belastet; und wird gesund. Er schreibt dieses Lied, um Gott zu danken und als Ermahnung für die Frommen, Gott in der Not anzurufen und ihm alles zu offenbaren. Gott, der Schutz bietet, der Not in Freude, sogar Jubel verwandelt.

Am Ende spricht Gott selbst zu dem Beter, verheißt ihm seine Führung und seinen Schutz, dass sein Auge wacht über ihm und uns. Gott achtet auf uns, wofür ihm Dank und Jubel aus unbelastetem Herzen gebührt. Denn Gott vergibt uns die Schuld, die wir ihm bekennen, und macht uns von unseren Belas-tungen frei. Er zeigt uns den Weg, den wir gehen sollen. Sollten wir einen falschen Weg einschlagen, können wir jederzeit umkehren, ihn um Vergebung bitten und ihm folgen. Ab und an geschieht es, dass ich mich bei jemandem entschuldige, weil ich unbedacht etwas zu ihm sagte. Auch das befreit von Schuld, wenn der andere unsere Entschuldigung annimmt.

Cora Zacher

 Link zum Lied „Pass auf, kleines Auge, was zu siehst": www.evangeliums.net/lieder/lied_pass_auf_ kleines_auge.html

27

Montag
OKTOBER

2025

☀ 07:07 17:04
☽ 13:27 20:14

Bibellese: Hesekiel/ Ezechiël 11,14-25
Der Herr sagte: „Ich werde ihnen ein neues Herz und einen neuen Geist geben. Ich nehme das versteinerte Herz aus ihrer Brust und schenke ihnen ein Herz, das lebt." *(Vers 19)*

Ich liebe Texte, gepaart mit Melodien, sie helfen mir, Texte auswendig zu lernen. Dieser Vers erinnert mich an das Lied von Albert Frey: „Herr, ich kommen zu dir." Im Refrain wird Gott gebeten, ein neues Lied in meinen Mund zu legen und ein neues Herz in mein Innerstes zu pflanzen. Die Singenden bitten um Gottes Leitung und um Lob im Herzen, um ihm besser zu dienen. Der obige Vers ist anders, hier handelt Gott. Er will den eigensinnigen Israeliten ihr verbohrtes und hartes Herz herausreißen, es erneuern. Das Verhalten des Volkes bringt ihn zur Verzweiflung. Er schickt seinen Boten Ezechiël und sagt ihm gleichzeitig, dass er umsonst mahnen wird. Gott handelt drastisch. Doch er hält an seinem sturen Volk fest und verkündet ihm seine Treue. Israel wurde erst in alle Länder verstreut, doch Gott spricht den Israeliten seine Gegenwart in der Fremde zu. Er will sie wieder zusammenführen nach Israel und sie sollen die Götzen aus ihrem Land entfernen. Damit sie nicht wieder in alte Gewohnheiten verfallen und die alten Pfade der Götzenanbetung einschlagen, gibt er ihnen ein neues Herz und einen neuen Geist. Brauchen wir das nicht auch? Ein neues Lied und ein neues weiches, bewegliches, gutmütiges Herz und einen Geist, der die richtigen Wege zulässt? Mediziner kennen auch das harte Herz, ein Zustand, bei dem Lebensgefahr besteht, denn das Herz, das als Muskel sauerstoffreiches Blut in alle Ecken des Körpers transportiert, kann dies nicht mehr ausführen. Hier kann eine Operation am Herzen Abhilfe schaffen. Gott handelt am offenen Herzen seines Volkes und macht es neu, beweglich, einsatzfähig, mutig, kräftig, ihm zugewandt, lobend, anbetend, freudig, freundlich, offen, weit. *Cora Zacher*

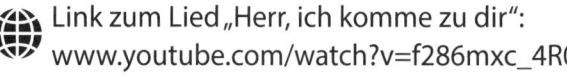 Link zum Lied „Herr, ich komme zu dir":
www.youtube.com/watch?v=f286mxc_4R0

28

Dienstag
OKTOBER

2025

☀ 07:08 17:02
☽ 14:02 21:26

Bibellese: Hesekiel/Ezechiël 12,1-16
Ezechiël berichtet: Der Herr sagte: „Du Mensch, du lebst mitten unter einem widerspenstigen Volk! Diese Leute haben Augen und sehen nicht, sie haben Ohren und hören nicht."   *(Vers 2)*

Wenn wir im Sommer abends auf der Terrasse sitzen, fliegen Fledermäuse über uns hinweg. Sie huschen so schnell vorbei, dass unser Auge ihnen nicht immer folgen kann. Diese kleinen Tiere orientieren sich über Schallwellen, also Töne, die sie ausstoßen und die reflektiert werden. Für unsere Ohren unhörbar. Wir können nur ein bestimmtes Ton- und Farbspektrum wahrnehmen. Manchmal stellen wir uns auch blind und taub, nehmen nur selektiv wahr. So auch das Volk Israel, trotz der Ermahnung von Ezechiël, so wie Gott vorhersagte.

Geht es uns nicht auch so? Manchmal hilft ein Perspektivwechsel, einen Schritt zurückgehen, Augen schließen, erneut hinschauen und plötzlich erkennen wir mehr und anderes. Viele biblische Texte sind uns bekannt, doch manchmal hilft uns eine andere Herangehensweise, Neues zu entdecken. Den Text in einer anderen Sprache zu lesen, ihn als Hörbuch zu hören, kann uns auf eine andere, neue Spur bringen. Je älter ich werde, desto mehr überrascht mich Gott in den altbekannten Texten mit Zwischentönen oder Farbnuancen. Gott ermahnt, wachsam zu bleiben, unsere Umwelt wahrzunehmen, seinem Geist Raum zu geben und an ihm und seiner Liebe und Fürsorge festzuhalten. Er schenkt uns neue Perspektiven, neue Farbspektren, liebevolle Töne und Begeisterung, seinem Wort zu folgen und es immer wieder neu und unvoreingenommen zu lesen.

Eine Abenteuerreise in seinem Wort. Dazu brauchen wir Mut und oft ist der neue Blickwinkel ein Geschenk, so wie ein perfekter Moment in einem Bild festgehalten wird. Solche Erfahrungen machen wir, wenn wir uns mit Gottes Wort auseinandersetzen und unser Wissen und unsere Liebe zu ihm vertiefen.

Cora Zacher

Einen Perspektivwechsel verspricht auch das Buch „Zuhause in der Schöpfungsgemeinschaft" von Heinrich Christian Rust, erschienen im Neufeld Verlag, ISBN 9-78-3-8625-6176-6.

Bibellese: Hesekiel/Ezechiël 16,1-22
Der Herr sagte: „Alle Welt rühmte deine Schönheit, die durch meinen Schmuck erst vollkommen wurde. Aber du vergaßt, dass du deine Schönheit und deinen Ruhm mir verdanktest." (Vers 14-15)

Ezechiël ist ein Prophet im Exil. Er musste mit den ersten Deportierten nach Babylon mitgehen und jetzt erlebt er von dort, aus der Ferne, dass sich seine Vorahnung erfüllen und Jerusalem untergehen wird. Die Stadt, die Mittel- und Ankerpunkt für das ganze Volk Israel war – nicht nur für das Gemeinwesen, sondern auch für den Glauben. Ezechiël erinnert sich und kämpft gegen das Vergessen. Mit eindrücklichen Bildern beschreibt er, was Gott für diese Stadt getan hat und wie er ihr zu ungeahnter Blüte verholfen hat – nichts war ihm zu viel. Von königlicher Würde war Jerusalem, geschmückt wie eine wunderschöne Frau. Diese Schönheit wurde bestaunt von den Völkern ringsumher – ja: von aller Welt. Aber jetzt? Jetzt ist alles dahin. Alle Schönheit dieser besonderen Stadt mit ihren besonderen Menschen wird vergehen und zerstört werden.

Und das ist mitnichten ein blindes Schicksal. „Ihr seid selbst schuld. Ihr habt Gott vergessen", sagt ihnen der Prophet. „Ihr habt vergessen, wem ihr eure Stärke, eure Schönheit und euren Ruhm verdankt. Ihr verlasst euch allein auf euch selbst und dass ihr es schon irgendwie schaffen werdet, mit geschicktem Paktieren und diplomatischen Winkelzügen. Und hofft, selber mit der Bedrohung durch die Babylonier fertigzuwerden. Wie eine Hure werft ihr euch dem nächstbesten an den Hals. Doch am Ende werdet ihr die Suppe auslöffeln müssen, die ihr euch einbrockt."

Ezechiël benutzt in seiner Rede sehr drastische Bilder, Worte, die uns den Atem stocken lassen. Es gibt auch keine Zeichen der Hoffnung auf einen guten Ausgang. Er hält Jerusalem – vor allem den Regierenden – im Namen Gottes einen Spiegel vor: „Schau dich an, erinnere dich, woher du kommst und zu wem du gehörst. Und sieh, auf welchen Weg du dich gerade verirrst." Ungeschönte Wahrheit. Das tut weh. Erschrocken blicken wir auf. Aber ist heilsames Erschrecken nicht oft der erste Schritt zurück auf einen guten Weg?

Christina Henzler

30

Donnerstag
OKTOBER

Bibellese: Hesekiel/Ezechiël 17,1-10

Der Herr sagte: „Der Weinstock war doch in gutes, wasserreiches Land gepflanzt und hatte dort alles, was er brauchte, um Ranken zu treiben und Frucht zu bringen und ein prächtiger Weinstock zu werden."   *(Vers 8)*

Rätselhaft diese Verse. Ihre Bilder spielen auf die wechselhafte Geschichte Israels während der babylonischen Belagerungszeit an. Israel war zum Vasallenstaat von Babylonien geworden. Kann sich ein einstmals selbstständiges Volk damit abfinden, unter diesen ganz anderen Vorzeichen Staat zu sein? Auf diesem Hintergrund müssen wir diese Verse verstehen. Eigentlich, sagt Gott, müsste es klappen. Die Ausgangslage ist nicht schlecht. Da kann etwas Neues und Gutes werden. Grad so wie bei einer kleinen Pflanze, die in gute Erde gepflanzt wird. Sie gedeiht und wird ein kräftiger, gesunder Weinstock. Aus diesen Worten spricht die Hoffnung, dass das Volk unter seinem König Zidkija sich in der veränderten Situation behauptet, dass die Menschen nicht aufgeben, sondern lernen, unter den neuen Bedingungen ihr Leben zu gestalten. Die Ausgangslage ist anscheinend nicht schlecht, immerhin hatte Gott seine Hände mit im Spiel. Doch offenbar gelingt es nicht, offenbar sitzen die Menschen an den Wassern zu Babylon und weinen, sehen nur Verluste und keine Chance, sind nicht bereit, Neues wachsen zu lassen. Im Gegenteil. Das verstehe einer! Auch Gott hat das offenbar nicht verstanden.

Ich entdecke aber noch etwas in dieser Geschichte: Sich damit abfinden, dass es nicht mehr so ist, wie es war, Neuem zu trauen – das fällt schwer. Bestehendes aufzugeben, veränderte Strukturen zu akzeptieren und sie als Gottes neue Spur für mich, für meine Familie, für meine Gemeinde oder meine Kirche zu erkennen – das gelingt oft erst im zweiten Anlauf. Oder im zehnten, wenn alle eigenen Versuche gescheitert sind. Dabei wären die Ausgangsbedingungen doch oft einfach optimal!

Christina Henzler

31

Freitag
OKTOBER

2025

☀ 07:14 16:57
☽ 15:01 00:04

Reformationstag

Bibellese: Hesekiel/Ezechiël 17, 11-24

Dann werden alle Bäume auf dem Feld erkennen, dass ich, der Herr, den hohen Baum erniedrigt und den niedrigen Baum erhöht habe, den Baum mit saftigem Grün verdorren und den verdorrten Baum von Neuem grünen ließ. (Vers 24)

Endgültig geht Gott mit dem israelischen König Zidkija ins Gericht; was er anrichtet durch seine Schaukelpolitik, wird er am Ende bitter bezahlen müssen. Vor allem aber wirft Gott dem König Bundesbruch und Treulosigkeit vor. Nicht nur, dass er gegenüber dem babylonischen König Nebukadnezzar bundesbrüchig geworden war. „Er hat mir die Treue gebrochen", sagt Gott. Erstaunlich, oder? Gott wollte tatsächlich mit Nebukadnezzar gemeinsame Sache machen, damit die Geschichte für das Volk Israel gut weitergeht! Aber es gelingt ihm nicht. Zumindest nicht so. Doch offenbar gibt es auch bei Gott einen „Plan B" – der muss nun her! Er nimmt die Sache selbst in die Hand.

Wir lesen von einer neuen, heilsamen Zeit, die Gott herbeiführen wird – nach dem Gericht über Israels König und den langen Jahren der Verbannung. Es kommt eine Zeit, in der sich die Verhältnisse umkehren werden: Was stark war, wird erniedrigt, was klein und unscheinbar galt, wird erhöht, was lebendig erschien, wird vergehen, und was verdorrt war, wird wieder grünen. Mir fallen ähnliche Sätze ein: „Er stürzt die Mächtigen vom Thron und erhöht die Niedrigen", heißt es im Lobgesang der Maria, dem Magnificat (Lukas 1, 52 E). „Letzte werden Erste und Erste werden Letzte sein" sagt Jesus im Gleichnis von den Arbeitern im Weinberg (Matthäus 20,16 E). „Nun mache ich etwas Neues. Schon sprießt es", lässt Gott den Jesaja verkündigen (Jesaja 43,19 E). Doch wann wird sich das erfüllen? Noch sehen wir die Umkehr der Verhältnisse nur bruchstückhaft. Die Reformation, an die wir uns heute erinnern, ist für mich so ein Bruchstück. Da haben sich in der Tat einige Verhältnisse umgekehrt. Vom Priestertum aller Gläubigen war die Rede. Der Klerus verlor ein Stück seiner absoluten Macht. Das Oben und Unten kam ins Wanken. Die Bibel wurde gedruckt und gelesen. Statt Angst lag Freiheit in der Luft und neues Kirche-Sein begann. Gott sei Dank.

Christina Henzler

1

Samstag
NOVEMBER

2025

☀ 07:15   16:55
☽ 15:14   01:26

Bibellese: Hesekiel/Ezechiël 18,1-3.20-32
Der Herr sagte: „Ich habe keine Freude daran, wenn ein Mensch wegen seiner Vergehen sterben muss. Das sage ich, der Herr, der mächtige Gott. Also kehrt um, damit ihr am Leben bleibt!" (Vers 32)

„Jeder ist seines Glückes Schmied", sagt ein Sprichwort. Gilt auch die negative Seite: „Jeder ist seines Unglücks Schmied"? „Ja", sagt Gott, „jeder ist für das, was er tut, selbst verantwortlich und soll weder einem anderen seine Schuld in die Schuhe schieben noch ihm die Konsequenzen dafür aufladen." Eigenverantwortung ist gefragt. Jeder steht mit seinem Leben vor Gott – nicht mit dem eines anderen. Das ist doch einleuchtend – andererseits kann es auch Angst machen. Ich – allein – vor Gott? Mit allem, was ich so mitbringe? Niemand ist doch ein Heiliger! Wie wird Gott mit meinen Fehlern und meiner Schuld umgehen? Werde ich noch eine Chance haben? „Ja", sagt Gott. „Ich will dich nicht zerstören, ich will, dass du lebst. Kehr um, zieh einen Schlussstrich unter das, was war und was dich von mir trennt. Suche mich und du wirst leben." Es ist nichts anderes als die Botschaft Jesu, die uns aus diesen alten Worten entgegenschallt. Er hat den liebenden, gnädigen Gott verkündigt. Er hat im Namen Gottes Vergebung zugesprochen und Menschen geheilt an Leib und Seele. Dafür ist er gestorben und auferstanden. Damit wir leben.

Heute an Allerheiligen besuchen viele die Gräber ihrer Verstorbenen, erinnern sich an sie und ihr Leben. Und vielleicht auch an ihren Glauben. Unsere katholischen Geschwister denken auch an Menschen, die für sie besondere Vorbilder sind und sich in ihrer Treue zu Gott besonders bewährt haben. Nein – alle die waren auch keine fehlerlosen Heiligen. Aber sie haben die Zusage Gottes für sich gehört und geglaubt: „Kehrt um und ihr werdet leben!" Wir sollten ihren Spuren folgen!

Christina Henzler

 Monatsspruch
Gott spricht: Ich will das Verlorene wieder suchen und das Verirrte zurückbringen und das Verwundete verbinden und das Schwache stärken.
(Ezechiël 34,16 L)

2

Sonntag
NOVEMBER

Bibellese: Psalm 62

Ihr, die ihr zu seinem Volk gehört,
setzt allezeit euer Vertrauen auf ihn,
schüttet euer Herz bei ihm aus;
denn Gott ist unsere Zuflucht! *(Vers 9)*

Einen Koffer kann man ausschütten, eine Schublade kann man ausschütten, einen Eimer Wasser kann man ausschütten. Da wird nicht groß sortiert, sondern es liegt alles kreuz und quer auf dem Boden. „Ihr, die ihr zu seinem Volk gehört, schüttet euer Herz bei ihm aus." Was käme bei uns ans Licht, wenn wir unser Herz ganz ausschütteten? Der Inhalt eines Herzens kann erschütternde menschliche Tiefen ans Tageslicht bringen. Der Beter erzählt von Leuten, die ihm nachstellen. Er erlebt Morddrohungen. Andere lügen ihn eiskalt an. Heute nennt man das Fake News. Es ist ein Mix aus Halbwahrheiten, Täuschungen und Verdrehungen, mit denen ein Mensch niedergemacht wird. Die gleichen Leute, die freundlich mit ihm reden, verfluchen ihn heimlich?

Was soll man da tun? Soll man über die Schlechtigkeit der Welt jammern, innerlich verbittern und sich aus aller Gemeinschaft zurückziehen oder mit gleicher Münze heimzahlen?

Im Blick auf all diese Reaktionen betet der Psalmdichter: „Immer wieder muss ich es mir sagen: Vertrau auf Gott, dann findest du Ruhe. Schüttet euer Herz bei ihm aus; denn Gott ist unsere Zuflucht!" (Vers 6 und 9). Der Psalm lehrt, dass wir all diese Erfahrungen nicht nur ausschütten können, sondern sogar ausschütten müssen, und zwar vor Gott. Nur so sorgt man dafür, dass Freude und Friede in dem mit Müll überfüllten Herzen wieder Platz finden und das Klima in unserem Herzen bestimmen. Jesus selbst schüttet sein Herz mit solchen Worten aus. Hinter ihm liegt die Begegnung mit Leuten, die nicht selten als fromme Leute auftraten, ihm dann aber nachstellten und mit falschen Zeugen kaltstellten. Hinter ihm liegt der Kuss eines seiner engsten Freunde, der ihn verraten hat. Wer da nicht sein Herz vor dem Vater ausschüttet, geht unter. Jesu letzte Worte stammen aus Psalmen wie diesem.

Also wir, die wir zu seinem Volk gehören, wir wissen oft nicht, was wir beten sollen, weil wir nicht wahrhaftig sind. Ich bin aber sicher, schütten wir wahrhaftig unser Herz vor Gott aus, geht uns der Stoff bestimmt nicht aus.　　　　　*Friedrich Zahn*

Bibellese: Hesekiel/Ezechiël 22,1-16
Der Herr sagte: „Bestechliche Richter verurteilen Un-
schuldige zum Tod. Geld wird gegen Zinsen verliehen
und die Notlage der Armen wird schamlos zum eigenen
Vorteil ausgenutzt. Mich aber habt ihr vergessen, den
Herrn, den mächtigen Gott!" (Vers 12)

Es ist eine Überschrift wie aus der Bild-Zeitung:
„Bestechliche Richter verurteilen Unschuldige
zum Tod." Wo ist denn das passiert? Gut ja, es gibt
Länder und Regierungen, da herrscht ein korruptes
System. Gut ja, nicht immer geht auch bei uns ein
Urteil gerecht aus. Aber wo werden Unschuldige
zum Tod verurteilt? Nach der Bibellese nicht in einer
gottlosen Welt, sondern in Gottes Volk, in seiner
Gemeinde. Es ereignet sich bei denen, die die Zehn
Gebote des Lebens kennen. Ezechiël erinnert daran:
Gesetze sind nicht einfach sachliche Paragrafen, sondern sie reden von einer Beziehung. Stellen Sie sich
vor, Sie haben in stundenlanger Arbeit einen wunderschönen Kuchen gemacht. Sie stellen ein Schild

davor, auf dem ein einfaches Gesetz steht: Bitte nicht berühren! Dann kommt jemand, fasst mit der Hand in den Kuchen und er fällt runter. Da wird hier nicht einfach ein Gesetz übertreten, sondern ihre Person missachtet, verletzt und ignoriert. Hinter jeder Form von großer oder kleiner Gesetzlosigkeit steckt die Missachtung einer Beziehung: „Mich aber habt ihr vergessen, den Herrn, den mächtigen Gott."

Gott zu vergessen ist das zentrale Übel. In einer gottvergessenen Gesellschaft passiert all das, was Ezechiël hier beschreibt. Unrecht überrollt den Alltag. Wir Menschen haben seit Urzeiten zwei Wege, mit denen wir uns der Verantwortung vor Gott entziehen. Entweder wir vergessen Gott oder wir blenden aus, wie gesetzlos wir selbst sind. Menschen fordern schon immer von anderen die Einhaltung von Gesetzen, ohne zu bemerken, dass sie es selbst nicht tun. In meiner Heimatstadt Nürnberg gibt es die Straße der Menschenrechte. Die dreißig Grundrechte eines Menschen kann man da in Stein gemeißelt lesen. Leider fehlt die dazugehörige Straße der Gottesrechte. Könnte das der Grund sein, dass die Menschenrechte und viele andere gute Gesetze genau darum nur noch Worte sind ohne Autorität?

Friedrich Zahn

4

Dienstag
NOVEMBER

Bibellese: Hesekiel/Ezechiël 24,1-14
Der Herr sagte: „Ich wollte dich reinigen, Jerusalem, aber du warst nicht rein zu bekommen. Nun sollst du unrein bleiben, damit ich meinen ganzen Zorn an dir stillen kann." *(Vers 13)*

Jeder kennt sie, Kaffeeflecken, Obstflecken, Grasflecken, Wachsflecken, Blutflecken, Fettflecken. Da ist der Fleck auf meinem Hemd. Ich bekomme ihn nicht mehr raus. Meine Frau bestätigt: „Ich habe alles versucht, der Fleck sitzt zu tief, das Hemd kannst du nicht mehr tragen." Gottes „Hemd" heißt Israel. Durch sein Volk will er der Welt sein Wesen, seinen Willen und seine Heiligkeit zeigen. Daran hat sich für Christen bis heute nichts geändert, denn Petrus schreibt: „Eure früheren Freunde sind natürlich überrascht, dass ihr nicht mehr an ihren schlimmen Vergnügungen teilnehmt, und reden jetzt schlecht über euch" (1. Petrus 4,4 Neues Leben Bibel). Ich kenne aus meiner Kindheit noch den Satz: So verdreckt gehst du mir nicht aus dem Haus. Gott sagt dasselbe: So unrein geht mir mein Volk nicht unter die Völker. Das repräsentiert nichts von meiner Reinheit und Heiligkeit. Er ist verzweifelt, denn er bekommt sein Volk nicht mehr rein. Blutflecken oder Blutschuld, wie es Ezechiël nennt, sind eben schlecht zu reinigen.

Was tun wir, wenn alle Versuche scheitern, eine massive Verunreinigung zu beseitigen? Wir können Kleidung nicht mehr tragen und werden sie in der Regel entsorgen oder austauschen. Obwohl das in unserem Alltag eine selbstverständliche Reaktion ist, sind Menschen empört, wenn Gott genauso handelt. Israel jedenfalls erlebt seinen Zorn. Ein paar hundert Jahre später ergreift Gott allerdings selbst die Initiative. Er vollzieht die ultimative Reinigung. Es gibt nur ein Reinigungsmittel, das Opfer seines Lebens. Aus Liebe hält Gott die Unreinheit aus. Ihm selbst wird dabei mehr als schlecht. Alle Sünde trifft Christus am Kreuz. Unsere Unreinheit und Sünde werden entsorgt und gegen seine Heiligkeit und Gerechtigkeit ausgetauscht. Blutrote Sünde wird schneeweiß. Was für ein Reinigungsbad der Erneuerung! Es ist keine alte Redewendung, wenn Dora Rappard in ihrem vor 150 Jahren geschriebenen Lied singt: „Sein Kreuz bedeckt meine Schuld, sein Blut macht hell mich und rein. Mein Wille gehört meinem Gott; ich traue auf Jesus allein."

Friedrich Zahn

5
Mittwoch
NOVEMBER

2025

☀ 07:22   16:48
☽ 16:16   07:20

Bibellese: Hesekiel/Ezechiël 24,15-27

Ezechiël berichtet: Der Herr sagte: „Du Mensch, ich nehme dir dein Liebstes, die Freude deiner Augen, durch einen jähen Tod. Aber du darfst keine Totenklage halten und keine Tränen vergießen." *(Vers 15-16)*

Für sich genommen löst dieser Vers nur Kopfschütteln aus. Was ist das für ein Gott, der das Liebste wegnimmt und dann noch verbietet, zu trauern und zu weinen? Was geschieht da? Ezechiël geht seinem Dienst als Prophet nach. Er verabschiedet sich morgens von seiner Frau. Sie ist sein Liebstes, seiner Augen Freude. Es ist eine selten gute Ehe. Sie ist ihm Ergänzung, Stütze und Trost in den schweren Jahren der Verbannung Israels nach Babylon. Bevor der Tag vorüber ist, trifft seine Frau der Schlag und sie stirbt. Seiner Umgebung fällt sofort Ezechiëls seltsame Reaktion auf. Er weint nicht, trauert nicht und bringt sein Leid nicht durch lautes Klagen zum Ausdruck, was in seiner Kultur das Normale ist. Er macht einfach nichts von dem, was damals oder heute zu einer Trauersituation gehört, keine Klage, keine Trauerkleidung, keine Traueranzeige, keine Trauerfeier. Seine Umgebung schaut verständnislos zu oder ist empört. Eines aber tun sie alle, sie kommen ins Fragen. Ihr Ohr wird offen für das, was Ezechiël in Gottes Auftrag zu sagen hat. Gott gebraucht ein tragisches Ereignis, das sich bis heute täglich überall auf der Welt abspielt, um daraus eine wichtige Botschaft an sein Volk zu formen. Es ist für Ezechiël schwer, davon schon vorher zu erfahren und sich so unnatürlich zu verhalten. Ezechiël bleibt zuerst Diener seines Herrn, auch in Zeiten größter persönlicher Trauer. Er ist mit seiner ganzen Existenz Botschafter Gottes. Erst auf den zweiten Blick erkennt man, dass Ezechiëls Verhalten Ausdruck ist für sein Mitleiden mit dem Volk. Der Tempel in Jerusalem und ihre Söhne und Töchter sind für Israel der Augen Lust. Das alles wird untergehen. Das Liebste wird dem untreuen Volk genommen. Ezechiël stellt ihnen am eigenen Erleben vor Augen, was geschehen wird. Die künftigen Ereignisse werden ihnen die Sprache verschlagen. Sie werden wie versteinert sein. So mancher hat aber gerade im Schmerz erkannt, dass der Herr der Herr ist. *Friedrich Zahn*

Bibellese: Hesekiel/ Ezechiël 33,21-33

Ezechiël berichtet: Der Herr sagte zu mir: „Die Leute aus deinem Volk reden über dich. Sie sagen zueinander: ‚Wir wollen zum Propheten gehen und hören, was der Herr zu ihm gesagt hat!' Und dann kommen sie scharenweise zu dir, sitzen im Kreis um dich und hören, was du sagst; aber sie nehmen es nicht ernst." (Vers 30-31)

Nur zur Erinnerung: Die Elite des Volkes Israel lebt schon ein gutes Jahrzehnt als Verschleppte in Babylonien – weit entfernt von der Heimat. Nur ein kleiner Teil der Israeliten lebt noch im zerstörten Jerusalem. Der Prophet Ezechiël lebt bei den Exilanten. Er trifft auf geheucheltes Interesse an Gottes Wort, Gottes Plan, Gottes Gesetz. Die Leiter wissen, wie man reden und sich verhalten muss, um als fromm und rechtschaffen wahrgenommen zu werden. In Wirklichkeit interessiert sie nicht, was Gott will. Sie wollen sich nur ihre Position, ihr Ansehen und ihre Macht sichern. Dafür lernten sie, sich traumhaft sicher zu bewegen in den Gesten, der

Sprache und dem Verhalten von Gottesfürchtigen. Ja, wer mal ehrlich hinter die Kulissen seines Lebens und seiner Seele schaut, der wird zugeben, dass das geht. Auch wenn das Herz leer, das Glaubensleben mager, das Gottvertrauen weg ist, weiß man doch, wie man den Schein wahrt. Das mag eine Zeit lang gut gehen und für eine Weile mögen andere mich bewundern und denken, was für ein Vorbild des Glaubens ich doch bin. Aber irgendwann werden wir schmerzhaft erfahren, dass Ansehen und Positionen ebenso wenig durchtragen wie Rituale und Traditionen.

Es geht nämlich nicht darum, was ich vor Jahrzehnten mal mit Gott erlebte oder was für ein enthusiastisches Glaubensleben ich in meiner Jugend hatte. Es geht darum, was ich heute mit Gott erlebe. Es geht darum, ob ich Gott heute in mein Leben hineinsprechen lasse. Es geht einfach darum, ob ich genau an diesem Tag mit Gott rechne und ihn ernst nehme.

Christoph Haus

 Wenn es bei großen Worten bleibt, dann kann sich gar nichts wandeln. Ich will, o Herr, da wo ich steh, in deinem Sinne handeln.

Christoph Haus (Munterholl'n)

7

Freitag
NOVEMBER

Bibellese: Hesekiel/Ezechiël 34,1-16

Der Herr sagte: „Ich will die Verlorengegangenen suchen und die Versprengten zurückbringen. Ich will mich um die Verletzten und Kranken kümmern und die Fetten und Starken in Schranken halten. Ich bin ihr Hirt und sorge für sie, wie es recht ist." (Vers 16)

Der Prophet wendet sich an die Exilanten mit einer Botschaft, die sich wie ein roter Faden durch das ganze Alte Testament zieht. Er erinnert daran, dass Gott ein parteiischer Gott ist und auf der Seite der Armen, Schwachen und Kranken steht. Das soll die Etablierten, die Präsidenten, die Vorsitzenden, die Leiter, die Führungsriege wachrütteln: „Weh euch, ihr Hirten meines Volkes! Ihr habt nur an euch selbst gedacht. Die Milch der Schafe habt ihr getrunken, aus ihrer Wolle habt ihr euch Kleider gemacht und die besten Tiere habt ihr geschlachtet. War ein Tier schwach, so habt ihr ihm nicht geholfen; war eins krank, so habt ihr es nicht gepflegt. Die Verlorengegangenen habt ihr nicht gesucht" (Vers 2-4). „Eure tollen Positionen und Ämter sind Schall und Rauch, wenn ihr vergesst, dass es um euch herum Bedürftige, Schwache, Kranke und Verlierer gibt."

Zum einen wird hier ein ganz neues Bild für Führungskräfte gemalt. Zum anderen ist das mit der Botschaft verbunden, die sich durch das ganze Alte Testament zieht: Dass er Hungernden Brot gibt, Verlorene sucht, Kranke heilt ist das Wesen Gottes. Diese Gruppen tauchen im ganzen Alten Testament immer wieder auf – sie stehen unter Gottes ganz besonderem Schutz. Damit nicht genug: Der Prophet kündigt an, dass Gott sein zerstreutes Volk wieder zurückbringen wird in ihr Land. Die etablierten Leiter hatten sich fein eingerichtet im Exil. Sie hatten eigentlich keinen Grund, von Babylon wieder wegzuwollen. Nun bekommen sie einen Denkzettel von Gott aus dem Mund von Ezechiël: „Nun steht endlich auf aus eurem Sessel. Verlasst eure Privilegien und eure Komfortzone. Fangt endlich an, euch um eure verwirrten, traurigen, kranken, heimwehkranken und hungernden Landsleute zu kümmern. Nehmt meine Worte ernst: Es wird einen Weg zurück geben nach Jerusalem ins Gelobte Land. Und wenn ihr euch an mein Recht haltet, dann brauche ich euch als Leiter und Führer."

Christoph Haus

Bibellese: Hesekiel/Ezechiël 34,23-31

Der Herr sagte: „Ich mache ihr Land zu einem prächtigen Garten. Niemand von ihnen wird mehr verhungern und die anderen Völker werden sie nicht mehr verspotten. Dann werden sie erkennen: Ich, der Herr, ihr Gott, bin bei ihnen." *(Vers 29-30)*

Diese Weissagung hat zwei Perspektiven: Sie ist Ansporn, Ermutigung und Trost für die verbannten Juden an den Wassern von Babylon. Sie sollen wieder nach Hause dürfen. Heim ins Gelobte Land. Die Verheißung ist voll von Selbstbewusstsein: Niemand soll die Juden mehr verspotten. An ihrer Rückkehr sollen andere Völker erkennen, dass Gott ihr Herr ist. Zugleich aber ist hier die Stelle im Buch Ezechiël, an der der Blickwinkel der im Exil lebenden Juden verlassen und ein messianisches Friedensreich angedeutet wird. Denn ab hier beschreibt Ezechiël die heilsgeschichtliche Aussicht auf den kommenden Messias hin. Auf einmal öffnet sich der Horizont aus der begrenzten Gruppe der im Exil lebenden

Juden auf alle Menschen. Auch auf uns. Wie mag es den Exilanten gegangen sein, als sie diese Worte hörten? Klang das nicht zu wunderbar, um wahr zu sein? Wie geht es uns, wenn wir im Rückblick betrachten, was die Juden im Laufe der Geschichte erlebten und erlitten? Wie geht es uns, wenn wir unsere Welt betrachten, die alles andere als ein Friedensreich ist, in der alle Völker der Welt vor Gott niederknien?

Es war für die im Exil lebenden Juden damals ebenso wie für uns heute eine Frage des Vertrauens und des Glaubens. Ein Teil der Verheißungen ist wahr geworden. Auf einen großen Teil der Verheißungen warten wir noch. Was sich für uns erfüllte, sind Heil und Erlösung. Wir lernten den Guten Hirten kennen, der sein Leben für seine Schafe gibt (Johannes 10,11) und uns erlöst. Wenn wir an das Friedensreich Gottes glauben, dann werden wir als erlöste Christen entsprechend dieser Vision leben. Wir sind nicht für die ganze Welt verantwortlich. Aber für den Bereich, in dem wir leben. Da können wir Gottes Frieden, seine Gerechtigkeit und seine Liebe bezeugen und Hirten für andere Menschen werden. *Christoph Haus*

Am 8. November 1939 verübte Georg Elser ein Attentat auf Adolf Hitler und die Führung der NSDAP in München. Hitler hatte das Lokal aber schon 13 Minuten früher verlassen.

9

Sonntag
NOVEMBER

Bibellese: Psalm 69,1-16

Herr, du Herrscher der Welt,
Gott Israels, du mächtiger Gott,
enttäusche nicht die, die mit dir rechnen! *(Vers 7)*

Gänsehaut spüre ich bei diesen Worten. Wie viele Juden mögen sie gebetet, gefleht haben an jenem 9. November 1938 in Deutschland. Als ihre Synagogen angezündet, ihre Geschäfte geplündert, ihre Lieben verschleppt, gedemütigt, ermordet oder in den Selbstmord getrieben wurden. Enttäusche nicht die, die mit dir rechnen, du mächtiger Gott.

Nicht der mächtige Gott Israels war in jener Nacht am Werk, sondern ein selbsternannter Führer, der sich die Macht herausnahm und Gerichtsworte über Gottes Volk sprach. So stellt es sich dar. Bis zum ganz bitteren Ende mussten die Juden gehen, viele restlos enttäuscht. Ob sie noch mit ihm rechneten – in den Gaskammern von Auschwitz? Musste sich der Herrscher der Welt, der Gott Israels, hier geschlagen geben? In diesem dunklen Kapitel der Geschichte hat es so ausgesehen. Wegen Gott in Schmach und Schande, so auch die Überschrift des Psalms, ja auch in Not und Tod.

Dass wir heute der Reichspogromnacht gedenken und uns an die Gräueltaten an den Juden erinnern, zeigt, dass es weiterging, dass es ein Danach gegeben hat. Über das persönliche Schicksal tausender Frauen, Männer und Kinder hinaus hat der jüdische Glaube und das jüdische Volk überlebt. Die Enttäuschung war nicht das Ende der Beziehung zwischen Gott und seinem Volk. Es geht weiter, einfach war es nie. Wir stellen uns heute dazu und hoffen, oft auch gegen den Augenschein, dass mit Gott zu rechnen ist. Und wir versuchen zu verstehen, dass dieser mächtige Gott auch ist, wie wir es uns nicht vorstellen können und wollen. Shoshana Ovitz überlebte Auschwitz. Sie zog nach Israel und bekam vier Kinder. 2019 feierte sie ihren 104. Geburtstag. Als Geschenk wünschte sie sich, dass ihre 400 Kinder, Enkel, Urenkel und Ururenkel mit ihr zur Klagemauer nach Jerusalem gehen. Fast alle sind gekommen. Eine der Enkelinnen sagte: „Erst während der Feier haben wir begriffen, wie bedeutsam das ist. Wir hatten alle Tränen in den Augen. Es war sehr bewegend. Sie wollten uns vernichten und heute sind wir so viele." Ein Gott, mit dem zu rechnen ist.

Ute Armbruster-Stephan

10

Montag
NOVEMBER

2025

☀ 07:31   16:40
☽ 21:10   13:20

Bibellese: Hesekiel/Ezechiël 36,16-32

So spricht der Herr, der mächtige Gott: „Nicht euretwegen greife ich ein, ihr Leute von Israel, sondern wegen meines heiligen Namens, den ihr überall in Verruf gebracht habt, bei allen Völkern, zu denen ihr gekommen seid." *(Vers 22)*

Versprochen ist versprochen und wird auch nicht gebrochen." Dieser alte und scheinbar einfache Kinderspruch brachte mich kürzlich zum Nachdenken. Treue ist leicht, wenn man jemanden mag und zurückgemocht wird. Treue ist leicht, wenn man Gegentreue erfährt. Aber was ist, wenn mein Gegenüber untreu wird und Versprechen bricht? Wenn ich alles richtig mache, aber der andere alles falsch? Bin ich dann noch fähig, meinen Teil der Abmachung zu halten? Will ich das dann überhaupt noch?

Für Gott ist die Antwort auf diese beiden letzten Fragen ein ganz klares Ja. Denn Gottes Treue hängt nicht von mir ab – weder davon, wer ich bin, noch was ich richtig oder falsch tue –, sowie sie auch nicht vom Verhalten der Israeliten damals abhing. Sie hängt auch nicht von den ständig wechselnden Umständen dieser Welt ab. Gottes Treue hängt allein an ihm und daran, wer er ist, unveränderlich und unerschütterlich.

Eine solche Treue ist unglaublich entlastend. Sie gibt mir den Raum, Fehler zu machen und nicht perfekt sein zu müssen. Sie ermutigt mich dazu, meine Fehler zuzugeben und Versöhnung zu suchen, weil ich weiß, dass diese Tür mir offensteht. Sie lässt mich wissen, dass selbst in meinen dunkelsten Stunden und in meinem größten Versagen nicht alles an mir hängt, sondern an dem, dessen Treue unauslöschlich ist. Sie gibt Hoffnung für die Zukunft und darauf, dass es einen Neuanfang geben kann, selbst wenn ich es nicht verdient habe. Gottes Versprechen gelten – und werden nicht gebrochen. *Lydia Rieß*

♫ Er spricht wie an dem Tage,
da er die Welt erschuf.
Da schweigen Angst und Klage;
nichts gilt mehr als sein Ruf.
Das Wort der ewgen Treue,
die Gott uns Menschen schwört,
erfahre ich aufs Neue,
so, wie ein Jünger hört.

Jochen Klepper 1938
Aus: Er weckt mich alle Morgen

Bibellese: Hesekiel/Ezechiël 37,1-14
Ezechiël berichtet: Der Herr fragte mich: „Du Mensch, können diese Knochen wieder zu lebenden Menschen werden?" Ich antwortete: „Herr, das weißt nur du!"

(Vers 3)

Als ich vor Jahren mein erstes Studium abbrach, wusste ich noch nicht, wie es weitergehen würde. Meine Zukunft, die ich mir so akkurat ausgemalt hatte, war gestorben, und mit ihr alle meine Pläne. Vor mir lag ein großes Nichts – und die Frage, wie es weitergehen sollte. Es war eine Zeit des Ringens, des Suchens, des Scheiterns und des Resignierens. Nichts passte, nichts hatte das Potential, meine gestorbene Zukunft wiederzubeleben. Am Ende konnte ich nichts tun, als diese ungewisse Zukunft in Gottes Hand zu legen: „Ich weiß nicht, wie es weitergehen soll – aber du schon. Bitte zeig es mir."
Wenig später war ich auf einer Freizeit für junge Erwachsene. Eine Freundin, die eine Andacht für den Abend hatte halten sollen, fiel spontan aus

und bat mich, für sie zu übernehmen. Vor Leuten reden, das war noch nie meine Stärke gewesen. Aber Texte schreiben, das hatte ich schon immer gerne gemacht. Also schrieb ich einen Text und las ihn vor. Hinterher kam der Jugendpastor auf mich zu und sagte: „Das waren sehr spannende Gedanken. Hast du schon einmal darüber nachgedacht, Theologie zu studieren?" Es war der Beginn einer neuen Leidenschaft und die Tür dazu, sie mit einer weiteren zu verbinden. Heute, viele Jahre und ein Theologiestudium später, verfasse und lektoriere ich hauptberuflich theologische Texte. Für mich hat sich dadurch bewahrheitet, was der Theologe Paul Gerhardt mehr als 300 Jahre vor meiner Geburt in einem seiner bekanntesten Lieder ausdrückte:

Befiehl du deine Wege
und was dein Herze kränkt
der allertreusten Pflege
des, der den Himmel lenkt.
Der Wolken, Luft und Winden
gibt Wege, Lauf und Bahn,
der wird auch Wege finden,
da dein Fuß gehen kann.

Lydia Rieß

12

Mittwoch
NOVEMBER

2025

Bibellese: Hesekiel/Ezechiël 37,15-28

Der Herr sagte: „In alle Zukunft wird ein Fürst, der meinem Diener David gleicht, über sie herrschen. Ich schließe mit ihnen einen Bund für alle Zeiten und verbürge ihnen Glück und Frieden." (Vers 25-26)

Auf einem Spaziergang traf ein Mann einen alten Bauern, der einen Apfelbaum pflanzte. Neugierig fragte der Mann den Bauern: „Wann wird dieser Baum denn Früchte tragen?" Der Bauer antwortete: „In zehn Jahren." „Aber das wirst du doch gar nicht mehr miterleben", sagte der Mann. „Warum pflanzt du etwas, wovon du selbst nichts mehr hast?" Der alte Bauer lächelte. „Als ich jung war, habe ich Äpfel von Bäumen gegessen, die ich nicht gepflanzt habe. Jetzt pflanze ich einen Baum, damit meine Kinder und Enkelkinder eines Tages davon essen können."
Es liegt in der menschlichen Natur, an die nachkommenden Generationen zu denken. Werden sie Frieden haben? Bleiben sie vor Katastrophen verschont? Wird es ihnen gut gehen? Gott kennt diese

menschliche Sehnsucht. Deshalb spricht er nicht nur in die Gegenwart hinein, sondern auch in die Zukunft. Und Gottes Herzenswunsch ist immer, dass es den Menschen gut geht. In Jeremia 29,11 heißt es: „Mein Plan mit euch steht fest: Ich will euer Glück und nicht euer Unglück. Ich habe im Sinn, euch eine Zukunft zu schenken, wie ihr sie erhofft. Das sage ich, der Herr."

Es ist tröstlich für mich zu wissen, dass die Zukunft nicht in meiner, sondern in Gottes Hand liegt. Dass er die Jahre bereits kennt und vorbereitet, die noch vor mir liegen oder die sogar über meine Zeit hinausreichen. Dass er die Kontrolle über die Dinge hat, die ich nicht kontrollieren, überschauen, beeinflussen kann. Gott versorgt – nicht nur gestern und heute, sondern alle Tage.   *Lydia Rieß*

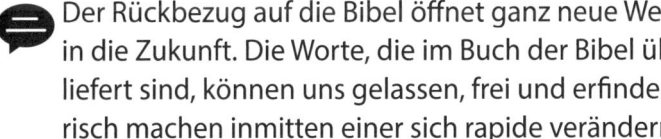

Der Rückbezug auf die Bibel öffnet ganz neue Wege in die Zukunft. Die Worte, die im Buch der Bibel überliefert sind, können uns gelassen, frei und erfinderisch machen inmitten einer sich rapide verändernden Welt.

Katrin Göring-Eckardt (1966), deutsche Politikerin*

13

Donnerstag
NOVEMBER

2025

☀ 07:36　16:36
☽ –.–　14:15

Bibellese: Hesekiel/Ezechiël 40,1-16
Ezechiël berichtet: In einer Vision führte der Herr mich ins Land Israel und setzte mich auf einem sehr hohen Berg nieder. Auf der Südseite des Berges sah ich etwas, das aussah wie eine Art Stadt. 　*(Vers 2)*

Jerusalem liegt in Trümmern, seit 14 Jahren. Der Prophet und der Großteil des Volkes Israel leben im Exil, tausende Kilometer von der Heimat entfernt. An Rückkehr oder gar Wiederaufbau ist nicht zu denken. Da sieht Ezechiël in einer Vision die neue Stadt Gottes. Und er sieht sie und besonders den Tempel in solch einer Genauigkeit mit exakten Maßangaben, dass man danach Baupläne zeichnen kann. Zum Lesen sind diese Kapitel eher mühsam – und doch faszinieren sie mich. Aus drei Gründen.
Erstens: Der Prophet fragt nicht zuerst nach praktischen und bautechnischen Möglichkeiten, wirtschaftlichen und politischen Rahmenbedingungen. Er lässt sich von Gott ein Bild der Zukunft zeigen, denkt, träumt und schreibt diesem Bild nach. Davon

will ich lernen: Machbarkeit ist nicht alles. Visionen haben ihren Wert. Wenn sie von Gott kommen ganz besonders.

Zweitens: Die Genauigkeit der Visionen überrascht. Warum sollte es vor Gott wichtig sein, ob ein Tor jetzt fünf, sechs oder sieben Meter breit ist? Wir sind doch hier nicht auf einer vorschriftsgeprägten deutschen Baubehörde. Aber vermeintlich Kleines ist wichtig. Gebäude, Veranstaltungen und Begegnungen sorgfältig und liebevoll zu gestalten ist nötig, damit das Ganze gut wird. Davon will ich lernen: Meine kleinen und mittelgroßen Aufgaben sind wichtig für Gottes großen Plan. Ich will sie nicht geringschätzen und sorgfältig in ihnen sein.

Drittens: Der sogenannte „Verfassungsentwurf" in den Kapiteln 40 bis 48 des Ezechiëlbuches wurde in die Bibel aufgenommen, obwohl er nach dem Exil in weiten Teilen nicht so umgesetzt wurde, wie es der Prophet geschaut hatte. Und obwohl dieser Entwurf an etlichen Stellen im Widerspruch zu anderen Vorstellungen des neuen Jerusalems zum Beispiel bei Sacharja und in der Johannesoffenbarung steht. Davon will ich lernen: Gottes Wegweisungen sind mehr als das, was wir daraus machen oder auch nicht. Da steckt bleibende Wahrheit drin, egal, wie der Stadtplan von Jerusalem heute aussieht.

Christoph Klaiber

Bibellese: Hesekiel/Ezechiël 42,15–43,12

Ezechiël berichtet: Aus dem Tempel hörte ich eine Stimme, die sagte: „Ihre Könige sollen ihre Paläste nicht mehr neben meinem Tempel bauen, nie mehr Tür an Tür mit mir wohnen, sodass nur eine Wand sie von mir trennt." (Vers 6.8)

Könige und Königinnen kennen wir heute nur aus dem Fernsehen. Sie sorgen für schöne Bilder, Geschichten für die „goldenen" Blätter und pompöse Zeremonien. Zu sagen haben sie meist nichts mehr. In biblischer Zeit war das anders. Sie hatten nicht nur große Macht im Staat, sie galten auch als etwas ganz Besonderes. Als Stellvertreter Gottes auf Erden sahen sich die Könige der alten Zeit. Auch wenn in Israel die Könige nie als Götter verehrt wurden, so galt doch der König in Jerusalem als „Sohn Gottes" und wohnte unmittelbar neben dem Tempel, mit einem direkten Privatzugang zum Heiligtum, ein Hausgenosse Gottes sozusagen. Eigentlich ist es ja eine gute Sache, wenn der Regent ganz nahe bei Gott ist. Aber auch nur, wenn er bereit ist, auf Gott zu hören und nach seinem Willen zu handeln. Daran hat es immer wieder gefehlt. Und der Prophet zieht hier eine ziemlich radikale Konsequenz: Der König ist nicht näher bei Gott als alle anderen. Denn Gott will allen Menschen ein neues Herz geben und ihnen durch seinen Geist nahe sein. Jesus führt das weiter: In seiner Gemeinde soll niemand über den anderen herrschen, niemand sich zum Oberlehrer der anderen aufschwingen. „Einer ist euer Meister, ihr aber seid Brüder und Schwestern", so sagt er es in Matthäus 23 (L). Kein König, kein gesalbter Prediger, keine begnadete Prophetin wohnt näher an Gottes Herz als alle anderen.

Ezechiël – ein Verfechter der Demokratie im Volk Gottes? Nein und ja!

Nein – denn es geht hier nicht darum, unsere unterschiedlichen Wünsche und Positionen auf den kleinsten gemeinsamen Nenner zu bringen. Es geht darum, auf Gottes Willen zu hören und danach zu leben.

Ja – denn Gottes Willen erkennen wir nur gemeinsam. Sein Geist wirkt in allen Glaubenden. Weder Könige noch Pastorinnen, Prophetinnen oder Bischöfe haben den direkten Draht. Nur gemeinsam lernen wir, mit Gott nach seinem Willen zu leben.

Christoph Klaiber

Bibellese: Hesekiel/Ezechiël 47,1-12

Ezechiël berichtet: Der Mann erklärte mir: „Die Bäume, die an beiden Ufern des Flusses stehen, sind das ganze Jahr über grün und bringen immerfort Früchte. Die Früchte dienen als Nahrung und die Blätter als Heilmittel." (Vers 12)

Die Beschreibung des neuen Jerusalems endet mit einem grandiosen Bild: An der südlichen Schwelle des Tempels entspringt eine Quelle, die innerhalb von zwei Kilometern zu einem riesigen Strom anschwillt. Das Wasser findet seinen Weg durch die Trockentäler der Wüste Juda und seine heilende Kraft erweckt das Tote Meer zum Leben. Woher das ganze Wasser am ausgesprochen regenarmen Ostabhang des Gebirges kommen soll, darüber schweigt die Vision. Aber es geht auch nicht um natürliche Vorgänge, Kanäle und Wasserleitungen. Es geht um die lebensspendende Kraft Gottes, die alles durchdringt und auch die Schöpfung erneuert. An den Ufern wachsen Bäume, die immer blühen, beständig Früchte tragen, Nahrung und Heilung für alle Menschen bringen. Großartig!

Vor vielen Jahren hat mir eine ältere Frau erzählt, wie sie zum Glauben gekommen ist. Sie hat gehört, wie ihre christlichen Freundinnen begeistert das Lied sangen: „Ich weiß einen Strom, dessen herrliche Flut ..." Und dabei merkte sie: Die Sängerinnen haben etwas, was ich nicht habe. Sie interessierte sich dafür und fand bald selbst zum Glauben. Sie hatte diesen Lebensstrom für sich entdeckt und wurde selbst zu so einem Baum, am Lebenswasser gepflanzt. Ihr Leben und ihr Glaube hat vielen anderen Heimat, Nahrung und Heilung gebracht. Solch ein Baum möchte ich auch sein. Meinen Platz in Gottes Nähe finden. Mein Leben von der Kraft seines Geistes durchströmen lassen. Wurzeln schlagen, wachsen, Früchte bringen.

Christoph Klaiber

Ich weiß einen Strom, dessen herrliche Flut
fließt wunderbar stille durchs Land;
doch strahlet und glänzt er wie feurige Glut.
Wem ist dieses Wasser bekannt?
O Seele, ich bitte dich: Komm!
Und such diesen herrlichen Strom!
Sein Wasser fließt frei und mächtiglich,
o glaub's, es fließet für dich!

Richard Torrey, dt: Ernst Gebhardt 1868

16

Sonntag
NOVEMBER

2025

☀ 07:41   16:32
☽ 03:35   14:47

Bibellese: Psalm 69,17-37

Ich selbst bin arm
und von Schmerzen geplagt;
durch deine Hilfe, Gott,
bring mich in Sicherheit!
Dann kann ich dich preisen mit meinem Lied
und deine Größe verkünden durch meinen Dank.

(Vers 30-31)

Dieser Psalm ist das Klagelied eines Einzelnen und es gibt viele Lebenssituationen, wo Menschen hier leicht andocken und einstimmen können. Gründe zum Klagen gibt es immer viele. Persönliche Not und Krankheit, gesellschaftliche und politische Krisen und vielerlei, was nicht so ist, wie man es gerne hätte. Das Unvorhersehbare und Unplanbare tritt in unser Leben – und wir haben niemals mit so etwas gerechnet oder es für möglich gehalten. Das ist immer die größte Herausforderung.

Wie leben wir mit dem Unvorhersehbaren? Mit dem Unvorhergesehenen? Es gehört zum Leben auf dieser Erde. Es gehört immer schon zum Menschsein dazu. Es ist eine Illusion, das Leben in der Hand und im Griff haben zu können. Oder es so nach allen Seiten sichern zu können, dass man ohne Verluste und Beschädigungen davonkommt. In den letzten Jahren die Pandemie, dann die Fluten, dann die Kriege mit allen finanziellen, klimatischen und gesellschaftlichen Folgen. Dazwischen alle persönlichen Sorgen und Fragen. Was hat das alles für einen Sinn, wenn alles so schnell untergehen kann? Fragen – so alt. Dieselben Fragen, seitdem es Menschen gibt.

In diesem gut 3000 Jahre alten Gebet drückt sich ein anderes Katastrophenwissen aus. Klagen, das Herz ausschütten, mit dem Unbegreiflichen sich an Gott wenden. Aus diesen Händen empfange ich mein Leben. Habe nichts davon selbst gemacht. Hier werden meine Tränen gezählt, hier sammelt sie einer in einem Krug. Hier bin ich gesehen und gehört. Es kann neuer Mut ins Herz kommen, der Herr hört das Rufen der Hilflosen, so in Vers 34. Für den Psalmbeter ist das ein Schritt heraus aus dem Jammer. Uns wäre es meist lieber, Gott würde unsere Probleme einfach lösen oder es gar nicht dazu kommen lassen. Aber so funktioniert unser Leben nicht. Der Psalm ist ein Angebot, in der Not nicht alleine zu bleiben, sich einen großen Helfer an die Seite zu holen.

Ute Armbruster-Stephan

Zum 17. November 2025

Leben heute mit Blick auf die Zukunft

Einführung in den 1. und 2. Thessalonicherbrief

Beide Briefe sind von Paulus, Silvanus und Timotheus verfasst. Sie wenden sich an die christliche Gemeinde in Thessalonich, dem heutigen Thessaloniki in Nordgriechenland. Kurze Zeit vorher war die Gemeinde von Paulus und seinen Mitarbeitern gegründet worden. Bald darauf mussten sie die Stadt wegen massiver Unruhen fluchtartig verlassen (Apg 17,1-18). Abfassungsort ist vermutlich Korinth. Die Abfassungszeit wäre dann das Jahr 50 n. Chr., sodass wir es hier mit den frühesten Briefen des Neuen Testaments zu tun haben.

Im 1. Thessalonicherbrief geht Paulus auf seine Geschichte mit der Gemeinde und auf Nachrichten aus ihr ein, die Timotheus überbracht hat (Kp 1-3). In den Kp 4-5 antwortet Paulus auf Fragen zur Endzeit und Wiederkunft Christi. Dieses Thema konnte er wohl bei seinem kurzen Aufenthalt in Thessalonich nicht ausführlich genug behandeln. So geht Paulus auf die Frage ein, was mit den Christen geschieht, die, wenn Christus wiederkommt, bereits gestorben sind. Haben sie irgendwelche Nachteile? Paulus verneint dies ausdrücklich und schildert den Verlauf der Wiederkunft: Der oberste Engel ruft, eine himmlische Posaune ertönt, Christus kommt, die Toten werden auferstehen und ihn mit den lebenden Christen zusammen in einer feierlichen Prozession abholen (4,13-18). Diese „Entrückung" hat im Laufe der Auslegungsgeschichte zu merkwürdigen Spekulationen geführt. Die Ankunft Christi wird unerwartet geschehen. Es gilt, darauf vorbereitet zu sein und dennoch die alltäglichen Pflichten nicht zu vernachlässigen.

Der 2. Thessalonicherbrief setzt hinsichtlich der Endzeitereignisse einen anderen Akzent, sodass einige annehmen, das könne nicht vom selben Autor stammen. Offenbar nahmen die Christen in Thessalonich an, dass die Ankunft Christi nicht nur plötzlich geschieht, sondern unmittelbar bevorsteht. Paulus verneint dies. Ihm geht es um eine Stetserwartung, nicht um eine Naherwartung. Denn vorher muss noch einiges geschehen, nämlich das Auftreten eines teuflischen „Feindes Gottes" (wörtlich: der Mensch der Gesetzlosigkeit, der Gesetzlose – 2,3.6.8-9), einer „geheimnisvollen Macht der Auflehnung" (2,7). Dunkle Worte, die hoffentlich beim Eintreffen für Durchblick sorgen. Der kommende Jesus wird diesen Widersacher „mit dem Hauch seines Mundes töten" beziehungsweise „durch sein bloßes Erscheinen" (2,8). Noch einmal warnt Paulus vor Müßiggang (3,6-12).   *Hans-Werner Kube*

Bibellese: 1. Thessalonicher 1,1-10

Paulus, Silvanus und Timotheus schreiben: Als wir euch die Gute Nachricht verkündeten, geschah das nicht nur mit Worten, sondern auch mit Taten, in denen sich die Macht Gottes zeigte, mit dem Beistand des Heiligen Geistes und mit voller Überzeugung. (Vers 5)

Kinderstunde im Missionszelt 1962 in Nordwestdeutschland. Über hundert Kinder kamen jeden Nachmittag. Wir lachen, wir beten, wir singen aus vollem Hals, hören biblische Geschichten von Jesus, illustriert mit Flanellbildern an der Flanelltafel. Erzählt werden auch die „Urwaldgeschichten" aus dem Buch von Paul White „Unter dem Buyubaum", mit pantomimischer Darstellung und entsprechender Anwendung. Zum Schluss lassen wir im Bewegungsspiel „Raketen" steigen und die Kinder sausen nach Hause, freuen sich aufs nächste Mal. Dann die Nachricht: Der evangelische Pfarrer am Ort hatte öffentlich gewarnt: „Wer zu den Kinderstunden ins Zelt geht, wird nicht konfirmiert!" Peng! Was nun?

Am folgenden Tag stürmt und regnet es in Strömen. Ich knüpfe den Zelteingang zu, damit der Regen nicht ins Innere des Zeltes schlägt. Deprimiert höre ich auf das Geräusch des strömenden Regens. Dann plötzlich Gemurmel und Bewegung vor dem Zelt. Die Plane am Eingang wird hochgehoben, tropfnasse Kinder erscheinen, viele, sehr viele, mehr als am Tag zuvor. Ich danke Gott von ganzem Herzen für sein Eingreifen, seine Macht. Fröhlich geht es dann los, trotz Sturm und prasselnder Regentropfen auf dem Zeltdach. Wir lachen und singen, wir beten und hören die Geschichten von Jesus. Gute Nachrichten und gute Saat am Nachmittag in die Herzen der Kinder und am Abend in die der Erwachsenen! Davon bin ich überzeugt – bis heute.   *Hinrich Schmidt †*

 Link zum Kinderlied „Ja, Gott hat alle Kinder lieb" von Margret Birkenfeld, das zu dieser Zeit im Zelt oft gesungen wurde:
www.youtube.com/watch?v=Fhq_grpuywA

Bibellese: 1. Thessalonicher 2,1-12

Paulus, Silvanus und Timotheus schreiben: Gott hat uns geprüft und zum Dienst für die Gute Nachricht brauchbar gefunden – deshalb und nur deshalb verkünden wir sie! Wir wollen nicht Menschen gefallen, sondern ihm, der unsere geheimsten Gedanken kennt. (Vers 4)

In der Oberstufe des Gymnasiums war für mich klar: Ich wollte Mathe und Physik studieren. Da lagen meine Interessen. Zwar war ich in der freikirchlichen Gemeinde sehr aktiv, aber das spielte für meine Zukunftsplanungen keine Rolle. Bis ich eines Nachts plötzlich wach wurde und eine mir unbekannte Stimme laut und deutlich sagte: „Gehe in den Dienst, ich will dich segnen und du sollst ein Segen sein!" Aber das wollte ich nicht! Und so fügte ich, wenn die Stimme kam, immer stillschweigend ein „nicht" ein: „Gehe (nicht) in den Dienst. Ich will dich (nicht) segnen und du sollst (k)ein Segen sein." Aber es half nichts. Der Ruf kam immer wieder, bis ich dann, es war schon spät in der Nacht, endlich

sagte: „Herr, wenn du denn willst, dann gehe ich!"
Schlagartig wurde ich ruhig und schlief sofort ein.
Aber auch danach war nicht sofort alles klar. Gott
prüfte mich, wie es die Bibellese beschreibt. Es gab
Anfechtungen, Zweifel, Versagen meinerseits, aber
auch Freude, Zuversicht und Erfolge.

Heute blicke ich dankbar zurück. Gott gab mir für
jede der sehr unterschiedlichen Aufgaben und
Dienstbereiche, zu denen er mich beauftragte, Kraft,
Mut, Durchhaltevermögen, Inspirationen, kurz: seinen Segen. Und er schenkte mir eine Familie, die
auch bei den vielen Verpflichtungen, Terminen und
Reisen zu mir hielt und mich stützte. Ich bereue es
nicht, Ja zum Ruf Gottes zu sagen. Fazit: Wenn Gott
ruft, lohnt es sich, dem Ruf zu folgen!

Hinrich Schmidt †

 Man wählt eine Berufung nicht selbst, man empfängt
sie, und man muss sich anstrengen, sie zu erkennen.
Man muss der Stimme Gottes sein Ohr leihen, um die
Zeichen seines Willens zu erspähen. Und ist einmal
sein Wille erkannt, so muss man ihn tun, wie immer
er sei, koste es, was es wolle.

Charles de Foucauld (1858-1916), französischer Ordensbegründer

Bibellese: 1. Thessalonicher 2,13-20

Paulus, Silvanus und Timotheus schreiben: Auch deswegen danken wir Gott unaufhörlich, dass ihr die Botschaft, die wir euch brachten, als Wort Gottes aufgenommen habt – nicht als Menschenwort, sondern als Wort Gottes, das sie tatsächlich ist! (Vers 13)

Der Buß- und Bettag ist ein evangelischer Feiertag. Er wurde im Jahr 1532 in Straßburg offiziell eingeführt. Bis 1995 wurde in Deutschland an diesem Tag nicht gearbeitet. Gegenwärtig ist er nur noch in Sachsen ein arbeitsfreier Feiertag. Auch heute noch ist er für viele Christen ein Tag der Einkehr und Besinnung. Schon Jesus hatte zur Buße aufgerufen: „Tut Buße, denn das Himmelreich ist nahe herbeigekommen!" (Matthäus 4,17 L). Und so schrieb der Reformator Martin Luther in der ersten seiner 95 Thesen: „Da unser Herr und Meister Jesus Christus spricht: ‚Tut Buße', hat er gewollt, dass das ganze Leben der Gläubigen Buße sein soll." Was ist Buße? Paulus schreibt: „Weißt du nicht, dass dich Gottes

Güte zur Buße leitet?" (Römer 2,4 L). Einsicht in die Güte Gottes ist also der Schlüssel zur Buße. Einsicht in die Schuld vergebende Güte Gottes lässt uns vor Gott niederfallen und ihm danken für die Vergebung, um dann kraftvoll neu zu beginnen. Genau das tun Paulus, Silvanus und Timotheus, wenn sie sich daran erinnern, wie die Thessalonicher ihre Verkündigung des Evangeliums, also die Botschaft von der vergebenden Gnade und Güte Gottes, aufgenommen haben. Der evangelische Theologe Dietrich Bonhoeffer bekennt: „Mein vergangenes Leben ist übervoll von Gottes Güte, und über der Schuld steht die vergebende Liebe des Gekreuzigten."

Schuld und Versagen vor Gott bekennen und ihm danken für seine vergebende Güte, darum geht es an diesem Buß- und Bettag. Das ist für jede und jeden der Schlüssel zu einem sinnerfüllten und glücklichen Leben. *Hinrich Schmidt †*

♫ Wirf dich in seine Arme nun,
verdamme allen Eigenruhm.
Christ ist allein der Freiheit Licht,
die Kraft, die alle Ketten bricht.

Gerhard Fritzsche 1936
Aus: Gott ruft dich heut durch Jesus Christ

Bibellese: 1. Thessalonicher 3,1-13

Paulus, Silvanus und Timotheus schreiben: Tag und Nacht bitten wir Gott von ganzem Herzen, dass wir euch wiedersehen dürfen. Denn wir möchten euch gerne helfen, dass an eurem Glauben nichts mehr fehlt.

(Vers 10)

Vorgestern schilderte ich in diesem Kalender mein Berufungserlebnis, was dazu führte, dass ich Theologie studierte und Pastor wurde. Und nicht nur das. Meine Aufgaben waren vielfältig: Pastor nacheinander in zwei Gemeinden, dann Dienst im Gemeindejugendwerk mit Schwerpunkt Ausbildung der Mitarbeiterinnen und Mitarbeiter in Sonntagsschulen und Kinderstunden, einschließlich der in den Missionszelten. Anschließend gehörte im Verlag die Herausgabe von Mitarbeiterhilfen für alle Arbeitsbereiche in der Gemeinde bis hin zur Gemeindebibelschule zu meinen Aufgaben.

Als ich den oben stehenden Bibelvers las, wurde mir schlagartig klar: Er trifft den Kern meines gesamten

Dienstes. Ich „half" den Mitarbeiterinnen und Mitarbeitern in Kinder-, Jugend- und Erwachsenengruppen, dass ihnen und den ihnen Anvertrauten „an ihrem Glauben nichts mehr fehlt". Das bedeutet, Kindern bei ihrem ersten Hineintasten in die Anfänge des Glaubens zu helfen. Außerdem sie zu stützen sowie in der Liebe zu Gott und Jesus zu stärken. Und zwar durch kindgemäße Darstellung der biblischen Geschichten und Inhalte. Bei den Jugendlichen ging es darum, den Willen zu fördern, den Glauben zur Grundlage ihrer Lebensplanung zu machen. Bei den Erwachsenen dafür zu sorgen, dass ihr Glaube wächst und reift.

Kann das gelingen? Ja! Und so lade ich Sie ein, liebe Leserin, lieber Leser, durch Bibellesen, Gebet und vom Evangelium inspiriertes Verhalten zu erreichen, dass Ihr Glaube vollkommen wird und ihm nichts mehr fehlt. *Hinrich Schmidt †*

Frage zum Weiterdenken
Was gehört zu einem Glauben, dem nichts mehr fehlt?

Bibellese: 1. Thessalonicher 4,1-12

Paulus, Silvanus und Timotheus schreiben: Über die Liebe zu den Brüdern und Schwestern brauchen wir euch nichts zu schreiben. Gott selbst hat es euch ins Herz gegeben, einander zu lieben. (Vers 9)

Viel ist bereits über die Liebe geschrieben worden: einzelne Texte, Gedichte und ganze Bücher. Heute lesen wir auch etwas über dieses Wort. Allerdings geht es nicht um die Liebe zweier Menschen zueinander, sondern um die liebevolle Beziehung unter Christen, die der Apostel Paulus als „Brüder und Schwestern" bezeichnet. So wie Menschen in einer Familie miteinander verbunden sind, so wünscht er sich gemeinsam mit den anderen beiden genannten Schreibern die herzliche Beziehung zu anderen Mitchristen. Dieser Wunsch gilt nicht nur den Glaubenden in Thessalonich (dem heutigen Thessaloniki), sondern auch uns. Wer an Jesus Christus glaubt, ist auch gleichzeitig mit anderen Christen verbunden. Das betrifft nicht nur die Menschen in unserer örtlichen Gemeinde, sondern geht auch weit darüber hinaus.

Der Apostel empfindet diese geschwisterliche Liebe als einen Herzenswunsch unseres Gottes. Wenn jemand ein herzliches Anliegen an uns heranträgt, versuchen wir doch auch, diesem nachzukommen. Besonders, wenn es ein Mensch ist, den wir sehr lieben, wie unsere Ehepartnerin, unseren Ehepartner oder unsere Kinder und Enkelkinder. Deren Wünsche erfülle ich sehr gerne. In unserem Text kommt dieses Anliegen sogar von unserem Gott, der uns von ganzem Herzen liebt. Wer wollte diesen Wunsch ablehnen?

Wolfgang Reitz

Legt es unter euch, ihr Glieder,
auf so treues Lieben an,
dass ein jeder für die Brüder
auch das Leben lassen kann.
So hat uns der Freund geliebet,
so vergoss er dort sein Blut;
denkt doch, wie es ihn betrübet,
wenn ihr euch selbst Eintrag tut.

Aus: Herz und Herz vereint zusammen
Nikolaus Ludwig von Zinzendorf 1725

Bibellese: 1. Thessalonicher 4,13-18

Paulus, Silvanus und Timotheus schreiben: Mit einem Wort des Herrn sagen wir euch: Die Brüder und Schwestern, die schon gestorben sind, werden gegenüber uns, die beim Kommen des Herrn noch am Leben sind, nicht benachteiligt sein. (Vers 15)

Ich habe viele Jahre als Trauerredner gearbeitet. Dabei habe ich neben vielen Menschen, die meines Erachtens keine Christen waren, auch zahlreiche Personen beerdigt, die bewusst mit Jesus gelebt hatten. Paulus rechnete mit der bald bevorstehenden Wiederkunft Jesu Christi. Dabei werden auch alle, die an ihn glauben, mit ihm im Himmel verbunden sein. Auch seine Leser teilten diese Überzeugung. Unklar war ihnen nur, wie dabei mit den bereits verstorbenen Mitchristen verfahren würde. Paulus macht deutlich, dass sie gegenüber den dann noch lebenden Gläubigen nicht benachteiligt würden. Im Gegenteil, betont der Apostel, sie wären sogar vor ihnen mit ihrem Herrn Jesus Christus im Himmel

verbunden. Heute mag uns diese damalige Über-
legung befremden, aber den Lesern damals war sie
sehr wichtig.

Ich erinnere mich an eine Frau in meiner ehemaligen
Gemeinde, die fest davon überzeugt war, bei der
Wiederkunft Jesu noch zu leben. Sie ist inzwischen
seit vielen Jahre tot. Ich selbst habe sie damals als
ihr Pastor beerdigt. Aber sie wird ebenso auferstehen wie alle anderen, die mit Jesus leben und wahrscheinlich auch irgendwann mit ihm sterben. Dann
werden alle einmal bei ihm sein im Himmel, gemeinsam mit allen anderen, die mit ihm im Leben und
Tod verbunden sind.

Das tröstet auch uns bei aller Trauer um unsere Verstorbenen und gibt Hoffnung auf ein Wiedersehen
mit ihnen. *Wolfgang Reitz*

Jesus lebt, mit ihm auch ich!
Tod, wo sind nun deine Schrecken?
Er, er lebt und wird auch mich
von den Toten auferwecken.
Er verklärt mich in sein Licht;
dies ist meine Zuversicht.
Christian Fürchtegott Gellert 1757

23

Sonntag
NOVEMBER

2025

☀ 07:53 16:24
☽ 11:25 18:07

Bibellese: Psalm 110

Der Herr hat dich zum König gemacht auf dem Berg Zion.
Von dort aus wird er dein Reich ausweiten;
über alle deine Feinde sollst du herrschen! *(Vers 2)*

In Großbritannien wurde nach einer langen Regierungszeit der Königin Elisabeth II. wieder ein männliches Mitglied der Königsfamilie zum Monarchen des Landes ernannt, ihr Sohn Charles. Er ist gleichzeitig auch das Oberhaupt der dortigen anglikanischen Kirche.

Die Berufung in England geschieht allerdings durch Menschen. In diesem Psalm macht Gott das selbst. Er allein ist nicht nur für dessen Einsetzung verantwortlich, sondern auch für dessen Herrschaft. Sie geht nach Aussage des Verfassers vom Wohnort Gottes, von Zion, aus und erstreckt sich wohl über die gesamte Erde. Der beschriebene König verfügt auch gleichzeitig über eine große Macht, die ihm den Sieg über alle Feinde ermöglicht.

Christen erkennen in diesem Herrscher Jesus Christus, den Gott selbst mit allem bevollmächtigt hatte, um seine Feinde zu besiegen, nicht militärisch, sondern durch Überwindung der Herzen. Diese Vollmacht gab er dann zunächst an seine damaligen direkten Nachfolger und dann auch durch seinen Heiligen Geist an viele andere Menschen weiter, die ihm vertrauen und ihm nachfolgen.

Seitdem werden bis heute Menschen frei von allem, was sie daran hindert, mit ihm zu leben. Ich freue mich, diesem mächtigen König, meinem Herrn Jesus Christus, zu dienen, und lade Sie dazu ein.

Wolfgang Reitz

Dass Jesus siegt, bleibt ewig ausgemacht.
Sein wird die ganze Welt.
Denn alles ist nach seines Todes Nacht
in seine Hand gestellt.
Nachdem am Kreuz er ausgerungen,
hat er zum Thron sich aufgeschwungen.
Ja, Jesus siegt!

Johann Christoph Blumhardt 1852

Bibellese: 1. Thessalonicher 5,1-11
Paulus, Silvanus und Timotheus schreiben: Gott hat uns nicht dazu bestimmt, dass wir seinem Gericht verfallen, sondern dass wir durch Jesus Christus, unseren Herrn, gerettet werden. (Vers 9)

Ein Spaziergang am Meer. Der Blick geht zum Horizont: Weite. Was mag wohl dahinter liegen? Diese Frage verleitete immer wieder Menschen dazu, aufs Meer hinauszufahren, Richtung Horizont, um dann vielleicht irgendwann eine Insel oder ein neues Ufer, ein neues Land zu entdecken. Auch im Leben eines Menschen lädt der Blick auf den Horizont dazu ein, aufzubrechen und Neues zu entdecken. Ein guter Horizont für unser Leben tut sich in den Versen der heutigen Bibellese auf: Unsere Bestimmung ist unsere Rettung durch Jesus Christus. Das ist die Zielrichtung in unserem Leben. Diese Rettung ist aber nicht nur ein zukünftiges Ereignis, sondern sie ist in Christus schon geschehen. Rettung ist also nicht nur ein Zielpunkt für unser Leben, sondern auch ein Ausgangpunkt. Da gehen wir hin und da kommen wir her. Und dies lässt sich auf jeden einzelnen Tag herunterbrechen. Du bist gerettet, heute. Heute leben wir mit Christus. Im Hier und Jetzt. Ob wir wach sind oder schlafen, ob wir gut gelaunt sind oder schlecht, ob in unserem Leben alles glatt läuft oder wir gerade in einer eher krisenhaften Situation sind.

Du bist gerettet! Dies ist die wichtige Dimension in deinem Leben. Das löst keine Alltagsprobleme, aber es rückt sie in die richtige Perspektive. Wer gerettet ist, muss sich nicht in Rechthaberei verbeißen, sondern kann loslassen und vergeben. Wer gerettet ist, muss sich selbst nicht so wichtig nehmen, sondern kann nach einem Streit den ersten Schritt auf den anderen zugehen. Wer gerettet ist, sieht möglicherweise auch seine körperlichen Begrenzungen und Krankheiten in einem anderen Licht. Wer gerettet ist, hat die Möglichkeit, mitten im Alltag hinter den Horizont zu blicken und sich an diese wichtige Lebensperspektive zu erinnern. Und wir können uns gegenseitig an diese Perspektive erinnern, uns damit trösten und unterstützen. Wir können, dürfen und sollen einander zusprechen: „Du bist gerettet und erlöst. Du bist ein geliebtes Kind Gottes." Dies ändert nicht unsere Alltagsprobleme, aber es hebt unseren Blick über sie hinaus. *Andrea Klimt*

25

Dienstag   2025
NOVEMBER   ☀ 07:56   16:22
     ☽ 12:30   20:30

Bibellese: 1. Thessalonicher 5,12-28

Paulus, Silvanus und Timotheus schreiben: Gott, der uns seinen Frieden schenkt, vollende euch als sein heiliges Volk und bewahre euch völlig unversehrt, fehlerlos an Geist, Seele und Leib, für den Tag, an dem Jesus Christus, unser Herr, kommt.   *(Vers 23)*

Paulus, Silvanus und Timotheus kommen zum Schluss ihres Briefes. Was jetzt noch gesagt wird, hat besondere Bedeutung. Am Ende des Briefes kommt noch einmal eine Zusammenfassung, eine Liste von Dingen, die dringend beachtet werden sollen. Manche davon sind einfach: dankbar sein und fröhlich, andere sind eher schwer umzusetzen wie allezeit dem Guten nachzujagen. Geht das denn? So eine Liste kann schnell überfordern. Fragen kommen auf: „Habe ich an alles gedacht?" „Mache ich es richtig? Lebe ich so, wie es Gott gefällt?" Indirekt antworten Paulus und seine Mitarbeiter darauf, indem sie schreiben „Gott vollende euch." Das ist entlastend und nimmt Stress raus. Das gibt Frieden. Nicht ich muss mich bemühen, untadelig zu sein, Gott selbst wird hier tätig: Er vollendet und bewahrt. Das wirft ein klares Licht auf meine eigenen Bemühungen. Sie sind nicht unwichtig, aber letztlich nicht ausschlaggebend, wenn es um meine „Unversehrtheit" und „Vollkommenheit" in Gottes Augen geht. Gott vollendet und bewahrt. Darauf können wir uns verlassen, weil Gott treu ist. Seine Treue wird am Briefende noch einmal besonders herausgestellt: „Gott ist treu, der euch berufen hat; er wird euch auch vollenden" (Vers 24).

Kein Zweifel: Gott kümmert sich darum, dass alles da ist, was es für mein „Seelenheil" braucht. Dann kann ich ganz gelassen in diesen Tag gehen. Natürlich bemühe ich mich um ein Leben, das gut ist für andere, für mich und auch gut vor Gott, aber ich mache auch Fehler. Es gelingt nicht alles, was ich mir vornehme. Die Treue Gottes aber bleibt. So kann auch ich mit meinen Fehlern und Unvollkommenheiten leben, weil Gott „mich vollendet". Auch das gehört zu dem Geschenk des Friedens, von dem am Briefanfang die Rede ist. Gott schenkt uns seinen Frieden statt der Unruhe, die eine Liste von Dingen, die dringend beachtet werden sollen, auslösen kann. So können wir gelassen, fröhlich und dankbar sein sowie uns auf den Tag freuen, an dem Jesus Christus, unser Herr, kommt.

Andrea Klimt

Bibellese: 2. Thessalonicher 1,1-12

Paulus, Silvanus und Timotheus schreiben: Wir bitten unseren Gott, euch würdig zu machen für das ewige Leben, zu dem er euch berufen hat. Durch seine Macht führe er alle eure guten Vorsätze und euer Wirken aus dem Glauben heraus zur Vollendung. (Vers 11)

Berufung – und dann:", so haben wir einmal ein Thema unseres Gemeindebriefs genannt und vor allem auf den Doppelpunkt am Ende Wert gelegt. Denn es geht darum, was aus dem Ruf Gottes wird, den wir hören und der uns geschenkt ist.

Es geht um „Gottes Werk und unseren Beitrag", um es in Abwandlung eines Romantitels des US-amerikanischen Schriftstellers John Irving zu beschreiben. Hier wird für uns gebetet, und zwar andauernd, dass wir uns von Gott in Bewegung setzen lassen, sein Werk in uns und in der Welt nach unseren Kräften zu verwirklichen.

Allerdings ist es wichtig, dass wir das Stichwort „Vollendung" nicht überhören. Was im Arbeitszeugnis eine Katastrophe ist, wenn da steht: „Er/Sie hat sich bemüht", ist im Glauben, in der Nachfolge Jesu Christi das Äußerste, was wir erreichen können. Denn unsere Bemühungen werden erst von Gott selbst vollendet. Da ist – hoffentlich – unser „Wille zum Guten", aber dass daraus etwas wird, können wir nicht machen. Gott kann Segen auf das legen, was wir tun – und vielleicht auch auf das, was schiefgeht und was wir aus Faulheit oder Unwissenheit unterlassen.

Das „ewige Leben", von dem hier die Rede ist, ist im Übrigen eine erklärende Ergänzung der gewählten Bibelübersetzung. Das Original spricht hier nur von Berufung. Die aber hat ja einen Inhalt und ein Ziel, nämlich Anteil zu haben an einem neuen Leben, in neuer Beständigkeit und Nähe zu Gott. Genau das rechnet mit Gottes Handeln, seinem Geist und seiner Kraft in unserem Leben – in dem, was uns gelingt und was uns misslingt. Es geht um Gottes Werk und unseren Beitrag durch das, was wir in seinem Sinne wollen und tun. Das Geschenk der Berufung zu einem neuen Leben will ausgepackt und gelebt werden. *Matthias Walter*

27

Donnerstag   **2025**
NOVEMBER   ☀ 07:59   16:20
                   ☽ 13:06   23:07

Bibellese: 2. Thessalonicher 2,1-12

Paulus, Silvanus und Timotheus schreiben: Ihr wartet darauf, Brüder und Schwestern, dass Jesus Christus, unser Herr, kommt und wir mit ihm vereinigt werden.

(Vers 1)

Das Beste kommt zum Schluss: Es geht um die persönliche Begegnung mit Jesus! Aus unserem Glauben wird eine Umarmung. Vielleicht hat diese emotionale Seite die Bibelübersetzer dazu bewogen, den im Griechischen nüchternen Start des Bibelabschnittes mit dem dynamischen „Warten" zu ergänzen. Denn es geht zunächst nur um einen Betreff in diesem Schreiben, die „Ankunft unseres Herrn Jesus Christus".

Das kann man sich ja nicht wirklich vorstellen und darum wird uns diese Zielvorstellung nicht kaltlassen. Doch der Glaube steht immer auf zwei Beinen: auf der frohen Hoffnung auf ein gutes Ende und zugleich auf der nüchternen Beurteilung des Ist-Zustands. Darum wird in der Bibellese auch die Bitte geäußert, sich nicht aus der Fassung bringen zu lassen durch Menschen, die scheinbar mehr wissen und sich schon am Ziel wähnen. Es gibt bis heute ein frommes Hase-und-Igel-Spiel, bei dem all jene sich fühlen, als kämen sie immer zu spät, wenn sie zwar gläubig sind, sich dem Enthusiasmus der anderen aber nicht anschließen können. Nein, der „Tag des Herrn" ist noch nicht da, wir leben im Glauben und noch nicht im Schauen.

Die Briefschreiber sind sehr realistisch: Der Glaube erlebt die Anfechtung; wir stehen in der Gefahr, Jesus und unseren Überzeugungen untreu zu werden. Im Johannesevangelium heißt darum die schlichte Frage von Jesus: „Wollt auch ihr weggehen?" (Johannes 6,67 L).

Es geht also um ein nüchtern-hoffnungsfrohes Warten, das im besten Sinne kritisch ist. Denn es „unterscheidet" (denn das meint „Kritik" im Griechischen eigentlich) den Ruf Jesu von den vielen anderen Rufenden. Glaube bedeutet immer Leben in der Erwartung, aber mit Vorgeschmack und erfüllenden Erfahrungen. Wir sind noch nicht am Ziel, wir sind unterwegs, aber Christus ist wie bei den Emmaus-Jüngern immer wieder neben uns und will uns heute schon begegnen.   *Matthias Walter*

28

Freitag 2025
NOVEMBER

☀ 08:00 16:19
☾ 13:19 −.−

Bibellese: 2. Thessalonicher 2,13-17

Gott, unser Vater, hat uns seine Liebe erwiesen und uns in seiner Gnade einen ewig gültigen Trost und eine sichere Hoffnung geschenkt. *(Vers 16)*

Will man vom Atlantik in den Indischen Ozean kommen, muss man um das „Kap der Guten Hoffnung" herum. Die ersten Seefahrer nannten es – nach rauen Erfahrungen – „Kap der Stürme".
Daran bin ich beim Lesen der Bibellese erinnert worden, denn die „sichere" Hoffnung ist im Original eine gute. Ewiger Trost und gute Hoffnung sind den Glaubenden von Gott in seiner Gnade geschenkt. Aber beide müssen sich den Stürmen der Wirklichkeit aussetzen. Man muss vom Meer der Theorie zum Meer der Praxis herumkommen.
Das deutsche Wort „Trost" meint Sicherheit, Zuversicht, Mut, aber auch Hilfe und Schutz. Und im Englischen wird deutlich, dass das alles ein Gegenüber braucht, weil es mit Vertrauen zu tun hat („trust"). Ich vertraue jemandem. Ich vertraue, dass die Liebe

Gottes und Jesu Christi mir ganz persönlich gilt und ich darin geborgen sein kann.

Das ist eine große Ermutigung, das Leben anzupacken. Nicht umsonst findet sich im Urtext ein Wort für Trost, das auch „ermutigen" bedeuten kann. Wir werden also ermutigt zur tätigen Hoffnung. Wir bekommen Kraft und werden gestärkt „zu allem Guten in Wort und Tat" (Vers 17).

Diese Hoffnung traut sich was! Sie ist geerdet, weil sie unser Verhalten bestimmt. Eine solche Hoffnung ist gut, weil sie in den täglichen Anforderungen wohltätig und freundlich wirken kann; sie kann zu einem guten, sicheren, Halt gebenden Wort für andere werden – oder zu konkreten Taten der Hoffnung, die sich nicht vom Strudel des Negativen nach unten reißen lassen.

Der Trost und die Hoffnung, von denen hier die Rede ist, flüchten sich nicht ins Reich der frommen Glaubenssicherheiten, sondern setzten sich der Realität der Welt aus. Es ist kein billiger Trost und keine billige Hoffnung, sondern die Kraft zum Guten in Wort und Tat. Und damit genau das, was Jesus von uns erwartet.

Matthias Walter

Bibellese: 2. Thessalonicher 3,1-18
Paulus, Silvanus und Timotheus schreiben: Wir haben es euch ja auch ausdrücklich gesagt, als wir bei euch waren: Wer nicht arbeiten will, soll auch nicht essen.

(Vers 10)

Populistische Hetzrede? Stammtischparole? Auf jeden Fall harte Worte, die hier in der Bibel stehen. Wo bleibt die Barmherzigkeit? Aber schauen wir genauer hin, denn die Bibel ist nie schwarz-weiß, nie können und sollen einzelne Sätze als Keulen dienen, die wir uns um die Ohren hauen dürfen. Vers 10 ist nicht einfach so dahingesagt. Er meint nicht alle da draußen, die nicht arbeiten. Er richtet sich konkret an die enge christliche Gemeinschaft der Thessalonicher, die den drei Jüngern, die hier schreiben, genau bekannt war. Man hat miteinander gelebt und kennt sich. Mit diesem Satz geht also die Sorge einher, dass sich ein ungesunder Lebensstil in der Gemeinschaft breitmacht, der ansteckt und zur Gewohnheit wird: eine bewusste Abkehr von den

Werten, die Jesus vorgelebt und die Paulus, Silvanus und Timotheus dort gelebt und gelehrt haben. Den Jüngern liegt die Gemeinschaft und das Miteinander am Herzen und dazu gehört auch das miteinander Arbeiten und füreinander Sorgen. Dieser Satz richtet sich an diejenigen, die nicht wollen, aber doch könnten. Und ja, es kann und darf einen manchmal ganz gewaltig ärgern, wenn man sich selbst tagein, tagaus abrackert, um sein Brot zu verdienen, und so mancher vermeintlich auf der faulen Haut liegt. Und trotzdem sollen wir die Menschen nicht als unsere Feinde behandeln, sondern sie ermahnen als Brüder und Schwestern. Das erfordert Nähe und kein pauschales Aburteilen einer Person und das ist der Schutzmechanismus, der hier eingebaut wurde, um eine Schnellverurteilung zu verhindern, wie sie manchmal zu beobachten ist. *Edda von Gerlach*

♫ Dein soll sein aller Ruhm und Ehr;
ich will dein Tun je mehr und mehr
aus hocherfreuter Seelen
vor deinem Volk und aller Welt,
so lang ich leb, erzählen.

Paul Gerhardt 1653
Aus: Ich weiß, mein Gott, dass all mein Tun

30

Bibellese: Psalm 24

„Wer ist dieser mächtige König?"
„Es ist der Herr, der Starke und Gewaltige!
Der Herr, der Sieger in jedem Kampf!"   *(Vers 8)*

Neugier ist hier angesagt! Wer möchte nicht wissen, wie der neue Chef, die neue Bürgermeisterin, eine neue Regierung so tickt, die zukünftig über meine Belange entscheiden. Gut, wenn man eine informierte Kollegin, einen Freund oder Kundschafter hat, der einen warnen oder die gute Nachricht bringen kann, so wie hier: Der Starke, der Gewaltige, der Sieger kommt! Es klingt wie ein Jubel, wie ein „Endlich!" nach all den enttäuschenden Königen und Herrschern zuvor. Wie schön, wenn man nach Niederlage und Unterdrückung, nach Schwächlingen und Selbstüberschätzern einen solchen König in Empfang nehmen darf.

Was macht diese Botschaft mit mir? Erst klingt es vielleicht ein wenig einschüchternd und ich fühle mich ängstlich und klein. Aber dann – möchte ich nicht auch dabei sein und einem solchen König nahestehen und gefallen, zu seinen Dienern oder gar Vertrauten gehören? Vielleicht nutze ich die kommende Adventszeit, um bei mir ganz persönlich zu schauen, ob meine Tür weit offensteht, wie es mehrmals in dieser Bibellese heißt. Oder ob ich gerade anderweitig beschäftigt bin und keine Zeit habe, den König zu empfangen. Vielleicht ist meine Türe sogar verrammelt, weil es mir peinlich ist, was er dahinter entdecken könnte.

Egal, wie es uns geht, dieser Sieger im Kampf hat schon alles gesehen – nichts ist ihm zu groß und zu viel. Er möchte trotzdem unser König sein!

Edda von Gerlach

♫ Macht hoch die Tür, die Tor macht weit;
es kommt der Herr der Herrlichkeit,
ein König aller Königreich,
ein Heiland aller Welt zugleich,
der Heil und Leben mit sich bringt;
derhalben jauchzt, mit Freuden singt:
Gelobet sei mein Gott,
mein Schöpfer reich an Rat.

Georg Weißel (1623) 1642

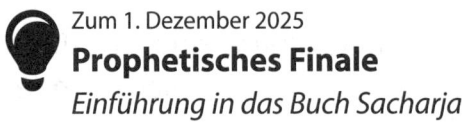

Prophetisches Finale

Einführung in das Buch Sacharja

Zusammen mit den Büchern Haggai und Maleachi bildet die Sacharjaschrift den Abschluss der kleinen Propheten, auch Zwölfprophetenbuch (Hosea bis Maleachi) genannt. Zeitgeschichtlich gehört es in die Phase des Neuaufbaus des judäischen Gemeinwesens im persischen Weltreich (5.-3. Jahrhundert v. Chr.). An den Texten wurde aber noch bis in die hellenistische Epoche hinein („deine Söhne, Griechenland", Sach 9,13) weitergearbeitet.

Der vordere Teil des Sacharjabuches (Sach 1-8) verbindet sich thematisch eng mit dem Buch Haggai, denn beide enthalten Verheißungen für den aus königlichem Geschlecht stammenden Serubbabel (Hag 2,20-23; Sach 4,6-10) und seinen Mitregenten, den Hohepriester Jeschua (Hag 2,1-4; Sach 3,1-10). Sie sind die „zwei Gesalbten" (Sach 4,13), unter deren Führung der Jerusalemer Tempel wiederaufgebaut wird. Haggai und Sacharja blicken gemeinsam in eine friedvolle Zukunft, mit Jerusalem als Weltmittelpunkt, wohin die

Völker kommen (Hag 2,7-9) und den Gott Israels anbeten werden (Sach 8,20-23).

Der weitere Verlauf der antiken Weltgeschichte nötigte diese Prophetie allerdings, ihre Verkündigung zu differenzieren und letztlich zu ihrem vorläufigen Ende zu zwingen. An die Stelle von Serubbabel tritt nun ein namenloser König, der sich dadurch auszeichnet, dass er ganz arm und hilfsbedürftig in Jerusalem einziehen (Sach 9,9) und der Welt Frieden bringen soll. Doch dazu kommt es erstmal nicht. Denn in den folgenden Kapiteln (Sach 10-14), geht es teils chaotisch, teils sehr kriegerisch zu. Die Ereignisse überschlagen sich regelrecht.

Aus einer friedlichen Wallfahrt der Völker wird plötzlich ein kriegerischer Feldzug (Sach 12,1-8), in dem die Stadt nun doch erobert wird (Sach 14,2). Es bleibt aber ein geläuterter Rest als Volk Gottes übrig (Sach 13,9), und auch die Überlebenden der Völker wenden sich nun wiederum anbetend dem Zion zu (Sach 14,16). Dieses an Dramatik kaum zu überbietende Finale biblischer Prophetie kennt schließlich nur noch eine heilvolle Perspektive: Nur Gott selbst – kein irdischer Herrscher – kann König einer befriedeten Welt sein (Sach 14,9). *Dirk Sager*

Bibellese: Sacharja 1,1-6

*So spricht der Herr: „Folgt nicht dem schlechten Bei-
spiel eurer Vorfahren! Ihnen ließ ich durch die früheren
Propheten verkünden: ‚Kehrt um von euren verkehrten
Wegen, macht Schluss mit eurem bösen Tun!' Aber sie
beachteten es nicht und hörten nicht auf mich."*

(Vers 4)

Ein kreativer Evangelist veranschaulichte seine
Botschaft gern mit Hilfe von technischen Auf-
bauten. Einmal hatte er im Veranstaltungsraum vorn
Schnüre gespannt. An denen befestigte er auf einer
Seite eine kleine Puppe und auf der anderen ein
Kreuz. Die Schnüre waren über Umlenkrollen so mit-
einander verbunden, dass folgender Effekt zu beob-
achten war: Wenn die Puppe ein paar Zentimeter
auf das Kreuz zubewegt wurde, kam das Kreuz einen
halben Meter auf sie zu, es „flog" geradezu heran.
Welch eine Überraschung! Die Botschaft war klar:
Gott wartet nur darauf, dass die Zuhörenden einen
Schritt auf ihn zu machen. In der Person von Jesus

kommt er ihnen voller Liebe entgegen. Zu allen Zeiten suchte Gott die Nähe der Menschen.

Schon bevor er sich in Jesus aus Nazaret offenbarte, warb er durch Propheten um das Vertrauen der Bürger Israels. Oft taten sie sich sehr schwer damit, ihr Denken und Handeln nach Gottes Vorstellungen auszurichten. Manchmal hatten sie sich fast vollständig daran gewöhnt, Gottes Weisungen zu ignorieren. Krisen waren jedes Mal die Folge. Die Babylonische Gefangenschaft war die tiefste davon. Nach ihrer Rückkehr in die Heimat bekam Sacharja den Auftrag, seine Zeitgenossen zum Umkehren aufzurufen. Im Namen Gottes bat der Prophet die Heimkehrer, aus den Fehlern früherer Generationen zu lernen. Die Katastrophe der Verbannung war selbst verschuldet, rief er. Ein Neuanfang würde ohne Umkehr nicht gelingen. Seine Botschaft erinnert an das, was Paulus in viel späterer Zeit an die Römer schrieb: „Begreifst du nicht, dass Gottes Güte dich zur Umkehr bringen will?" (Römer 2,4 NGÜ). Den ersten Schritt macht Gott, bis heute.   *Rainer Döllefeld*

Monatsspruch
Gott spricht: Euch aber, die ihr meinen Namen fürchtet, soll aufgehen die Sonne der Gerechtigkeit und Heil unter ihren Flügeln.   *(Maleachi 3,20 L)*

Bibellese: Sacharja 1,7-17

Sacharja berichtet: Der Engel sagte zu mir: „‚Jerusalem soll jetzt von Neuem meine Liebe zu spüren bekommen. Mein Tempel dort soll wieder errichtet werden, die ganze Stadt wird neu aufgebaut.‘ Das sagt der Herr, der Herrscher der Welt." (Vers 16)

Die Adventszeit erleben viele Menschen als Zeit schöner Erwartungen. Kinder fiebern auf die Geschenke zu und finden diese geheimnisvolle Zeit spannend. Das Basteln und Backen steckt für alle voller Vorfreude. Selten im Jahr werden unsere Gedanken so in die Zukunft gezogen. Die Erwartungen von Christen gehen noch darüber hinaus. Sie erwarten die von Jesus versprochene Welt des Friedens, die Gott schafft. Oder begruben wir unsere Hoffnungen in diese Richtung bereits? Zumindest wird in den nächsten Wochen davon gesungen: „Sieh, dein König kommt zu dir, ja, er kommt, der Friedefürst." Viele Propheten sagten Gottes Eingreifen in die Geschichte an. Überhaupt lagen zur Zeit des Propheten Sacharja viele Zukunftserwartungen in der Luft. Aber wie das bei Erwartungen so ist: Sie können einschlafen. Menschen ertragen die Spannung über lange Zeit oft nicht, wenn das Versprochene nicht greifbar ist.

Bei den Rückkehrern aus dem Exil in Babylon war so eine Ermüdung eingetreten. Die Erwartungen an die Zeit in der Heimat erfüllten sich nicht. Der Wiederaufbau Israels ging viel zu schleppend voran. Der unfertige Zustand des Jerusalemer Tempels war dafür ein sprechendes Symbol. Von Aufbruch war keine Spur zu merken. Das wird sich ändern, verkündete nun Sacharja im Auftrag Gottes. Tatsächlich? Gottes Liebe sollte von Neuem zu spüren sein, erklärte der Prophet. Haben die Zuhörenden aufgehorcht, als sie das hörten? Fingen die Bewohnerinnen und Bewohner Jerusalems an, dem nachzuspüren, was Gott ermöglichen wollte? Packten sie das ihnen Mögliche an? Vielleicht ist das eine spannende Adventsaufgabe für uns, genauer hinzuschauen, was Gott schon tut, und dann selbst mit dem Naheliegenden zu beginnen. *Rainer Döllefeld*

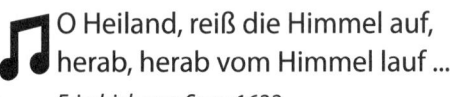 O Heiland, reiß die Himmel auf,
herab, herab vom Himmel lauf …
Friedrich von Spee 1622

3

Mittwoch
DEZEMBER

Bibellese: Sacharja 2,1-9
Sacharja berichtet: Ich blickte auf und sah: Da war ein Mann mit einer Messschnur in der Hand. (Vers 5)

Sacharja blickte auf. Damit war er in Jerusalem eine Ausnahme. Die Heimkehrer aus Babylon ließen mehrheitlich den Kopf hängen und schauten nach unten. Die Blicke der meisten Menschen waren gefangen von persönlichen Problemen und Existenzsorgen. Sie sahen in ihrem Alltag vor allem viel Hoffnungslosigkeit. Der Neuanfang nach den Krisenjahren entwickelte sich zu einer großen Enttäuschung. Vielleicht gab es auch solche, die „finster ihren Blick senkten", wie es von Kain in 1. Mose/Genesis 4,5 (L) heißt, weil sie sich benachteiligt fühlten. Sacharja dagegen bekam von Gott eine Vision und blickte auf. Durch diese Perspektive wurde er zu einem Hoffnungsträger unter Bedenkenträgern. Was er sah, ließ den Propheten selbst erstaunen. Der Mann mit der Messschnur, den er erblickte, war für den Städtebau damals ein sehr hoffnungsvolles Bild.

Als Architekt wollte er Jerusalem vermessen und die Stadtgrenze bestimmen. So konnte die Stadtmauer wieder vervollständigt und die Stadt gesichert werden. Überrascht nahm Sacharja jedoch wahr, dass ein Engel dem Städteplaner entgegenging, um ihn zu korrigieren. Der Bote Gottes machte ihm klar, dass Gott sehr viel größere Pläne mit Jerusalem hatte. Außerdem würde die Bevölkerung sehr schnell wachsen. Aber die größte Überraschung kam zum Schluss. Eine Stadtmauer würde gar nicht mehr notwendig sein, erklärte der Engel, weil Gottes starke Präsenz die Stadt vor Feinden sichern würde.

Was für eine gigantische Vision! Wie wird diese Botschaft die Jerusalemer bewegt haben? Erhoben sie ihren Kopf und schöpften Hoffnung? Ich höre, wie Gott uns heute fragt: Wo schaut ihr hin? Was bestimmt eure Erwartungen? Seht ihr auf und erhebt eure Häupter? Könnte es sein, dass ihr von mir zu klein denkt? *Rainer Döllefeld*

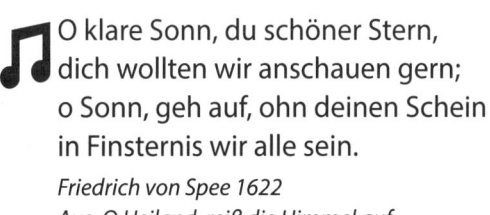

O klare Sonn, du schöner Stern,
dich wollten wir anschauen gern;
o Sonn, geh auf, ohn deinen Schein
in Finsternis wir alle sein.

Friedrich von Spee 1622
Aus: O Heiland, reiß die Himmel auf

4

Donnerstag
DEZEMBER

Bibellese: Sacharja 2,10-17
In Gottes heiligem Land wird Juda zu seinem besonderen Eigentum werden und Jerusalem wird er wieder zu seiner Stadt erwählen. *(Vers 16)*

Die Sonne scheint am wolkenlosen Himmel. Dieser Tag verspricht, richtig warm zu werden. Mit T-Shirt und kurzen Hosen geht's los. Es ist Sommer. Das Goms, ein wunderbares Tal im Wallis, lädt zu erholsamem Sein ein. Ich schmunzle, wenn ich mich nun mit diesem Hintergrund in die Adventszeit 2025 hineindenke. Es gelingt mir, wenn ich mir vorstelle, wie Frauen und Männer dann ihre Wohnungen mit weihnachtlicher Deko schmücken werden, Kinder jeden Tag ein Türchen des Adventskalenders öffnen. Wie stimmen wir uns selbst auf die Zeit des aufgehenden Sterns und der Verheißung auf Frieden ein? Wie lassen wir unsere Häuser zu einem Weihnachtsort werden?

Die erste Kerze auf dem Adventskranz wird auf jeden Fall angezündet und ich treffe erste Vorbereitungen für den Weihnachtsgottesdienst. Welche Musik passt in diesem Jahr? Alle Jahre wieder und ein ganz normaler Gemeindealltag. Und die drängenden Fragen zu Krieg und Frieden werden unsere Bemühungen um ein harmonisches Fest wahrscheinlich auch wieder etwas störend aufmischen. Wir fühlen uns machtlos.

Ich lasse diesen Text des Propheten Sacharja auf mich wirken. Und ich spüre, so sonnenklar, wie das Wetter im Goms ist, so klar breitet sich Hoffnung auf eine heile Zukunft aus. Unaufhaltsam. Gott wird die Menschen zusammenführen. Sie werden aus allen Himmelsrichtungen kommen und ihren Ort des Bleibens erhalten. Keine wird mehr vor Krieg und Gewalt flüchten, keiner sich vor Bedrohungen und Ausgrenzung verstecken. Niemand muss mehr Angst haben, nicht dazuzugehören. Alle Frauen, Männer und Kinder können danken und jubeln, Gott ist in ihrer Mitte.

Heilig ist das Land, heilig sind die Menschen, hier steht der Stern still und strahlt in jeden Winkel. Diese Hoffnung möchte ich weitergeben. Gerade heute, an meinem Ort. Friede auf Erde und den Menschen ein Wohlgefallen.

Christine Preis

5

Freitag
DEZEMBER

Bibellese: Sacharja 3,1-10
An jenem Tag – sagt der Herr, der Herrscher der Welt – werdet ihr euch gegenseitig einladen und in Frieden und Sicherheit die Früchte eurer Weinstöcke und Feigenbäume miteinander genießen. *(Vers 10)*

Da steht sie, die Einladung. Die Einladung zum Fest des Friedens mit allem, was dazugehört. Wahrscheinlich geht es uns allen gleich: Hören wir Worte von Essen und Genießen, läuft einem schon das Wasser im Mund zusammen. Wir ahnen, egal, wie die Situation ist, eine solche Ankündigung weckt Hoffnung, jetzt wird das Leben lebenswert. Ich kann mich entspannen, lachen und fröhlich sein.

Mich zieht es immer einmal wieder in die Toskana. Dort treffe ich diese Natur mit Weinstöcken, Feigenbäumen und Olivenhainen an. Orte, die mir sehr gut tun. Ich bin fern vom Alltag, kann mich ganz in diesem besonderen Schatten niederlassen. Körper und Seele können auftanken, frisch werden und sich stärken.

Lesen wir in der Bibel über reife Früchte und eine gedeihende Vegetation, ist die Realität der Menschen oft sehr schwer. Das Land leidet unter einer Dürre, die Menschen unter Hunger. Wenn ein Prophet nun mit Bildern eines Festes dem Volk Hoffnung auf eine gute und sichere Zukunft macht, dann weckt er in ihnen Lust und Lebensfreude. Fantasien werden wach. Alle spüren: Es muss nicht so bleiben, wie es ist. Denn jede und jeder kann sich ein solches Fest mit Frieden und Genuss sehr gut vorstellen.

Mit diesem Zuspruch aus heiterem Himmel bekommen die Menschen Mut. Sie können hören: Damit dieses Fest gelingt und alle satt werden, tragen auch alle etwas dazu bei, du und ich, er, sie und es. Niemand ist zu arm oder zu dumm, keine zu alt, keiner zu jung.

Wie wunderbar ist das! Egal, wie du lebst und glaubst. Du musst dich niemandem erklären. Zu diesem Friedensfest laden wir uns gegenseitig ein. Und weil Gott es ist, der es uns zutraut, können wir Gastfreundschaft leben, bei der Vielfalt Programm ist. Als unser Weihnachtsgeschenk aus heiterem Himmel.

Christine Preis

Bibellese: Sacharja 4,1-14
Dies ist das Wort des Herrn für Serubbabel: „Nicht durch menschliche Macht und Gewalt wird es dir gelingen, sondern durch meinen Geist! Das sage ich, der Herr, der Herrscher der Welt."   *(Vers 6)*

Beim ersten Lesen dieses Verses fühle ich mich ertappt. Wir möchten doch sofort eine bessere Welt für alle. Dann neigen wir uns zum Gebet und werden zu Menschen, die mit strenger Miene und verkrampft gefalteten Händen unbedingt von Gott etwas erbitten. Wir teilen Gott mit Nachdruck mit, was wir wollen. Am Schluss soll das Ergebnis unserer Bemühungen sichtbar sein. Bekehrte Menschen, volle Kirchen und natürlich Frieden. Und eigentlich machen wir dabei nichts falsch.

Beim zweiten Lesen habe ich allerdings folgenden Gedanken: Kann es sein, dass Gebete dieser Art auch etwas von „Macht und Gewalt" an sich haben? Etwas Verkrampftes auf jeden Fall, was aber bei Gott scheinbar nicht ankommt?

Er bietet dafür den Menschen eine Alternative an: seinen Geist. Diese vielfältige Energie, die weht, haucht, begeistert. Die wie eine sprudelnde Quelle die Menschen erfrischt und stärkt. Sie lässt sich nicht aufhalten – und scheint der Schlüssel zu einer gelingenden Beziehung zu sein. Mit Gottes Geist in Beziehung treten, heißt dann: Ich darf die Hände lösen, meinen Blick aufrichten, meinen Atem fließen lassen. Meine Körperhaltung kann sich entspannen, ich muss keine Runzeln mehr auf der Stirn produzieren. Ich stelle mir vor, wie in dieser Entspanntheit die heilige Geistkraft Raum findet und wir viel besser sehen können, wo und wie dieser Geist bereits wirkt. Öffnen wir uns ihm, kann er wirken – mit mir durch mich. Richten wir unsere Aufmerksamkeit in einer bewussten Entspannung auf Gott und seinen Geist. Und legen dann unsere großen und kleinen Anliegen, alle schweren Dinge der Welt, die Sorge um das Zukünftige einfach hin.

Es braucht etwas Übung, aber es ist eine wunderbare Möglichkeit, Gottesbeziehung vielleicht sogar ganz neu zu erleben. *Christine Preis*

Sing nicht so schnell dein Glaubenslied

Kennen Sie die Lieder „Manchmal kennen wir Gottes Willen", „Zu Ostern in Jerusalem" und „Auf den vielen Lebenswegen"? Alle oder einzelne dieser Lieder stehen in den „Gemeindeliedern", dem „Gesangbuch der Evangelisch-methodistischen Kirche" und im „Evangelischen Gesangbuch". Ihnen gemeinsam ist, dass sie von dem

Schriftsteller, Dichter und Liedtexter Armin Juhre stammen (beim Lied „Manchmal kennen wir Gottes Willen" nur die vierte Strophe).

Armin Juhre wurde am 6. Dezember 1925, **heute vor hundert Jahren,** in Berlin **geboren.** Er war nach seiner Rückkehr aus britischer Kriegsgefangenschaft zunächst freier Schriftsteller. Von 1962 bis 1969 arbeitete er als Autor und Redakteur beim Evangelischen Rundfunkdienst in Berlin, von 1969 bis 1975 als Verlagslektor in Wuppertal, von 1976 bis 1977 als verantwortlicher Redakteur beim evangelischen Wochenblatt „Sonntagsgruß" in Saarbrücken, 1977 als Lektor und von 1982 bis 1990 als Literaturredakteur beim Deutschen Allgemeinen Sonntagsblatt in Hamburg. Seit 1998 lebte er als Rentner und freier Schriftsteller wieder in Wuppertal.

Dort ist er auch nach monatelanger Krankheit fast 90-jährig am 28. September 2015 gestorben.

Armin Juhre war der Autor von Theaterstücken, Erzählungen, Dramen, Essays, Hörspielen, Gedichten und Liedtexten. Ich selbst besitze einige Gedichtbände von ihm. Seine Spezialität waren Weihnachtsgedichte. Seit 1956 schickte er seinen Freundinnen und Freunden jedes Jahr per Brief ein neues Weihnachtsgedicht. In ihnen drückte er seine Friedenssehnsucht aus und thematisierte Verfolgung, Flucht und Fremdsein.

Er hatte sich für das „Neue geistliche Lied" stark gemacht. Es gibt etwa 300 Vertonungen seiner Texte. „Sing nicht so schnell dein Glaubenslied, sing nicht so laut, so grell." Dieser Vers charakterisiert seine Liedtexte, die eher Fragen stellen als Antworten geben. „Juhres Texte achten und befragen bei aller Deutlichkeit immer die Grenzen menschlicher Machbarkeit, besingen mehr das Hoffen als die Gewissheit, lassen beim Glauben auch den Zweifel zu Wort kommen", schreibt die Bildungsreferentin Susanne Brandt.

Juhres Oratorium „Eines Tages müssen wir die Wahrheit sagen" über den Reichstagsbrand 1933 wurde während der EXPO 2000, der ersten Weltausstellung, die in Deutschland stattfand, uraufgeführt.

Hans-Werner Kube

7

2. *Advent*
Sonntag
DEZEMBER

2025

☀ 08:12   16:14
☽ 18:43   11:14

Bibellese: 1. Samuel 2,1-10
Hanna betete:
Starken Männern zerbricht er die Waffen;
Schwachen und Entmutigten gibt er neue Kraft.

(Vers 4)

Hanna kennt sie nur allzu gut: die starken Männer. Männer haben das Sagen. Männer entscheiden. Männer bestimmen den Lauf der Welt – auch ihrer eigenen kleinen Welt. Wenn sie doch nur Kinder hätte. „Dann wäre alles anders", denkt sie. „Dann wäre ich auch etwas mehr wert. Nicht so viel wie ein Mann, aber doch etwas mehr als jetzt." Aufmerksam genug scheint ihr eigener Mann zu sein, so dass er mitbekommt, dass es Hanna nicht gut geht (1. Samuel 1,8). Vielleicht ist das so eine männliche Marotte, dass man(n) denkt, es geht hier um ihn. Hanna lässt die Sehnsucht nicht los, dass sich etwas ändert. Dieses sehnsüchtige Fragen und Hoffen auf einen Moment, an dem die Welt anders wird, gerechter, freier, gütiger, wenn die

Unterdrückungsmechanismen überwunden sind: Es gehört in die Advents- und Weihnachtszeit.

Hanna klagt es Gott. Der einzige Ausweg, den sie für ihr Leben sieht, den sie sich denken und erträumen kann, ist ein Sohn. Sie betet zu Gott und bittet um die Erfüllung ihres Traums. Der Sohn, der Hanna geschenkt wird, heißt Samuel. Er wird Prophet. Er fällt nicht vom Himmel und Hanna ist auch keine Jungfrau, aber dies ist der Moment, an dem in ihrer kleinen Welt alles anders wird. Da stimmt sie ein Loblied an. Auch die starken Männer finden darin Platz. Hanna weiß, wie es ist, wenn die Schwachen und Entmutigten neue Kraft schöpfen. Zeilen, die dem Leben abgerungen sind. Es werden noch viele starke Männer kommen und gehen. Saul und Samuel, David und Salomo. Ein Moment wird kommen in dieser langen Geschichte von starken Männern, da zeigt einer, dass sie alle gar nicht so stark tun müssen. Der erste neue Mensch ist auch der erste neue Mann und sein Name ist Jesus Christus, Sohn Davids. Ohne Hanna wäre das alles nicht geworden und wir müssten immer noch hinnehmen, dass die starken Männer toben und bestimmen und bekommen, was sie wollen. Hanna sehnte sich nach etwas anderem. Wir sind noch nicht am Ziel, aber Advent bedeutet: Der Tag wird kommen!

Sebastian Noß

8

Montag
DEZEMBER

2025

☀ 08:13 16:14
☽ 20:12 11:44

Bibellese: Sacharja 5,1-11
Sacharja schreibt: Als ich wieder aufblickte, sah ich: Da flog eine Buchrolle durch die Luft; sie war ganz entrollt. *(Vers 1)*

Schon erstaunlich, was so alles durch die Lüfte „fliegt": der „fliegende Holländer" (eine Oper von Richard Wagner), das „fliegende Klassenzimmer" (ein Roman von Erich Kästner), die „fliegende Festung" (Name eines US-Flugzeugs im Zweiten Weltkrieg) oder „fliegende Bauten" (Riesenrad, Achterbahn, Zelthallen). Und bei Sacharja kommt nun „die fliegende Schriftrolle".

Bei der Einheit von Schriftrolle und fliegend geht man von einer besonderen Botschaft aus – und wird nicht enttäuscht. Zum einen ist die Schriftrolle doppelt so lang wie breit – vergleichbar den Abmessungen des Landes Israel, also ein Wort Gottes, das sich an das ganze Volk richtet. Zum anderen ist ihr Inhalt überraschend. Nach den Trost- und Segensworten der ersten fünf Visionen fliegt dem Volk Israel jetzt überraschend Gottes Fluch um die Ohren. Verflogen ist die Hochstimmung, die sich mit den ersten fünf Visionen eingestellt hatte.

Doch bei genauerem Hinhören wird deutlich, dass die Botschaft der Schriftrolle sich an eine bestimmte Menschengruppe wendet. Die Schriftrolle, Gottes Wort, bringt Fluch und Gottes verwüstendes Gericht über alle Sünder, die sich gegen Menschen („stehlen") und gegen Gott („falsch schwören") verschuldet haben. Die Menschen sind damit gemeint, die im Land Israel geblieben sind und sich das Land derer mit Diebstahl und Betrug angeeignet haben, die in die Gefangenschaft ziehen mussten. Diese kommen nun in die Heimat zurück, aber sie bekommen Haus und Hof nicht wieder zurück, vergleichbar den durch das SED-Regime hervorgerufenen unklaren Besitzrechtsverhältnissen in Ostdeutschland nach der Wende. Auf dieses Unrecht reagiert Gott.

Die Schriftrolle hat somit eine doppelte Botschaft: Fluch für die Betrüger und Meineidigen und Zuspruch und Hilfe Gottes für die, die Unrecht erleiden. Gott selbst kämpft auf diese Weise, damit es wirklich zu einem Neuanfang kommen kann, eine Neuorientierung seines ganzen Volkes an seinem Wort erfolgt und sozialer Frieden möglich wird. Dafür kann Gott schon mal zu ungewöhnlichen Mitteln greifen.

Achim Brückel

Bibellese: Sacharja 6,1-8
Sacharja schreibt: Die starken Pferde drängten ungeduldig vorwärts. Da sagte der Engel des Herrn: „Los! Durchzieht die Erde!" Und sie stürmten davon. (Vers 7)

Die Juden waren aufgrund der Gefangenschaft in Babylon demoralisiert, demotiviert und verwirrt. Jetzt, nach der Rückkehr in das Land Israel, läuft es auch nicht rund. Und was ist mit dem versprochenen glanzvollen Reich Israel? Die achte Vision korrigiert die falsche Vorstellung „Gott macht einfach nichts!" In Sacharja 1,11 hieß es: Vier Reiter durchzogen alle Himmelsrichtungen und überall ist es ruhig. Das heißt: An den alten Machtstrukturen in dieser Welt hat sich nichts geändert. Der Böse und das Böse haben augenscheinlich weiterhin das Heft fest in der Hand. Doch der Eindruck täuscht. Gott schaut dem Treiben längst nicht mehr abwartend und untätig zu. „Er kommt aus seiner heiligen Wohnung" (Sacharja 2,17), lautet die Botschaft Sacharjas. Gott verlässt sein himmlisches Heiligtum, macht sich zum Kampf gegen die Feinde seines Volkes und damit seinen eigenen Feinden bereit. So schildert die achte Vision sehr verkürzt den letzten, weltumfassenden Kampf Gottes zugunsten seines Volkes und zur Aufrichtung seines heiligen Namens und seines Reiches.

Die Aussage in Vers 8 passt dann mit ihrem friedlich-versöhnlichen Ton nicht in das Gesagte: „Achte auf die, die nach Norden ziehen! Sie bringen meinen Geist nach Norden, damit er dort wirken kann." Der Begriff „Geist" kann im Urtext auch mit „Zorn" wiedergegeben werden. Und dann wird alles klar. Die Boten Gottes greifen die Machtzentrale des Feindes Gottes an. Das Land im Norden war aus der geographischen Perspektive Israels immer Babylon – vom ersten Buch der Bibel (1. Mose/Genesis 11) bis zum letzten (Offenbarung 18) und vor allem der Ort der Gottlosigkeit schlechthin (Kapitel 5,8-11). Dort soll das Böse ein für alle Mal besiegt werden!

Sacharja verkündet eine klare Botschaft, den Juden damals und den Christen heute: Lasst euch nicht irritieren! „Er, der Beschützer Israels, wird nicht müde und schläft nicht ein" (Psalm 121,4), auch wenn das angesichts der überall um sich greifenden Gottlosigkeit in der Welt so scheinen mag. Er bereitet sich auf den letzten Kampf vor, aus dem er siegreich hervorgehen wird. Verlasst euch darauf! *Achim Brückel*

10

Mittwoch
DEZEMBER

2025

☀ 08:16 16:14
☽ 22:57 12:21

Bibellese: Sacharja 6,9-15
Sacharja schreibt: „So spricht der Herr, der Herrscher der Welt: Der Spross Davids kommt und unter ihm wird es sprießen! Er wird meinen Tempel bauen." *(Vers 12)*

Wenn das Wörtchen ‚wenn' nicht wär!", lautet eine bekannte Redensart. Zwischen einer großartigen Zukunft und einer eher farblosen Gegenwart steht dieses kleine Wort von erheblicher Bedeutung.

In dem Wort Gottes an Sacharja geht es um eine strahlende Zukunft: Ein König soll für das Volk Israel gekrönt werden. Der sich dahinziehende Tempelbau soll vollendet werden. Sogar Menschen aus anderen Nationen werden sich daran beteiligen. Sensationell wird es eine in Glanz und Gloria und in Harmonie miteinander verbundene Doppelspitze von König und Priester als Staatsführung geben. Eine großartige Perspektive für ein Volk, dessen Alltag von Schwermut, Trost- und Freudlosigkeit geprägt ist und wenig Glanz versprüht.

Die Aussagen Gottes sind von großer Bestimmtheit. Gott lässt keinen Zweifel an seinen Absichten zu. Er hat einen klaren Plan, wie er sein Volk in eine herrliche Zukunft führen will. Da bleibt eigentlich nur noch die Frage: Wann geht es los? Und da kommt unser „Wenn" ins Spiel. Vers 15: „Es wird mit Sicherheit eintreffen, wenn ihr auf den Herrn, euren Gott, hört und ihm gehorcht." Gott verspricht seinem Volk eine herrliche Zukunft und knüpft sie mit dem „Wenn" an eine Bedingung.

Das ist wieder mal typisch für Gott, kann man denken. Seine Versprechen und Zusagen haben einen Haken. Er schenkt nicht bedingungslos. Wenn, dann, so läuft das immer bei ihm. Das mag auf den ersten Blick frustrierend und entmutigend sein, wenig reizvoll und man ist geneigt, sich desinteressiert abzuwenden. Aber halt! Ist das von uns so unangenehm empfundene „Wenn" von Gott nicht vielmehr eine Art Auszeichnung für uns? Er nimmt uns ernst, stülpt uns nicht einfach seinen Willen über. Gott beteiligt uns an der Umsetzung seiner Pläne, gibt uns die Möglichkeit, Verantwortung zu übernehmen. Ja, er bindet sich an unser Tun bezüglich der Umsetzung. Gott will „ohne Wenn und Aber" das Entscheidende tun, damals wie heute. Sind wir, „ohne Wenn und Aber", auch so klar und eindeutig Gott gegenüber? Warum eigentlich nicht?

Achim Brückel

Bibellese: Sacharja 7,1-14

So spricht der Herr, der Herrscher der Welt: „Richtet gerecht und erweist einander Liebe und Erbarmen, unterdrückt nicht Witwen und Waisen, Fremde und Arme, und heckt nicht immer neue Pläne aus, um einander zu schaden! Ihr seid doch alle Brüder und Schwestern!"

(Vers 9-10)

Jetzt ist alles wieder gut! Überall in der Stadt sieht man Aufbauarbeiten, der Tempelbau ist schon weit vorangeschritten, Hoffnung liegt in der Luft. Nach den himmlischen Visionen landen wir jetzt auf dem Boden der Tatsachen. Es geht um eine praktische Frage (Vers 3): Müssen wir am Tag, als Jerusalem und der Tempel verbrannt wurden (Jeremia 52,12-13), weiterhin jedes Jahr trauern und fasten? Sacharja holt weit aus in seiner Antwort – und sagt doch nichts Neues. Er wiederholt nur, was die alten Propheten sagten (Vers 7). Um die richtigen religiösen Rituale allein ging es Gott nie. Wichtiger war ihm, was Sacharja in Vers 8 bis 9 zusammenfasst

(Micha 6,8 oder Jesaja 1,17): Eine gerechte Gesell-schaft, in der sich nicht die Kraft der Stärksten durch-setzt, sondern Barmherzigkeit herrscht. Nicht nur „das System" soll so ausgerichtet werden, sondern jeder Einzelne ist gefordert, seine Gedanken und Gefühle gegenüber dem Nächsten zu prüfen. Da, wo im Deutschen „einander" steht, heißt es wörtlich „ein Mensch seinem Bruder (seiner Schwester)". Ein sanf-ter Anstoß: Sieh doch, wer dir da gegenübersteht.

Damals aber, da wird Sacharja scharf, wollten eure Vorfahren nicht hören. Sie verschlossen bewusst die Ohren, machten die Herzen hart wie Diamant, das härteste Material, das es gibt. Die Folgen seht ihr bis heute. Habt ihr es noch nicht begriffen? Gottes Herz will unsere Herzenshärte erweichen – dazu braucht es auch mal ein klares Wort. *Deborah Storek*

Fragen zum Weiterdenken

Welche Anfragen erreichen mich heute?

Wie passen mein Glaubensleben und mein Verhalten anderen gegenüber zusammen?

Mal ehrlich: Wie sieht es in meinem Herzen aus?

Welche Gedanken und Gefühle hege ich gegenüber meinen Nächsten?

Wo spüre ich Verhärtungen bei mir: Ich weiß, eigent-lich will Gott ...?

Bibellese: Sacharja 8,1-13

So spricht der Herr, der Herrscher der Welt: „Lasst nicht nach und packt zu! Denkt an die Worte, die ich euch durch meine Propheten sagen ließ an dem Tag, als der Grundstein für den Wiederaufbau meines Tempels gelegt wurde." (Vers 9)

Beim ersten Lesen dieses Satzes spüre ich Druck. Lasst nicht nach und packt zu! Denkt an meine Worte! Gleich drei Aufforderungen. Dann lese ich den ganzen Text der Bibellese. Ein völlig anderes Bild! Dies ist der einzige Satz, der zum Handeln auffordert. Der Rest ist Verheißung: Gott ermutigt, malt aus, dass er unfassbar viel Gutes tun wird. Leidenschaftlich setzt er sich für sein dezimiertes Volk und die zerstörte Stadt Jerusalem ein, kraftvoll und rettend. Der Tempel wird gebaut und Gott zieht ein. Seine Gegenwart verändert das Land. Die Zeit von Krieg, Unsicherheit und Zerstrittenheit ist vorbei. Alte werden auf den Märkten sitzen und die Kinder beim Spielen beobachten. Wer arbeitet, wird seinen Lohn genießen können. Vom sprichwörtlichen Fluch „Es möge dir gehen wie …" wird Israel nun zum Segen. Das könnt ihr kaum glauben, oder? Tja, in meinen Augen ist es nicht zu wunderbar (Vers 6)! So rüttelt Gott die verzagten Jerusalemer auf.

In Vers 9 heißt es dann wörtlich: „Eure Hände sollen stark werden, ihr, die ihr in diesen Tagen hört …" Aus dem Hören der Zusagen Gottes wächst die Kraft, die Hände aus dem Schoß zu nehmen und anzupacken. Lange genug lähmten euch Entmutigung und Hoffnungslosigkeit. Jetzt hört hin, lasst euch stärken und legt los! Am Ende von Vers 9 versteckt sich noch eine Stärkung: Das Fundament des Tempels ist gelegt. Ein kleiner Anfang nur, aber doch eine Zeitenwende. Ähnlich, wie es Jesus vom Reich Gottes erzählt: Da fing etwas an, das alles verändert. Noch ist nicht alles neu. Aber schaut auf das, was schon da ist!

So gelesen, fühle ich mich gesehen. In meiner Entmutigung, die mir manchmal die Hände lähmt. Nicht meine Willenskraft, sondern Gottes Zuspruch kann mich hier herausreißen. Ich höre hin, was er verspricht. Lasse mir seine Leidenschaft ans Herz gehen, mit der er für mich kämpft. Nehme in den Blick, was Gott schon Gutes tat. Das alles stärkt mich, heute fröhlich das Meine zu tun.

Deborah Storek

13

Samstag
DEZEMBER

2025

☀ 08:19   16:14
☾ 01:24   12:54

Bibellese: Sacharja 8,14-23

So spricht der Herr, der Herrscher der Welt: „Zu jener Zeit wird man es erleben, dass zehn Männer aus Völkern mit ganz verschiedenen Sprachen sich an einen Juden hängen, seinen Gewandzipfel ergreifen und sagen: ‚Lasst uns mit euch nach Jerusalem ziehen! Wir haben gehört, dass Gott auf eurer Seite steht.'"(Vers23)

Was ist eigentlich das Gegenteil von „ernüchtert"? Begeistert? Mit diesem Vers geht es mir so. Ich lebte einige Jahre in Israel. Dass sich Menschen aus allen Nationen an ihre Rockzipfel hängen, war und ist für Juden nicht nur angenehm. Die erhöhte Aufmerksamkeit hat Kehrseiten, von den Kreuzzügen damals über die scharfe Kritik an israelischer Politik heute bis zu einer christlichen Israelbegeisterung, die manchmal übergriffig wird. Auch die hohen Erwartungen an eine Pilgerreise ins Heilige Land werden in der Realität dieses modernen, komplexen Staats oft ernüchtert. Hier aber steht es als Verheißung Gottes: Eines Tages werden Menschen aus der ganzen Welt kommen. Ihre Sehnsucht: Dem Gott Israels Opfer bringen, ihm im Tempel begegnen (Vers 21-22). Der obige Vers spitzt zu: Sie werden sich dafür an eure Rockzipfel hängen. Für den armseligen Rest Israels (Vers 6) eine fast irrwitzige Hoffnung: Ihr werdet zum Licht der Welt!

Ich will mich davon „entnüchtern", neu begeistern lassen. Wenn ich sonst die biblischen Worte an Israel in zweiter Linie auch auf uns Christen beziehe, will ich hier betonen: Wir sind die „Rockzipfel-Halter"! Wir kommen nicht einfach so zum Gott Israels. Nur am Rockzipfel des Juden Jesus. Und indem wir von den Erfahrungen Israels mit ihrem Gott lernen. Deshalb würde ich staunend sagen: Ein Teil dieser Verheißung ist eingetroffen. Die Sehnsucht nach dem Gott Israels strahlte aus. Und wo manche Hoffnungen enttäuscht werden, erwarten wir mit Israel weiter: Da kommt noch was (Jesaja 2,2-4).   *Deborah Storek*

🎵 Es ist ein Ros entsprungen
aus einer Wurzel zart,
wie uns die Alten sungen,
von Jesse kam die Art ...
Trier 1587/88

14

Bibellese: Lukas 1,46-55
Maria sprach: Jetzt stürzt er die Mächtigen vom Thron und richtet die Unterdrückten auf. (Vers 52)

Haben Sie heute die ganze Bibellese gelesen? Falls nein, machen Sie es unbedingt! Auch wenn Sie diesen berühmten Text schon längst kennen. Ihn auf einen Vers zu verkürzen ist fast ein Vergehen. Das Magnificat, so genannt nach den lateinischen Anfangsworten „Magnificat anima mea dominum", gehört zur Weltliteratur. Ein junges Mädchen, vielleicht 14 Jahre, wird ermächtigt, ein Umsturzlied zu singen. Zugleich ermächtigt sie sich selbst, Teil dieser göttlichen Verheißung zu werden. Sie weiß, dass sie in der Tradition der altehrwürdigen Psalmdichter steht, die Jahrzehnte vor ihr die Gerechtigkeit Gottes herbeigebetet und ersehnt haben. In der Tradition jener, die den Glauben an Gottes Schalom nicht verloren haben, trotz widrigster Umstände. Die nie aufgegeben haben, zu träumen von Gottes Herrschaft, die auf der Seite der Armen und Rechtlosen steht und die die Reichen und Machthaber eines Tages zur Rechenschaft ziehen wird. Dieser Traum, der in seiner Gänze nie Realität werden konnte, weil die Welt noch immer von Gier, Lüge, Gewalt und Stolz beherrscht wird. Sünde eben. Bis heute. Warum dürfen wir diesen Traum, von dem manche behaupten, er sei bloße Utopie, nicht aufgeben?

Obwohl so viel dagegen spricht und jeder leicht Gegenbeispiele aufzählen kann, wo von Gottes Gerechtigkeit und Einstehen für Hungerleidende und Rechtlose weit und breit nichts zu sehen ist. Wir gäben unseren Glauben preis und verrieten unsere Hoffnung. Was wäre damit gewonnen? Gar nichts. Es gäbe keinen Ersatz außer Zynismus oder Apathie. Mag die Adventszeit noch so nebelgrau und lichtlos sein. Das Licht, und sei es noch so winzig und schwach, erleuchtet die Finsternis. Dieses Licht ist unsere Rettung. Es wird nicht verlöschen und verglimmen. Es beleuchtet uns den richtigen Weg, es erleuchtet unsere Sinne und Gedanken, es wärmt unsere Herzen und es leuchtet uns heim. Maria, die junge Frau, hatte wahrlich kein leichtes Leben. Doch sie hat den großen Traum von Gottes Gerechtigkeit bewahrt bis zum Ende ihres Lebens. Wir bleiben mit Maria sehnsüchtig glaubenshungrig und hoffnungstrunken.
Ulrike Burkhardt-Kibitzki

15

Bibellese: Sacharja 9,9-12
Freu dich, du Zionsstadt!
Jubelt laut, ihr Bewohner Jerusalems!
Seht, euer König kommt zu euch!
Er bringt Gerechtigkeit,
Gott steht ihm zur Seite.
Demütig ist er vor seinem Gott.
Er reitet auf einem Esel,
auf einem starken Eselshengst.   *(Vers 9)*

Schön, dass wir uns in der Christenheit immer mal wieder mit diesem Tier beschäftigen müssen. Der Esel. Abgesehen davon, dass es schon lange nicht mehr unser Fortbewegungsmittel ist, jedenfalls nicht in Deutschland, ist es ein symbolträchtiges Tier. Ein Esel, das klingt irgendwie nach zweiter Wahl – angesichts prächtiger Rennpferde oder stolzer Kamele. Störrisch soll er sein. Und vielleicht auch nicht das klügste unter den Tieren. Ich finde den Esel dennoch interessant. Angefangen hat es, als ich vor Jahren ein Plakat in den Kirchenschaukasten gehängt habe mit einem Zitat von Papst Johannes Paul XXIII.: „Wo die Pferde versagen, schaffen es die Esel." Das hat mich getroffen und beschäftigt mich bis heute. Dom Helder Camara, der brasilianische Erzbischof und Anwalt der Armen, hat sogar gebetet: „Lass mich dein Esel sein, Christus!" Zweite Wahl für Christus sein, fernab von Schnelligkeit und Höchstleistung. Dafür ausdauernd und gelassen.

Es fällt ja auf, dass Sacharja in der neuesten Übersetzungsvariante von einem starken Eselhengst spricht, die Evangelisten aber von einem Jungtier, einem Füllen. Noch einmal eine Nummer zarter. Als wäre der ausgewachsene Esel noch zu stark. Mich reißt der biblische Esel immer wieder zurück von hochfliegenden Allmachtsfantasien und einem gotteslästerlichen Machbarkeitswahn. Zweite Reihe in der Welt. Vielleicht sogar dritte Wahl. Kreuz und Krippe – an der übrigens kein Esel stand, wenn man die Bibel liest – Kreuz und Krippe sind ja ebensolche Symbole und Zeichen. Ich muss nicht schnell sein, ich muss nicht stark sein, nur geduldig und vielleicht manchmal ein wenig störrisch.   *Christhard Rüdiger*

Bibellese: Sacharja 12,9-13,1
Der Herr sagt: „Die Nachkommen Davids und die Bewohner Jerusalems aber werde ich mit einem reumütigen Geist erfüllen, der sie dazu treibt, mich um Erbarmen anzuflehen."   *(Vers 10)*

Reue. Was für ein altmodisches, ja selten gewordenes Wort. Einsicht in Schuld ist gemeint. Ehrlichkeit zu sich selbst. Verantwortung für den Preis, die Kosten meiner Fehler. Und dann: Erbarmen, oder wie es Martin Buber übersetzt: die Gunst. Noch so ein Wort, das wir verloren haben: Gunst. Günstig, dieses Wort hingegen kennen und lieben wir. Da gibt es etwas zu sparen, wenn wir beim Kaufen sind. Also beim Vermehren unseres Besitzes oder beim Stillen unserer täglichen Bedürfnisse. Wir bekommen es unter dem eigentlich angemessenen Preis.
Der Zusammenhang bei Sacharja ist die Frage des Preises, den die Nachkommen Davids für ihre Gottesvergessenheit zahlen müssen. Gäbe es Reue bei ihnen, dann wären Begünstigung und Erbarmen

möglich, wird hier festgestellt. Erbarmen meint den freiwilligen Verzicht auf etwas, was einem selbst zusteht, zugunsten eines anderen, dem so Leben ermöglicht wird. Die Kosten des anderen übernehme ich. Etwas, das ihm fehlt und das ich habe, gebe ich ihm umsonst. So ist es Gottes Art. Solches von Gott zu erwarten, scheint dem Menschen nun aber nur schwer möglich zu sein. Es braucht einen extra Schuss Geist, eine externe Begeisterung, damit das, was möglich ist, auch als Möglichkeit gesehen und genutzt wird.

Wir heutigen Frommen mögen sagen, dass sei doch gar nicht so schwer. Aber stimmt das? Vielleicht gehört es zu den schwersten christlichen Übungen bis heute, sich von Gott etwas schenken zu lassen. Konkret zu benennen, welche Kosten wir verursacht haben, und ihn zu bitten, sie zu begleichen.

Christhard Rüdiger

Mir ist Erbarmung widerfahren,
Erbarmung, deren ich nicht wert;
das zähl ich zu dem Wunderbaren,
mein stolzes Herz hat's nie begehrt.
Nun weiß ich das und bin erfreut
und rühme die Barmherzigkeit.

Philipp Friedrich Hiller 1767

Bibellese: Sacharja 14,1-11

Sacharja schreibt: An jenem Tag wird es kein Licht mehr geben, das wieder dunkel wird. Es wird dann ununterbrochen Tag sein, nicht abwechselnd Tag und Nacht; ja, auch am Abend bleibt es hell. (Vers 6-7)

Ehrlich gesagt weiß ich nicht, wie ich diese Vorstellung finden soll: Es wird nicht mehr dunkel. Orte, wo es überhaupt noch richtig dunkel ist, ganz und gar finster also, werden gerade immer kostbarer. Plätze, an denen man nachts die Sterne sehen kann, weil kein künstliches Licht sie blass aussehen lässt, werden in der Tourismusbranche teuer vermarktet. Immer mehr Einkaufstempel entstehen, in denen rund um die Uhr das Licht brennt. Kenner sprechen von Lichtverschmutzung unserer Umwelt. Und eingesperrt Dauerlicht ausgesetzt zu sein, das ist eine der perfiden Grausamkeiten, die Menschen anderen Menschen antun können.

Aber ich verstehe auch das Anliegen: Die Sehnsucht nach der ganz anderen Welt. Gottes neuer

Schöpfung, in der geradezu rückgängig gemacht wird, was auf den ersten Seiten der Bibel steht: ... zu unterscheiden Tag und Nacht. Sehnsucht nach Dauerhelligkeit. Dunkelheit steht dann für das, was unser Leben kaputt macht, unsere Lebendigkeit bedroht und uns in Angst und Schrecken versetzt. Kein Leid mehr, kein Geschrei, keine Tränen mehr und eben auch keine Dunkelheit.

Gottes neue Welt – wir kennen die Bilder auch aus dem Neuen Testament. Lassen wir nicht locker, wenn es um diese Sehnsucht geht. Auch wenn heute Abend die Sonne wieder untergehen sollte, seien wir der anderen, erwarteten und zu erwartenden Welt gewärtig. Vieles, was uns heute begegnet, werden wir dann in einem anderen Licht sehen.

Christhard Rüdiger

 Glaube ist der Vogel, der singt,
wenn die Nacht noch dunkel ist.

Rabindranath Tagore (1861-1941),
bengalischer Philosoph und Dichter

Zum 18. Dezember 2025

Sonne der Gerechtigkeit

Einführung in das Buch Maleachi

„Sonne der Gerechtigkeit, gehe auf zu unsrer Zeit; brich in deiner Kirche an, dass die Welt es sehen kann. Erbarm dich, Herr." Die erste Strophe dieses bekannten Kirchenliedes ist inspiriert von der letzten prophetischen Schrift des Alten Testaments, dem Buch Maleachi (Mal 3,20). So wie es den Dichtern Christian David und Christian Gottlob Barth im 18. Jahrhundert um einen Weckruf an eine aus ihrer Sicht „tote Christenheit aus dem Schlaf der Sicherheit" (Strophe 2) ging, prangert Maleachi verschiedene Missstände im Volk Israel an. Kritisiert werden zum einen Priester, die ihren Opferdienst im Tempel vernachlässigen (Mal 1,6-2,9), ferner Männer, die ihre Frauen betrügen und wegschicken (2,14-16), sowie letztlich alle, die Gewalt gegen die Schwächsten der Gesellschaft verüben (Mal 3,5). Das Buch ist eine dramatische Streitschrift gegen jene, denen der ethische Kompass verloren gegangen zu sein scheint. In mehreren „Diskussionsworten" wird immer wieder gegen Leute argumentiert, die provokant fragen: „Wo ist Gott und schafft Recht?" (Mal 2,17) oder „Was haben wir davon, wenn wir beachten, was Gott beachtet haben will?" (Mal 3,14).

Vor diesem Hintergrund spannt sich ein neuer Horizont auf: Denjenigen, die Gottes Namen suchen und sich an seiner Weisung orientieren, „wird aufgehen die Sonne der Gerechtigkeit, ihre Flügel bringen Heilung" (Mal 3,20). Ihnen wird unbändige Freude, Sicherheit und Heil verheißen. Auf die Frage, wie denn dieses Suchen nach dem Namen Gottes gelingen kann – auch für diejenigen, die in späterer Zeit die Maleachischrift lesen und ihre eigene Unzulänglichkeit erkennen –, antwortet das Buch mit einem Verweis auf Gottes persönlichen Vermittler: „Maleachi" – der Name dieses letztlich unbekannten Propheten – bedeutet eben dies: „Mein Bote" (Mal 3,1) – ein Bote, der auf Gottes Tora hinweist (Mal 3,22), also an die grundlegende Orientierung für ein gerechtes Leben erinnert – ein Bote, der in Gestalt des Elija zertrennte Generationen wieder zusammenbringt und ihnen Hoffnung schenkt (Mal 3,23-24).   *Dirk Sager*

Bibellese: Maleachi 1,1-5
*Maleachi schreibt: „Ich liebe euch, ihr Leute von Israel",
hat der Herr gesagt; aber ihr entgegnet: „Lieben? Davon merken wir nichts!"*   *(Vers 2)*

Der Prophet Maleachi predigt, aber er hört nur
Widerworte. Eigentlich gehen die Einwände und
Gegenargumente an Gottes Adresse. Ihn zweifelt
man an. Die Hörer meinen, es besser zu wissen. Sie
halten den Herrn für einen Lügner: Nein, von Gottes
Liebe merken wir nichts!
Das geht vielen Menschen so – auch in unserer Zeit.
Sie sind überzeugt, dass sie gut ohne Gott auskom-
men. Sie sagen: „Was wir sind und haben, ist unsere
eigene Leistung. Darauf können wir stolz sein. Gott
hat dazu überhaupt nichts beigetragen."
Andere klagen: „Gut geht es uns nicht. Wir müssen
jeden ‚Pfennig' dreimal umdrehen. Die Reichen
leben in Saus und Braus. Sie können reisen. Sie werfen mit Geld nur so um sich. Nein, uns liebt Gott
nicht, sonst ginge es uns besser."

Selbstmitleid und Vergleiche, Stolz und Überheblichkeit machen blind für Gottes Liebe. Wenn ich jedoch darüber nachdenke, was er mir jeden Tag schenkt, kann ich nur zufrieden sein und dankbar über Gottes Liebe staunen.

Es gibt so vieles, was mein Leben reich macht: Ich habe genug und gut zu essen, eine gemütliche Wohnung, ich bekomme regelmäßig meine Rente und bin warm angezogen. Und Sie? Vielleicht besitzen Sie nicht so viel wie andere Leute. Aber wir alle sind besser dran als viele Menschen in der Welt, die vor leeren Regalen stehen und hungern – und die Gott auch liebt.

Gott liebt mich, das weiß ich genau. Er hört, wenn ich bete. Er spricht zu mir durch sein Wort, die Bibel. Er lässt mich nicht allein, er stellt mir andere Christen an die Seite. Gott liebt mich, obwohl ich Fehler mache. Wenn ich ihn betrübe, ist er bereit, mir zu vergeben. Er bleibt mir treu. Ja, Gott liebt mich – und nicht nur mich: auch Sie! *Jörg Enners*

 Gottes Liebe fühlen ist etwas Köstliches;
aber an Gottes Liebe glauben können,
auch wenn du sie nicht fühlst, ist mehr.

Charles Haddon Spurgeon (1834-1892),
britischer baptistischer Pastor

Bibellese: Maleachi 1,6-14

Der Herr antwortet den Priestern: „Ihr habt auf meinem Altar unreine Gaben dargebracht und da fragt ihr noch: ‚Womit haben wir dich verunreinigt?' Damit, dass ihr sagt: ‚Beim Tisch des Herrn kommt es nicht so darauf an!' So macht ihr mich verächtlich."   *(Vers 7)*

Für Gott nur das Beste. Das gilt seit Jahrhunderten: Die Teppiche im heiligen Zelt sind handgeknüpft. Der Tempel glänzt golden, seine Säulen sind kunstvoll verziert. Die Priester tragen Edelsteine in ihren Roben. Die Opfertiere sind rein und fehlerfrei. Keiner wagt, dem allmächtigen Herrn etwas Minderwertiges anzudrehen.

Keiner? Von wegen, bemängelt der Prophet: Er hört: „Man muss Prioritäten setzen. Hauptsache ist, dass überhaupt Tiere geopfert werden. Da kann man nicht so genau hinsehen. Sonst fielen ja im Tempel die ach so schönen Gottesdienste aus. Wäre schade! Es muss gar nicht alles perfekt sein. Das merkt sowieso niemand."

Wirklich nicht? Gott merkt es. Wer seine Regeln missachtet, der verachtet Gott selbst. Wer ihn betrügt,
verliert dabei.

Für Gott nur das Beste, sagt Maleachi, und fragt uns:
„Wie geht Ihr mit Gottes Wort um? Wie wichtig ist
Euch die Botschaft der Bibel? Ignoriert Ihr Verse, die
Ihr für altmodisch haltet? Legt Ihr sie so aus, dass sie
Euch in den Kram passen? Zeigt Ihr damit, wie wenig
Ihr Gott achtet, der euch doch liebt?"

Für Gott nur das Beste. Heißt das, unsere Kirche muss
besonders schön sein, ein Einladungszettel bunt, der
Sonntagsanzug sauber und unsere Bibel in Leder
gebunden? Das sind Äußerlichkeiten. Es kommt darauf an: Wer ist Jesus für uns? Er will, dass wir ihm den
ersten Platz einräumen.

Für Gott nur das Beste. Ja, Jesus legt Wert darauf,
dass wir ihm ganz gehören. Nicht halb oder nur
am Sonntag, sondern an jedem Tag der Woche und
überall. Dazu lädt er uns ein. Denn er liebt uns, er
begleitet und versorgt uns, er macht uns rein von
aller Sünde. Er ist der Herr, dem alle Ehre gebührt.
Dieser Jesus wünscht sich, dass wir ihm vertrauen.
Das ist das Opfer, das ihm gefällt.   *Jörg Enners*

Bibellese: Maleachi 2,1-9
Der Herr sagt: „Das ist der Auftrag der Priester: Sie sollen mein Gesetz verkünden und wer Rat sucht, soll bei ihnen Rat finden; sie sind Botschafter des Herrn, des Herrschers der Welt." (Vers 7)

Die Priester ärgern sich. Sie sagen: „Was bildet sich dieser Maleachi eigentlich ein? Weiß er nicht, wer wir sind? Die Mittler zwischen den Menschen und Gott. Das ist ein Privileg, eine Berufung, eine fast adlige Würde. Dieses Amt ist keinem anderen übertragen. Nur uns ..."
Maleachi weiß das und liest den Priestern trotzdem die Leviten. Der allmächtige Gott klagt sie an. Denn sie kommen ihrem Auftrag nicht nach. Sie behalten Gottes Wort für sich. Sie verführen andere dazu, zu tun, wozu sie Lust haben. Sie sind parteiisch und heimsen sich die Ehre ein, die Gott gehört. Gott wird sie verfluchen.
Ich erinnere mich an Zeiten, in denen manche fromme Menschen genau wussten, ob ein Pfarrer

gläubig war oder nicht. Sie behaupteten jedenfalls, es zu wissen, auch wenn sie es nicht immer am Gottesdienstbesuch oder an der Predigt beweisen konnten. Gleichzeitig hielten sie sich selbst für gute Christen, weil sie ohne zu stocken das Vaterunser, die Zehn Gebote und das Glaubensbekenntnis aufsagen konnten. Und sie gingen regelmäßig am Sonntag zur Kirche. Während der Woche konnten solche Leute durchaus mal lügen und betrügen, übereinander herziehen und sich Vorteile ergattern. Aber, wer tut das nicht?

Sind das alles nur olle Kamellen aus der Vergangenheit? Oder gibt es heute immer noch solche Heuchler, die meinen, Gott sei blind?

Manche Flüchtlinge, die in unser Land kommen, sind enttäuscht. Sie treffen hier zwar Menschen, die sich Christen nennen, weil sie nun mal keine Muslime sind. Aber sie müssen oft lange suchen, um bei uns wirklich den allmächtigen Gott zu finden.

Ob Sie nun Pastor sind oder ein ganz normales Gemeindemitglied: Gott beruft Sie, seine gute Nachricht zu verbreiten und ein offenes Ohr für die zu haben, die nach ihm fragen. Denken Sie immer daran: Sie sind Christi Botschafter hier auf der Erde. An Ihren Worten und Taten soll Christus erkennbar sein.

Jörg Enners

21

4. Advent

Sonntag
DEZEMBER

2025

☀ 08:24 16:16
☽ 10:03 17:07

Bibellese: Lukas 1,68-79
Zacharias sprach: „Und du, mein Kind –
ein Prophet des Höchsten wirst du sein;
du wirst dem Herrn vorausgehen,
um den Weg für ihn zu bahnen." (Vers 76)

Derzeit erschallt in allen möglichen Bereichen der Ruf nach Pionieren und Pionierinnen. Pioniere sind Wegbereiter, sie sind Bahnbereiter und manchmal sogar Bahnbrecher. Die Jungen Pioniere in der DDR sollten Wegbereiter für den Sozialismus sein. Die Pioniere bei der Bundeswehr schlagen Schneisen ins Dickicht, damit größeres Gerät passieren kann. Im übertragenen Sinne sind Pioniere oder auch gern mal Entrepreneure (Unternehmer mit viel visionärer Kraft) Menschen, die mutig und couragiert vorangehen, dabei auch Widerstand in Kauf nehmen und unerschrocken ihrer Mission folgen. Das Besondere an Pionieren aber ist, dass sie sich selbst nicht zum Mittelpunkt des Geschehens machen. Vielmehr sehen sie sich als Vorhut und Speerspitze eines größeren Plans und dessen Auftraggeber. Vielleicht besteht heute im kirchlichen Bereich, wo der Ruf nach Pionieren auch mehr als forsch erschallt, die Gefahr, dass sich Pioniere in ihrem Sendungs- und Selbstbewusstsein selbst zu stark und ihren Auftraggeber zu wenig akzentuieren. Bei Johannes, dem kleinen Jungen, dem genau diese Rolle zugedacht wird, bestand dieses Risiko nicht. „Er muss wachsen, ich aber muss abnehmen" (Johannes 3,30 L), sagt er als erwachsener Mann zu denen, die von ihm und seiner asketischen Extravaganz durchaus fasziniert sind. Seine prophetische Begabung aber soll er ganz in den Dienst seines Verwandten Jesus stellen. Zwei durch und durch charismatische Persönlichkeiten sind die beiden. Und doch hat jeder seine Rolle in Gottes Heilsplan. Johannes nimmt diesen Auftrag an, bleibt aber selbstständig und unabhängig. Zur engeren Jüngerschaft Jesu wird er sich nicht zählen. Vielmehr schart er seine eigenen Jünger um sich. Trotzdem kommt es zu keinem Konkurrenzverhältnis. Das ist die hohe Kunst: Gottes Berufung leben, auch wenn sie Demut und Unterordnung erfordert. Und trotzdem dabei selbstbewusst seinen eigenen Weg gehen in dem festen Bewusstsein, unverzichtbarer Teil von Gottes Verheißung zu sein.   *Ulrike Burkhardt-Kibitzki*

22

Montag
DEZEMBER

2025

☀ 08:25 16:16
☽ 10:33 18:21

Bibellese: Maleachi 2,10-16

Haben wir nicht alle denselben Vater? Hat nicht der
eine Gott uns alle geschaffen? *(Vers 10)*

Als Schweizerin, die mit einem Norddeutschen verheiratet ist, lebe ich in einer interkulturellen Ehe. Wir sprechen die gleiche Sprache, aber auch nach Jahrzehnten machen sich kulturelle Unterschiede bemerkbar. Ich stelle manchmal rhetorische Fragen, um mich zu vergewissern, dass mein Mann und ich übereinstimmen. Er hält diese meist für überflüssig, der Sachverhalt ist doch glasklar.
Maleachi stellt im Namen Gottes gleich zwei rhetorische Fragen. Dass Gott der Vater, Schöpfer und Erhalter des Volkes Israels als Ganzes, aber auch jedes und jeder Einzelnen ist, gehört zum zentralen Selbstverständnis. Daran muss doch niemand erinnert werden? Leider doch, denn zwischen theologischem Selbstverständnis und dem praktischen Leben klaffen oft große Lücken. Der Prophet wirft seinen Leuten treuloses Handeln vor. Konkret geht es um die

Kritik an interreligiösen Ehen und Ehescheidungen. Aus heutiger Sicht würden wir manches vielschichtiger betrachten. Aber die Grundfragen, die ich aus Maleachis rhetorischen Fragen höre, bleiben zeitlos berechtigt: Wie bildet sich in unserem Leben als Einzelne und als Gemeinden ab, dass wir Töchter und Söhne Gottes sind? Wie gestalten wir Alltag und Miteinander so, dass sich unser Schöpfer in unserem Verhalten widerspiegelt? Es geht dabei nicht so sehr um Richtig und Falsch, sondern vielmehr um Treue und Beziehung. Wie kann ich Gott für seine bedingungslose Liebe danken und gleichzeitig ungnädig und unversöhnlich mit anderen umgehen? Wie kann ich Gott für seine Schöpfung loben, ohne mir Gedanken zu machen, was ich zu ihrem Erhalt beitragen kann? Auch das mögen rhetorische Fragen sein. Doch die Antwort darauf will gelebt werden!

Irene Kraft

 Wahrer Glaube zeigt sich in Dankbarkeit gegenüber unserem Schöpfer und in Wohltätigkeit gegenüber unseren Mitgeschöpfen.

John Wesley (1703-1791), Begründer der methodistischen Kirche

23

Dienstag
DEZEMBER

2025

☀ 08:25　16:17
☽ 10:56　19:38

Bibellese: Maleachi 2,17-3,12
Der Herr sagt: „Gebt acht! Ich sende meinen Boten, der mir den Weg bahnen soll. Der Engel meines Bundes, nach dem ihr ausschaut, ist schon unterwegs." (Vers 1)

Noch ein Tag bis Heiligabend. Meist ist er gefüllt mit letzten Vorbereitungen. Die Kinder freuen sich auf ihre Geschenke. Bald hat das Warten der Adventszeit ein Ende. Wir feiern und singen: „Christ, der Retter ist da!"
An dieser Schnittstelle zwischen Warten und Erfüllung stehen wir nicht nur am 23. Dezember. Sie kennzeichnet unser Leben als Menschen, die Christus nachfolgen, und bereits davor über viele Jahrhunderte das Leben des Volkes Israel.
Genau wie heute haderten Menschen schon zur Zeit Maleachis mit den Realitäten dieser Welt. Viel zu oft scheinen sich zerstörerische Kräfte, böse Absichten und schlimme Machenschaften durchzusetzen. Bemühungen um ein Miteinander in Liebe, Güte und Gerechtigkeit werden mit Füßen getreten. Solche

Erfahrungen erschüttern den Glauben und führen manche dazu, Gott anzuklagen oder sich von ihm abzuwenden.

Dass dies geschieht und Menschen in ihrer Orientierungslosigkeit so viel Unheil anrichten, enttäuscht und ermüdet Gott, lesen wir bei Maleachi. Trotzdem wirft Gott nicht frustriert das Handtuch und zieht sich zurück. Im Gegenteil: Geduldig, engagiert, ja leidenschaftlich kündigt er sein Kommen an. Er steht unverbrüchlich zu dem Bund, den er am Sinai mit Israel geschlossen hat. Der dort verheißene Engel (2. Mose/Exodus 33,2), der den Weg bahnt, ist unterwegs.

Als Christinnen und Christen erkennen wir in Jesus Christus das menschgewordene Versprechen Gottes, die Welt nicht loszulassen und zu einem guten Ziel zu führen.

Das Leben an der Schnittstelle zwischen Warten und Erfüllung fordert uns heraus. Was uns dabei helfen kann, ist Achtsamkeit für Zeichen der Gegenwart Gottes, die wir heute entdecken können. Lassen wir uns davon ermutigen, weiter zu glauben, zu lieben und zu hoffen – und dies mit anderen zu teilen.

Irene Kraft

24

Heiligabend

Mittwoch
DEZEMBER

2025

☀ 08:26 16:18
☽ 11:12 20:56

Bibellese: Maleachi 3,13-24

Der Herr sagt: „Für euch, die ihr mir treu gewesen seid, wird an diesem Tag die Sonne aufgehen. Sie wird euer Recht an den Tag bringen und alle Wunden heilen."

(Vers 20)

Der englische Literaturhistoriker C. S. Lewis war Christ und schrieb auch Kinderbücher, zum Beispiel die fantastischen Narnia-Bücher. In dem Band „Der König von Narnia" geht es um das geheimnisvolle Reich Narnia, das von einer bösen Hexe beherrscht wird und in dem es deshalb immerzu Winter ist und kein Weihnachten gibt. Vier Kinder gelangen durch einen Wandschrank in dieses verzauberte Land. Die Hexe will sie beseitigen, da laut einer Prophezeiung die Ankunft von Menschenkindern in Narnia das Ende ihrer Herrschaft anzeigt. Eines der Kinder hat sie schon manipuliert. Die anderen drei halten sich bei einer Biberfamilie versteckt. Es sieht für alle sehr hoffnungslos aus. Plötzlich hören sie ein Kling-Klang. Ist das der Schlitten der Hexe? Aber nein! Der hat ja keine Glöckchen! Vielmehr sehen sie einen Schlitten und Rentiere mit Glocken am Zaumzeug und im Schlitten einen Mann in leuchtendrotem Rock mit einer Pelzmütze und einem großen weißen Bart. Der Weihnachtsmann mit seinen Geschenken! Ein Vorbote des Löwen Aslan, der eigentliche König von Narnia. Noch viele Abenteuer müssen bestanden werden, bis in Narnia wieder alles ins Lot kommt. Doch der Zauberbann beginnt schon zu weichen und es fängt an zu tauen. An diese Geschichte erinnerte mich der Bibelvers aus dem Propheten Maleachi. Dort wird auf einen künftigen Tag hingewiesen, an dem es zwar nicht zu tauen beginnt wie in der Narnia-Geschichte, sondern an dem nach einer langen finsteren Nacht voller Unrecht und Unheil endlich die Sonne aufgeht und die, denen Unrecht geschehen ist, zu ihrem Recht kommen und die Verwundeten geheilt werden.

An Weihnachten feiern wir diesen Übergang von dunkler Nacht zum hellen Tag. Gott hat sich in einer finsteren Welt in einem Menschen offenbart, der wie ein normales Menschenkind geboren wurde. Schon in den Geburtsgeschichten von Jesus leuchtet es auf. Und als Jesus erwachsen war, erlebten viele durch ihn, dass sie Gott recht sind und dass er Verletzungen heilt. So ist es bis heute.

Hans-Werner Kube

Bibellese: Psalm 2
Ich gebe bekannt, was der Herr verfügt hat.
Er hat zu mir gesagt:
„Du bist mein Sohn,
heute habe ich dich dazu gemacht."   *(Vers 7)*

Ich bin dein Vater!", das ist eines der berühmtesten Zitate der Filmgeschichte und stammt aus der Star-Wars-Saga, die in einem fiktionalen Universum spielt. Der Rebell Luke Skywalker hört immer wieder Heldengeschichten von seinem Vater, einem Jedi-Ritter, der angeblich im Kampf gegen das böse Imperium gefallen ist. Darth Vader, der Anführer des Imperiums, herrscht mit Schrecken über die Galaxis. Luke hasst ihn und möchte ihn bezwingen, doch in einem Zweikampf eröffnet Darth Vader ihm, dass er sein Vater sei. Er möchte seinen Sohn auf seine Seite ziehen, auf die dunkle Seite der Macht. Für Luke bricht eine Welt zusammen, hat er sich seinen Vater doch stets zum Vorbild genommen und möchte auf keinen Fall so werden wie Darth Vader.

„Ich bin dein Vater", heißt es sinngemäß auch im Psalm 2. Wörtlich: „Du bist mein Sohn." Mit dem Sohn ist hier der Herrscher auf dem heiligen Berg Zion gemeint, also der König des Volkes Israel. Und der Vater ist der Gott Israels, der Schöpfer und Herr dieser Welt. Er hat den König auf seine Seite gezogen, auf die gute Seite der Macht. Der König regiert also nicht selbstherrlich, sondern hat seine Regierungsgewalt von Gott selbst erhalten und ist ihm verantwortlich. Und wenn der König sich Gott, dessen Wesen, dessen Wort zum Vorbild nimmt, dann wird es eine gute Herrschaft werden.

„Du bist mein Sohn", vernehmen wir dann erneut in den Evangelien. Gott sagt dies zu Jesus, dessen Geburt wir ja heute feiern, als dieser etwa 30 Jahre alt war und sich taufen ließ (Lukas 3,22-23). Jesus ist der geliebte und erwählte Sohn Gottes, der ganz auf der Seite Gottes steht, ja, in dessen Tun und Reden Gott selbst zu sehen und zu hören ist.

Und jetzt kommt das Erstaunliche: Dieser Jesus will auch uns auf die Seite Gottes, des Vaters, ziehen, auf die gute Seite der Macht. „Wer tut, was mein Vater im Himmel will, der ist mein Bruder, meine Schwester", erklärt Jesus (Matthäus 12,50). „Ich bin dein Vater. Und du bist meine Tochter, du bist mein Sohn", sagt Gott dann auch zu Ihnen. Klingt verrückt, oder?

Hans-Werner Kube

26

2. Weihnachtstag

Freitag
DEZEMBER

2025

☀ 08:26 16:19
☽ 11:38 23:32

Bibellese: Lukas 2,29-32
Simeon sagte: „Herr, nun kann ich in Frieden sterben, denn du hast dein Versprechen eingelöst!" (Vers 29)

An Weihnachten übers Sterben reden? Geht es nicht vielmehr um das Wunder der Geburt und die Freude, die neues Leben auslöst? Manchmal liegen junges Leben und Sterben eng beieinander. Da ist der alte Mann, Simeon. Gottesfürchtig war er und aufmerksam für den Geist Gottes. Im Tempel, Gottes Wohnstätte, war er ihm besonders nahe. Er hatte noch nicht abgeschlossen. Es sollte noch etwas kommen im hohen Alter. Nicht etwas Kleines, sondern ganz Großes – Rettung für das ganze Volk Israel. Und dann ist es soweit. Ein kleines Kind wird ihm von seinen Eltern in die Arme gelegt. Jesus heißt es, sagen sie ihm. Die Eltern erfüllen die Tora, die sagt: Das erste Kind, das einer Familie geboren wird, gehört Gott. Was muss in dem alten Mann vorgegangen sein, als er in die Augen dieses Babys schaute? Die angespannte Erwartung dessen, was noch kommen sollte, die Erfüllung der Verheißung, die Zeit, in der Gott handelt, all das ist jetzt da – das Große im Kleinen.

Menschen, die sich zum Sterben vorbereiten, warten oft noch, bis ein bestimmter Auftrag erledigt ist. Oder eine Mission erfüllt ist. Oder etwas Wichtiges zum Abschluss gebracht wird. Oder etwas Konkretes für die Zukunft sich abzeichnet. Der Verkauf des Hauses ist geklärt. Die Hochzeit eines Enkelkindes wird noch beschlossen. Friede zwischen Geschwisterkindern wird versprochen. Wem die Gnade vergönnt ist, sich bewusst ins Sterben zu schicken, darf sein Leben trotz aller Bruchstücke in guter Weise vollenden. Erst recht dann, wenn ein lange offenes Versprechen erfüllt wird.

Wir versprechen im Lauf unseres Lebens manches, was wir längst nicht alles einhalten können. Und auch manche Enttäuschung über nicht eingehaltene Versprechen findet sich auf unserem Lebensweg. Weihnachten ist der Anker in der Zeit, in der Gott sein Versprechen einlöst. Mit Jesus, dem Neugeborenen, der rettet. Aus allem Drama und Chaos, aber auch aus Überdruss und freudlosem Pflichteifer. Nun singet und seid froh ... mitten im Leben und mitten im Sterben.
Ulrike Burkhardt-Kibitzki

Bibellese: Johannes 1,1-5
Das Licht strahlt in der Dunkelheit,
aber die Dunkelheit hat sich ihm verschlossen.

(Vers 5)

Licht ist eine gute Sache. Es vertreibt Dunkelheit und gibt Orientierung. Es lässt manches klarer sehen und ist biologisch lebenswichtig für Wachstumsprozesse. Manchmal sorgt es für Wärme und nicht selten auch für eine angenehme Atmosphäre. Ich finde es gerade jetzt im Winter schön, wenn die langen Nächte am frühen Abend und Morgen durch die Advents- und Weihnachtsbeleuchtung erhellt werden.

Auch die Bibellese spricht von einem Licht. Genauer sogar: von dem Licht! Im Zusammenhang wird klar, dass der Autor Johannes damit nicht irgendein Licht meint, sondern das Licht der Welt schlechthin: Jesus Christus (Johannes 8,12). Dabei stellt er ernüchtert fest: Dieses Licht ist zwar in der Dunkelheit unserer Welt erschienen, aber die Dunkelheit hat sich ihm verschlossen. Wörtlich steht hier, dass sie das Licht nicht übernommen hat. Sie hat es nicht ergriffen. Sie bleibt lieber im Dunklen.

Johannes beschreibt damit den Zustand der Welt, in der wir leben, und letztlich der Menschen überhaupt. Wir leben in einer dunklen Welt: in einer Welt, in der nicht alles gut ist und für die immer mehr Menschen alles schwarzsehen. Doch das ist ja nur ein Teil der Wahrheit. Johannes liefert uns eine viel bessere Sichtweise: Das Licht strahlt!

Er lädt ein, sich dieser Perspektive zu öffnen und in dieser Welt zu leben im Bewusstsein, dass die Gegenwart und Liebe Gottes eine leuchtende Tatsache ist. Wenn wir uns diesem Licht öffnen, wird es heller im eigenen Leben: Es wird gut, wenn ich in wichtigen Fragen und Entscheidungen meines Lebens Jesus um seine klare Hilfe und Wegweisung bitte. Es wird heilsam, wenn er Dinge, die bei mir nicht in Ordnung sind, aufdecken und ins rechte Licht setzen darf. Es tröstet, wenn ich für unsere krisengeschüttelte und oftmals orientierungslose Welt nicht hoffnungslos schwarzsehe, sondern mir bewusst bin: Das Licht ist da! Jesus Christus ist in diese Welt hineingekommen, er ist heute da und wird auch am Ende dieser Welt da sein. Das gilt fürs große Ganze dieser Welt wie auch für mein privates Leben.

Thomas Acker

28

Sonntag   **2025**
DEZEMBER   ☀ 08:27   16:21
     ☽ 12:02   00:52

1. Sonntag nach Weihnachten

Bibellese: Johannes 1,6-8

Es trat einer auf, den Gott gesandt hatte; er hieß Johannes. Er sollte Zeuge sein für das Licht.   *(Vers 6-7)*

Der Name Johannes ist Programm: Gott ist gnädig. Gott wendet sich uns zu und lädt uns zur Gemeinschaft mit sich ein. Er will uns Orientierung geben, Hoffnung schenken und seine Liebe erfahren lassen. Gott ist gut und er hat das Beste für uns im Sinn.

Johannes lässt sich von Gott dazu gebrauchen, dies seine Mitmenschen auch wissen zu lassen. Er spricht von der Herrschaft Gottes und der Einladung, mit ihm zu leben. Er lädt ein, sich Gott zuzuwenden und die Umkehr zu ihm in der Taufe zu bekräftigen. Das brachte Johannes auch den Beinamen „der Täufer" ein. Johannes war es nicht wichtig, ob er groß herauskommt und die Leute ihm zujubeln oder ihn cool finden. Er tat schlicht das, wozu Gott ihn berufen hatte: ein Hinweis auf das Licht zu sein. Das Licht, durch das die Welt das Leben hat und die Liebe

Gottes neu entdeckt. Das Licht, das einen Namen trägt: Jesus Christus.

Ein Hinweis zu sein auf das Licht des lebendigen Gottes, das uns in Jesus Christus erscheint: Das hat das Leben des Johannes ausgemacht. Er war es durch das, was er sagte und lebte. Das bin ich, wenn ich andere erfahren lasse, wer mir bei allen persönlichen Problemen oder auch angesichts der vielen Krisen in dieser Welt Hoffnung, Halt und Zuversicht schenkt. Das bin ich, wenn ich etwas von der Liebe und Hinwendung Gottes zu den Menschen ausstrahle.

In meiner Zeit als Pastor in Mainz war ich im „Brotkorb" engagiert. Mit anderen Gemeinden und einer sozialen Einrichtung haben wir Menschen, die von der Grundsicherung lebten, durch Nahrungsmittel und anderes geholfen, besser über die Runden zu kommen. Zeugnis für das Licht zu sein, bedeutete da als Allererstes, sie mit Würde und Respekt zu behandeln, ihnen mit Liebe zu begegnen. Zu Weihnachten haben wir darüber hinaus nicht nur eine Extrapackung Kaffee oder Tee und einen Gutschein von einem Discounter vor Ort weitergegeben, sondern auch einen weihnachtlichen Impuls: zum Beispiel ein schön gestaltetes Heft mit christlichem Inhalt und eine Hörspiel-CD für Kinder. Hinweise auf das Licht Jesus und die Gnade Gottes. *Thomas Acker*

Bibellese: Johannes 1,9-13
Er, das Wort, war schon immer in der Welt,
die Welt ist durch ihn geschaffen worden,
und doch erkannte sie ihn nicht.   *(Vers 10)*

Ohne Frage, der Johannesprolog ist kunstvoll wie ein Gedicht gestaltet. Keine leichte Sprache, sondern philosophisch bedeutungsvoll formuliert. Es geht um „das Wort" – das Wort, das viel mehr ist als nur ein Ausdruck der Sprache. Es geht um das Wort, durch das Gott die Welt schuf. Gott sprach und Himmel und Erde entstanden. Gott spricht und er erschafft. Sein Wort bewirkt, was er spricht. Es ist mächtig und ewig. Gottes Wort war schon immer da. Dieses Wort Gottes ist in Jesus Christus Mensch geworden. Jesus ist „das Wort". Das klingt unglaublich und kompliziert. Kein Wunder also, dass die Welt ihn nicht erkannte!? Wir können Gott nicht von Angesicht zu Angesicht sehen. Gott ist und bleibt der verborgene Gott. Doch Gott versteckt sich nicht hinter komplizierten Formulierungen oder gar

Worthülsen. „Gott ist zwar unsichtbar, doch an seinen Werken, der Schöpfung, haben die Menschen seit jeher seine ewige Macht und göttliche Majestät sehen und erfahren können" (Römer 1,20 Hfa). Und noch viel mehr: Gott offenbart sich in der und durch die Bibel. In ihr ist Gottes Wort in Menschenwort verschriftlicht. Darin können wir von Begegnungen mit Gott und von seinem Wirken lesen sowie uns selbst von Gottes Wort ansprechen lassen. „Das Wort", Jesus, ist in der Bibel erkennbar. Gottes Wort ist komplex und vielfältig: Durch Jesus, die Bibel und auch andere Menschen kann Gott zu uns reden. Gottes Wort erreicht uns Menschen. Manchmal ist das schwer zu glauben, wenn die Welt um einen herum dunkel und still ist.

In Jesus kam Gott in diese Welt. Leicht verständlich ist auch das nicht, Gott wurde Mensch. Gott zeigt sich in Jesus Christus. Und allen, die ihm Glauben schenkten, verlieh er das Recht, Kinder Gottes zu werden. Kinder können noch nicht alles verstehen. Das müssen sie auch nicht, um zu merken und zu verstehen, dass sie geliebt werden. Gott zeigt uns seine Liebe auf unterschiedliche Art und Weise: in der Schöpfung, in der Bibel, in Jesus Christus und durch andere Menschen. Ich wünsche Ihnen offene Augen und Ohren, dass Sie Gottes Liebe erkennen und sein Wort wahrnehmen. *Christoph Stiba*

Bibellese: Johannes 1,14-18

Kein Mensch hat Gott jemals gesehen. Nur der Eine, der selbst Gott ist und mit dem Vater in engster Gemeinschaft steht, hat uns gesagt und gezeigt, wer Gott ist.

(Vers 18)

Wie können wir uns Gott vorstellen? Kein Mensch sah Gott jemals. Es ist unmöglich, sich Gott in seiner Größe vorzustellen oder ihn zu begreifen. Wir können uns nur ansatzweise ausmalen und mit Metaphern und Vergleichen beschreiben, wer Gott ist. In der Bibel finden wir zahlreiche Bilder für Gott: als Arzt, Vater, Richter oder auch als Frau, König und Hirte. Alle diese Bilder spiegeln Facetten Gottes und persönliche Gotteserfahrungen wider. Es gibt nicht das eine Bild für Gott. Alle Bilder begrenzen Gott in seiner Größe.

Doch Gott selbst offenbarte sich uns Menschen nicht nur in seinem Wort, der Bibel, sondern auch in seinem Sohn Jesus Christus. In Jesus kam Gott in unsere Welt. Er nahm menschliche Gestalt an und lebte auf dieser Erde. In ihm sagte und zeigte Gott uns, wer er ist. Wenn wir wissen wollen, wie und wer Gott ist, sollten wir die Bibel, besonders das Neue Testament, lesen. Wenn wir in den Evangelien auf das Leben von Jesus blicken, sehen wir, dass Jesus Kranke heilte, das Reich Gottes und seine Herrschaft verkündete und in Gleichnissen von Gott erzählte. Und Gott ist der Vater von Jesus Christus. Er hat uns Menschen so sehr geliebt, dass er seinen Sohn Jesus dahingab, damit alle, die an ihn glauben, nicht verloren gehen, sondern das ewige Leben haben. Jesus ist für uns gestorben und auferstanden. Gott offenbarte in Jesus seine Liebe und Gnade zu uns und das gilt auch heute noch: Gott offenbart sich uns. Durch den Heiligen Geist können wir erkennen, wer Gott ist, und wir können die Erfahrung machen, dass Jesus uns mit Gott verbindet, weil er von Gott kommt. Er ist es, von dem Johannes am Anfang seines Evangeliums redet. Auch wenn wir Gott nicht sehen können, können wir seine unbedingte Liebe und Gnade in Jesus erkennen und erfahren. *Christoph Stiba*

 Es gibt wirklich nur eine Stelle in der Welt, wo wir kein Dunkel sehen. Das ist die Person Jesus Christus. In ihm hat sich Gott am deutlichsten vor uns hingestellt.

Albert Einstein (1879-1955), deutscher Physiker

31

Silvester

Mittwoch

DEZEMBER

2025

☀ 08:27 16:24
☽ 13:05 05:17

Bibellese: Psalm 29

Der Herr thront über dem Himmelsozean,
er herrscht als König für ewige Zeiten.
Der Herr wird seinem Volk Kraft geben,
er wird es mit Glück und Frieden beschenken.

(Vers 10-11)

Altjahrstag. Morgen beginnt ein neues Jahr mit neuen Chancen und Möglichkeiten, mit neuer Zeit zu leben. Auf der Schwelle zum neuen Jahr blicke ich auf das bereits gelebte Jahr 2025 zurück: Was ist alles passiert? Wie sich die Welt doch veränderte! Was war Gutes in meinem Leben? Wer war und ist an meiner Seite? Was will ich mitnehmen ins neue Jahr? Was machte mich glücklich? Was will ich ändern? Will mich Altes noch quälen, belastet mich etwas? „Prüft alles und behaltet das Gute!" (1. Thessalonicher 5,21 E). Die Jahreslosung kommt mir in den Sinn. Der Jahreswechsel markiert für mich einen Moment des Innenhaltens, einen kleinen Neustart. Er streift nicht automatisch das letzte Jahr und

Unliebsames von mir ab. Doch der Jahreswechsel eröffnet mir die Möglichkeit, die Zielrichtung meines Lebens zu überprüfen und Frieden mit dem Vergangenen zu schließen.

Dankbar erkenne ich im Rückblick, dass ich nicht allein war: Wegbegleiterinnen und Wegbegleiter und vor allem Gott gingen mit. Bei allen Planungen und in allem, was passiert ist, entdecke ich Spuren der Gegenwart Gottes. Ich kann versöhnt mit dem vergangenen Jahr sein, weil ich weiß, dass Gott an der Macht ist und herrscht. Alle Zeit steht in Gottes Händen: Neuanfänge und Abschiede, Lebensübergänge und Zeiten von Schmerz und Trauer. Gott herrscht für ewige Zeiten – nicht nur dieses und nächstes Jahr, sondern für immer, alle Tage. Seine Herrschaft wird seinem Volk Kraft, Glück und Frieden bescheren. Denn sein ist das Reich und die Kraft und die Herrlichkeit in Ewigkeit, wie wir im Vaterunser beten. Gottes Herrschaft hat kein Ende. Deswegen können wir von Gottes guten Mächten wunderbar geborgen und getrost das neue Jahr erwarten. Gott ist mit uns am Abend und am Morgen und wird auch mit uns in das neue Jahr gehen. Ich wünsche Ihnen, dass Sie mit dieser Gewissheit in das neue Jahr starten können: „Jesus Christus herrscht als König!"

Christoph Stiba

BESTELLZETTEL

Ich bestelle:

_____ Abreißkalender „Wort für heute 2026"
Preis 16,00 EUR, UVP 24,60 CHF

_____ Buchausgabe „Wort für heute 2026"
Preis 15,00 EUR, UVP 23,10 CHF

_____ Großdruck-Buchausgabe „Wort für heute 2026"
Preis 20,00 EUR, UVP 30,80 CHF

_____ den kostenlosen Herbstkatalog

Änderungen vorbehalten

Brunnen Verlag , Gottlieb-Daimler-Straße 22,
35398 Gießen, Tel.: 0641 6059-0, Fax: 0641 6059-100
E-Mail: info@brunnen-verlag.de

Oncken Verlag / Blessings 4 you GmbH, Motorstr. 36, 70499
Stuttgart, Tel.: 0711 83000-0, Fax: 0711 83000-90
E-Mail: info@blessings4you.de

SCM-Shop, Max-Eyth-Str. 41, 71088 Holzgerlingen
Tel.: 07031 7414-177, Fax: 07031 7414-119
E-Mail: bestellen@scm-shop.de

_____
Name, Vorname

_____
Straße, Hausnummer

_____
Postleitzahl, Ort

_____
Telefon, Fax, E-Mail

_____
Datum, Unterschrift

Bibelstellenverzeichnis 2025

Gedenktage 2025

Einführungen in biblische Bücher

Mitarbeiterinnen und Mitarbeiter 2025

Die Verfasserinnen und Verfasser dieser Kalenderandachten wurden von folgenden Verlagen und Werken um ihre Mitarbeit gebeten:

SCM Bundes-Verlag gGmbH, Witten	BV
(Bund Freier evangelischer Gemeinden)	
Evangelisch-methodistische Kirche, Frankfurt/Main	EmK
Oncken Verlag/Blessings 4 you GmbH, Kassel	OV
(Bund Evangelisch-Freikirchlicher Gemeinden)	

A

Abry, Beat, CH-8345 Adetswil	3., 4., 5.10.	BV
Acker, Thomas, Bundessekretär, 35239 Steffenberg	27., 28.12.	BV
Aichele, Frank, Pastor, 63165 Mülheim/Main	24., 25.7.	EmK
Alferink, Marco, Pastor, 13508 Berlin	20., 21., 22.3.	EmK
Armbruster-Stephan, Ute, Pastorin, 71332 Waiblingen	4., 5.1.; 24.2.;15.6.; 12., 13., 15.9.; 9., 16.11.	
Gedenktage:	14.1.; 5.5.; 16.8.	EmK

B

Bach, Markus, Pastor, CH-8400 Winterthur	11., 12., 13.7.	EmK
Bachmann, Lena, Duales Studium Soziale Arbeit, 26655 Westerstede	22.6.; 27.7.	OV
Bastian, Tanja, Erzieherin, 35713 Eschenburg	25., 26., 27.2.	BV
Bay, Wolfgang, Pastor, 89150 Laichingen	26., 28.7.	EmK
Beiderbeck, Dr. Ulf, Pastor, 26826 Weener	19., 20.2.	OV
Bernshausen, Peter, Pastor, 42477 Radevormwald	5., 6., 7.3.	BV
Böttche, Kathrin, Regionalpastorin, 08112 Wilkau-Haßlau	10., 11.1.	OV

Bolay, Winfried, Pastor i. R.,
    06120 Halle/Saale   27., 28., 29.5.   EmK
Borchert, Siegmar, Evangelist,
    21147 Hamburg   3., 4., 5., 7.7.   BV
Bourdon, Nicola, Redakteurin,
    34123 Kassel,   10., 11, 12, 13.2.
    Gedenktage: 21.1.; 9.2.; 3.3.   OV
Brückel, Achim, 23738 Lensahn   24., 25., 26.3.; 8., 9., 10.12.   BV
Brunner-Wyss, Andrea, Pfarrerin,
    CH-8610 Uster   4., 5., 6.9.   EmK
Brusius, Martin, Pastor, 60316 Frankfurt   17., 18., 19.6.   EmK
Burkhardt-Kibitzki, Ulrike, Pastorin,
    70563 Stuttgart   14., 21., 26.12.   EmK

C

Carouge, André, Pastor, 42859 Remscheid   8., 9., 10.7.   OV

D

Dammann, Uwe, Pastor i. R., 12589 Berlin   5., 7., 8., 9.4.   OV
Desamours, Stefanie, Pastorin, 12099 Berlin   3., 4., 5.6.   OV
Diekmann, Henrik, Pastor, 37081 Göttingen   19., 20.7.   OV
Diekmann, Stefanie, Gemeindereferentin,
    37081 Göttingen   18., 21.7.   OV
Döllefeld, Rainer, Pastor i. R., 29525 Uelzen   1., 2., 3.12.   OV
Dreckhoff, Sr. Elisabeth, Oberin,
    42109 Wuppertal   20., 21., 22., 23.1.   EmK
Dziewas, Prof. Dr. Ralf, Prorektor Theolo-
    gische Hochschule Elstal, 16321 Bernau   16., 17., 18.1.   OV

E

Ebert, Ingrid, Journalistin, 03149 Forst   24., 25., 26., 27.1.   OV
Eibisch, Christin, Pastorin, 07751 Zöllnitz   30.6.; 1., 2.7.   EmK
Enders, Annika, Pastorin, 48151 Münster   23., 30.3.   OV

Enners, Jörg, Pastor i. R.,
    45549 Sprockhövel   16., 17.9.; 18., 19., 20.12. BV

G

Gebauer, Roland, Dr., Prof. em.
    72764 Reutlingen   16., 17., 18.8.   EmK
Georg, Joachim, Pastor i. R.,
    16548 Glienicke/Nordbahn   6., 13.4.; 29.6.   EmK
Georg, Jutta, 58849 Herscheid   14., 15., 16., 17.7. BV
Georgi, Christoph, Pastor i. R., 08280 Aue   27., 28., 29. 31.3.   EmK
von Gerlach, Edda, 63071 Offenbach   29., 30.11.   BV
Gerle, Bernd, Pastor i. R.,
    71336 Waiblingen-Neustadt   24., 25, 26.4.   OV
Geyer, Ellen, Theologin, 17139 Malchin   8., 9.3.   OV
Graff, Torsten, Pastor, 14532 Stahnsdorf 28.2.; 1.3.   OV
Guse, Christine, Pastorin, 25474 Ellerbek 6., 7.6.   EmK

H

Hadorn-Ingold, Karin, Worshipleiterin,
    CH-4563 Gerlafingen   19., 20.5.   EmK
Hafner, Lea, Pädagogin, CH-3812 Wilderswil 13., 14., 15.1.   EmK
Hanschmann, Werner, Pastor i. R.,
    44575 Castrop-Rauxel   10., 11., 12.4.   BV
Haus, Christoph, Pastor i. R.,
    19322 Wittenberge   6., 7., 8.11.   OV
Hecker, Carl, Pastor i. R., 63452 Hanau   11., 12., 13.10.   EmK
Henseling, Reinhart, Pastor i. R.,
    35683 Dillenburg   4., 11., 18.5.   BV
Henzler, Christina, Pastorin i. R.,   29., 30., 31.10.;
    71101 Schönaich   1.11.   EmK
Herb, Stefan, Pastor i. R., 70619 Stuttgart 30.4.; 1., 2., 3.5.   EmK
Hertig, Heidrun, Pastorin,
    08315 Lauter-Bernsbach   26., 27., 28.8.   EmK

Hoekstra, Jan Karsten, Pastor i. R.,		
48167 Münster	6., 7., 8., 9.1.	BV
Höring, Michael, Pastor, 50739 Köln	12., 13., 14.5.	BV
Hunsmann, Hartmut, Pastor,		
35781 Weilburg	21., 22., 23.5.	BV

J

Jansen, Dana-Sophie, wissenschaftliche		
Mitarbeiterin, 14641 Wustermark	6., 7., 8.10.	OV
Jöhrmann, Werner, Pastor i. R.,		
38855 Wernigerode	22., 23., 25.8.	OV
Jotter, Wilfried, Pastor, 32339 Espelkamp	6., 22., 23.7.	BV

K

Kallweit-Bensel, Andrea, Dozentin für		
Praktische Theologie und Neues		
Testament, 58332 Schwelm	12., 13., 14., 15.8.	OV
Kibitzki, Jörg, Pastor, 70563 Stuttgart	4., 5., 6.8.	EmK
Kißkalt, Dr. Michael, Generalsekretär der		
EBMI, 14089 Berlin	25., 26., 27., 28.9.	OV
Klaiber, Christoph, Pastor,		
72770 Reutlingen	13., 14., 15.11.	EmK
Klimt, Prof. Dr. Andrea, Rektorin der Theolo-		
gischen Hochschule Elstal, A-1030 Wien	24., 25.11.	OV
Knöppel, Paul-Gerhard, Pastor,		
57076 Siegen	12., 19.1.	BV
Köser, Karl Gerhard, Pastor i. R.,		
58640 Iserlohn	14., 15., 16., 17.3.	BV
Kolbe, Vera, Pastorin, 15566 Schöneiche	1., 2., 3.9.	OV
Kraft, Irene, Superintendentin,		
22089 Hamburg	22., 23.12.	EmK
Kraska, Wolfgang, Pastor i. R.,		
76287 Rheinstetten	1., 2., 3., 4.4.	BV

Kube, Hans Werner, Pastor i. R.,
58452 Witten 9.2.; 24., 25.12.
  Einführungen: 2.1.; 24.4.; 19.5.; 18.7.; 17.11.
  Gedenktage: 20.1.; 13.4.; 6.5.; 6.12. BV
Kube-Jakobson, Ilona, 58452 Witten 8.2. BV
Küchler, Claudia, Pastorin,
  09465 Sehmatal-Cranzahl 14., 15.2. EmK

L
Lang, Corinna, 57080 Siegen 16., 17., 18.2. BV
Lang, Tobias, 57080 Siegen 30., 31.1.; 1., 2.2. BV

M
Meisel, Dr. Ulrich, Laienprediger,
  06849 Dessau 6., 7.2. EmK
Mergler, Dr. Peter, 36381 Schlüchtern 7., 8., 9., 11.8. BV
Meth, Tanja, 35716 Dietzhölztal 10., 11.6. BV
Moser, Brigitte, Pfarrerin, CH-3600 Thun 23., 24., 25.10. EmK
Mosner, Gerhard, Pastor i. R.,
  42477 Radevormwald 30., 31.5.; 1., 2.6. BV

N
Neuenfeldt, Anke, Pastorin,
  80337 München 28., 29.1. EmK
Neumann, Christoph, Pastor i. R.,
  61381 Friedrichsdorf 29., 30., 31.7. BV
Noss, Michael, Präsident des BEFG,
  12207 Berlin 1., 2., 3.1. OV
Noß, Sebastian, Pastor, CH-8008 Zürich 19.10.; 7.12. OV

O
Oberkampf, Anne, Pastorin,
  71032 Böblingen 10., 11., 12., 13.3. EmK

Ochs, Siegfried, Pastor, 58636 Iserlohn 19., 20., 21.8. BV

P
Panteleit, Holger, Pastor, 73728 Esslingen 8., 9., 10.5. EmK
Preis, Christine, Pfarrerin,
    CH-4416 Bubendorf 4., 5., 6.12. EmK

R
Reinecke, Petra, Pastorin, 25488 Holm 18., 19., 20.9. OV
Reitz, Wolfgang, 44575 Castrop-Rauxel 21., 22., 23.11. BV
Ressnig, Philemon, Pastor,
    CH-8424 Embrach 24., 29., 30.8. BV
Rieß, Lydia, Theologin, 35325 Mücke 10., 11., 12.11. BV
Rohde, Dr. Michael, Pastor,
    30655 Hannover 18., 19.3. OV
Rosemann, Johannes, Pastor i. R.,
    13127 Berlin 15., 16., 17.5. OV
Rüdiger, Christhard, Pastor,
    09112 Chemnitz 15., 16., 17.12. EmK
Ruof, Klaus Ulrich, Pastor,
    60487 Frankfurt/Main 29., 30.9. EmK

S
Sager, Prof. Dr. Dirk, Professor für Altes
    Testament, 26349 Jade
    Einführungen: 10.3.; 12.5.; 16.10.; 1., 18.12. OV
Schelwis, Benjamin, Pastor, 34125 Kassel 8., 9.6. OV
Schmidt, Hinrich †, Pastor i. R., 34119 Kassel 17., 18., 19., 20.11. OV
Schneeberger, Peter, Vorsitzender FEG
    Schweiz, CH-3110 Münsingen 17., 18., 19.4. BV
Schneidenbach, Katrin, Pastorin,
    07907 Schleiz 1., 2.9., 1., 2.10. EmK
Schouten, Leo, Gemeindeleitungsmitglied,
    41379 Brüggen 14, 15.10. OV

Schröder, Dr. Michael, Pastor,		
35716 Dietzhölztal	20., 21., 23., 24.6.	BV
Schubach, Michael, Pastor,		
09387 Jahnsdorf	3., 4., 5.2.	OV
Simon, Martin, Pastor, 35713 Breidenbach	31.8.; 7., 14.9.	BV
Sommerkamp, Silke, Pastorin,		
48529 Nordhorn	5., 6., 7.5.	OV
Spangenberg, Dr. Volker, Prof. i. R.,		
13156 Berlin	1., 2., 3.8.	OV
Steinert, Ruthild, Pastorin,		
27777 Ganderkesee	21., 22., 23., 24.2.	EmK
Steyn, Prof. DD D.Litt. Gert, Professor für		
Neues Testament, 35716 Dietzhölztal	26., 27., 28.4.	BV
Stiba, Christoph, Generalsekretär des BEFG,		
13591 Berlin	29., 30., 31.12.	OV
Storek, Dr. Deborah, Professorin für Altes		
Testament, 63452 Hanau	11., 12., 13.12.	OV
Swarat, Dr. Uwe, Prof. i. R., 14089 Berlin	25., 26., 27., 28.6.	OV
Swoboda, Jörg, Pastor i. R., 15377 Buckow	24., 25., 26.5.	OV

T

Thiemert, Dr. Stefan, Pastor,		
58135 Breitscheid	22., 23., 24.9.	BV
Tosch, Silke, Pastorin,		
41061 Mönchengladbach	14., 15., 16.4.	OV

W

Walter, Matthias, Pastor, 72202 Nagold	26., 27., 28.11.	EmK
Weißbach, Albert, Pastor lok.,		
09126 Chemnitz	10.8.; 21.9.	EmK
Wendel, Dr. Ulrich, Pastor, 58300 Wetter	12., 13, 14., 16.6.	OV
Wenner, Rosemarie, Bischöfin i. R.,		
69226 Nußloch	20., 21., 22., 23.4.	EmK
Wilkes, André, Pastor, 40699 Erkrath	20., 21., 22.10.	BV

Wirtz, Susanne, 46807 Ochtrup	9., 10.10.	BV
Wolf, DD Christian, ehemaliger Redakteur		
Wfh, 12587 Berlin	8., 9., 10., 11.9.	OV

Z

Zacher, Cora, Laienpredigerin,		
13591 Berlin	26., 27., 28.10.	OV
Zahn, Friedrich, Pastor i. R.,		
90425 Nürnberg	2., 3., 4., 5.11.	BV
Ziegler, Ulrich, Pastor, 72119 Ammerbuch	16., 17., 18.10.	EmK
Züricher, Stefan, Bischof, CH- 8021 Zürich	2., 3., 4.3.	EmK

Quellenhinweise

Liedstrophen

28.03. Wesley Brevier: Über allem die Liebe, 23.9. Rechte Medienwerk EmK

29.03. Christoph Zehendner 1994

22.04. Übersetzung Ulrike Voigt, Rechte Medienwerk EmK

23.04. Dietrich Bonhoeffer am 8.6.1944 DBW 8, S. 675

17.10. Übersetzung Hartmut Handt

Fotos

Jahreslosung© Evangelisch-methodistische Kirche, Frankfurt/M.

02.01. © ClicksdeMexico/stock.adobe.com

14.01. © Archivist/stock.adobe.com

20.01. © Wikimedia Commons

21.01. © Bund Evangelisch-Freikirchlicher Gemeinden, K. d. ö. R., Wustermark

09.02. © Archiv Blessings 4 you GmbH/Oncken Verlag, Kassel

03.03. © Archiv Blessings 4 you GmbH/Oncken Verlag, Kassel

10.03. © ttonaorh/stock.adobe.com

13.04. © privat

24.04. © bahadirbermekphoto/stock.adobe.com

05.05. © EKH-Pictures/stock.adobe.com

06.05. © privat

12.05. © Morphart/stock.adobe.com

19.05. © scaliger/stock.adobe.com

18.07. © hdesislava/stock.adobe.com

16.08. © Theologische Hochschule Reutlingen/Foto von F. Lauffer, abfotografierte Reproduktion von Matthias Zieboll

16.10. © Monica/stock.adobe.com

17.11. © wjarek/stock.adobe.com

01.12. © Jason Busa/stock.adobe.com

06.12. © privat

18.12. © alinamd/stock.adobe.com

Anschriften der herausgebenden Verlage

Brunnen Verlag GmbH
Gottlieb-Daimler-Straße 22
35398 Gießen
Telefon: 0641 6059-0
Fax: 0641 6059-100
E-Mail: info@brunnen-verlag.de
Homepage: www.brunnen-verlag.de

Oncken Verlag/Blessings 4 you GmbH
Mündener Str. 13
34123 Kassel
Telefon: 0711 83000-0
Fax: 0711 83000-90
E-Mail: info@blessings4you.de
Homepage: www.blessings4you.de

SCM Bundes-Verlag gGmbH
Postfach 40 65
58426 Witten
Telefon: 02302 93093-0
Fax: 02302 93093-689
E-Mail: info@bundes-verlag.de
Homepage: www.bundes-verlag.net

Steve Volke

Die Hoffnung klopft an die Hintertür

Ermutigende Lebensgeschichten
aus aller Welt

ca. 128 Seiten, Hardcover
ISBN Buch 978-3-7655-3602-1
ISBN E-Book 978-3-7655-7865-6

Steve Volke hat wahre Hoffnungsgeschichten gesammelt von
Menschen, die trotz schwieriger Startbedingungen zu Hoff-
nungsbringern geworden sind. Aus Slumkindern wurden
Rechtsanwälte, Unternehmer, Führungspersönlichkeiten.
Ein Buch, das zeigt, dass es auch in scheinbar ausweglosen
Situationen Hoffnung gibt.

Brunnen Verlag Gießen   **www.brunnen-verlag.de**